Esta Matu~~~ ~~~~ ~~~~ ~~~~ ~~ x

Lilliona

D0350865

Home 354-0949.
Cell 321-0859.

A través
de la
Biblia

A través de la Biblia

de la

Biblia

ISRAEL LEITO

GEMA EDITORES   APIA

A TRAVÉS DE LA BIBLIA
es una coproducción de

GEMA EDITORES
Agencia de Publicaciones México Central, A.C.
Uxmal 431, Colonia Narvarte, México, D.F. 03020
Tel. (55) 5687 2100 Fax (55) 5543 9446
ventas@gemaeditores.com.mx - www.gemaeditores.com.mx

Presidente **Tomás Torres de Dios**
Vicepresidente de Finanzas **Irán Molina A.**
Director del Departamento Editorial **Alejandro Medina V.**

ASOCIACIÓN PUBLICADORA INTERAMERICANA
2905 NW 87 Avenue, Doral, Florida 33172 EE.UU.
Tel. 305 599 0037 Fax 305 592 8999
mail@iadpa.org - www.iadpa.org

Presidente **Pablo Perla**
Vicepresidente de Producción **Daniel Medina**
Vicepresidenta de Finanzas **Elizabeth Christian**
Vicepresidenta de Atención al Cliente **Ana Rodríguez**
Director del Departamento Editorial **Francesc X. Gelabert**

Edición y diagramación
Cantábriga

Diseño de la portada
Ideyo Alomía L.

Introducción

*E*l cristiano vive con la esperanza de ver venir a su Señor en gloria, heredar el reino eterno y vivir para siempre en la presencia de su Dios. Su mejor dirección y guía para alcanzar estas metas es la Palabra inspirada.

El propósito de estas meditaciones matinales es ayudar al peregrino en su diario vivir. No hay mejor compañía en el camino que pasar unos gratos momentos con la Palabra de Dios, leyendo, meditando y siendo instruido e inspirado. Es el privilegio del cristiano iniciar cada día con el Señor, y el culto matinal nos ayuda poderosamente para afrontar la jornada.

Levantarnos con Dios nos ayudará a disfrutar de la delicia de tenerlo presente cada momento del día. Habrá gozo en glorificar y alabar al Dios del cielo por su bondad de concedernos un nuevo día y de sentir su presencia en las horas siguientes. Esto nos ayudará a medir todas nuestras acciones con la voluntad suprema de nuestro Dios. Adentrarnos en su Palabra temprano de mañana nos ayudará a serle fieles día a día.

No solamente recibimos bendiciones personales nosotros, sino que la Palabra nos inspira para ser de bendición para los demás durante todo el día. El contacto con la Palabra nos proporciona el derrotero a seguir durante el día, dando así pie para la acción del Espíritu Santo en nuestra vida.

Este devocional está organizado alrededor de un Año Bíblico especial, con indicación diaria de las porciones que deben leerse para así completar el Nuevo Testamento dos veces en el año y el Antiguo Testamento una vez.

Agradezco profundamente a mi amigo Félix Cortés, quien me ha sido de gran ayuda, por sus ideas y sabios consejos para llevar a cabo esta obra, dedicando a tiempo para orientarme y ayudarme. También estoy en deuda con mi esposa, que me ha motivado muchísimo. Me animó con sus perspicaces consejos, su investigación incansable y su corrección de textos. Especialmente valiosa fue su aportación de citas de la pluma de Elena G. de White.

Deseo invitar a quienes, como mi esposa y yo, anhelan ver la venida del Señor para que vivamos con la Palabra, vivamos en la Palabra, y para que la Palabra escrita nos lleve cada día al Verbo hecho carne. Que estudiar la Palabra de Dios diariamente, como sucede en nuestro hogar, pueda darnos inspiración, consuelo, y sobre todo, la dirección apropiada para la vida.

Maranata.

ISRAEL Y LUDMILA LEITO

Lista de abreviaturas de las obras y artículos citados de Elena G. de White

Los cielos y la tierra – Gran esperanza

En el principio creó Dios los cielos y la tierra.
GÉNESIS 1: 1

Las palabras de Génesis 1: 1 se han tomado fundamentalmente para establecer la gran verdad de que nosotros y cuanto nos rodea hasta los confines del universo fuimos creados por Dios. Sin embargo, hay palabras de esperanza en estos versículos que nos ayudan a entender que Dios no solo creó, sino que, sustenta, cuida, y que, en última instancia, cuando restaure toda la creación y nos dé una tierra nueva y un cielo nuevo, tomará cargo total de lo creado. «Vi un cielo nuevo y una tierra nueva; porque el primer cielo y la primera tierra pasaron, y el mar ya no existe más» (Apoc. 21: 1).

La certeza de que existe hoy día un cielo y, desde luego, una tierra, nos infunde confianza en su promesa de dar a los redimidos cielos nuevos y tierra nueva. Las palabras de Génesis debieran hacernos mirar atrás, pero también, y mucho más, mirar adelante, porque la promesa es firme: el creador del cielo y de la tierra nos dará todo esto nuevo. La tierra nueva y el cielo nuevo no serán destinos inalcanzables para el salvado, sino que serán los lugares donde estaremos en perfecta paz disfrutando las eternas bendiciones de nuestro Padre. Estas palabras de esperanza nos ayudarán a pasar por la vida hoy, sabiendo que nuestro Dios estará con nosotros.

La presencia de Dios estará fundamentada en los principios del reino de Dios, y debiéramos pedirle hoy al Señor que nos ayude a seguir los principios de su reino hoy.

«La curiosidad de los hombres los ha inducido a buscar el árbol del conocimiento, y cuán a menudo piensan que están cosechando frutos esenciales cuando en realidad, tal como en el caso de Salomón, descubren que todo ello es vanidad de vanidades en comparación con la ciencia de la verdadera santidad que les abrirá los portales de la ciudad de Dios…

»Todo ser humano debe ver que la obra más grande, más importante de su vida, consiste en recibir la semejanza divina, con el fin de preparar el carácter para la vida futura. Debe apropiarse de las verdades celestiales para aplicarlas especialmente en la vida práctica» (CDD 170).

Que el Señor nos ayude hoy a tener esperanza en sus promesas, pero también a permitir al Espíritu implantar su reino en nosotros.

2 *enero* «Hijo, tus pecados te son perdonados»

uando se padecen desafíos físicos consecuencia de una salud quebrantada es muy difícil sentirse animados. La enfermedad, especialmente si es prolongada, tiende a llevarnos a la desesperación.

Y viendo Jesús
la fe de ellos,
dijo al paralítico:
«Hijo, tus pecados
te son perdonados».
MARCOS 2: 5

En ese estado de ánimo, la forma de actuar de las personas varía mucho. Hay quienes prefieren la soledad, mientras que a otros les agrada estar rodeados de gente.

Una cosa es cierta: cuando estamos agobiados, abrumados con lo que la sociedad nos quiere hacer sentir y con un sentido de culpabilidad, lo mejor que puede ocurrirnos es que una persona con experiencia nos pueda ayudar a enderezar los pensamientos. Esto contribuye a que tengamos una mente clara para, cuando menos, tener paz en medio de la tormenta.

Cuando Jesús pronunció las palabras de nuestro versículo de memoria para hoy, se proponía más que sanar el cuerpo. Su deseo era dar salud mental y la confianza de que, aunque nuestro cuerpo esté hecho pedazos, podemos tener la certeza de que Dios nos acepta, nos perdona, nos guía, y, sí, también nos puede restaurar la salud. No existen palabras de esperanza más consoladoras que estas. Mi Jesús me ama y se preocupa de mí. La enfermedad no es razón de desesperación, sino ocasión para permitir que el Señor actúe con mayor definición en nuestras vidas.

Si es así en el terreno de la salud, también debería ser lo mismo en todo nuestro andar. Que el Señor nos ayude hoy a recordar que hay palabras de esperanza de parte de Jesús en medio de los más serios desafíos que podamos tener.

«Las palabras pronunciadas por Jesús: "Tus pecados te son perdonados" (Mat. 9: 2), tienen un inmenso valor para nosotros. Él dijo: He llevado tus pecados en mi propio cuerpo en la cruz del Calvario. Él ve vuestras aflicciones. Su mano se posa sobre la cabeza de cada alma contrita, y Jesús se convierte en nuestro Abogado delante del Padre, y nuestro Salvador. El corazón humillado y contrito recibirá una gran bendición con el perdón...

»Podemos repetir a otros su tierna compasión, a otros que vagan en el laberinto del pecado. Debemos revelar tiernamente a otros la gracia de Cristo que nos ha sido manifestada» (AFC 238).

8   Génesis 3: 1 - 4: 15; Marcos 2: 1-28

El mal no progresará

Entonces Lamec dijo a sus mujeres: «Ada y Zila, oíd mi voz. Oh mujeres de Lamec, escuchad mi dicho: Yo maté a un hombre, porque me hirió; maté a un muchacho, porque me golpeó. Si Caín ha de ser vengado siete veces, Lamec lo será setenta y siete veces».
GÉNESIS 4: 23, 24

Uno de los dilemas del cristiano es ver el aparente progreso del mal y la improbabilidad de que se vayan a arreglar las cosas. Si hay un atisbo de esperanza en esta situación de la lucha contra el mal, es la certeza que Dios nos da de que el mal no será victorioso. Aunque parezca que está triunfando ahora, sabemos que la victoria final será de nuestro Dios y su pueblo, y que juntos cantaremos el cántico de Moisés y del Cordero.

La historia de Lamec, uno de los descendientes de Caín, parecería apoyar la noción de que el mal progresará para siempre. Aunque hay varias interpretaciones sobre la intención del texto, una de las más aceptables es que Lamec estaba haciendo alarde de su maldad y buscando justificaciones para persistir en ella. Parece que fue uno de los primeros, si no el primero, en transgredir la ley del matrimonio y en regodearse en ello. Su derecho a la fama deriva de las cosas de este mundo.

Parece que Lamec tenía enemigos, pero, en vez de procurar la paz con todos, buscaba en la defensa propia justificación para el asesinato. Abusando de la misericordia y paciencia de Dios, e incapaz de entenderlas, se jacta de que sus actos violentos quedarían impunes.

La palabra de esperanza es que el mal no prosperará para siempre: «Porque los malhechores serán destruidos, pero los que esperan en Jehová heredarán la tierra» (Sal. 37: 9).

«Mediante la traslación de Enoc, el Señor quiso dar una importante lección. Había peligro de que los hombres cedieran al desaliento, debido a los temibles resultados del pecado de Adán. Muchos estaban dispuestos a exclamar: "¿De qué nos sirve haber temido al Señor y guardado sus ordenanzas, ya que una terrible maldición pesa sobre la humanidad, y a todos nos espera la muerte?" Pero las instrucciones que Dios dio a Adán, repetidas por Set y practicadas por Enoc, despejaron las tinieblas y la tristeza e infundieron al hombre la esperanza de que, como por Adán vino la muerte, por el Redentor prometido vendría la vida y la inmortalidad» (PP 76).

Oigan para que sean salvos

El oír y la buena interpretación de lo oído resultan esenciales para todos. No podemos esperar disfrutar de las bendiciones de lo alto cuando somos descuidados con la Palabra del Señor. Las malas interpretaciones han perjudicado a muchas almas incontables veces.

Quien interprete de las palabras de nuestra meditación que Cristo buscaba la perdición de muchos y que por ello no les quería predicar la verdad con claridad yerra gravemente. Interpretar las palabras de Marcos a la luz de lo que Isaías nos dice del asunto

> Y él les decía: «A vosotros se os ha dado el misterio del reino de Dios; pero para los que están fuera, todas las cosas están en parábolas, para que viendo vean y no perciban, y oyendo oigan y no entiendan; de modo que no se conviertan y les sea perdonado».
> MARCOS 4: 11, 12

nos da más claridad: «Y dijo: "Ve y di a este pueblo: 'Oíd bien, pero no entendáis; y mirad bien, pero no comprendáis.' Haz insensible el corazón de este pueblo; ensordece sus oídos y ciega sus ojos, no sea que vea con sus ojos, y oiga con sus oídos, y entienda con su corazón, y se vuelva a mí, y yo lo sane"» (Isa. 6: 9, 10).

No es que Cristo no quisiera que oyesen, entendiesen y se salvasen. Lo que no quería era que tomaran la palabra en el estado en que estaban, sin ningún interés por conocer la verdad, con el solo fin de acumular argumentos contra la verdad para seguir en su vida pecaminosa. Cristo estaba previniendo el pecado contra el Espíritu Santo de quienes no tenían el mínimo interés en oír para ser salvos. Había, en cambio, esperanza para quienes venían sedientos de la verdad y de la palabra. Que el Señor nos ayude a no oír para condenación, sino para entender para la salvación.

«Cuando la iglesia haya dejado de merecer el reproche de indolencia y pereza, el Espíritu de Dios se manifestará misericordiosamente. La potencia divina será revelada. La iglesia verá las dispensaciones providenciales del Señor de los ejércitos. La luz de la verdad se derramará en rayos claros y poderosos, como en los días apostólicos, y muchas almas se apartarán del error a la verdad. La tierra será alumbrada con la gloria del Señor. Los ángeles del cielo han esperado por mucho tiempo la colaboración de los agentes humanos de los miembros de la iglesia en la gran obra que debe hacerse. Ellos os están esperando» (9T 37).

Goza de tu libertad

Pues Jesús le decía:
«Sal de este hombre,
espíritu inmundo».
MARCOS 5: 8

El poder de Jesús es nuestra garantía de verdadera libertad. El Señor nos ha librado de la culpabilidad y el poder del pecado, y cuando venga en gloria nos librará de la presencia del pecado. A pesar de todas las manifestaciones de su gran poder, hay quienes hoy todavía sufren bajo el peso del pecado; quizás no abiertamente, pero sí a través de desafíos en su vida personal. El enemigo es un adversario tenaz, que como lo demuestra la historia de estos desdichados (Mateo dice que fueron dos), no suelta fácilmente a sus víctimas.

Probablemente habían sentido el efecto de la tormenta (Mar. 4: 34-41) y observado que súbitamente se había calmado. Después de este fenómeno, la barca de Cristo era lo primero que veían. La curiosidad diabólica, al no tener información de lo que Dios hace, los llevó a acercarse. El milagro de la tormenta les indicaba que esto tenía que ser la intervención de Dios y su temor se vio confirmado cuando reconocieron al Hijo de Dios. Jesús también reconoció al adversario tantas veces derrotado. Ahora iba a demostrar ante el universo que, no importa por cuánto tiempo pueda el diablo ejercer algún tipo de control, ni cuántas legiones haya de demonios, el Señor triunfaría sobre el mal. El encuentro de Jesús con los endemoniados es una clara indicación de que Jesús lleva la batalla al terreno del enemigo. Lo hizo al venir a la tierra; lo hizo al ir a la región donde estaban los endemoniados; lo hizo al confrontar a los individuos endemoniados.

Él nunca nos deja solos, y no importa las ventajas que el diablo pueda tener (ventaja de entorno, de tiempo, de circunstancias), Jesús siempre tiene la autoridad para decir al enemigo: «Sal de este hombre». La palabra de esperanza para el endemoniado y para nosotros es: Cristo tiene autoridad para librar a cualquiera. Disfruta de la libertad que él te da. La palabra poderosa de Jesús para reprender el mal y el maligno es nuestra gran esperanza de victoria. Él lo ha hecho, lo está haciendo y lo seguirá haciendo por nosotros. Confiando en él, podemos vencer el mal; dependiendo de él, podemos ser victoriosos.

«Era el derecho de Cristo conferido por Dios, curar los dolores de una raza pecadora, y ahora reprendía la enfermedad y difundía a su alrededor vida, salud y paz» (PVGM 17).

En todas partes menos en casa

Ser apreciada es el anhelo de toda persona normal, y el cristiano no puede sustraerse a este deseo. El mensaje de Cristo parecería decir que –salvo en la propia tierra, familia y casa– uno siempre es apreciado. Sabemos que esto tiene que ver con el rechazo provocado por la predicación de la Palabra. Esto, sin embargo, no debería ser razón para no hacerlo. Predicador, o no, la posibilidad de ser apreciado por otros es muy grande, pero debemos vivir la vida para facilitar el aprecio de los demás.

Pero Jesús les decía: «No hay profeta sin honra sino en su propia tierra, entre sus familiares y en su casa».
Marcos 6: 4

El cristiano tiene en este sentido una ventaja enorme sobre los demás, porque la enseñanza básica del cristianismo es que deberíamos ser "buena gente". Es nuestra responsabilidad reflejar el carácter de Cristo para que el mundo pueda ver al Señor en nosotros. El diario vivir no debería eximirnos de este privilegio de representar al Señor ante un mundo que tanto lo necesita. Pensemos en la gran pérdida de los paisanos de Jesús por no recibirlo. Él no hizo milagros allí no por incapacidad de hacerlo, sino por la falta de fe de los habitantes. ¿Cuántos enfermos siguieron en su enfermedad? ¿Cuántos ciegos, mudos o leprosos quedaron como estaban por falta de fe?

Pese a todo, Jesús les manifestó el mensaje de salvación. Este ejemplo debería ser seguido por todos. No permitamos que la falta de aprecio nos detenga en el glorioso privilegio de ser "buenos." Que cada cristiano pida al Señor cada día que le dé el ánimo de ser bueno y hacer algún acto de bondad, aunque el mundo no lo aprecie.

«La abnegada labor de los cristianos del pasado debería ser para nosotros una lección objetiva y una inspiración. Los miembros de la iglesia de Dios deben ser celosos de buenas obras, renunciar a las ambiciones mundanales, y caminar en los pasos de Aquel que anduvo haciendo bienes. Con corazones llenos de simpatía y compasión, han de ministrar a los que necesitan ayuda, y comunicar a los pecadores el conocimiento del amor del Salvador. Semejante trabajo requiere empeñoso esfuerzo, pero produce una rica recompensa. Los que se dedican a él con sinceridad de propósito verán almas ganadas al Salvador; porque la influencia que acompaña al cumplimiento práctico de la comisión divina es irresistible» (HAp 90).

Génesis 10: 1 - 11: 32; Marcos 6: 1-56

Confiar en la incertidumbre

> Entonces Jehová dijo a Abram: «Vete de tu tierra, de tu parentela y de la casa de tu padre, a la tierra que te mostraré».
>
> GÉNESIS 12: 1

Es importante reconocer que Dios muchas veces obra de manera inesperada. Es como si crease una situación de incertidumbre para luego llenar el vacío. Tal situación debe guiarnos a confiar en él en todo momento, porque vez tras vez hemos visto que responde de una manera maravillosa que no hemos esperado ni previsto. Debemos aprender a confiar sin ver pruebas, seguir sin saber adónde, obedecer sin conocer el resultado. Confiar sin pruebas, porque Dios tiene control del mañana; seguir sin saber adónde, porque él guía con la nube de día y la columna de fuego de noche; obedecer sin previo conocimiento del resultado, porque los resultados están seguros en las manos del Señor.

«El Señor escogió a Abram, y lo identificó de entre sus familiares idólatras, para que él pudiera reservar un pueblo para sí mismo, entre quienes la verdadera adoración pudiera ser mantenida hasta la venida de Cristo. De allí en adelante, Abram y su simiente están casi en la totalidad de la historia de la Biblia. Él fue probado para saber si amaba a Dios más que los demás, y si estaba dispuesto a dejarlo todo para seguir al Señor. Sus familiares, la casa de su padre, y otras cosas en el lugar eran tentaciones constantes para él. No podía continuar entre ellos sin ser infectado por ellos. Los que abandonan sus pecados y llegan a Dios, serán ganadores indecibles» (*Matthew Henry's Commentary*, p. 84).

Obedecer en la incertidumbre es el objetivo principal del cristiano. Estar dispuestos a seguir un «así dice Jehová», sin consideraciones humanas, debería ser el objetivo principal de nuestra vida. Que nuestra vida hoy pueda dar fe de que estamos dispuestos a obedecer sin esperar confirmación de fe.

«Nuestra fe tiene que aumentar; si no, no podemos ser renovados conforme a la imagen divina y amar y obedecer los requerimientos de Dios. Nazca de labios sinceros la oración: "Señor, auméntame la fe; dame iluminación divina; porque sin ayuda de tu parte nada puedo hacer"... Haced con Dios el pacto de que responderéis a sus requerimientos; decidle que creeréis sin otra evidencia fuera de la desnuda promesa. Esto no es presunción; pero a menos que obréis con celo, a menos que seáis fervientes y estéis decididos, Satanás obtendrá ventajas, y vosotros seréis dejados en la incredulidad y las tinieblas» (COES 80).

 # Llenos para no sentir hambre

uando se está con Cristo, cuando la felicidad nos embarga, ni hambre sentimos. La presencia del Señor llenará nuestro ser de tal manera que las necesidades básicas se tornan en nada, porque Cristo satisface. Lo más hermoso de todo es que el Señor

> Tengo compasión de la multitud, porque ya hace tres días que permanecen conmigo y no tienen qué comer.
> MARCOS 8: 2

apela a esa necesidad básica para enseñarnos que, igual que no toleramos el hambre, tampoco podemos tolerar estar alejados de él.

Cuando el Señor dijo «No solo de pan vivirá el hombre, sino de toda palabra que sale de la boca de Dios» (Mat. 4: 4), se refería a esto. Al citar Deuteronomio 8: 3, quiso dejarnos una preciosa lección. «Él te humilló y te hizo sufrir hambre, pero te sustentó con maná, comida que tú no conocías, ni tus padres habían conocido jamás. Lo hizo para enseñarte que no solo de pan vivirá el hombre, sino que el hombre vivirá de toda palabra que sale de la boca de Jehová».

En nuestra experiencia previa, en nuestro conocimiento previo, en todo cuanto podamos recordar, nada iguala el estar llenos del Señor. El Señor nos vacía de lo que tenemos para darnos lo que necesitamos. Nos hace sentir hambre, para que apreciemos el maná que nos quiere dar. Nos quita lo que más apreciamos, para darnos lo que más nos conviene. Toda su relación con nosotros se puede resumir en la frase «Lo hizo para enseñarte».

La multitud estaba tan llena de la presencia de Cristo, que se había olvidado de sus cosechas, de su sometimiento a los romanos, de sus cuitas y sus penas; hasta el hambre se les había ido, porque el Salvador del mundo estaba con ellos. Cristo, que nos llena de las cosas espirituales, no nos deja solos en nuestras necesidades temporales. «Tengo compasión de la multitud… Me han entregado todo este tiempo, han permanecido conmigo; yo supliré sus necesidades. Confíen en el Señor, pues él hará».

«Dios probó siempre a su pueblo en el horno de la aflicción a fin de hacerlo firme y fiel, y limpiarlo de toda iniquidad… Nada tenemos que sea demasiado precioso para darlo a Jesús. Si le devolvemos los talentos de recursos que él ha confiado a nuestra custodia, él entregará aún más en nuestras manos. Cada esfuerzo que hagamos por Cristo será remunerado por él, y todo deber que cumplamos en su nombre, contribuirá a nuestra propia felicidad» (1JT 448).

 Génesis 15: 1 - 17: 27; Marcos 8: 1-38

El reino de Dios vendrá con poder

También les dijo: «De cierto os digo que hay algunos de los que están aquí presentes que no gustarán la muerte hasta que hayan visto que el reino de Dios ha venido con poder».

MARCOS 9: 1

Cuando todo parecía indicar que la empresa era un fracaso rotundo, cuando todas las expectativas y las esperanzas estaban por el suelo, Cristo les da una inyección de esperanza a sus seguidores. «El reino de Dios vendrá con poder». La promesa hecha entonces todavía es válida. El reino de Dios no vendrá a escondidas, no vendrá en un suspiro, no vendrá solamente para quienes quieran verlo. Todo ojo lo verá; vendrá con trompeta; conmoverá al mundo. No quedará piedra sobre piedra, y todo lo que el hombre haya hecho quedará en la nada. El reino de Dios vendrá con poder.

La transfiguración posterior de Jesús ante algunos de sus discípulos cumplió la profecía, pero no era el todo. Esa era una aplicación y cumplimiento particular a aquellos que lo vieron en el monte de la transfiguración, pero para los que vivimos, para los que lo verán venir en su segunda venida, la profecía tiene significado especial, porque da la seguridad de que nuestro Señor se manifestará con gran poder y gloria. A diferencia de su primera venida, cuando vino como un niño inocente, que después sufriría y moriría para luego resucitar y ascender al cielo, ninguna de estas cosas sucederá en su segunda venida. La transfiguración y la revelación de su gloria eran un anticipo de lo que él haría.

Habrá creyentes vivos cuando él regrese. Para los que oían a Jesús esas palabras eran de gran aliento. Si los apóstoles vivieran hoy, se alegrarían al ver que seguimos creyendo y esperando, seguros de que el reino de Dios vendrá con poder. El reino de Dios tiene poder, y de ello damos testimonio todos nosotros por medio de la vida que vivimos, de las expectativas que tenemos, de la fe que manifestamos. Con todo ello estamos diciéndole al mundo que «el reino de Dios viene con poder». Nuestra vida cambiada es el mejor testimonio de ello.

«La fe de los discípulos se fortaleció muchísimo en ocasión de la transfiguración, cuando se les permitió contemplar la gloria de Cristo y escuchar la voz del cielo que daba testimonio de su carácter divino. Dios decidió dar a los seguidores de Jesús una prueba contundente de que era el Mesías prometido, para que cuando vinieran el amargo pesar y la desilusión de la crucifixión no perdieran por completo su confianza» (HR 213).

Génesis 18: 1 - 20: 18; Marcos 9: 1-50

10 enero   No temas, porque Dios ha oído

El cristiano puede vivir con la certeza de que Dios escucha en todo momento. Ni siquiera necesita nuestra voz audible para darnos lo que él sabe que es lo mejor para nosotros: «Y sucederá que antes que llamen, yo responderé; y mientras estén hablando, yo les escucharé» (Isa. 65: 24). Alguien ha dicho que Dios vive entre constantes cantos de alabanza de parte de los seres celestiales, que el canto es constante allí. Sin embargo, cada vez que un hijo de Dios dice «Padre» o cualquier otra fórmula para dirigirse a Dios, el Señor oye y presta atención.

> Entonces Dios escuchó la voz del muchacho, y el ángel de Dios llamó a Agar desde el cielo y le dijo: «¿Qué tienes, Agar? No temas, porque Dios ha oído la voz del muchacho, allí donde está».
> GÉNESIS 21: 17

Hay gran consuelo en las palabras del Señor Jesús: «Pedid, y se os dará. Buscad y hallaréis. Llamad, y se os abrirá. Porque todo el que pide recibe, el que busca halla, y al que llama se le abrirá» (Mat. 7: 7, 8). No hay contradicción entre las enseñanzas de Jesús y lo que Isaías nos enseña. Dios está dispuesto a dar antes de que pidamos, pero… tenemos que pedir. Isaías nos enseña que pedir no es para forzar la mano de Dios, sino para demostrar nuestra dependencia de Dios, para demostrar nuestra fe en que «él hará».

Si Agar y su hijo Ismael hubieran tenido la humildad desde cuando estaban en la casa de Abraham, no molestando a Sara y al hijo de esta, no habrían sido dejados a su suerte. La humildad de reconocer que dependemos de Dios, de constantemente confesar nuestras faltas, de vivir pendientes de la mano del Señor y no llegar a ser altivos por las bendiciones que él nos ha otorgado es el ingrediente para dejar abiertas las ventanas de los cielos para recibir más. Agar tuvo que rogar en el desierto e Ismael derramó el llanto de la desesperación porque cuando estaban recibiendo las bendiciones en la casa de Abraham no lo supieron valorar y la autosuficiencia les ganó la partida.

«Creed, creed que Dios hará lo que ha prometido. Sigan ascendiendo vuestras oraciones y velad, trabajad y esperad. Pelead la buena batalla de la fe. Decid a vuestro corazón: "Dios me ha invitado a venir a él. Ha oído mi oración. Ha empeñado su palabra prometiendo recibirme y él cumplirá su promesa. Puedo confiar en Dios, porque de tal manera me amó que dio a su Hijo unigénito para que muriese por mí. El Hijo de Dios es mi Redentor"» (EC 425).

Honor al padre hasta en lo más íntimo

> Entonces Abraham dijo a un siervo suyo, el más viejo de su casa y que administraba todo ... l«Por favor, pon tu mano debajo de mi muslo, y te haré jurar por Jehová, Dios de los cielos y Dios de la tierra, que no tomarás para mi hijo una mujer de las hijas de los cananeos entre los cuales habito».
>
> GÉNESIS 24: 2, 3

En nuestra cultura occidental, donde los sentimientos desempeñan un papel tan importante, es difícil concebir que un padre mande a un siervo a buscar una esposa para un hijo ya de edad. Nosotros podemos aconsejar, guiar y orientar, pero, a fin de cuentas, al hijo le toca tomar la decisión y apechar con las consecuencias. Sin embargo, no es así en todas partes del mundo. Hace años conocí a un colega en la India cuyo matrimonio había sido arreglado por su padre. Como era costumbre en ese país, el pastor humildemente aceptó la mujer que su padre había escogido para él. No entendiendo la situación, entablé una conversación con el pastor sobre este asunto de los matrimonios "arreglados." Esa conversación me ayudó a entender cosas que desconocía de su cultura. La respuesta simple del pastor fue esta: «Para ustedes sus sentimientos son lo más importante; pero para nosotros el honrar a nuestro padre es lo más importante, y le daremos honra hasta el fin de nuestra vida».

Aprendí que en esa cultura el asunto del matrimonio no era el matrimonio en sí, sino el lugar que el padre ocupaba en la vida de sus hijos. Están dispuestos a obedecer y honrar al padre hasta cuando se está tomando una decisión que tendrá impacto en todo el resto de su vida. Están dispuestos a aceptar a la esposa sin preguntar, porque están seguros de que papá siempre ha buscado lo mejor, y hará lo mismo en tan importante coyuntura. Están dispuestos a aceptar y vivir para siempre con la esposa porque el juicio de papá es lo mejor que hay. Están dispuestos a atar su futuro con una persona desconocida porque confían plenamente en que papá siempre quiere y busca su bien.

¡Qué lección para nosotros! Si una persona puede confiar de tal manera en su padre, ¿porque no podemos tener una fe tan completa en la bondad de nuestro Padre celestial? «Toda buena dádiva viene del Padre». Confiémonos a nuestro Padre celestial para dirigirnos en todo, hasta en las cosas más ínfimas de la vida. Aceptemos el juicio de él como lo más importante para nosotros.

No toques lo que no es tuyo

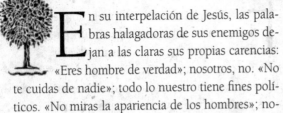

n su interpelación de Jesús, las palabras halagadoras de sus enemigos dejan a las claras sus propias carencias: «Eres hombre de verdad»; nosotros, no. «No te cuidas de nadie»; todo lo nuestro tiene fines políticos. «No miras la apariencia de los hombres»; nosotros no podemos ver más allá de los hombres. «Con verdad enseñas el camino de Dios»; nosotros usamos trucos y juegos de palabras.

> Entonces Jesús les dijo: «Dad al César lo que es del César, y a Dios lo que es de Dios». Y se maravillaban de él.
> MARCOS 12: 17

En su relación con el dinero eran igual de tramposos. Esa era la gran verdad que querían esconder. Eran ladrones que alardeaban de piedad para encubrir su pecado. El lenguaje puede ser duro, pero es la verdad bíblica. El que no puede ser honesto con los hombres que ha visto, ¿cómo puede ser honesto con Dios, a quien no ha visto? (1 Juan 4: 20). El malhechor siempre pretende no entender su mal, y siempre encuentra excusas para encubrir y seguir en el pecado. «¿Robará el hombre a Dios?» Los contemporáneos de Malaquías respondían con fingida inocencia: «¿En qué te hemos robado?» (Mal. 3: 8). No devolví el diezmo porque… Sabemos qué es lo correcto, pero queremos que alguien nos ayude a calmar la conciencia con una respuesta que bien sabemos no existe.

Poner a Jesús sobre un pedestal social para luego darle la estocada espiritual no les funcionó a los dirigentes de Israel. Los argumentos sociales para robar en lo espiritual no tienen validez a la vista de Dios. «Dad a Dios lo que es de Dios» es la misma respuesta que Cristo nos da hoy. «Traed todo el diezmo al alfolí, y haya alimento en mi casa. Probadme en esto, ha dicho Jehová de los ejércitos, si no os abriré las ventanas de los cielos y vaciaré sobre vosotros bendición hasta que sobreabunde» (Mal 3: 10). No debiera haber excusas para no recibir las bendiciones prometidas en la fidelidad de uno. Dios cumple derramando sus bendiciones sobre nosotros, y espera que nosotros no busquemos cómo estorbarle.

«No hay seguridad para el que tenga solo una religión legal, solo una forma de la piedad. La vida del cristiano no es una modificación o mejora de la antigua, sino una transformación de la naturaleza. Se produce una muerte al yo y al pecado, y una vida enteramente nueva. Este cambio puede ser efectuado únicamente por la obra eficaz del Espíritu Santo» (DTG 144).

No seamos engañados

> Jesús comenzó a decirles: «Mirad que nadie os engañe. Muchos vendrán en mi nombre diciendo: "Yo soy", y engañarán a muchos».
>
> MARCOS 13: 5, 6

Uno de los peligros más grandes en el cumplimiento de las profecías de los últimos días es el de ser engañado. Como adventistas siempre hemos considerado que ese engaño puede venir de elementos fuera de nuestro círculo, pero más y más nos damos cuenta que el mayor peligro es el engaño de dentro. La falsa piedad, que no concuerda con el espíritu de Cristo, la crítica despiadada, los ataques y las acusaciones a los hermanos, son todos métodos que el enemigo del pueblo de Dios ha usado con mucho éxito en el pasado.

La advertencia de Jesús es para que estemos apercibidos y no caigamos en tales prácticas. No debemos interpretar esto como si se limitase exclusivamente a falsas doctrinas. Una de las cosas que más daño hace es el tomar libertades para atacar a los siervos de Dios. ¡Cuántas veces no comemos pastor frito y anciano asado en nuestras mesas los sábados! ¡Cuántas veces el vestido de hermana fulana de tal nos impide recordar el buen sermón que escuchamos!

«Mirad que nadie os engañe» tiene que ver con más que enseñanzas falsas. Tiene que ver con nuestra vida personal y nuestra relación mutua, y, sobre todo, con nuestra relación sincera con el Señor. «Mirad que nadie os engañe» también implica mirar que no engañemos a nadie, que nuestro actuar sea como la luz del sol. Que nuestra piedad sea como la quiere el Señor. «Vendrán en mi nombre» también implica decir y hacer cosas en el nombre del Señor que el Señor no ha mandado ni acepta. Midamos todo el actuar ante un «Así dice el Señor», y que nuestra motivación sea pura para así no engañar ni ser engañados.

«Todo cuanto hacen los cristianos debe ser transparente como la luz del sol. La verdad es de Dios; el engaño, en cada una de sus muchas formas, es de Satanás; el que en algo se aparte de la verdad exacta, se somete al poder del diablo. Pero no es fácil ni sencillo decir la verdad exacta. No podemos decirla a menos que la sepamos; y ¡cuántas veces las opiniones preconcebidas, el prejuicio mental, el conocimiento imperfecto, los errores de juicio impiden que tengamos una comprensión correcta de los asuntos que nos atañen! No podemos hablar la verdad a menos que nuestra mente esté bajo la dirección constante de Aquel que es verdad» (DMJ 61).

Génesis 29: 1 - 30: 43; Marcos 13: 1-37

14 enero

n el proceso de la comunicación, muchas veces se da la exageración. Puede consistir en poner de relieve una falta de los demás o en amplificar los propios logros. Es práctica común entre aquellos cuyos corazones no han sido santificados por la verdad y el espíritu de Cristo. Los hijos de Labán practicaron esto al decir «Jacob ha tomado todo lo que era de nuestro padre». Quien conoce la Biblia sabe que esto no era verdad, porque Labán seguía siendo rico aún. Jacob no había tomado nada injustamente. Se habían atenido ambos a un acuerdo previo, pero que contó con un elemento que el corazón engañoso de Labán y sus hijos no habían considerado.

> Jacob escuchó las palabras de los hijos de Labán, que decían: «Jacob ha tomado todo lo que era de nuestro padre; de lo que era de nuestro padre ha adquirido toda esta riqueza».
> Génesis 31: 1

Como Jacob llegó sin nada, pensaban que Dios lo había abandonado y que, por ende, sería fácil presa del engaño. No conocían el trato que Jacob había hecho con el Señor en Betel de devolverle el diezmo de todo cuanto recibiese. Jacob progresó no por el ganado en sí que tenía o por los hijos que procreó, sino al cumplir su parte del trato con Dios.

La exageración de los hijos de Labán de que Jacob había tomado todas las riquezas de Labán estaba en desconocer las bendiciones que el Señor derramaba sobre él. Decir que lo que él había logrado era por robo era desconocer o no querer admitir que Dios estaba bendiciendo a un fiel siervo. El Señor bendice mucho más allá de las expectativas humanas. Nunca debemos considerar las bendiciones de Dios como algo distinto de lo que son en realidad. Si hemos de exagerar en algo, que sea en hacer el bien, no para enfatizar el mal.

«Aquellos que desean reformar a otros deben comenzar la reforma en sus propios corazones, y mostrar que han adquirido benignidad y humildad de corazón en la escuela de Cristo. Los que tienen a otros a su cargo deben aprender a dominarse a sí mismos, a abstenerse de proferir expresiones bruscas y censurar con exageración. Hay palabras cortantes que pueden ofender, lastimar y dejar cicatrices que han de permanecer en el alma. Hay palabras agudas que caen como chispas sobre un temperamento inflamable." Hay palabras cáusticas que muerden como víboras» (AO 58).

Seguir a la turba o ser valiente en la testificación   *enero 15*

De nuevo intervino Pilato y les decía: «¿Qué, pues, queréis que haga con el que llamáis "el rey de los judíos"?» De nuevo gritaron: «¡Crucifícalo!»
MARCOS 15: 12, 13

Perder la propia personalidad y quedar sometido por entero a la de una turba constituye un ejemplo de locura colectiva. Por fuerte que sea el carácter de la persona, es muy difícil resistir las inclinaciones de una multitud decidida a ir irracionalmente en una dirección. Al dirigirse a sus opositores, Jesús casi siempre hablaba en plural contra ellos, pero sus conclusiones eran una forma velada de un llamamiento individual.

Las presiones del entorno requieren del cristiano que tenga coraje para decir «no» al mal. Hay quien cree que es más fácil ser un buen cristiano cuando otros nos ven, pero cuando la multitud está en el mal es más difícil ir contra corriente. Solo la fuerza del Espíritu Santo en la vida del cristiano le da valor para decir «no» o «sí», dependiendo del caso.

Lo bueno de resistir las tendencias y direcciones de una turba es que es uno de los mejores momentos para testificar. El testimonio bajo presión es el más apreciado, porque da fortaleza para resistir en otra ocasión, y haber resistido una vez facilita repetirlo. La historia bíblica no indica que hubiera siquiera uno que dijera: «Un momento. Esto no está bien; estamos cometiendo una injusticia». Solo Pilato, influido por su esposa, pero su oposición a la turba fue débil. Al enfrentarnos con una presión mayoritaria, hemos de sentirnos sostenidos por el Espíritu de Dios. Recordemos las palabras del himno: «Tentado, no cedas; ceder es pecar; más fácil sería luchando triunfar… En Jesús, pues, confía».

«Tenéis un enemigo astuto tras vuestros pasos. "Al que venciere le daré que se siente conmigo en mi trono, así como yo he vencido, y me he sentado con mi Padre en su trono" (Apoc. 3: 21). Esta es la lucha para vencer como Cristo ha vencido. Su vida de tentación, pruebas, luchas y conflictos está delante de nosotros para que la imitemos. Podemos hacer esfuerzos con nuestro propio poder, pero no tendremos éxito. Pero cuando caemos desvalidos, sufrientes y necesitados sobre la roca de Cristo, sintiendo íntimamente que nuestra victoria depende de sus méritos, que todos nuestros esfuerzos, sin la ayuda especial del gran Vencedor, no servirán de nada, entonces Cristo envía a cada ángel de gloria a rescatarnos del poder del enemigo para que no caigamos» (AFC 307).

16 enero

¿A qué mesa estás sentado?

Se ha dicho que el hombre no fue creado para estar sentado, sino para estar en movimiento. Algunos creen que el sentarse es la mayor causa de enfermedad, porque obstruye el buen funcionamiento del cuerpo.

Después del chasco de la semana de pasión, los discípulos encontraron consuelo y alivio del temor que sentían en simplemente sentarse a la mesa. La inactividad hizo que se volviesen cínicos y reacios a creer lo que Cristo les había enseñado y la verdad gloriosa de su resurrección. Su corazón se había endurecido por la inactividad.

> Luego, apareció a los once cuando estaban sentados a la mesa, y les reprendió por su incredulidad y dureza de corazón, porque no habían creído a los que le habían visto resucitado. Y les dijo: «Id por todo el mundo y predicad el evangelio a toda criatura».
> MARCOS 16: 14, 15

Pese a su condición, el Señor no los rechazó, sino que los visitó de nuevo para reactivar su razón de ser. Después de reprender su incredulidad, les encomendó su misión: «Id por todo el mundo y predicad el evangelio a toda criatura» (Mar. 16: 15).

Es fácil aceptar a Cristo y, con el correr del tiempo, ir perdiendo la visión de nuestra razón de ser. Para ayudarnos a entender que la inactividad espiritual tiende a llevarnos a la incredulidad, Elena de White nos indica que «cada verdadero discípulo nace en el reino de Dios como misionero. Apenas llega a conocer al Salvador, desea hacerlo conocer a otros» (MC 70). ¡Cuántos problemas eclesiásticos se podrían evitar si no estuviéramos simplemente sentados en la inacción como los discípulos! Cuando conocemos la gracia salvadora y no nos mantenemos activos en la proclamación de la misma, tendemos a llegar a ser como Simón el Mago, quien, aunque bautizado en la iglesia, quería usar el conocimiento limitado que tenía para otro propósito. ¡Levantémonos de la mesa de la inacción para decirle al mundo que nuestro Salvador vive!

«La verdad salvadora y santificadora no puede quedar encerrada en su corazón. El que bebe del agua viva llega a ser una fuente de vida. El que recibe se transforma en un dador... Al hacer esta obra obtenemos mayor bendición que si trabajáramos únicamente en nuestro provecho. Es al trabajar para difundir las buenas nuevas de la salvación como somos llevados más cerca del Salvador» (MC 70).

Génesis 37: 1 - 38: 30; Marcos 16: 1-20

Labios mentirosos son abominación a Jehová

Entonces ella le repitió a él las mismas palabras diciendo: «El esclavo hebreo que nos trajiste vino a mí para burlarse de mí. Pero cuando yo alcé la voz y grité, él dejó su manto a mi lado y escapó afuera».
GÉNESIS 39: 17, 18

Usar la mentira como arma ha causado más daño que cualquier otra cosa en las relaciones humanas. Hasta ha provocado guerras. ¡Qué triste es que para algunos el uso de la mentira sea tan fácil y no tengan ningún reparo en emplearla contra inocentes o para promover sus planes e ideas funestas! ¡Pobre José! No tenía recursos ni defensa contra la mentira de la esposa de Potifar. La táctica de esta mujer la dominan quienes tienen la conciencia cauterizada por el mal.

«El ataque es la mejor defensa» es una doctrina militar que lamentablemente se repite en la vida de muchos que necesitan más que el arrepentimiento.

La práctica de la mentira se perfecciona cuanto más se usa. Se dice que la mentira es usada para defenderse, jactarse, o por pura maldad. Cuando el cristiano se descuida, puede caer en cualquiera de estas tres categorías. Claro que, aunque ninguna de las categorías de la mentira se puede justificar, peor es cuando se hace por pura maldad.

José estaba acostumbrado a vivir una vida de verdad, donde sus acciones eran tan claras y transparentes como la luz del sol. Estaba acostumbrado a ser guiado por el Espíritu Santo y obedecer una conciencia limpia y pura sin rastros de maldad. Por eso, sabedor de que después de un posible pecado con la esposa de Potifar él habría tenido que vivir una vida de mentira y engaño ante su amo, encontró fuerza en el Señor para decir «no» al pecado. El rechazo de las insinuaciones de la esposa de Potifar no vino porque ella fuese fea y no deseable; al contrario, parece que ella era una de las reinas de la belleza del lugar. El rechazo vino porque José no quería pecar contra Dios. Este es el resultado de una vida de constante contacto con el Dios del cielo. Esta es la vida que debiéramos vivir para así ser librados de la tentación cuando la mentira parezca ser la única opción en una situación difícil.

«Todo cuanto hacen los cristianos debe ser transparente como la luz del sol. La verdad es de Dios; el engaño, en cada una de sus muchas formas, es de Satanás; el que en algo se aparte de la verdad exacta, se somete al poder del diablo» (PVGM 61).

Génesis 39: 1 – 41: 57; Juan 1: 1-51

18 *enero*   ¿Qué espíritu te mueve al recordar y reconocer?

L as personas con mente fotográfica tienen una bendición de la que la mayoría carecemos. Poder reconocer a primera vista a personas a las que no se ve hace tiempo les da a entender que significan algo para quien se acuerda de ellas. A veces, el recuerdo procede de una marca indeleble dejada en la memoria por una experiencia muy aguda.

La Biblia nos hace sentir que este asunto de ser reconocidos por el Señor es algo de gran valor. De hecho, presenta este asunto de reconocer al Señor y de ser reconocidos por él como uno de los galardones para los fieles. Nos lleva como esculpidos en las palmas de sus manos por habernos salvado. Ser reconocido por él y reconocerlo a él es el sueño de todo cristiano.

> Y al ver José a sus hermanos los reconoció, pero simuló serles extraño y les habló con dureza. Luego les preguntó: «¿De dónde habéis venido?» Ellos le respondieron: «De la tierra de Canaán, para comprar alimentos».
> José reconoció a sus hermanos, pero ellos no lo reconocieron a él.
> GÉNESIS 42: 7, 8

«Ahora vemos oscuramente por medio de un espejo, pero entonces veremos cara a cara. Ahora conozco en parte, pero entonces conoceré plenamente, así como fui conocido» (1 Cor. 13: 12). Pablo nos ayuda a entender que el asunto de ser reconocido no es algo del último momento, sino que es un proceso que culminará cuando lleguemos a ser como el Señor siempre nos ha visto. La vida que hoy vivimos y la relación que mantenemos con nuestro Dios son factores en este asunto de reconocer y ser reconocido.

De la historia de José y sus hermanos podemos concluir que a José le resultó fácil recordar y reconocer a sus hermanos. Su agudeza mental procedía no de un sentimiento de venganza por el mal que ellos le habían hecho, sino de la satisfacción de haberlos perdonado y de su deseo de comunicarles su perdón. La preocupación de José estaba en las relaciones entre sus hermanos. En su empeño por saber si verdaderamente habían cambiado su forma de ser, causó algo de sufrimiento a diez de ellos, pero en su ánimo nunca estuvo la venganza, pues vivía esperando el momento de revelar su perdón.

El ejemplo de José es un digno ejemplo para nosotros en cuanto al perdón y el deseo de asociarnos con las personas para revelar nuestro perdón y deseo de reconciliación. Seamos como José.

Génesis 42: 1 - 43: 34; Juan 2: 1-25

¿Qué nos hace reconocer a Jesús?

Este vino a Jesús de noche y le dijo: «Rabí, sabemos que has venido de Dios como maestro; porque nadie puede hacer estas señales que tú haces, a menos que Dios esté con él».

JUAN 3: 2

No había pasado mucho tiempo desde el inicio del ministerio de Jesús cuando ya muchos dirigentes de su país se posicionaron en su contra. Aunque formaba parte de ese grupo dirigente, Nicodemo no compartía su animadversión hacia Jesús. Había oído y posiblemente visto algunos de los milagros que no dejaban lugar a dudas de que Jesús era alguien fuera de serie, alguien como nunca antes hubo en la experiencia de la nación.

Hay quien piensa que, en un intento de anticiparse a un posible conflicto abierto con el sanedrín, Nicodemo, apoyado probablemente por otros de sensibilidad similar a la suya, se habría prestado a "negociar" una salida honrosa donde ni el sanedrín ni Jesús perderían, y en la que ambos podrían salir victoriosos. Quizá su deseo inicial fuese que Jesús se uniese a ellos como un "gran maestro", mientras que ellos podían seguir ocupándose de lo que entendían que eran sus menesteres. ¡Qué equivocado estaba! Jesús no estaba en el negocio de llegar a componendas con el pecado y tampoco tenía interés en los puestos honoríficos que quisieran ofrecerle.

Jesús le explicó a Nicodemo la razón por la que estaba en el mundo: salvar al pecador de su pecado. Él y otros dirigentes reconocían a Jesús por los milagros, pero Jesús le mostró que el propósito esencial de su misión iba mucho más allá de la originalidad del contenido o de lo novedoso de sus métodos de enseñanza, pues se centraba en la salvación que había venido a dar al mundo. Las enseñanzas de Jesús eran importantes; los milagros eran fulminantes para zanjar cualquier controversia; pero el hecho de que muriese por nosotros sobrepasa cualquier otra enseñanza y es el milagro de milagros. No solo enseñó como ningún hombre, sino que murió como ningún otro, y por su muerte hizo lo que nadie jamás ha hecho ni hará: regalarnos la salvación. Reconozcámosle por sus hechos más que por sus enseñanzas y milagros.

«La enseñanza de Jesús inculcaba de la manera más comprensible y sencilla las ideas más trascendentales y las verdades más sublimes, de modo que "los que eran del común del pueblo le oían de buena gana"» (COES 121).

Génesis 44: 1 - 45: 28; Juan 3: 1-30

Depende más de tu Dios

Es asombroso ver cómo Dios nos ayuda vez tras vez a entender que dependemos de él y que no debemos cometer el error de tratar de darle la mano con artimañas humanas, con métodos no santificados, aunque la lógica parezca darnos la razón.

> Y Dios habló a Israel en visiones de noche y le dijo: «Jacob, Jacob». Y él respondió: «Heme aquí».
> GÉNESIS 46: 2

Cuando Jacob engañó a su padre para lograr la primogenitura, puso de manifiesto como nunca el verdadero significado de su nombre: suplantador, engañador. Sufrió amargas consecuencias por su impostura. Años después, como señal de perdón, el Señor le dio un nuevo nombre. Ya no sería conocido como Jacob, sino como Israel. Sin embargo, encontramos que, en varias ocasiones significativas posteriores, cuando Dios se dirige a él, lo llama por el nombre antiguo, el nombre que a él le habría gustado olvidar.

Así, al darle la recomendación de bajar a Egipto, el Señor quería darle la seguridad que no iría solo, que podía confiar plenamente en la promesa divina de hacerle una gran nación. Otra vez, cuando Jacob estaba en su lecho de muerte, el Señor lo llama por su antiguo nombre y no el nuevo nombre de perdón y aceptación. No era que Dios no cumpliera la promesa de olvidar su pasado negativo. Al repetir el nombre, Dios le estaba diciendo que no había necesidad de mentir para conseguir la primogenitura.

En momentos imposibles, parece más fácil ir por nuestro propio camino y tomar decisiones que no incluyen ni a Dios, ni sus métodos ni su dirección. Hay una cosa que el cristiano debe hacer siempre: preguntarse si las cosas que está haciendo, o la dirección que quiere tomar, cuentan con la aprobación de Dios. Debemos vivir siempre pidiéndole que revele su voluntad en nuestra vida, y estar dispuestos a esperar en Jehová, pues él hará. «Porque los malhechores serán destruidos, pero los que esperan en Jehová heredarán la tierra» (Sal. 37: 9). Es una firme promesa, no solo para el futuro, sino para la vida presente, igual que Isaías 40: 31: «Pero los que esperan en Jehová renovarán sus fuerzas; levantarán las alas como águilas. Correrán y no se cansarán; caminarán y no se fatigarán». Al dirigirse a Jacob como Jacob y no como Israel en los momentos más significativos de su vida, el Señor nos recuerda a todos que sus métodos son siempre mejores que los métodos humanos.

Génesis 46: 1 – 48: 22; Juan 4: 1-54

Presta atención a los despreciados y desdichados   *enero 21*

Cuando Jesús lo vio tendido y supo que ya había pasado tanto tiempo así, le preguntó: «¿Quieres ser sano?»
JUAN 5: 6

Es responsabilidad del cristiano imitar a su maestro. Claro que no todo tiene que consistir en milagros. Estos son para ocasiones especiales y no para jactarse de poseer el don del Señor. El Señor pide de sus hijos una actitud que refleje la actitud de Cristo. Lo ocurrido en el estanque comúnmente queda limitado al milagro, a la confrontación con los líderes religiosos, a los excesos de estos en la observancia del sábado, y al odio que sentían hacia Jesús.

Sin embargo hay algo que no se debe pasar por alto ni nunca ser olvidado: Jesús fue movido por la compasión. Si hay algo que todos podemos hacer es tener un corazón compasivo hasta hacia quienes no lo merecen. El enfermo de Betesda no merecía la compasión de nadie; muchos de sus sufrimientos eran resultado de su propia forma de ser.

«Pero el Salvador vio un caso de miseria suprema… Su enfermedad era en gran parte resultado de su propio pecado y considerada como juicio de Dios. Solo y sin amigos, sintiéndose privado de la misericordia de Dios, el enfermo había sufrido largos años» (DTG 172).

Era una persona difícil, no tenía amigos, estaba en la miseria y a punto de ser uno más de tantos que acababan muriendo allí. Pero Jesús fue movido a compasión pese a que el hombre no lo merecía. Todos podemos y debemos dar una mano a las personas desesperadas y a las no tan desesperadas que se encuentran a nuestro alrededor.

La motivación de Jesús fue su espíritu compasivo. Sus seguidores debemos hacer exactamente esto: buscar a una persona, a alguien en cuya vida podemos entrar sin que ellos lo esperen, sin que lo merezcan, y mostrar compasión y misericordia. ¡Cuántos cristianos hoy pueden demostrar un acto de bondad y ayudar a una persona necesitada! ¡Qué bonito sería que, al final del día, todos pudiéramos decir «Gracias, Señor, por permitirme ser de ayuda hoy a una persona»!

«Él no contempla sin sentir compasión al alma postrada a sus pies como un temeroso suplicante, y no dejará de alzarme… Él llegó a ser el Abogado del hombre. Ha levantado a los que creen en él y ha puesto un tesoro de bendiciones a su disposición» (LC 79).

Génesis 49: 1 - 50: 26; Juan 5: 1-47

Antes, es preciso obedecer a Dios

En la vida de todo cristiano puede llegar el momento de adoptar decisiones éticas que pueden afectar a la salvación de la persona. Puede tratarse de situaciones tan delicadas como la que enfrentaban las parteras en Egipto, o puede ser algo tan simple como tener que decidir si actuar con honestidad o no.

> Pero las parteras temían a Dios y no hicieron como el rey de Egipto les mandó, sino que dejaban con vida a los niños varones.
> Éxodo 1: 17

Lo interesante del caso es que toda situación ética es fácil mientras no se tenga que vivir día a día. Alguien ha dicho: «Es más fácil morir por Cristo que vivir por él». Vivir la vida cristiana como el Señor espera no es fácil estando en el reino del enemigo.

Las parteras asumieron un riesgo enorme, porque podían ser delatadas y traicionadas. Pero, con todo, escogieron ser fieles a su conciencia y no cometer infanticidio. El acto de no matar a los niños hebreos era una intervención directa de Dios, porque al exterminar a los niños se acabaría la posibilidad de que el Mesías naciera y no habríamos sido salvos. Dios intervino para preservar su plan de la salvación.

De las parteras, que de una manera u otra tuvieron que ver con la preservación de la vida de Moisés, se puede decir con toda propiedad que escogieron sufrir con el pueblo de Dios. La fidelidad de ellas fue premiada posteriormente, porque la Biblia nos dice que «Dios favoreció a las parteras» (Éxo. 1: 20).

Es importante vivir con el Señor hoy para poder hacer frente a las tentaciones del futuro, cuando nuestra fe será probada severamente. Hay hermanos que ya están pasando por esa prueba tanto colectiva como individualmente. Que nuestra oración sea a favor de los que sufren persecución por su fe. Uniones enteras de la iglesia están enfrentando situaciones difíciles a causa de la fe que profesan.

«Hemos de reconocer los gobiernos humanos como instituciones ordenadas por Dios mismo, y enseñar la obediencia a ellos como un deber sagrado, dentro de su legítima esfera. Pero cuando sus demandas estén en pugna con las de Dios, hemos de obedecer a Dios antes que a los hombres. La palabra de Dios debe ser reconocida sobre toda otra legislación humana... La corona de Cristo ha de ser elevada por sobre las diademas de los potentados terrenales» (FV 243).

Éxodo 1: 1 - 2: 25; Juan 6: 1-71

Yo te seguiré, ¡oh Cristo!

> Por tanto, le dijeron sus hermanos: «Sal de aquí y vete a Judea, para que también tus discípulos vean las obras que haces. Porque nadie que procura darse a conocer hace algo en oculto. Puesto que haces estas cosas, manifiéstate al mundo».
>
> JUAN 7: 3, 4

Las razones de seguir a Cristo varían de persona en persona. Muchos vienen por los panes y los peces; otros, por pura gratitud, le dicen «muéstrame dónde moras», con la intención de estar siempre con él. Otros siguen a Cristo por el amor mostrado por el Salvador. Y muchos porque creen firmemente en él como Redentor.

Los hermanos de Jesús tenían sus propias razones para seguirle. No era precisamente porque creyesen en él, sino porque, como los discípulos, también tenían sueños de grandeza temporal. Esperando lograr así lo que no habían obtenido hasta entonces, lo desafiaron para que se revelase al mundo.

"Yo te seguiré, ¡oh Cristo!" es un himno conocido que entonamos sobre todo en momentos de bautismos o de un llamado al altar, pero es muy apropiado considerar las palabras de este canto cada día. La pregunta que se debe hacer es: «Y yo, ¿por qué sigo a Cristo? ¿Qué espero yo sacar de esa relación? ¿Lo estoy siguiendo por los panes y los peces o lo hago porque es mi Salvador?»

Están también los que no creen en él ni desean dar un solo paso para ser usados por el Señor para la testificación al mundo. El amor por las ganancias terrenales hace que los hijos de Dios controlados por la avaricia se nieguen a testificar y prefieran que el mismo Cristo vaya o que mande a otro.

«El tentador ofrece siempre ganancia y honores mundanos para apartar a los hombres del servicio de Dios. Les dice que sus escrúpulos excesivos les impiden alcanzar prosperidad. Así muchos se dejan desviar de la senda de una estricta integridad. Después de cometer una mala acción les resulta más fácil cometer otra, y se vuelven cada vez más presuntuosos. Una vez que se hayan entregado al dominio de la codicia y a la ambición de poder se atreverán a hacer las cosas más terribles. Muchos se lisonjean creyendo que por un tiempo pueden apartarse de la probidad estricta… y que, después de haber logrado su fin, podrán cambiar de conducta cuando quieran. Los tales se enredan en los lazos de Satanás, de los que rara vez escapan» (PP 468-9).

Éxodo 3: 1 - 4: 31; Juan 7: 1-53

¿En qué ocupas tu tiempo?

La oración es parte integral de las victorias del cristiano. Después de un largo día de labor y confrontación, los líderes religiosos y Jesús partieron a lugares

> Y se fue cada uno a su casa. Pero Jesús se fue al Monte de los Olivos.
> JUAN 7: 53; 8: 1

diferentes a pasar la noche. Lo que ocurrió en esa noche es de mucha importancia, siendo que afectó la historia del día siguiente. Jesús se encaminó al Monte de los Olivos, su lugar predilecto para orar y meditar. Los líderes, en cambio, fueron a sus casas. Las actividades del día siguiente nos dan una indicación de que no se fueron simplemente a dormir, sino a planear estrategias para buscar cómo sorprender a Jesús con preguntas y situaciones de las que esperaban que no le fuese posible escapar.

La malicia de su corazón no les permitió recapacitar y reconocer que Jesús era el Mesías esperado y que ellos tenían la oportunidad de aceptar la salvación que él les vino a ofrecer. Más bien, como dice la Palabra de Dios, dedicaron el tiempo para maquinar maldad sobre sus camas. «¡Ay de los que en sus camas planean iniquidad y traman el mal! Con la luz de la mañana lo realizan, porque tienen en su mano el poder» (Miq. 2: 1). Vinieron con todas sus armas, con una mujer con quien muchos de ellos también habían pecado. Parecía que la trampa tendida a Jesús no tenía escapatoria. Pero Jesús, aparte de ser el Cristo, había pasado toda la noche en oración. Tales momentos de oración siempre lo fortalecían y le daban más vigor para seguir haciendo la obra que estaba haciendo.

¿Qué permitimos que ocupe nuestra mente en nuestro tiempo libre? Bien se ha dicho que «la mente desocupada es taller de Satanás». La forma como pasamos nuestro tiempo libre o los momentos de asueto servirá o bien para fortalecernos espiritualmente, o será causa de mayor debilidad cuando llegue el momento de crisis. Jesús se dedicó a orar, dejándonos con ello un ejemplo incomparable.

Las palabras que dirigió a sus discípulos con ocasión de su última sesión de oración en aquel lugar todavía tienen valor para nuestros tiempos: «Velad y orad, para que no entréis en tentación. El espíritu, a la verdad, está dispuesto; pero la carne es débil» (Mat. 26: 41). Usemos nuestro tiempo para siempre elevar una oración al Padre, pidiendo fortaleza para resistir el mal y triunfar en el bien para gloria de su nombre.

Éxodo 5: 1 - 6: 30; Juan 8: 1-59

¿Cuántos dioses más necesitas para creer?

> Entonces Jehová dijo a Moisés: «Mira, yo te he puesto como dios para el faraón, y tu hermano Aarón será tu profeta».
> Éxodo 7: 1

En el mundo de los negocios existe el dicho de que «el cliente siempre tiene razón». Sin embargo, se dice que para los japoneses, que están cerca de conquistar el comercio mundial, la relación cliente-vendedor se expresa con la idea de que «el cliente es Dios», ¡tan importante lo ven!

En su mundo, y comparado con los más destacados miembros de aquella sociedad, Faraón era descollante. Ni siquiera Moisés podía compararse con todo el boato de su corte. Pero Moisés tenía una misión encomendada por el Señor, quien hizo de su siervo un dios para Faraón. Aunque en los contactos iniciales entre ambos personajes Faraón cuestionó la existencia de Dios, su arrogante pregunta, basada en la ignorancia, acabó quedando en nada con el paso del tiempo, pues el rey egipcio, tras una serie de reveses incontrovertibles, acabó reconociendo que hay un Dios en el cielo cuyas órdenes deben ser acatadas.

La magnanimidad de Dios no debiera ser tomada nunca como debilidad. Que él suplique tiernamente al pecador no es razón para cuestionar su existencia. Faraón necesitó un "dios" para acabar viendo la luz. ¿Cuántos dioses son necesarios para convencernos de la realidad del Dios del cielo? Si abrimos nuestro corazón al Dios del cielo, no se necesitan más dioses para convencernos de la realidad del Señor. Hoy se presenta ante nosotros un nuevo día en el que podemos definir nuestra relación con Dios. Conscientes de ello, tenemos una nueva oportunidad de afianzar nuestra creencia en un solo Dios, porque sus obras en nuestra vida son incontrovertibles.

«La vida no es un juego; está llena de solemne importancia, cargada de responsabilidades eternas. Cuando consideremos la vida desde este punto de vista, nos daremos cuenta de nuestra necesidad de ayuda divina. Sentiremos vigorosamente la convicción de que una vida sin Cristo será una vida de completo fracaso; pero si Jesús habita en nosotros, viviremos para un propósito. Entonces comprenderemos que sin el poder de la gracia y el Espíritu de Dios, no podemos alcanzar la elevada norma que él ha colocado delante de nosotros» (RH 22 de septiembre de 1891).

Éxodo 7: 1 – 8: 32; Juan 9: 1-41

26 enero

Jehová es mi pastor

El debate en el templo entre Cristo y los escribas y fariseos nos enseña grandes lecciones. Sin embargo, una de las más importantes es pasada por alto muy a menudo. Es la actitud de las ovejas. Si bien se cree que los animales no tienen conciencia y no piensan como nosotros, Cristo aquí revela que las ovejas pueden identificar la voz del pastor.

Mis ovejas oyen mi voz, y yo las conozco, y me siguen. Yo les doy vida eterna, y no perecerán jamás, y nadie las arrebatará de mi mano.
JUAN 10: 27, 28

La vida de las ovejas es una vida de dependencia. El pastor es el todo para ellas. Las conducirá junto a aguas de reposo, las llevará a pastos verdes, las protegerá de las fieras, y si alguna se extravía, puede estar segura que es de tal importancia para el pastor, que este dejará a las noventa y nueve para ir en busca de la extraviada. La gran verdad es que la oveja puede estar totalmente tranquila y confiada, porque el pastor está para servirlas. En cambio, todo lo que el pastor pide es que «reconozcan mi voz». Jesús usó esta ilustración porque había la necesidad no solamente de mostrar el valor de una oveja, sino también de mostrar lo malos pastores que eran algunos. «Los fariseos acababan de echar a uno del redil porque había osado testificar del poder de Cristo. Habían excomulgado a un alma a la cual el verdadero Pastor estaba atrayendo. Así habían demostrado que desconocían la obra a ellos encomendada, y que eran indignos del cargo de pastores del rebaño» (DTG 443).

Hoy debemos recordar que ovejas somos de su prado; por lo tanto, su voz nos es de vital importancia, sobre todo en momentos de peligro, cuando una orden directa tiene que ser obedecida de inmediato, porque puede significar la diferencia entre la vida y la muerte. Los hijos de Dios debemos poder identificar su voz.

En un país donde estaban a punto de promulgar una ley restrictiva, amigos en altos puestos sugirieron a la dirección de la Iglesia que dispensase a los miembros para que pudieran hacer o no ciertas cosas. Sabiamente, el presidente indicó que «es asunto de conciencia, y que la iglesia no puede entremeterse entre la persona y su Dios». Llegará el momento en la vida de cada uno que todo lo que tenemos para seguir es la voz del pastor divino. Si la conocemos hoy, la podremos reconocer entonces.

Éxodo 9: 1 - 11: 10; Juan 10: 1-42

La familia es importante

Hablad a toda la congregación de Israel, diciendo que el diez de este mes cada uno tome para sí un cordero en cada casa paterna, un cordero por familia.

Éxodo 12: 3

El mismo Señor que dijo «por lo tanto el hombre dejará a su padre y su madre» estaba aquí dando indicaciones que implicaban regresar a la casa paterna para esta celebración tan importante. En nuestros días, la familia nuclear –padre, madre e hijos– ha llegado a ser lo más importante, pero nunca deberíamos olvidarnos de la familia extendida. Hay un dicho que indica que «se requiere de toda una aldea para educar a un niño». Es verdad que el Señor pone énfasis en la familia nuclear, pero no desestima la familia extendida. La indicación de regresar a la casa paterna para participar de la Pascua y, si la familia era demasiado pequeña, de unirse con los vecinos nos muestra que la familia extendida tiene su importancia en la familia de Dios.

Las relaciones que el Señor usa como ejemplo son las relaciones de familia. «Como aquel a quien su madre consuela, así os consolaré yo a vosotros» (Isa. 66: 13). La expresión «vuestro Padre» se menciona muy a menudo en la Biblia, por no hablar de las ilustraciones de hijos y padres, o de esposos. Es indicativo de la importancia de la familia para el Señor, porque es ejemplo de la relación que él quiere tener con nosotros.

En el acto de salvación ilustrado por el cordero pascual, Dios no quiso dejar afuera el ejemplo perfecto de la relación de salvación; por eso indicó con claridad que se debía celebrar en familia. Nuestras familias no son simplemente un asunto de convivencia; cada familia es un ejemplo del plan de salvación. Una familia se funda cuando dos personas deciden aceptarse mutuamente para vivir juntos hasta que la muerte los separe. Así es como quiere el Señor estar con nosotros, con la salvedad que en la eternidad no habrá separación por muerte. El cuidado de la familia es un deber de cada cristiano, porque estamos protegiendo y defendiendo el ejemplo perfecto de Dios para el plan de salvación.

«Es un símbolo de la obra que debe hacerse en cada familia. Los padres han de reunir a sus hijos en el hogar y presentarles a Cristo como su Pascua. El padre debe dedicar cada miembro de la familia a Dios y hacer una obra representada por la cena pascual... Resuelvan los padres cristianos que serán leales a Dios» (HAd 293).

El bien que haces regresará a ti con creces

¡Cuán acertadas eran las palabras de Jesús cuando profetizó sobre el acto de María: «De cierto os digo que dondequiera que sea predicado este evangelio en todo el mundo, también lo que esta ha hecho será contado para memoria de ella» (Mar. 14: 9)! El acto de María y la discusión que provocó con las observaciones de Judas han llegado a ser famosísimos. Todos tienen opinión sobre el pasaje: la opinión del financiero suele coincidir con la de Judas; quienes tienen conciencia social lo toman como un gran acto de reconocimiento de relaciones; para el cristiano, es uno de los ejemplos más loables y dignos de imitar.

> Entonces María, habiendo traído una libra de perfume de nardo puro de mucho valor, ungió los pies de Jesús y los limpió con sus cabellos. Y la casa se llenó con el olor del perfume.
> JUAN 12: 3

Dice el Evangelio que «la casa se llenó con el olor del perfume», indicando que todo lo que entraba en contacto con el perfume quedaba impregnado por el olor grato. Es obvio que la propia María recibió el olor agradable y lo llevó encima largo rato, si no días. Ella no tenía interés en el perfume, sino en derramarlo todo sobre los pies de Jesús. Pero, indirectamente, ella fue beneficiada por el perfume al que muy pocas personas de su nivel social tenían acceso. El bien que se hace para otros regresa a uno con creces.

María no buscaba provecho personal; no tenía interés en beneficiarse del perfume; su único interés era demostrar su amor al Mesías. Limpiando los pies de Jesús con su cabello, ella se untó del perfume y, cada vez que salía a la calle o se encontraba con alguien, el olor del perfume pudo haber indicado lo que ella había hecho con el Señor. El hacer el bien por el bien trae beneficios inesperados. Por eso el Señor nos ha indicado que debemos echar el pan sobre las aguas para encontrarlo después de muchos días (Ecl. 1: 11). El hacer el bien debe ser el objetivo de todo cristiano constantemente. El Señor, que deja salir su sol sobre buenos y malos, nos ama incondicionalmente y espera que nosotros seamos como él. Que hoy sea un día en el cual la bondad por la bondad sea nuestro actuar. Que hagamos el bien sin esperar recompensa. Que hagamos todo lo posible para beneficiar a alguien hoy con el amor de nuestro Señor.

«Muestren los que quieran llevar el yugo de Cristo una firmeza de propósito que los induzca a hacer el bien por el bien mismo» (CDD 285).

Éxodo 14: 1 - 15: 27; Juan 12: 1-50

Seguid mi método

> Le dijo Jesús: «El que se ha lavado no tiene necesidad de lavarse más que los pies, pues está todo limpio. Ya vosotros estáis limpios, aunque no todos».
>
> JUAN 13: 10

Archiconocido es el hecho que el Rey del universo se dignó lavar los pies a los discípulos. Sin embargo, todavía hoy hay muchos que no logran entender el significado de este acto.

El lavamiento de pies nos enseña que no debiera haber nada por debajo de nosotros. En la lucha por la supervivencia en un mundo de pecado, es muy común buscar sobre qué o quién alzarse para sentirse cómodo. Esta actitud ha generado muchísimos problemas y desafíos en el mundo, separando las gentes y los pueblos. Solamente la bondad, como la enseñó y practicó Cristo, puede regenerar el corazón humano. Si no fuera por la gracia de Cristo y por la bondad que él inspira, la supervivencia del más fuerte sería la única forma de relacionarse en el mundo. El ir contra las tendencias humanas de humillar al menos afortunado es un don de Dios que todo cristiano debe poseer.

Lo que importa de verdad es permitir de corazón que Cristo nos purifique. Lavar todo el cuerpo es decisión y práctica humana; es definir cómo pienso yo que habría que hacer las cosas. Permitir que Cristo lave nuestros pies es decirle «Tú tienes la sabiduría, y, aunque no entiendo ni cómo ni por qué, acepto que lo que tú haces es suficiente». Fíjense en el proceso gradual de Pedro: «No me lavarás los pies jamás», pues eres demasiado para mí y yo soy muy poca cosa. Sin embargo, tras entender que no había otra forma, insiste, siempre a su manera: «No solo mis pies, sino también las manos y la cabeza». Jesús le enseña que no hay respuesta humana a la gracia de Dios, sino la sumisión y la aceptación.

Otra gran lección de Cristo en ese momento fue que, aunque haya hipócritas, ello no es razón para abandonar el grupo. «Ya vosotros estáis limpios, aunque no todos». La observación de algunos que abandonan la fe en el sentido de que hay demasiados hipócritas en la iglesia no se basa en la enseñanza bíblica. Al desenmascarar a Judas, no estaba diciéndoles a los demás discípulos: «¡Apártense! ¡Hay un hipócrita en nuestro medio!» Más bien les estaba diciendo: «Sigan mi ejemplo. Dejen que el trigo y la cizaña crezcan juntos hasta el día del juicio». Sigamos el ejemplo de humildad y compasión de Cristo.

En la casa de Jehová moraré por largos días

Desde el Edén, cuando Dios descendió a buscar al hombre extraviado, hasta los tiempos modernos en que con voz tierna todavía invita a la humanidad a una relación más estrecha con él, nos podemos dar cuenta de su gran interés en tener un pueblo como propiedad suya. Al principio no era así, siendo que la raza humana le pertenecía. El cambio vino con el pecado. Tras él, el Señor, siendo que muchos prefieren no relacionarse con él, escoge dar un estatus especial a los que le reciben. «Pero a todos los que le recibieron, a los que creen en su nombre, les dio derecho de ser hechos hijos de Dios» (Juan 1: 12). El Señor está ansioso por llevar sus hijos a la casa que prometió que les está preparando (Juan 14: 1-3).

> «Ahora pues, si de veras escucháis mi voz y guardáis mi pacto, seréis para mí un pueblo especial entre todos los pueblos. Porque mía es toda la tierra, y vosotros me seréis un reino de sacerdotes y una nación santa». Estas son las palabras que dirás a los hijos de Israel.
> Éxodo 19: 5, 6

Aunque los hombres más encumbrados prefieren no tener relación con los demás, el Dios del universo nos invita a su casa. Mientras que algunos mortales rehúyen la presencia de su prójimo en su hogar, Dios no solo invita, sino que hace provisión para que esto sea una realidad. Hace pactos con el hombre de acuerdo a las necesidades del hombre. Es el Dios del cielo quien se compromete a ser fiel a su palabra.

A nosotros, la generación posterior a la cruz, el Señor nos ha prometido que nos preparará un hogar. Nosotros, mediante la fe, le decimos: «¡Sí, ven, Señor! ¡Queremos morar contigo!» En ese acto de fe seguiremos esperando el cumplimiento de la promesa, aguardando aquel día glorioso cuando él se manifieste en las nubes de los cielos. La espera pueda aparentar ser larga, pero la promesa es segura. «El que ha de venir vendrá», y al fin se cumplirá el deseo ferviente del Padre de tener a sus hijos en casa y estar para siempre con ellos. Se cierra el ciclo, con el pecado destruido y los fieles en casa. Dios tendrá a toda la humanidad salvada como propiedad suya como era al principio.

«Por mucho tiempo hemos esperado el regreso de nuestro Salvador. Sin embargo, la promesa es segura. Pronto estaremos en nuestro hogar prometido» (8T 254).

Es imposible andar con él sin que se note

Además, vosotros también testificaréis, porque habéis estado conmigo desde el principio.
Juan 15: 27

En cada etapa de la vida de Jesús hallamos ejemplos dignos de imitar y encontramos fuerza para vivir la vida cristiana. El final del ministerio de Jesús fue muy dramático. Los que querían acallarlo y terminar con el ministerio de él en la tierra pensaban que con su muerte se acabaría todo. Sin embargo, Jesús había hecho provisión para que su ausencia no fuese el fin del ministerio. Sus seguidores seguirían con la obra de predicar, sanar e invitar a los pecadores al arrepentimiento y una entrega a Dios. Los nuevos creyentes podrían encontrar fuerza en la contemplación de la vida que él vivió.

La condición para seguir con la obra de Cristo era haber estado con él desde el principio. No se debe tomar esto específicamente como si la cantidad de tiempo es lo indispensable para testificar de él, sino el conocimiento profundo que se deriva de andar con él. Cuanto más tiempo pasemos con él, más lo llegamos a conocer y, por lo tanto, mejor capacitados estamos para darlo a conocer. Sin embargo, la influencia del Espíritu Santo no necesita largo tiempo para influir en una persona y cambiarla. Una relación prolongada solamente indica la antigüedad del conocimiento, pero no necesariamente que este sea mejor. Por la influencia del Espíritu, todos pueden llegar al conocimiento de la verdad.

La expresión «habéis estado conmigo desde el principio» podría significar conocer cada periodo del ministerio de Jesús. La gran verdad es que en cada fase Jesús fue victorioso. La vida del cristiano debe reflejar la vida de Cristo, porque en cada etapa de nuestro andar con él podemos encontrar aliento y fuerza. Hay ejemplos para el niño, para el joven, para el adulto; sí, para cada etapa de la vida hay un digno ejemplo de Cristo que podemos imitar. La calidad del tiempo con él es de mucho más valor que la cantidad. Un día de verdadera consagración es de mucho más valor que toda una vida de hipocresía y media conversión.

Cuando venga el Señor, vendrá por un pueblo que le conoce a él y tiene una relación de calidad con él. Pasar mucho tiempo con él es bueno, pero mucho mejor es pasar un día de consagración en los atrios de nuestro Dios. «Porque mejor es un día en tus atrios, que mil fuera de ellos. Prefiero estar en el umbral de la casa de mi Dios, que habitar en moradas de impiedad» (Sal. 84: 10).

Éxodo 22: 1 - 24: 18; Juan 15: 1-27

1 *febrero*   Dependamos del Señor

Hubo muchas cosas involucradas en la construcción del tabernáculo. Lo importante es que Dios se autoinvitó a vivir en medio de su pueblo. Cuando

> Que me hagan un santuario, y yo habitaré en medio de ellos.
> Éxodo 25: 8

alguien importante nos avisa que viene a visitarnos, hacemos todo lo posible para que esa persona se sienta cómoda y que las cosas estén de acuerdo a su gusto. Aunque hoy ya no se trata de en un tabernáculo visible, la realidad es que Dios quiere estar con cada uno de nosotros siempre. Debemos ser siempre conscientes de que, como en el desierto, la presencia de Dios debe ser visible en todas las facetas de nuestra vida. Este es un principio que no debemos perder de vista: Dios, que quiere estar con nosotros, debe ser visto por todos y en todo momento.

La construcción del tabernáculo supuso un problema importante para Moisés y el pueblo. Escaseaban las personas capacitadas para hacer el trabajo. Había muchos expertos en hacer ladrillos, pero construir un tabernáculo según las especificaciones de Dios requería una destreza artesana fuera de lo común. Pese a ser esclavos sin grandes conocimientos, Dios tuvo a bien usarlos y dar la solución. La insuficiencia puesta humildemente a disposición de Dios puede ser usada por él. Él pide humildad de espíritu y disposición a obedecerlo a pesar de las debilidades e insuficiencias. Aquí hay una gran lección para nosotros hoy: Aprender a depender totalmente de nuestro Señor.

La construcción del tabernáculo enseñó a los antiguos hebreos a confiar en Dios y no en los brazos del hombre.

Resulta digna de imitar la dedicación que pusieron en el trabajo con el fin de acabar la obra del tabernáculo lo antes posible. Algunos argumentaron que, dado que lo que se hacía era la obra de Dios, era lícito trabajar en sábado para terminar pronto. Pero tal noción fue desestimada (RH 28 de octubre de 1902). Por buena e importante que sea la obra, no hay que usar métodos no aprobados por Dios para lograrlo. Esto es un desafío mayor para el pueblo de Dios, porque el fin no justifica los medios.

«Habitaré entre ellos» es una indicación para nosotros hoy también. Los mismos principios se aplican hoy: Seguir la indicación del Señor en humildad, no depender del brazo humano y no usar métodos no aprobados por él.

Éxodo 25: 1 – 27: 21; Juan 16: 1-33

No desesperes. Confía. Jesús ora por ti   *febrero 2*

> Yo ruego por ellos.
> No ruego por
> el mundo, sino por
> los que me has dado;
> porque tuyos son.
> JUAN 17: 9

Si hay una cosa de la que el cristiano puede estar seguro, es la realidad de que hay uno que oró por nosotros y lo sigue haciendo. Las oraciones de Jesús van más allá de lo que el hombre se puede imaginar. Si Dios contesta la oración del pecador, mucho más atiende y contesta la oración de su Hijo. La certeza de la oración de Cristo es suficiente para que ningún hijo de Dios jamás sienta desesperación. «Yo ruego por ellos» nunca se debe tomar livianamente. Es la promesa del Hijo de Dios, es la certeza de nuestro Salvador, es la promesa de uno que nunca ha fallado en su palabra.

La desesperación viene cuando no hay esperanza de salida o de solución. Sin embargo, la oración de Cristo no era una oración por llenar el tiempo y para usar palabras bonitas. Es la promesa segura de que él nos mira y nos cuida. Por difícil que la vida pueda parecer, por imposible que parezca la situación, la gran verdad es que la oración de Cristo todavía tiene eficacia. Como a ovejas, el Padre nos puso en manos de nuestro Pastor para ser cuidadas; como a enfermos, nos confió a las manos de nuestro Médico para ser sanados; como a niños, nos entregó al cuidado de nuestro Tutor para ser enseñados.

Algunos se han preguntado: «¿Por qué recalca que no estaba orando por el mundo? ¿Qué habría pasado si hubiese orado por el mundo?» Jesús tenía una sola preocupación por el mundo, y la reservó para una de sus últimas oraciones, dando así a conocer de su gran amor por el mundo y la gran relación que ansiaba tener con él. «Y Jesús decía: "Padre, perdónalos, porque no saben lo que hacen"» (Luc. 23: 34). La preocupación de Jesús era la salvación del hombre; por eso, antes de expirar en la cruz, pronunció la mayor oración que se ha hecho a favor del ser humano: «Padre, perdónalos».

Como todas las oraciones de Cristo fueron contestadas, seguramente esta también recibió atención del Padre y pronta respuesta. Todo aquel que se allega al Hijo es aceptado por el Padre. Antes de que acepten a Jesús, la oración es «Padre, perdónalos». Después de aceptar a Jesús, la oración, de mayor gozo para Jesús, es «Padre, guárdalos». Esa oración te acompañará hoy. No desesperes. Confía en la gracia de nuestro Señor Jesucristo y en su intercesión en tu beneficio.

Éxodo 28: 1 - 31: 18; Juan 17: 1-26

3 febrero — Verifica los hechos antes de presentarlos

Extraña conversación aquella en la que parecía que Dios le estaba pidiendo permiso a Moisés para actuar contra el pueblo. Moisés, que conocía la psicología y la idiosincrasia de los egipcios, sabía que eran un pueblo dado a llegar a conclusiones sin tener toda la información pertinente. Era su costumbre pensar en el mal y adscribir maldad sin antes averiguar y entender la situación.

La psicología egipcia como la estaba describiendo Moisés, lamentablemente, es hoy la costumbre de muchos del pueblo de Dios. La verdad no es importante, la bondad es un accidente, la inocencia es una casualidad, porque lo primero que les llega a la mente es el mal. No solo está el defecto de juzgar que toda acción de su prójimo busca el mal, sino que tales personas hablan como si tuvieran todo el conocimiento del mundo, y hablan con tal confianza que cualquiera puede caer en el error de confiar en sus palabras.

La conversación de Dios y Moisés revela dos aspectos muy importantes para el cristiano. Moisés en su intervención era el tipo perfecto de Cristo, interponiéndose como mediador para la salvación del pueblo. Moisés también era el ejemplo perfecto de cómo debe portarse el cristiano ante situaciones de calumnia y acusaciones en contra de otras personas, o de interpretaciones equivocadas: Sin aceptar la forma de pensar de los egipcios, suplicó por el pueblo, y le pidió a Dios que no permitiese que los egipcios se sintieran justificados en su mal proceder.

La revelación de la verdad siempre es mucho más agradable que el avance de la mentira y la calumnia. Si Dios hubiera destruido al pueblo, los egipcios habrían sentido más fuerza en su mala forma de actuar y juzgar. Pero como el Señor no destruyó al pueblo, la forma de pensar de los egipcios quedó desenmascarada. En nuestro andar en el mundo, debemos imitar a Moisés, siempre intercediendo a favor del pecador, sin darle nunca la razón al mal. Cuando llegamos al conocimiento de una situación donde se está juzgando, calumniando y difamando, no participemos, ni demos lugar a que se propague ese mal.

> ¿Por qué han de hablar los egipcios diciendo: «Los sacó por maldad, para matarlos sobre los montes y para exterminarlos sobre la faz de la tierra»? Desiste del ardor de tu ira y cambia de parecer en cuanto a hacer mal a tu pueblo.
> Éxodo 32: 12

Éxodo 32: 1 - 33: 23; Juan 18: 1-40

No puede haber acuerdo con el mal

Entonces Pilato tomó a Jesús y le azotó.
JUAN 19: 1

Las pocas palabras no indican toda la historia. Pilato no tenía interés en flagelar a Jesús, pero la insistencia del pueblo, instigado por los escribas y fariseos, añadida a la debilidad de carácter de Pilato, le hizo claudicar y mandar a flagelar al Salvador del mundo. Parece que pensaba que esto bastaría para zanjar el asunto. Pero ¡qué equivocado estaba! Se comprometió con los acusadores, trató de apaciguarlos, pero no se detuvieron ante nada hasta ver la sangre de Jesús correr. Al ver la primera victoria, la turba se envalentonó para pedir más. La transigencia de Pilato no le sirvió de nada, y abrió la puerta para que el mal llegase más lejos. «Cuando Pilato entregó a Jesús para que fuese azotado y burlado, pensó excitar la compasión de la muchedumbre. Esperaba que ella decidiera que este castigo bastaba. Pensó que aun la malicia de los sacerdotes estaría ahora satisfecha» (DTG 684).

La gran verdad es que no se puede ni se debe transigir con el mal. El pecado nunca queda satisfecho con media victoria, es victoria total o es derrota absoluta y completa. No hay convivencia posible entre el pecado y el bien. El pecador no puede dar medios pasos; no hay componendas; no hay apaciguamiento del mal. El cristiano debe ser siempre consciente de que no puede apaciguar el pecado. Uno debe ser siempre firme y no jugar con el pecado y pensar que puede llegar hasta tal punto y no pasar. Dar a Satanás pequeñas victorias para que lo deje en paz es el error más grande que el cristiano puede cometer. Poco se reconoce que las cosas pequeñas llevan a las derrotas grandes. «Pero el amor verdadero es demasiado puro para cubrir un pecado no confesado... No debemos transigir con el mal» (HAp 441-4).

Como cristianos debemos estar siempre vigilantes para discernir las ocasiones (que son muchas y constantes) en que Satanás está tratando de lograr pequeñas victorias sobre nosotros. Pequeñas victorias que le podemos conceder al tratar de llegar a acuerdos con él. La confianza en Cristo, estar siempre vigilantes y dispuestos a decir «no» al mal o a la sombra del mal, es lo que nos garantiza la victoria final y total. Esto, de hecho, ya ha sucedido. Cristo ya derrotó contundentemente a Satanás. No hay por qué comprar una paz de cobardes. Pilato fracasó en su intento de apaciguamiento, y así sucederá con todos los que se descuiden y entren en negociaciones con el enemigo.

Éxodo 34: 1 - 35: 35; Juan 19: 1-42

Glorifica a Dios en todo

«**P**or tanto, ya sea que comáis o bebáis, o que hagáis otra cosa, hacedlo todo para la gloria de Dios» (1 Cor. 10: 31). Estas palabras no parecen tener mucha relación con la ofrenda para la construcción del tabernáculo. Sin embargo, Pablo pide al creyente que procure hacerlo todo para gloria de Dios. El diario vivir presenta un sinnúmero de ocasiones para olvidar que todo lo nuestro debería dar gloria y honor al nombre de nuestro Dios.

> Entonces Moisés mandó pregonar por el campamento, diciendo: «Nadie, hombre o mujer, haga nada más como ofrenda para el santuario». Así se le impidió al pueblo seguir trayendo; pues ya había material suficiente para hacer toda la obra, y aun sobraba.
> Éxodo 36: 6, 7

Parece que no había auditores para contar la ofrenda, y todo dependía de los artesanos. La honradez de estos es digna de mención. Comúnmente se habla de la dadivosidad de los judíos, pero rara vez se toma tiempo para considerar a los receptores de las ofrendas. Como artesanos, solo ellos sabían cuánto material se necesitaba. Asimismo, solo ellos sabían cuánto se había recibido. La falta de honradez podría haberse ocultado fácilmente.

¡Cuántas veces se aprovecha la falta de conocimiento de otros para faltar a la honradez! ¡Cuántas veces, cuando no hay vigilancia o supervisión estricta, no se cometen actos de falta de honradez! Se dice que los que clavaron a Cristo en la cruz recibieron cuatro clavos, pero que era costumbre tomar parte de los materiales como pago extra, y por eso se quedaron uno de los clavos y clavaron los pies con un solo clavo.

Los artesanos en la construcción del santuario presentaron la realidad a Moisés. Con lo que el pueblo había traído tenían suficiente. No querían apropiarse del excedente. ¡Qué hermoso es oír historias de actos de honradez sobresalientes, cuando un hijo de Dios toma la decisión correcta de devolver lo ajeno, de pagar el precio justo, de no aprovecharse de la inocencia de otros!

Hacerlo todo para gloria de Dios conlleva buscar que el nombre de Dios sea glorificado por la honradez, la sinceridad y el correcto andar y actuar en todo momento, hasta cuando estemos seguros de que nadie nos ve ni nadie se va a dar cuenta. Tengamos por seguro que Dios nos ve, se da cuenta y traerá todo a juicio. Hagamos de la honradez la norma de nuestro actuar y diario vivir.

Éxodo 36: 1 – 38: 31; Juan 20: 1-31

Ocupa tu lugar

> Así que al verlo, Pedro le dijo a Jesús: «Señor, ¿y qué de este?» Jesús le dijo: «Si yo quiero que él quede hasta que yo venga, ¿qué tiene esto que ver contigo? Tú, sígueme».
> JUAN 21: 21

Por noble que sea la tarea que tengamos entre manos, por importante que nos pueda parecer, nada ni nadie debiera desviar nuestra atención de la realidad de que nuestro Señor regresará.

Conociendo las debilidades humanas, Jesús nos advirtió del peligro de perder de vista, por ocuparnos de otras cosas menores, la realidad de su regreso. En la parábola del sembrador usó el ejemplo de la semilla que cae entre espinos y sucumbe ahogada por los cuidados de la vida sin germinar y dar fruto (Mat. 13: 22). El diario vivir y la lucha por la vida pueden hacer que perdamos la concentración en nuestra salvación. Con razón nos amonesta Pablo para ocuparnos en nuestra salvación «con temor y temblor» (Fil. 2: 12).

No era la primera vez que Pedro daba evidencia de no poder concentrarse largo rato en un asunto. Cuando anduvo sobre las aguas con Cristo y quitó la mirada del Señor para lucirse ante sus condiscípulos se hundió y tuvo que rogar a Cristo que le salvara. Ahora nuevamente el Señor le dice: «Sígueme», pero él se ocupa de otras cosas. En su respuesta, Cristo no quiso decir que el discípulo amado no moriría, sino que más bien usó a este de ejemplo de aquellos que sí saben concentrarse en la tarea hasta el regreso del Señor.

La respuesta de Cristo, en indicativo, nos dice a nosotros: «Yo quiero que queden hasta que yo venga. Yo quiero que se concentren en la tarea hasta que yo venga. Yo quiero que triunfen, porque así heredarán la corona de la vida». Este breve intercambio nos enseña que debemos concentrarnos en la tarea que tenemos entre manos, que hemos de permanecer fieles hasta la venida del Señor y que no cabe duda de que él regresará por los suyos. Que el Señor nos encuentre vigilando y esperando, sin perder la concentración de lo que verdaderamente importa.

«Nuestra obra consiste en velar, esperar y orar. Investigad las Escrituras. Cristo os ha advertido que no os mezcléis con el mundo. Debemos salir de en medio de ellos, y apartarnos. "Y no toquéis lo inmundo; y yo os recibiré, y seré para vosotros por Padre, y vosotros me seréis hijos e hijas, dice el Señor Todopoderoso" (2 Cor. 6: 17, 18)» (2MS 387).

7 febrero Cada cual según sus fuerzas, pero con un solo fin

Dios no nos trata como un todo, ni espera uniformidad de nosotros. El trato es individual; la salvación está hecha a la medida. Si uno se pierde, el Señor indica que lo irá a buscar. Cada uno de nosotros es precioso para él. Aunque el Señor espera y demanda orden en el culto que le rendimos, en lo que a

> Lo degollará delante de Jehová, al lado norte del altar; y los sacerdotes hijos de Aarón rociarán su sangre por encima y alrededor del altar.
> LEVÍTICO 1: 11

ofrendas se trata, no espera lo mismo de todos, pero sí igual sacrificio. Los que podían dar un animal grande, debían hacerlo, y también era aceptada la ofrenda de quienes solo podían ofrecer un pajarito.

Que diversos animales representaran al Salvador no significa que cualquiera lo pudiese representar. Lo importante del sacrificio era «un corazón contrito y humillado», que es más precioso a la vista de Dios que todas las ofrendas del mundo. Los animales no solamente representaban a Cristo, sino que también eran indicativos de cómo debería ser el creyente. Lo que tenían en común los animales era la humildad y la mansedumbre, características propias del Señor, y también esperadas del pecador contrito y humillado.

El animal no tenía opción al ser sacrificado. Se cree que cuando Cristo suplicó: «Padre, si es posible que pase de mí esta copa», no era una súplica para evadir el sacrificio, sino más bien para aliviar el dolor. Nunca vaciló en la realidad de la necesidad del sacrificio, aunque muchas veces habló de la copa amarga, del dolor físico y espiritual. Dolor físico que le hizo sudar sangre, y dolor espiritual al conocer que su sacrificio sería en vano para muchos que no lo aceptarían. Este dolor, que era peor que el físico, le partió el corazón. Es el dolor que se le inflige cada día miles de veces cuando se rechaza la gracia que él ofrece.

No había excusa para no traer el sacrificio, y no la hay para no aceptar el Sacrificio. No había excusa para no ir al santuario, y tampoco la hay para no rendirse al Señor. Todos los pecadores tenían algo en común: el deber de llevar una ofrenda. El nuestro es reconocer nuestra necesidad de un Salvador. Aunque el tipo de sacrificio podía variar, todos debían ofrecerse junto al altar, indicando que, no importa cómo o de dónde vengamos, todos hemos de acudir al mismo lugar y ser afectados por la misma experiencia: ver morir al Hijo de Dios por nuestros pecados, porque no hay salvación sino en el nombre de Cristo.

Levítico 1: 1 - 4: 35; Mateo 1: 1 - 2: 23

Condicionalidad

> Y les dijo:
> «Venid en pos de mí,
> y os haré pescadores
> de hombres».
> MATEO 4: 19

Muchas veces se ha presentado la relación de Dios con el hombre como una relación libre de condiciones. Sí, es verdad que él nos ama con un amor eterno, que ha entregado a su Hijo unigénito para nuestra salvación y que podemos llegar a él con toda confianza, sabiendo que siempre está dispuesto a recibir al pecador. Pero también es cierto que nuestro Dios tiene estrictas condiciones para la relación con él. Para empezar, nadie puede llegar al Padre sino por medio de Jesucristo. Si confesamos nuestros pecados y nos apartamos, él es fiel y justo para perdonar.

No es que no haya condiciones, sino más bien que las condiciones son tan básicas y fáciles de alcanzar que no hay razón para no alcanzarlas. Dios no nos pide nada imposible. Él ha logrado todo lo imposible para que todo lo que tenemos que hacer sea aceptar, venir y disfrutar.

Es el gran anhelo de Dios que sus hijos sean pescadores de hombres, pero la condición es «venir en pos de mí». La ganancia de almas es una indicación clara de que la primera condición se cumplió: un deseo ferviente de seguir al Señor. No se puede guiar a otros cuando nosotros no seguimos. Cuando hay un conocimiento profundo y un anhelo ferviente de seguir a nuestro Salvador, él nos puede ayudar a llevar a otros a él.

La realidad, sin embargo, va más allá. Si el Señor pudo abrir la boca de un asno para que testificara para él, bien puede hacer que, de forma excepcional, personas no del todo consagradas puedan ganar almas. Debemos siempre recordar que él puede usar las peores condiciones y siempre lograr que su nombre sea glorificado. La gran verdad es que una vida consagrada será identificada con un deseo ferviente de decirle al mundo que él es nuestro Señor y Dios.

La testificación ideal es una vida que refleje los valores de Dios, una vida que procure que los demás se den cuenta de que somos diferentes. Testificar para el Señor es decidir cada día no comprometernos con las cosas del mundo, sino estar dispuestos a destacarnos por el mero hecho de seguir a Cristo. La condición es la disposición a seguirlo en todo momento. Que nuestro día hoy pueda estar lleno de momentos de reflexión sobre la gran verdad de que somos cartas abiertas. Que nuestro pensar y actuar traiga gloria a nuestro Dios.

Levítico 5: 1 - 7: 38; Mateo 3: 1 - 4: 25

9 febrero Bendiciones más allá de lo que se puede entender

Cuando vio a las multitudes, subió a la ladera de una montaña y se sentó. Sus discípulos se le acercaron, y tomando él la palabra, comenzó a enseñarles.
MATEO 5: 1, 2, NVI

Muchas veces lo que no se dice significa mucho más de lo que se expresa. Tal es el caso de las Bienaventuranzas. Jesús enumera ocho, pero no las contrasta con un número igual de ayes. Seguir las indicaciones de Jesús es una gran bendición y un privilegio para el cristiano. Evitar por la gracia de Dios los horribles defectos opuestos a las virtudes bendecidas por él también es importante para nuestro desarrollo espiritual.

1. «Bienaventurados los pobres en espíritu», los convencidos de su condición de perdición sin Cristo, que son lo opuesto a quienes no quieren reconocer su necesidad de un Salvador.

2. «Bienaventurados los que lloran», los tristes por su condición pecaminosa y arrepentidos de sus errores, personas diametralmente distintas a los altivos que no se quieren humillar ante el Señor.

3. «Bienaventurados los mansos», los que se someten a Dios, que distan de parecerse a los propensos a rebelarse ante cualquier cosa, a los dados a guardar rencor y a enojarse con Dios y todo el mundo.

4. «Bienaventurados los que tienen hambre y sed de justicia», que son lo contrario a los que no pueden aceptar la salvación por la gracia, inmersos en una lucha constante para hacer "cosas" para ser salvos.

5. «Bienaventurados los misericordiosos», los que se preocupan del bien de los demás, que están en el extremo opuesto de los que egoístamente quieren adueñarse del reino de Dios sin hacer ningún esfuerzo para ayudar a los demás a encontrar el camino de la salvación.

6. «Bienaventurados los de limpio corazón», no los que se creen más santos que otras personas y que dedican su vida a encontrar faltas en los demás.

7. «Bienaventurados los que hacen la paz», que no tienen la actitud de quienes promueven la maldad y hacen que otros caigan en el pecado.

8. «Bienaventurados los que son perseguidos por causa de la justicia», que no son los que desaniman a los demás en sus luchas o presentan las dificultades como razón para abandonar al Señor.

Levítico 8: 1 - 10: 20; Mateo 5: 1-48

La economía del afecto

> Más bien, acumulad para vosotros tesoros en el cielo, donde ni la polilla ni el óxido corrompen, y donde los ladrones no se meten ni roban.
> MATEO 6: 20

No todas las culturas tienen un sentido de economía que promueva el ahorro hoy para poder sobrevivir mañana. Los pueblos no sujetos a fluctuaciones estacionales no tenían la costumbre de ahorrar para poder sobrevivir. Esta costumbre de tomar y usar de la naturaleza solo lo que se necesita en el momento ha dado lugar a lo que se conoce como la *economía del afecto*. Las gentes respetan la naturaleza y no acaparan lo que a otros les pueda servir.

La economía del afecto propone y acepta que toda la sociedad es interdependiente, y nos obliga, por ello, a pensar siempre en las necesidades de los demás, trátese de seres queridos, vecinos, amigos o cualquiera que pueda tener influencia sobre uno.

Las palabras de Cristo se refieren a quienes han desarrollado la práctica egoísta de tomar y retener solamente para sí sin preocuparse de los demás. Con estas palabras, Jesús nos llama la atención a tantas cosas de la vida que tienen que ver con la forma en que nos relacionamos con los demás:

- El don del perdón Dios nos lo da gratuitamente de forma tan abundante que debemos asegurarnos de darlo a los demás de la misma manera.
- Se debe recordar que todo lo que somos y poseemos proviene de Dios, y el hacer alarde de nuestra bondad para humillar a otros, no es la mejor manera de usar los dones del cielo.
- Nuestro servicio a Dios no debe ser razón de desánimo para otros. «Pero tú, cuando ayunes, unge tu cabeza y lávate la cara, de modo que no muestres a los hombres que ayunas, sino a tu Padre que está en secreto. Y tu Padre que ve en secreto te recompensará» (Mat. 6: 17, 18).

Acumular tesoros en el cielo no es simplemente abrir una cuenta bancaria en el cielo; es vivir de tal manera aquí que todo lo nuestro agrade al Señor, especialmente en nuestro trato con los demás. Es ser un embajador de Cristo y dejar brillar nuestra luz ante los hombres.

«Viviendo una vida de consagración y abnegación al hacer el bien a otros, podríais haber añadido estrellas y gemas a la corona que llevaréis en el cielo y habríais acumulado tesoros eternos, inmarcesibles» (Ms 69, 1912).

Tira la basura

No juzguéis, para que
no seáis juzgados.
Mateo 7: 1

Una señora tenía que salir una mañana de compras. El camión de la basura tenía un punto de recogida en
la ruta que esta mujer debía tomar para llegar a la parada del autobús,
de modo que ella recogió una bolsita de basura con la intención de dejarla en
aquel lugar. Ensimismada en mil asuntos, en vez de dejar la bolsita en el lugar
de recogida, la pobre mujer la metió entre las cosas que llevaba y se subió al
autobús. Al poco rato, se quedó sorprendida de un olor sumamente desagradable que impregnaba el vehículo. Abrió las ventanillas para dejar entrar el aire
fresco, pero de nada sirvió. Al bajarse al llegar a su destino, notó que el mal olor
persistía en la calle, y el hedor no se disipaba ni siquiera cuando entraba en las
distintas tiendas en las que tenía que hacer sus compras. Según iban pasando
las horas, la situación empeoraba y llegó a sentir náuseas, pues todo el mundo
olía mal. Solo cuando regresó a casa se dio cuenta de que quien llevaba el mal
olor a todas partes había sido ella.

¡Cuántas veces nos dedicamos a ver el mal en los demás, a juzgarlos y criti-
carlos sin misericordia, siendo que, a menudo, la basura la llevamos encima!
Juzgar a los demás, criticarlo todo, nos roba la dicha de disfrutar las bendiciones del cielo y la compañía de los hijos de Dios. Consideremos las siguientes
palabras:

«El ambiente de críticas egoístas y estrechas ahoga las emociones nobles y
generosas, y hace de los hombres espías despreciables y jueces ególatras. A esta
clase pertenecían los fariseos. No salían de sus servicios religiosos humillados
por la convicción de lo débiles que eran ni agradecidos por los grandes privilegios que Dios les había dado. Salían llenos de orgullo espiritual, para pensar tan
solo en sí mismos, en sus sentimientos, su sabiduría, sus caminos. De lo que
ellos habían alcanzado hacían normas por las cuales juzgaban a los demás… El
pueblo participaba en extenso grado del mismo espíritu, invadía la esfera de la
conciencia, y se juzgaban unos a otros en asuntos que tocaban únicamente al
alma y a Dios… No hagáis de vuestras opiniones y vuestros conceptos del deber, de vuestras interpretaciones de las Escrituras, un criterio para los demás,
ni los condenéis si no alcanzan a vuestro ideal. No censuréis a los demás; no
hagáis suposiciones acerca de sus motivos ni los juzguéis» (DMJ 106).

Levítico 14: 1 - 15: 33; Mateo 7: 1-29

No hagas el bien para no perjudicar lo mejor   *febrero 12*

> Entonces Jesús le dijo: «Mira, no lo digas a nadie; pero ve, muéstrate al sacerdote y ofrece la ofrenda que mandó Moisés, para testimonio a ellos».
>
> MATEO 8: 4

La tendencia humana es proclamar voz en cuello cuanto bueno nos ocurre. Como cristianos se nos insta siempre a decir lo que Cristo ha hecho en nuestras vidas para que otros lleguen al conocimiento de la gracia salvadora. Sin embargo, hay veces que la vida vivida es preferible a la palabra hablada. Una vida en acuerdo con la voluntad de Dios es un testimonio mucho más poderoso que un sermón predicado.

«Jesús encargó al hombre que no diese a conocer la obra en él realizada, sino que se presentase inmediatamente con una ofrenda al templo. Semejante ofrenda no podía ser aceptada hasta que los sacerdotes le hubiesen examinado y declarado completamente sano de la enfermedad. Por poca voluntad que tuviesen para cumplir este servicio, no podían eludir el examen y la decisión del caso.

»Las palabras de la Escritura demuestran con qué urgencia Cristo recomendó a este hombre la necesidad de callar y obrar prontamente. "Entonces le apercibió, y despidióle luego. Y le dice: Mira, no digas a nadie nada; sino ve, muéstrate al sacerdote, y ofrece por tu limpieza lo que Moisés mandó, para testimonio a ellos." Si los sacerdotes hubiesen conocido los hechos relacionados con la curación del leproso, su odio hacia Cristo podría haberlos inducido a dar un fallo falto de honradez. Jesús deseaba que el hombre se presentase en el templo antes de que les llegase rumor alguno concerniente al milagro. Así se podría obtener una decisión imparcial, y el leproso sanado tendría permiso para volver a reunirse con su familia y sus amigos.

»Jesús tenía otros objetos en vista al recomendar silencio al hombre. Sabía que sus enemigos procuraban siempre limitar su obra, y apartar a la gente de él. Sabía que si se divulgaba la curación del leproso, otros aquejados por esta terrible enfermedad se agolparían en derredor de él y se haría correr la voz de que su contacto iba a contaminar a la gente. Muchos de los leprosos no emplearían el don de la salud en forma que fuese una bendición para sí mismos y para otros. Y al atraer a los leprosos en derredor suyo, daría ocasión de que se le acusase de violar las restricciones de la ley ritual. Así quedaría estorbada su obra de predicar el evangelio» (DTG 229-30).

13 febrero

Medir con medida justa y pesar en balanza justa denota la forma como tratamos a nuestros semejantes. Dios espera una estricta relación de honestidad, no abusando del inocente ni de la ignorancia del prójimo.

> No haréis injusticia en el juicio, ni en la medida de longitud, ni en la de peso, ni en la de capacidad. Tendréis balanzas justas, pesas justas, un efa justo y un hin justo. Yo, Jehová, vuestro Dios, que os saqué de la tierra de Egipto.
> LEVÍTICO 19: 35, 36

«Se me mostró que es en esto donde muchos no soportan la prueba. Desarrollan su verdadero carácter en el manejo de las preocupaciones temporales. Son infieles, maquinadores y deshonestos en su trato con sus semejantes. No consideran que su derecho a la vida futura e inmortal depende de cómo se conducen en los asuntos de la presente, y que la más estricta integridad es indispensable para la formación de un carácter justo...» (1JT 509-10).

Esto tiene que ver con todo nuestro trato con los demás, trato que va más allá de las transacciones comerciales. Lo importante en esto es la honestidad en el trato con nuestros semejantes, y esto va más allá de las pesas y balanzas. Cuando la justicia de Cristo nos cubre y su gracia nos obliga y su amor nos constriñe, entonces no podemos sino tratar honestamente a nuestros semejantes. Jesús enseñó que debiéramos medir y tratar a los demás con la misma vara que nos medimos. Esto, sin embargo, es lo mínimo que deberíamos aplicar en nuestro trato con los demás. Nuestras relaciones mutuas deberían llevarnos a tratar a los demás *mejor* de lo que desearíamos ser tratados. ¿No es esto que Jesús quiso decir cuando habló de «poner la otra mejilla» y de ir dos millas en vez de una, o de dejar la capa y la túnica?

Juzgar el carácter de otros con más severidad que el propio es medir con pesa falsa. Esperar bondades de otros sin estar dispuesto a ser más bondadoso es pesar con pesa falsa. ¡Hay tantas cosas que afectan las relaciones interpersonales en las que podemos valorar al prójimo comparativamente sin darnos cuenta que estamos juzgando y pesando con pesas falsas! Por esto el Señor nos enseñó el mejor camino cuando nos dijo que lo mejor es no juzgar.

En todas nuestras relaciones con los demás, si tenemos que opinar, usemos pesas correctas.

Levítico 18: 1 - 20: 27; Mateo 9: 1-38

Si me amas, demuéstramelo

> Y cuando seguéis la mies de vuestra tierra, no segarás hasta el último rincón de tu campo, ni recogerás las espigas en tu campo segado. Las dejarás para el pobre y el extranjero. Yo, Jehová, vuestro Dios.
>
> Levítico 23: 22

Es imposible pretender amar a Dios y no tener en cuenta las necesidades de los menos afortunados. La Palabra de Dios nos insta vez tras vez a no olvidarnos de los pobres. Al acordarnos de los necesitados, reconocemos que toda buena dádiva proviene del Padre. Cuando uno se preocupa de los pobres y necesitados, manifiesta que el corazón ha sido enternecido por la presencia del Espíritu Santo.

Comúnmente, a las personas que tienen mucho no les gusta compartir con los demás, por el temor de quedarse sin nada. Sin embargo, la persona en cuyo corazón habitan la bondad y la gracia de Dios reconocerá que, no importa cuánto dé, el Señor del cielo siempre suplirá sus necesidades.

Cuando vemos una persona tirada por las calles, tendemos a juzgar y pensar que es drogadicta, o que es alguien incapaz de gestionar sus cosas y que por eso está en la situación en que está. Pero el Señor nos insta a no juzgar. Demos a conocer al mundo que nos observa que creemos que una persona así también ha sido comprada por la sangre de nuestro Salvador. Demostremos que creemos que Dios tiene misericordia de ella. Despreciar al pobre es juzgarlo y esto no es lo que nuestro Señor espera de nosotros.

Cuando veamos a los pobres en los cruces o en los semáforos mendigando, o a madres desesperadas que andan con su bebé en brazos suplicando ayuda, que Dios nos ayude a no juzgar y pensar que están pidiendo para ir a comprar más droga. Abramos nuestros corazones para que el Espíritu de Dios nos use para ser una bendición para un necesitado. Claro está que no queremos apoyar la vagancia ni los malos hábitos, pero, ¿quiénes somos para juzgar? ¿Quién sabe si esta persona rogó a su Señor, que es nuestro Dios también, pidiéndole que ponga a una persona en el camino para socorrerle?

Puede que nosotros seamos la respuesta a la oración de un pobre. Nunca debemos cansarnos de hacer el bien y demostrar bondad a los demás. Si abusan de nuestra bondad, que los juzgue Dios, pero yo y mi casa serviremos a nuestro Dios con una demostración de compasión para los menos afortunados.

Levítico 21: 1 - 23: 44; Mateo 10: 1-42

No siempre nuestras expectativas se cumplen a la primera. Una de las virtudes del cristiano es saber esperar sin perder la fe. Cuando nuestros pioneros sufrieron el gran chasco de 1844, los fieles se mantuvieron firmes hasta que llegaron a la conclusión de que, aunque no era lo que habían esperado inicialmente, algo grande aconteció el 22 de octubre de aquel año.

> Ahora bien, cuando oyó Juan en la cárcel de los hechos de Cristo, envió a él por medio de sus discípulos, y le dijo: «¿Eres tú aquel que ha de venir, o esperaremos a otro?»
> MATEO 11: 2, 3

Cuando Juan el Bautista quedó encarcelado, no dudó de la realidad que «un niño nos es nacido», ni del hecho que un Mesías vendría, ni que Dios tuviese un plan de salvación. Ni siquiera dudó que su primo fuese ese Mesías. Él solamente quería confirmación de su fe. Estaba listo para morir, pero quería morir con la bendita esperanza viva en su mente. Quería bajar a la tumba sabiendo que sus ojos habían visto al Mesías. Quería la confirmación de que su predicación no había sido en vano, y que el que era mayor que él ya estaba aquí.

La pregunta de Juan no era tanto para él como para sus discípulos. Ellos habían aprendido de él que Cristo era el Mesías, pero ahora que estaba encarcelado se preguntaban si todo esto no era una pesadilla. Necesitaban la confirmación de que, aunque a Juan lo iban a matar, el Mesías estaba con ellos para guiarlos. Quizás ahora entenderían plenamente lo que él les había dicho mucho antes: que vendría uno las correas de cuyas sandalias él no era digno de desatar.

Las vicisitudes de Juan debían ser la confirmación de la fe de sus discípulos. Juan nos enseñó que la peor circunstancia no debía ser motivo de perder lo mejor que tenemos. Nada debiera interponerse entre nuestro Dios y nuestra fe en él, porque, a su debido momento, el que ha de venir vendrá y no tardará.

«Perturbaba a Juan el ver que por amor a él sus propios discípulos albergaban incredulidad para con Jesús… Pero el Bautista no renunció a su fe en Cristo. El recuerdo de la voz del cielo y de la paloma que había descendido sobre él, la inmaculada pureza de Jesús, el poder del Espíritu Santo que había descansado sobre Juan cuando estuvo en la presencia del Salvador, y el testimonio de las escrituras proféticas, todo atestiguaba que Jesús de Nazaret era el Prometido» (DTG 187).

Levítico 24: 1 - 27: 34; Mateo 11: 1-30

Definiendo prioridades

> Porque cualquiera que hace la voluntad de mi Padre que está en los cielos, ese es mi hermano, mi hermana y mi madre.
>
> MATEO 12: 50

Las palabras de Jesús pueden sonar fuera de lugar, pero un análisis de la situación en los contextos de tiempo, lugar y ocasión nos revelará que no es así. No era la primera vez que alguien buscaba crear una confrontación con Jesús. Ya era conocido que algunos intentaban entramparlo por referencia a sus familiares. Lo cierto es que Jesús siempre fue muy atento con sus familiares, pero no hasta el extremo de permitir que eso entorpeciera la misión por la cual había venido.

La presencia de sus familiares ha sido interpretada por algunos como un intento de interferir en la labor que él estaba realizando. No estaba rechazando a sus parientes al indicar que, para él, sus familiares eran los que hacían la voluntad del Padre. Hay una profundidad inmensa para nosotros en estas palabras, porque la iglesia no es un edificio, ni una persona, ni un grupo particular de personas. Se dice que la iglesia es una familia. Tan cercanas, tan íntimas, tan variadas como la familia: así debieran ser las relaciones dentro de la iglesia. El amor fraternal, el respeto, la preocupación por el prójimo y, sí, hasta el deseo de darlo todo por la familia debieran ser los sentimientos entre nosotros.

Cuando a Jesús le dijeron que sus parientes estaban fuera, se dio cuenta de que intentaban distraerlo de su labor. Por importantes que fueran los que estaban fuera, para él la prioridad era los que estaban con él. Los más importantes eran los que estaban dispuestos a hacer la voluntad del Padre sin cuestionamientos. Estar dispuesto a hacer la voluntad del Padre es el rasgo distintivo más grande que se puede conocer: es lo que define a la familia. La familia de la iglesia, por lo tanto, no se debe tomar livianamente. Ser hijos de un mismo Padre, ser hermanos los unos de los otros; todo esto es ser de la familia de Dios.

La gran esperanza del cristiano es estar un día su verdadera familia allá en el cielo azul. Si en el cielo vamos a ser familia, es importante que nos amemos como hermanos ahora. Si en el cielo vamos a tener un solo Padre, es importante que le reconozcamos ahora y estar dispuestos a hacer su voluntad ahora. La esperanza más fiel del cristiano es estar algún día, pronto, con Cristo, disfrutando de los beneficios de la familia de Dios en la casa de Dios.

Números 1: 1 - 2: 34; Mateo 12: 1-50

Ni la apariencia del mal

El pecado es muy sutil, y es fácil verse entrampado por él. El cristiano debe vivir asido de la mano del Señor a toda hora para evitar caer bajo los embrujos del pecado. Se debe reconocer que el pecado tiene muchos matices, que el inicio de un acto pecaminoso puede estar muy cerca de lo lícito, pero que el fin

> Durante todo el tiempo de su nazareato no comerá nada que provenga de la vid, desde las semillas hasta el hollejo.
> NÚMEROS 6: 4

llevará a la pérdida de la salvación. Jesús amonestó sobre este peligro al indicar que el mirar, el desear, el anhelar ya es considerado pecado, porque a tal fin se encamina.

Quienes reconocen la santidad del cuerpo como templo del Espíritu Santo y se abstienen de comer o beber las cosas que puedan causar daño, incluyendo las bebidas alcohólicas en todas sus formas, no ven el comer una buena porción de uvas como pecado. Sin embargo, para el nazareo hasta esto estaba prohibido. No es que el Señor no quisiera que disfrutasen de lo alimenticio de las uvas o del placer de comerlas, sino que, para estar seguros de que ni siquiera se iniciaran en la senda de la borrachera, se les instó a ni siquiera tocar el fruto de la vid. El principio era no tocar lo que puede llegar a ser malo, todo cuanto suponga apariencia del mal.

He aquí la gran amonestación para el pueblo de Dios en nuestros tiempos. Para nosotros no es la práctica literal el abstenernos de tocar las hojas de la vid, sino el principio de no dar inicio a nada que pueda acabar transformándose en pecado. Debemos estar siempre vigilantes, dependiendo de la gracia divina para abstenernos hasta de la apariencia del mal, de los actos aparentemente inocentes que tienen la tendencia de llevar al mal.

Durante este día el enemigo de las almas pondrá muchas buenas cosas en nuestro camino cuyo fin llevará al mal. Jesús nos enseñó a orar pidiendo «no nos dejes caer en la tentación» y se ha argumentado que la tentación no es pecado. Pero nuestro Señor sabía que necesitamos gracia y fuerza desde la primera etapa de la tentación porque las etapas subsiguientes pueden llevar al mismo pecado. Nuestra oración debiera ser, por lo tanto: «Señor, estate conmigo en todo momento. Ayúdame a discernir el fin desde el principio y a no tomar el camino que puede llevar al pecado mismo».

 Números 3: 1 – 6: 27; Mateo 13: 1-58

¡Sálvame, oh mi Señor!

Pero al ver el viento fuerte, tuvo miedo y comenzó a hundirse. Entonces gritó diciendo: «¡Señor, sálvame!»
MATEO 14: 30

En tiempos de crisis, las oraciones cambian y nuestra forma de percibir las cosas toma un giro brusco. Tal fue el caso de Pedro. Dos formas de orar se manifestaron en un lapso más bien corto. La oración inicial no era una oración de fe, sino más bien de poner a prueba al Señor. «Entonces le respondió Pedro y dijo: "Señor, si eres tú, manda que yo vaya a ti sobre las aguas"» (Mat. 14: 28). No podía aceptar lo que presenciaba como prueba suficiente de que era el Señor quien llegaba andando sobre las aguas. «Si eres tú, haz lo que yo quiero». ¿No es así como tantas veces oramos? «*Yo* quiero; *yo* necesito; *yo*... *yo*...» ¡Claro que tenemos necesidades! El Señor nos invita a llevarle todas nuestras penas y cuitas. Nunca se cansa de recibir nuestras peticiones y súplicas.

El caso de Pedro no fue una necesidad. Lo suyo era un deseo de confirmación para cerciorarse de que era el Señor y no el fantasma que pensaron. A veces las cosas del Señor no se entienden, y la tendencia del hombre es darle interpretaciones que con frecuencia tienden a lo peor: no un ángel, sino un fantasma.

El fenómeno de caminar sobre las aguas era para todos: todos lo vieron y lo experimentaron. Facilitarle a Pedro caminar sobre las aguas era satisfacer la petición de su corazón, algo que no necesitaba pero quería. Y el Señor se lo concedió. El Señor nos da a veces cosas para que aprendamos que no todo lo que queramos es lo que necesitamos o nos conviene.

La segunda petición de Pedro, «Señor, sálvame», fue un grito de angustia. «Solo tú lo puedes hacer; confío en tu capacidad para hacerlo. Esta es mi necesidad más apremiante y solo tú la puedes colmar». «Señor, sálvame» fue la oración de verdadera fe. No tenía otra alternativa: solo el Señor podía actuar para salvarlo. Ya no había duda, sino confianza absoluta en el poder del Señor.

Cuando las oraciones no son contestadas como nosotros queremos, no tiene sentido dejar de confiar en Dios. Lo que debemos hacer es buscar la voluntad del Señor o descubrir qué lecciones nos quiere enseñar con la respuesta o el silencio recibidos. Oremos sin cesar, pero siempre buscando la voluntad de Dios y no nuestros propios caprichos.

Números 7: 1 - 8: 26; Mateo 14: 1-36

19 febrero

La música siempre ha desempeñado un papel importante en el culto a Dios. En la Biblia hay numerosas referencias al papel de la música y, especialmente, de los instrumentos musicales en la adoración. A lo largo de la historia, y dependiendo de los gustos de ciertos dirigentes eclesiásticos, los instrumentos han llegado a estar prohibidos. Así, el papa Gregorio Magno (590-604) prohibió el uso de instrumentos, lo que causó el desarrollo del canto gregoriano, que es siempre *a cappella.*

> Cuando se toque con ambas, se reunirá ante ti toda la congregación a la entrada del tabernáculo de reunión.
> NÚMEROS 10: 3

La lectura de la Biblia para hoy da indicación de un instrumento que se usaba en diferentes ocasiones por orden de Dios. Las trompetas de plata ocupaban un lugar muy importante en la vida religiosa, migratoria, de gobierno y militar de los hijos de Israel. De los muchos usos que se daba a las trompetas, se denota que el uso para la santa convocación era especial. Se tocaban dos trompetas: «Cuando se toque con ambas, se reunirá ante ti toda la congregación a la entrada del tabernáculo de reunión» (Núm. 10: 3). Se tocaban con armonía y no con estrépito.

La adoración a Dios, sea en privado o en público, debería ser de tal naturaleza que se diferencie de cualquiera otra forma de congregarse. También es importante recordar que cuando los hijos de Dios se reúnen para adorar, debería ser con el propósito de buscar y mantener la armonía que Dios requiere de sus hijos. Cuando nos relacionamos, sea dentro o fuera de la casa de Dios, no debiéramos permitir el enemigo venga a perturbar la paz y la tranquilidad que la adoración de Dios requiere y busca. Todo lo que tenga que ver con el servicio a Dios, de acuerdo a sus indicaciones, debería ser armonioso, pacífico, y lleno de dulzura.

Dios es un Dios de orden, y solamente lo ordenado, sin ira ni enojo, ni nada que cause perturbación, debería permitirse. Todas estas cosas son elementos de lo que pidió Jesús cuando oró por la unidad de sus seguidores. La unidad, la armonía, la tranquilidad, todos son sentimientos y condiciones indispensables para la verdadera adoración. Que podamos escuchar las dos trompetas en armonía cuando lleguemos a la casa de nuestro Dios para la adoración.

Resistamos el mal con firmeza

María y Aarón hablaron contra Moisés a causa de la mujer cusita que había tomado, porque él había tomado por mujer a una cusita.
NÚMEROS 12: 1

Los celos y las envidias pueden cegar a la persona, al punto de perder de vista las motivaciones de sus actos y los resultados de los mismos. María y Aarón estaban cuestionando el liderazgo de Moisés, no porque no fuese eficaz, sino por los celos de que el Señor lo hubiese escogido a él para ser su portavoz oficial. En su murmuración y descontento, no podían encontrar falta alguna en el escogido de Dios salvo su matrimonio.

Elena G. de White explica que «aunque se la llama "mujer cusita" (VM) o "etíope", la esposa de Moisés era de origen madianita, y por lo tanto, descendiente de Abraham. En su aspecto personal difería de los hebreos en que era un tanto más morena. Aunque no era israelita, Séfora adoraba al Dios verdadero» (PP 403).

Las insinuaciones y falsas acusaciones procedieron de María, pero contaron con la complicidad de Aarón, que no tuvo el coraje de resistir el mal. No habló mucho, pero el refrán de que «el que calla otorga» se puede aplicar en este caso también. No reprendió a su hermana, no defendió el bien, no luchó contra el mal, y así permitió, por su silencio y actitud pasiva, que el mal progresara.

«Si Aarón se hubiese mantenido firme de parte de lo recto, habría impedido el mal; pero en vez de mostrarle a María lo pecaminoso de su conducta, simpatizó con ella, prestó oídos a sus quejas, y así llegó a participar de sus celos» (PP 403-4).

No es suficiente no hacer el mal: el cristiano debe ser un activista para el bien. No se trata de salir a las calles a protestar contra cualquier injusticia social o que vayamos a unirnos a causas que nos parezcan justas, sino de que hagamos todo lo posible para que donde estemos el mal no pueda progresar.

Con su silencio, Aarón dio alas al mal de la sublevación contra el elegido por Dios. No supo expresar su desaprobación de la crítica mordaz de su hermana. Que Moisés se hubiese casado con una extranjera no justifica el gran pecado de la sublevación contra él. Aunque puedan aducirse argumentos en apoyo de un cierto proceder, cuando se comete pecado con ello, pecado es. Aarón era débil para resistir el mal. Seamos nosotros fuertes para promover el bien.

21 *febrero* No des rienda suelta a la duda y la murmuración

En la mayoría de los bulos, cada boca que los repite añade un poquito más de exageración. Las mentiras y las falsedades son como una onda que se expande mientras son repetidas de boca en boca. Las dudas en cuanto a las verdaderas intenciones de Moisés y Aarón se extendieron como un reguero de pólvora en el campamento. Al principio era solamente el último chisme, pero pronto llegó a ser la "verdad presente". Cuando las noticias que las espías habían traído llegaron a la última tienda, la verdad estaba tan distorsionada que no había forma de corregirla.

La incredulidad y el descontento subieron a tal nivel que Dios tuvo que intervenir y pronunciarse con amenazas tan fuertes que, de no mediar Moisés, habrían acabado de forma muy distinta.

Todo empezó porque alguien no creyó; alguien dio rienda suelta a sus dudas y quejas. Una persona tuvo la osadía de levantar su voz en secreto contra el dirigente elegido por Dios mismo y pronto la situación resultó incontenible. La incredulidad es contagiosa, pero es también una de las cosas más seguras para promover la separación de Dios y su pueblo.

Todo pecado empieza con una duda. Es verdad que la Biblia enseña que la raíz de todos los males es el amor al dinero. También queda bien claro que la mínima duda acerca de los planes, intenciones y la voluntad de Dios lleva a un rechazo de todo lo que se ha dicho en cuanto al Salvador y Señor.

El plan de Dios es actuar de manera que se genere fe y confianza en su pueblo. En cambio, el enemigo usa sus mejores armas cuando logra sembrar duda y descontento.

«No es necesario caer bajo la tentación, porque la tentación nos sobreviene pare probar nuestra fe. Y la prueba de nuestra fe obra paciencia, y no mal humor ni murmuración. Si ponemos nuestra confianza en Jesús, él nos protegerá en todo tiempo y será nuestro baluarte y escudo» (AFC 282).

> Todos los hijos de Israel se quejaron contra Moisés y Aarón; toda la congregación les dijo: «¡Ojalá hubiésemos muerto en la tierra de Egipto! ¡Ojalá hubiésemos muerto en este desierto!» Entonces Jehová dijo a Moisés: «¿Hasta cuándo me ha de menospreciar este pueblo? ¿Hasta cuándo no me ha de creer, a pesar de todas las señales que he hecho en medio de ellos?»
> Números 14: 2, 11

Números 13: 1 - 14: 45; Mateo 17: 1-27

Confiad, yo he vencido

> Jehová habló a Moisés diciendo: «Habla a los hijos de Israel y diles: "Cuando hayáis entrado en la tierra que vais a habitar y que yo os doy, presentaréis una ofrenda quemada del ganado vacuno o del ganado ovino, como grato olor a Jehová, en holocausto o sacrificio por un voto especial, o como sacrificio voluntario, o por vuestras festividades"».
>
> NÚMEROS 15: 1-3

Cuando Dios guía, no deja lugar a la duda. El Señor no habla de posibilidades, sino de certezas. Al hablar de la futura posesión de la tierra de Canaán por parte de los israelitas, Dios no dijo «si llegáis a entrar», sino «cuando hayáis entrado». No había duda de que iban a entrar.

Nuestro Dios habla con confianza, porque sabe que sus palabras siempre se cumplen. Él no ha perdido una sola batalla, nunca ha defraudado a sus hijos que confían en él. Cuando él promete, cumple.

Para darles más confianza en la certeza de que iban a entrar a la Tierra Prometida, Dios les dio muchas instrucciones. No habría escasez de alimentos; podían confiar que siempre habría. Tanto era así que podían permitirse el lujo de no sembrar la tierra cada séptimo año. Tendrían lo suficiente. Ni siquiera necesitarían sus esclavos después de siete años, y podrían darse el lujo de soltarlos cada siete años, recompensándolos adecuadamente por sus servicios.

Las instrucciones no eran para un pueblo dubitativo, sino para un pueblo que confiaba en la promesa de Dios, un pueblo que fue animado con certezas acerca de «cuando hayáis entrado en la tierra que vais a habitar y que yo os doy». Las cosas acerca de las que Dios estaba instruyendo a Moisés nunca las habían experimentado. Abundancia de alimento regular, no maná, y un país para desarrollarse en libertad; ganado en abundancia para suplir sus necesidades y para ofrecer holocaustos; espacio suficiente y confianza y seguridad de tal naturaleza que podían permitir a extranjeros vivir entre ellos. Dios no hablaba de posibilidades, sino de certezas.

Ese Dios poderoso es el mismo hoy. Como ayer. No nos habla de posibilidades, sino de certezas. Porque es nuestro Dios podemos confiar en él plenamente. La historia de su intervención en los asuntos de los hombres nos ayuda a reconocer la seguridad que podemos tener en sus promesas. Confiemos hoy en nuestro Dios.

Números 15: 1 - 16: 50; Mateo 18: 1-35

El perdón es la primera opción

L a costumbre era que si un hombre se quería deshacer de su esposa, todo lo que tenía que hacer era decirle en público: «Me divorcio de ti». ¡A tal punto había degenerado la dispensación mosaica!

La pregunta de los fariseos se proponía sondear la enseñanza de Jesús acerca del perdón. Si hay una relación en la que muchas veces hay poca disposición a perdonar ofensas, es en el matrimonio. Se cree que, por la confianza que se desarrolla en el matrimonio, por el amor que se profesa, la herida de una traición es de tal grado que resulta difícil perdonar. Al presentar el asunto del divorcio a Jesús después de que él hablase del perdón incondicional, los fariseos le estaban presentado el peor ejemplo, en el que perdonar parecía imposible y la "venganza" del divorcio rápido parecía perfectamente justificada.

La respuesta de Jesús desarmó el argumento de los fariseos: No hay divorcio "fácil"; no hay ofensa matrimonial lo suficientemente grande que no puede ser perdonada. Ni siquiera en el peor de los casos, cuando hay adulterio, y, por lo tanto, se justifica el divorcio, es esta la única solución. No era un mandato que Jesús dio, sino el último recurso al que se puede recurrir. El primer deber del cristiano es perdonar, hasta en el peor de los casos. Quien puede perdonar una falta en el matrimonio, hasta la traición del adulterio, puede perdonar cualquier otra ofensa.

Esta es la base de la enseñanza de Jesús. Si Dios está dispuesto a perdonar cualquier cosa, ¿por qué nosotros no queremos aprender este principio? Lo que la Biblia denomina pecado *imperdonable* no es ni más ni menos que el que no se quiere confesar ni abandonar. Por eso, aunque haya ofensa contra uno, hasta la cruel ofensa de la traición matrimonial, si la parte que ofende está dispuesta a dejar el pecado y buscar la reconciliación, la primera responsabilidad del ofendido es pedir gracia al Señor para perdonar. Al defender el matrimonio, Jesús estaba diciendo: «Traten de perdonarse antes de divorciarse». Que el Señor nos ayude con la gracia de poder perdonar, perdonar hasta la cruel ofensa de la traición matrimonial. Solo la gracia de Cristo nos puede ayudar a lograr este grado de aceptación del perdón de Dios para extenderlo a otros.

> Entonces los fariseos se acercaron a él para probarle, diciendo: «¿Le es lícito al hombre divorciarse de su mujer por cualquier razón?»
> MATEO 19: 3

Números 17: 1 - 19: 22; Mateo 19: 1-30

Dios no es un Dios de violencia

> Entonces Moisés levantó su mano y golpeó la roca con su vara dos veces. Y salió agua abundante, de modo que bebieron la congregación y su ganado.
>
> NÚMEROS 20: 11

Un vistazo a la forma en que Dios trató al hombre en el pasado y nos trata hoy pone de manifiesto que la violencia no es parte de su forma de actuar. Todo lo de nuestro Dios se manifiesta en mansedumbre, paciencia y longanimidad.

Cuando el pueblo se quejó por falta de agua, Dios le dijo a Moisés: «Habla a la roca ante los ojos de ellos». «No con la fuerza, sino con la confianza en mí»: eso era lo que el Señor le quería enseñar a Moisés.

Hay quien cree que, como Dios es omnipotente, lo resuelve todo con la violencia. «¡Golpea la roca; muestra tu poder y tu ira; deja que se sepa que tú lo puedes arreglar por la fuerza!» Humanamente, esta sería la actitud de aquel que no le debe nada a nadie, que tiene plena autoridad. Pero nuestro Dios no actúa de esta manera. Su amor por el pecador hace que siempre se nos acerque con ternura, hablándonos al corazón. No importa cuán endurecido lo tengamos, sus palabras pueden hacer que de él fluya lo bueno.

El enfado de Dios por la actitud de Moisés al golpear la roca fue precisamente por lo mal que representó la lección que el Señor quería enseñar al pueblo. Estaban murmurando; estaban deseando oír truenos y ver relámpagos, pero el Señor quería ser representado por una voz suave y dulce. ¿Qué habría pasado si Moisés hubiese hablado a la roca? ¡Qué grande habría sido el asombro del pueblo, si, en vez de ver violencia hubieran visto paciencia, en vez de golpes hubieran oído palabras que pudieran partir la roca!

«Habla a la roca» había indicado el Señor. «Toma la vara. Yo quiero enseñarles que, aunque el poder está en mis manos, escojo la paciencia, escojo la ternura, escojo apelar a los corazones en vez de darles golpes fuertes».

Dios tiene muchas maneras de comunicarse con el corazón del hombre, pero la diplomacia es su método preferente: «Dios, habiendo hablado en otro tiempo muchas veces y de muchas maneras a los padres por los profetas» (Heb. 1: 1).

Él puede usar truenos, pero escoge hablar a nuestro corazón. Aunque este sea tan duro como la roca, su voz puede ablandar al pecador. Estemos pendientes hoy de una voz suave, y no tanto de ver golpes para encontrar agua.

Hoy es un día profético

Hasta ese momento de su ministerio, Jesús había rehusado hacer de Jerusalén el centro de sus labores. El Evangelio de Mateo pone de relieve otros lugares, dando a entender que Jerusalén no era lo más importante, o no lo había sido hasta entonces. Ahora Jesús se aproximaba a Jerusalén, como había sido profetizado: «¡Alégrate mucho, oh hija de Sión! ¡Da voces de júbilo, oh hija de Jerusalén! He aquí, tu rey viene a ti, justo y victorioso, humilde y montado sobre un asno, sobre un borriquillo, hijo de asna» (Zac. 9: 9).

> Todo esto aconteció para cumplir lo dicho por el profeta, cuando dijo: «Decid a la hija de Sión: "He aquí tu Rey viene a ti, manso y sentado sobre una asna y sobre un borriquillo, hijo de bestia de carga"».
> MATEO 21: 4, 5

El acontecimiento era importante. Cada elemento de este día lo era, pero el énfasis estaba en el cumplimiento de una profecía mesiánica. El propósito no era hacer alarde de su majestad y grandeza. De hecho, se había profetizado que el Mesías vendría de forma humilde con el propósito de lograr la salvación de muchos. El grito que se daba de «Hosanna», que quiere decir "salve", era otra indicación del momento profético. Cristo no venía a reinar en gloria humana, sino a salvar. No venía, como un rey, montado en caballo, símbolo de autoridad; venía en un borriquillo, cosa que no había ocurrido oficialmente desde los días de Salomón.

Conviene fijarse en la reacción mixta de la multitud. Los gritos que daban no provenían de todas las bocas, porque algunos se morían de celos; mientras que muchos otros lo aclamaban como Salvador, estos estaban pensando cómo hacer que se callasen.

El momento profético era para que todos se dieran cuenta que había llegado la hora de la salvación. Lamentablemente, muchos no estaban listos para esa hora. Los gritos y las muestras de reconocimiento de su realeza, poniendo los mantos y las palmas para que pasara, no siempre provenía de un corazón sincero. Por esto, ese grupo poco después pudo gritar «¡Crucifícalo!»

La sinceridad con la cual atendemos las cosas del cielo determinará la actitud que asumiremos en los momentos proféticos. Pronto culminará todo, y las últimas profecías se cumplirán. Que el Señor nos ayude a estar listos, con sinceridad, para ese momento profético.

Números 22: 1 - 25: 18; Mateo 21: 1-46

La trampa del éxito

> Pero Moisés respondió a los hijos de Gad y a los hijos de Rubén: «¿Irán vuestros hermanos a la guerra, y vosotros os quedaréis aquí?»
>
> NÚMEROS 32: 6

El éxito tiende a embriagar a quien lo logra. Se habla de la trampa del éxito, queriendo decir que cuando las cosas ven bien, hay la tendencia a olvidarse del trabajo ulterior. Tal fue el caso de los hijos de Gad, de Rubén y de media tribu de Manasés. Al aproximarse a la Tierra Prometida, vieron que el lugar donde estaban, al este del Jordán, tenía buen pasto y decidieron quedarse allí. Moisés vio el peligro, y le vino a la mente una experiencia amarga más de treinta años atrás, cuando los hijos de Israel estaban en la frontera con la Tierra Prometida y, por su incredulidad, tuvieron que regresar a deambular todo ese tiempo por el desierto. Las palabras severas que usó con los que se querían quedar al oriente del Jordán sin seguir adelante para tomar la Tierra Prometida eran un reflejo de su gran preocupación.

Tener un pequeño éxito no es motivo para tumbarse a disfrutar del éxito y la victoria parcial. La lucha sigue, y hay que seguir esforzándose para lograr la victoria final.

En la vida cristiana, un día de éxito no quiere decir que Satanás haya muerto y que ya no habrá más tentaciones ni trampas para hacer caer a los hijos de Dios. El apóstol Pablo sabía que hay que luchar constantemente. Hay que estar siempre abierto a la influencia del Espíritu Santo. Hay que pasar tiempo en oración, porque, mientras estemos a este lado del cielo, no se puede descansar. «Así que, el que piensa estar firme, mire que no caiga» (1Cor. 10: 12). En otra ocasión, el mismo Pablo nos amonesta diciendo «cada día muero» (1 Cor. 15: 31).

Si es verdad que la lucha es fuerte, más fuerte es el Espíritu de Dios. Si la lucha es cruenta, más poderosa es la sangre de Cristo. Si parece que la victoria se nos escapa, recordemos que Cristo ya venció al enemigo de forma total y definitiva y que todos los que vivimos asidos de su mano tenemos garantizada la victoria.

El peligro para el cristiano es creer que ya lo ha alcanzado todo, y que el éxito de ayer es suficiente para toda una vida. ¡Ojalá que podamos contemplar a Cristo hoy como ayer, y disfrutar de sus victorias como en el primer día en que lo conocimos!

Números 26: 1 - 27: 23; Mateo 22: 1-46

27 *febrero*

Una oportunidad más, que no será la última

Se están haciendo toda clase de experimentos con animales para determinar si es verdad que solo los humanos tenemos el privilegio de escoger y definir por nuestra propia voluntad, y no por instinto, qué es lo que se puede hacer. Uno de los experimentos que se han llevado a cabo con bastante éxito es determinar que los elefantes se pueden reconocer a sí mismos cuando se ven en un espejo.

Esto, sin embargo, no demuestra que el elefante o cualquier otro animal disfrute del privilegio humano de la autodeterminación. El don de libre albedrío es un don que el Señor ha otorgado solamente a los seres humanos. Ningún otro ser u objeto creado en la tierra tiene este don. Sin embargo, después del don del tiempo, es el libre albedrío el don peor usado por la humanidad.

Mira, pues, yo pongo hoy delante de ti la vida y el bien, la muerte y el mal, con el fin de que ames a Jehová tu Dios, de que andes en sus caminos y de que guardes sus mandamientos, sus estatutos y sus decretos, que yo te mando hoy. Entonces vivirás y te multiplicarás, y Jehová tu Dios te bendecirá en la tierra a la cual entras para tomarla en posesión».
Deuteronomio 30: 15, 16

Consideremos cuidadosamente qué vamos a hacer hoy con este don maravilloso de poder decidir qué será de nuestra vida y nuestro futuro. El desafío que el Señor nos lanza, sin tocar nuestro libre albedrío, es el de definir si lo queremos seguir o no. Cuando un niño no sabe utilizar un juguete sin lastimarse, lo que hacen los padres es quitarle el juguete. ¡Qué diferencia entre Dios y los hombres! ¡Cuántos en la historia de la humanidad no han abusado y causado daños irreparables con su uso del libre albedrío! Y, con todo, el Señor no nos quita ese don; simplemente nos amonesta recordándonos que el mejor uso que le podemos dar a ese don tan precioso y único es escoger la vida que él nos ofrece.

Usa tu libre albedrío hoy para el bien. Cada momento, en los millares de decisiones que tendrás que tomar, tu libre albedrío desempeñará un papel sumamente importante. No falles en la más importante de las decisiones de tu vida. Escoge la vida y dale la victoria al Señor en tu corazón, porque, aunque hayas fallado en el pasado en las cosas que has escogido, él sigue insistiendo que tienes la capacidad para escoger el bien y para esto te da otra oportunidad de escoger la vida hoy.

Números 28: 1 - 30: 16; Mateo 23: 1-39

«Yo no soy los demás»

> ... Y no se dieron cuenta hasta que vino el diluvio y se los llevó a todos, así será también la venida del Hijo del hombre.
>
> MATEO 24: 39

«Yo no soy los demás» suele decirse cuando uno no quiere quedar incluido en una comparación o descripción desfavorable. Sin embargo, cuando la Biblia habla de que «no se dieron cuenta», no hace más excepción que los que estaban en el arca. ¿Quiénes eran los que quedaron fuera? ¿Qué hacían? ¿Cómo vivían? Son todas preguntas que se deben hacer, porque quizás se encuentre un paralelo en nuestros tiempos. En el «no se dieron cuenta» había lo que se llama "buena gente", no necesariamente asesinos; hombres y mujeres ejemplares en la sociedad. Lo único que tenían en contra era que no estaban en el arca.

Hubo gente que casi creyó a Noé y, sí, hasta lo defendía cuando otros se mofaban de él. Estaban los que decían: «Ah, ¡si solamente pudiera disfrutar un poquito más de la vida antes de identificarme completamente con él!» Quizá alguien entró en el arca en construcción para evaluar si valía la pena, pero, al ver las condiciones menos cómodas que su casa, decidió salir otra vez.

Pensemos en ellos por un momento. Aunque los ricos y los pobres no se mezclaban en otras ocasiones, ante el arca estaban los dos grupos. Había curiosos que cada día pasaban para ver el progreso de la obra. Si hubiese sido en nuestros días, seguramente algunos emprendedores habrían establecido un puesto de venta con refrescos y bocadillos frente al lugar de construcción para atender a las personas que por allí pasaban.

La predicación de Noé suscitó varias corrientes contrarias de pensamiento. Los científicos hacían sus estudios; algunos lo admiraban por su «celo mal dirigido» y hasta hubo quienes pretendían tener la mente abierta y decían: «¿Y si tiene razón? No porque lo que anuncia sea inusitado va a ser mentira».

No se dieron cuenta porque habían endurecido el corazón contra la influencia del Espíritu Santo. Sin la presencia del Espíritu Santo, no hay sermón que valga y por eso es tan peligroso cerrar el corazón a la voz de Dios. Lo de Noé y sus contemporáneos no es un caso aislado. Todos los días miles de personas se ponen donde «no se dieron cuenta» al rechazar la voz de Dios. Que el Señor nos haga y mantenga sensibles a la voz del Espíritu Santo en nuestra vida para no quedar con los que «no se dieron cuenta».

Hasta en el desierto

N o hay nada en la Biblia que no resulte importante para enseñarnos y guiarnos a los pies de Jesús, donde podemos encontrar la salvación anhelada. Es verdad que hay partes de la Biblia que, a menos que uno busque el significado más profundo, resultan insípidas. Hay quien cree que el libro de Números no tiene un mensaje relevante, especialmente la porción que nos toca leer hoy como lectura del día. Hay lecciones espirituales que se pueden derivar de este registro del itinerario que siguió Moisés con el pueblo de Dios. Se ha comprobado que en varias ocasiones viajaron sobre terreno ya atravesado, y algunos han visto esto como una lección del Señor para ayudarnos a entender que él nos presenta una y otra vez los mismos desafíos, primeramente para recordarnos cómo nos ha librado en el pasado y luego para que nos demos cuenta que las victorias obtenidas no han sido nuestras, sino de su gracia.

Algunos estudiosos piensan que el itinerario del éxodo es un ejemplo de la peregrinación del pueblo de Dios en su viaje a la Canaán celestial. Moisés anduvo con el pueblo sin un lugar fijo de habitación, y fue Josué quien introdujo al pueblo en la Tierra Prometida, un símbolo de Jesús, que nos dio permanencia en la salvación por la gracia. (En hebreo el nombre Josué y Jesús son el mismo.)

Toda la Biblia tiene como fin último llevarnos al conocimiento del gran amor de Dios y su gracia salvadora. A menos que lleguemos espiritualmente al conocimiento de la gracia de Dios, de nada nos sirven nuestro saber y experiencias vividas. Podemos peregrinar por la vida y estar siempre buscando, pero, si no aceptamos la gracia de Dios, jamás podremos entrar en la Canaán celestial, que es el descanso en Cristo. Los israelitas visitaron 42 sitios antes de llegar a la frontera con Canaán, simbolizando las 42 generaciones desde Abraham hasta Cristo, el Mesías prometido, la revelación última de la gracia de Dios.

En todo su peregrinar, Israel tuvo la certeza de la dirección de Dios. Sí, fue un viaje difícil, no cabe duda, pero en él se vieron las providencias de Dios como nunca antes. Nuestra esperanza es saber que aun en los momentos cuando las cosas parecen inciertas, la mano del Señor está dirigiendo. Aun en las cosas aparentemente triviales, Dios tiene lecciones sumamente importantes.

> Moisés anotó por escrito, por mandato de Jehová, los puntos de partida de sus etapas. Estas son sus etapas, según sus puntos de partida.
> NÚMEROS 33: 2

Números 33: 1 - 36: 13; Mateo 25: 1-46

No lo desanimes

Josué hijo de Nun, que
está delante de ti,
él entrará allá.
Anímale, porque
él hará que Israel
la herede.
DEUTERONOMIO 1: 38

«No critiques a una persona, a menos que hayas caminado en sus zapatos» es un dicho popular para indicar que intentar desanimar a una persona no es un derecho, sino más bien un defecto que hay que evitar a toda costa. Es demasiado fácil expresar palabras desalentadoras, y hasta la persona más valiente puede caer bajo el desánimo y el desaliento. Si pudiera medirse el efecto de cada palabra antes de pronunciarla, entonces muchos hablarían considerablemente menos de lo que hablan.

Josué era un valiente capitán, no solamente en las batallas, sino en los momentos más difíciles de la travesía. Solía proferir palabras de aliento y de ánimo. Su actitud hasta se habría podido interpretar como "locura de juventud". Lejos de ser así, sus palabras procedían de una persona que había aprendido a confiar en Dios. Por eso, no había desafío ni obstáculo lo suficientemente grande para disuadirle en sus empresas para el Señor.

Después de algunas derrotas, muchas luchas y grandes triunfos, pero siempre manteniendo la dirección de confianza y dependencia de Dios, llegó el momento decisivo y culminante de la vida de Josué. Moisés, con los de su generación que tantos problemas habían causado, quedaría excluido de la entrada a la Tierra Prometida. Josué, la nueva generación, tenía la responsabilidad de no cometer los mismos errores de sus padres.

El mensaje que se da en beneficio de Josué era «Anímale». Era importante que no se desanimase, porque esto sería el principio de la derrota. La estrategia de Satanás es justamente causar el desánimo para luego dar la estocada final en la derrota.

«Si, en circunstancias penosas, hombres de poder espiritual, apremiados más de lo que pueden soportar, se desalientan y abaten; si a veces no ven nada deseable en la vida, esto no es cosa extraña o nueva… Es en el momento de mayor debilidad cuando Satanás asalta al alma con sus más fieras tentaciones» (PR 127-8).

El desánimo es el arma preferida de Satanás. No permitamos que logre su propósito haciendo que causemos desánimo en los demás. Hablemos de ánimo y de victoria, recordando que nuestro Señor está al timón.

2 marzo

El Dios de lo imposible

La ruta de los israelitas los llevó por varios lugares de grandes peligros, pero tenían la promesa de la victoria sobre todos sus adversarios. Los habitantes de la región por donde transitaban eran un pueblo belicoso, cuya estrategia se basaba en sus ciudades amuralladas y el emplazamiento privilegiado de sus aldeas,

> Volvimos, pues, y subimos camino de Basán, y nos salió al encuentro Og rey de Basán para pelear, él y todo su pueblo, en Edrei.
> DEUTERONOMIO 3: 1

perfectamente protegidas por su entorno. Sin contar con provocación alguna, Og, el rey de Basán, confiado en la superioridad de sus tropas, salió a atacar a los hebreos. Hay quien cree que la ira de Og provenía del hecho de que Israel había derrotado al rey Sehón, aliado y amigo personal suyo, y estaba sediento de venganza.

Salió a pelear, pero no consideró que las victorias de Israel no eran suyas, sino del Dios del cielo. Humanamente hablando, era imposible derrotar a Og y tomar Basán, pero Dios, que estaba con los hebreos, intervino nuevamente haciendo que lo imposible se hiciera posible: mandó una plaga de avispas que obligó a los habitantes a salir de sus casas y ciudades, teniendo que pelear así fuera de sus ciudades amuralladas. «Envié delante de vosotros la avispa, y ella echó de delante de vosotros a los dos reyes de los amorreos. Esto no fue con vuestra espada ni con vuestro arco» (Jos. 24: 12).

No hay imposibles para Dios cuando su pueblo confía y depende de él. La promesa del Señor a Moisés ante esa aparente imposibilidad es la misma promesa que él nos hace hoy. No conocemos ni la mitad de las posibilidades de nuestro Dios. La confianza en él debiera ayudarnos a hacerle frente a cualquier obstáculo en la vida. La fórmula de confiar en brazo humano es la fórmula para la derrota, pero la de confiar en Dios, a pesar de las aparentes imposibilidades de la vida, es la fórmula del éxito seguro.

Ante tantas maravillas del Señor, no tenemos por qué temer. Aunque aparentemente tarde, siempre cumple. Si la vida nos presenta situaciones imposibles, debemos recordar que nuestro Señor es el Dios que se encarga de lo imposible. No siempre derrumba los muros, como en el caso de Jericó. A veces saca a los habitantes de las ciudades amuralladas para que podamos triunfar. Cristo nos asegura: «Confiad, yo he vencido al mundo».

Deuteronomio 3: 1 - 4: 49; Mateo 27: 1-66

¿Está mi nombre allá?

Pasado el día de reposo, al amanecer del primer día de la semana, vinieron María Magdalena y la otra María, a ver el sepulcro.

MATEO 28: 1

Se avecina un acontecimiento portentoso que abarcará el mundo entero, y no habrá ser humano que no participe de una manera u otra. La venida del Señor será parte de la historia de todos los seres humanos que hayan vivido en la tierra. Para algunos, será el comienzo del fin de su historia, porque mil años después de este bendito acontecimiento, Dios pondrá fin a todos los que no hayan aceptado la gracia de Cristo. Para los otros, será el principio de una historia que no tendrá fin, porque vivirán para siempre con su Señor.

La resurrección de Cristo es el acontecimiento más grande en la historia humana después de la crucifixión. Curiosamente no disponemos de una lista completa en un solo lugar que enumere a quienes realizaron el gran descubrimiento de primera mano. Hay que leer los cuatro Evangelios para conocer a todos los que allí estuvieron. El texto de hoy parece indicar que solamente participaron dos mujeres, pero en realidad otro evangelista nos da a entender que hubo por lo menos cinco: «Las que dijeron estas cosas a los apóstoles eran María Magdalena, Juana, María madre de Jacobo, y las demás mujeres que estaban con ellas» (Luc. 24: 10).

El hecho que no se mencionen todas en el relato de Mateo parece indicar que lo más importante es que estuvieron allí, no tanto que sus nombres fueran mencionados. La que siempre se destaca en este contexto es María Magdalena, a quien el Señor había librado de los demonios tiempo atrás y que fue la primera que vio al Señor después de la resurrección.

Hay una lista en la que sí es importante tener el nombre inscrito, y más importante aún es estar allí cuando se pase lista. Llegará un momento, pronto, en el que se presentarán muchos nombres ante el Señor. «¿Se halla mi nombre allá? ¿Se halla mi nombre allá? En el libro del reino, ¿se halla mi nombre allá?» Este debiera ser el anhelo de cada hijo de Dios. ¡Qué dicha estar allí cuando nuestro nombre sea mencionado! ¡Qué felicidad inmensa será poder decir: «Presente, Señor. Por tu gracia estoy aquí»! Demos gracias al Señor por su fidelidad y por haber hecho todo lo necesario para que podamos estar allí y responder «cuando allá se pase lista».

Sin misericordia

En nuestros días, cuando tanto se habla de derechos humanos y genocidios, cuando dictadores que cometieron atrocidades y creyeron escapar impunes son llevados ante tribunales internacionales de justicia, cuando resultan archiconocidas expresiones como *holocausto* o *crimen contra la humanidad*, algunos se preguntan qué es esto de exterminar a varios pueblos y no tener misericordia de ellos. ¿Cómo puede ser? Algunos ven en esto razón para perder la fe en un Dios de amor, misericordioso y compasivo. Pierden de vista que nuestro Dios promete visitar el pecado solamente sobre la tercera y la cuarta generación, pero que tiene misericordia sobre mil generaciones (Éxo. 20: 5, 6).

Cuando Jehová tu Dios te haya introducido en la tierra en la cual entrarás para tomarla, y haya echado de delante de ti a muchas naciones, al heteo, al gergeseo, al amorreo, al cananeo, al ferezeo, al heveo y al jebuseo, siete naciones mayores y más poderosas que tú, y Jehová tu Dios las haya entregado delante de ti, y las hayas derrotado, las destruirás del todo; no harás con ellas alianza, ni tendrás de ellas misericordia.
DEUTERONOMIO 7: 1, 2

La verdad es que Dios nunca ejecuta juicio sin dar oportunidad de arrepentimiento. El hecho de que decidiera usar al pueblo hebreo para ejecutar juicio sobre estos pueblos debe ser entendido en el contexto de que tuvieron su oportunidad para reconocer al Dios del cielo y no lo hicieron. Su permanencia en la tierra pondría en peligro el plan de salvación, porque harían que el pueblo de Dios, de quien había de nacer el Mesías para salvar al mundo, se desviara, echando a perder el plan de salvación. «Porque desviará a tu hijo de en pos de mí, y servirán a dioses ajenos; y el furor de Jehová se encenderá sobre vosotros, y te destruirá pronto. Mas así habéis de hacer con ellos: sus altares destruiréis, y quebraréis sus estatuas, y destruiréis sus imágenes de Asera, y quemaréis sus esculturas en el fuego» (Deut. 7: 4, 5).

Lo que pasó con los pueblos cananeos no fue genocidio. En su juicio, el Señor limpió al mundo de estos pueblos, carentes ya de esperanza, por amor a ti y a mí. Lo importante es que nos demos cuenta de que para nosotros hoy es el día de salvación, que todavía tenemos la oportunidad de aceptar a nuestro Señor de todo corazón, de estar cobijados por Cristo y, por su gracia, escapar de la ira.

Deuteronomio 7: 1 - 9: 29; Lucas 1: 1-80

Adoradle

Todos los que oyeron
se maravillaron
de lo que los pastores
les dijeron; pero María
guardaba todas
estas cosas,
meditándolas
en su corazón.
Los pastores se
volvieron, glorificando
y alabando a Dios
por todo lo que habían
oído y visto, tal como
les había sido dicho.
Lucas 2: 18-20

Una de las grandes diferencias que existen entre el Dios del cielo y los dioses falsos es la forma en que sus súbditos reaccionan ante su intervención en su vida. Los que adoramos al Dios verdadero ansiamos ver una manifestación y sentir su presencia. En cambio, los que creen en la existencia de dioses viven llenos de temor.

Cuando de relación con nuestro Dios se trata, es siempre un gran gozo saber que nos contesta y se manifiesta en nuestra vida. El contacto con Dios produce gozo, paz y una tranquilidad inexpresable.

El asombro que el contacto con nuestro Dios produce es tal que en la mayoría de los casos suscita el deseo casi inconsciente de adorar. Se llena el alma con un deseo de cantar, de alabar, de hacer que todo el mundo sepa de la relación existente con nuestro Dios.

Es difícil hacer una distinción clara entre estar maravillados y la adoración. Cuando la majestad de Dios se revela, aunque no siempre se irrumpa en un canto, o se exprese una palabra de alabanza, la gran verdad es que casi siempre, aunque sea en el silencio, se eleva una oración de gratitud y se alaba al Dios del cielo. La manifestación de Dios nos da la certeza que nuestra fe no es en vano, y nos da plena confianza de la salvación que él ha hecho posible.

El ejemplo de los pastores es un gran ejemplo para nosotros: «Volvieron, glorificando y alabando a Dios por todo lo que habían oído y visto, tal como les había sido dicho». No podían esconder la gran verdad descubierta. El canto de los ángeles los maravilló; el mensaje que recibieron los llenó del deseo de lograr que otros supiesen de su gran descubrimiento. Esa experiencia se ha repetido un sinnúmero de veces, porque cada ser humano que descubre a Dios y con humildad se somete a él tiene una experiencia similar de gozo y adoración. Nunca se debe olvidar que Dios desea que tengamos vida en abundancia, que tengamos gozo y seamos felices. Todas estas cosas están relacionadas con la adoración. Que hoy podamos descubrir a Dios a toda hora y tener un canto en el corazón por lo que el Señor ha hecho, está haciendo y hará por nosotros.

Ocupaciones de alto riesgo

odo empleo tiene sus peligros y no importa cuán trivial pueda parecer, siempre tiene algo que puede ser considerado como de exposición al peligro. Puede que afecte a nuestro bienestar, que exista el riesgo de daño físico y que ponga en peligro nuestra vida.

A los soldados que preguntaron qué curso de acción debían tomar, Juan les habló del peligro del abuso de autoridad. Aunque esta tentación no se limita

> También unos soldados le preguntaban diciendo: «Y nosotros, ¿qué haremos?» Él les dijo: «No hagáis extorsión ni denunciéis falsamente a nadie, y contentaos con vuestros salarios».
> Lucas 3: 14

solamente a los militares, en su caso se mencionaron tres cosas: no hacer extorsión, no aprovecharse de los inocentes con denuncias falsas y conformarse con el salario legítimo.

El soldado bien podía abusar de la autoridad concedida para quitarles a los demás lo que era legítimamente de ellos. Por ello, Juan amonestó contra todo abuso de los pobres y los indefensos, así como contra la corrupción consistente en complementar los salarios con el pago de favores ilegítimos.

Hay muchas otras cosas que podemos clasificar con los tres pecados que Juan amonestó a los militares a no cometer. Y todas ellas son de aplicación también para cualquiera, aunque no sea militar ni policía.

Lo que Juan quería poner de relieve era que, no importa la ocupación de uno, ya seamos publicanos, soldados o cualquier otra cosa, los posibles pecados inherentes a la ocupación también deben ser confesados y abandonados. Para nosotros los cristianos es un mensaje fuerte la noción de que no podemos divorciar nuestra religión de nuestra ocupación. Hay que abrir el camino para que el evangelio entre en el corazón. Hay que eliminar los pensamientos que pretenden justificar actos equivocados hasta en asuntos tan seculares como el trabajo. Hay que someter todo el ser a la voluntad de Cristo, y eliminar todo lo que pueda impedir la obediencia al Señor. Solo así viviremos en forma coherente con la salvación y la gracia de Cristo.

Puede que tengamos una ocupación que no consideremos arriesgada, pero si la ocupación causa la pérdida de nuestra salvación, entonces es de altísimo riesgo. Que todo lo que hagamos testifique que somos de Cristo, y no separemos nuestra religión de nuestra ocupación.

Deuteronomio 13: 1 - 15: 23; Lucas 3: 1-38

El Espíritu guía a la victoria

> Jesús, lleno
> del Espíritu Santo,
> volvió del Jordán,
> y fue llevado
> por el Espíritu
> al desierto
> por cuarenta días,
> y era tentado
> por el diablo.
> LUCAS 4: 1, 2

En la confrontación de Cristo con el diablo en el desierto pocas veces se enfatiza la obra del Espíritu Santo en todo ello. La Biblia indica claramente que fue el Espíritu Santo quien lo llevó al desierto y lo sostuvo allí; después de los cuarenta días allí, Jesús fue tentado por el diablo (Mat. 4: 2, 3). El Espíritu Santo estuvo con él en todo momento. En las peores pruebas y más agudas tentaciones, él podía depender de la presencia del Espíritu para sostenerle y guiarle.

Cuando Jesús fue llevado al desierto para ser tentado, fue llevado por el Espíritu de Dios. Él no invitó a la tentación. Fue al desierto para estar solo, para contemplar su misión y su obra. Por el ayuno y la oración, debía fortalecerse para andar en la senda manchada de sangre que iba a recorrer. Pero Satanás sabía que el Salvador había ido al desierto, y pensó que esa era la mejor ocasión para atacarle.

«Grandes eran para el mundo los resultados que estaban en juego en el conflicto entre el Príncipe de la Luz y el caudillo del reino de las tinieblas. Después de inducir al hombre a pecar, Satanás reclamó la tierra como suya, y se llamó príncipe de este mundo. Habiendo hecho conformar a su propia naturaleza al padre y a la madre de nuestra especie, pensó establecer aquí su imperio. Declaró que el hombre le había elegido como soberano suyo. Mediante su dominio de los hombres, dominaba el mundo. Cristo había venido para desmentir la pretensión de Satanás. Como Hijo del hombre, Cristo iba a permanecer leal a Dios. Así se demostraría que Satanás no había obtenido completo dominio de la especie humana, y que su pretensión al reino del mundo era falsa. Todos los que deseasen liberación de su poder, podrían ser librados. El dominio que Adán había perdido por causa del pecado, sería recuperado» (DTG 89-90).

Desconocemos las tentaciones y las pruebas que nos sobrevendrán hoy; no sabemos cuándo va a atacar el enemigo. Pero, de una cosa estamos seguros: el Espíritu Santo está a nuestra disposición para sostenernos en todo momento. Que hoy sea un día de victoria para los hijos de Dios.

Deuteronomio 16: 1 - 18: 22; Lucas 4: 1-44

No te dejes intimidar

Toda guerra abierta va precedida de una fase psicológica en la que los contendientes tratan de intimidarse mutuamente. Todo general sabe que es preferible ganar la guerra sin pelear a sacrificar muchos de sus soldados. Es tal el costo de muchas victorias que apenas quedan ánimos para disfrutar de las mismas.

En la batalla que los israelitas estaban por pelear, parecía que el enemigo ya contaba con la baza de la victoria psicológica. Hizo falta un discurso formidable para recordarles que no todo estaba perdido, que Dios estaba de su lado y que, por lo tanto, no tenían por qué temer al enemigo.

> Y les dirá: «Oye, Israel, vosotros os juntáis hoy en batalla contra vuestros enemigos; no desmaye vuestro corazón, no temáis, ni os azoréis, ni tampoco os desalentéis delante de ellos; porque Jehová vuestro Dios va con vosotros, para pelear por vosotros contra vuestros enemigos, para salvaros».
> Deuteronomio 20: 3, 4

En la historia de Gedeón encontramos que él estaba desanimado para emprender tan gran empresa. Vez tras vez supeditó su decisión a prueba para estar absolutamente seguro de que tendría la victoria. Si el propio Gedeón, que había escuchado la voz de Dios y había visto las pruebas de fe contestadas positivamente, tenía dudas, entonces no debemos juzgar demasiado severamente a sus soldados más dubitativos.

Dios conocía los corazones de los pusilánimes, que ya habían perdido la guerra psicológica y podían desanimar a los fieles. Por lo tanto, entró en el proceso de la depuración del ejército. No quería de ninguna manera que Gedeón o sus soldados llegasen a pensar que la victoria era de ellos. Dios usó psicología inversa para ayudarlos a entender que solamente confiando en él se logran las cosas. Los ejércitos tratan de intimidar al oponente con un gran número de hombres, con el despliegue del armamento más sofisticado y con la ventaja de la sorpresa. La actuación de Dios fue exactamente la opuesta a esto. Se valió de pocos hombres. Nunca antes se había ganado una guerra con toques de trompeta y lámparas. Y es que no hay batalla que él no pueda ganar.

Tenemos la seguridad de que él está de nuestro lado, que no hay por qué temer. No hay por qué prepararse a hacerle frente al enemigo como él espera, porque de Jehová es la victoria, y él ya ganó la batalla. Confiemos en nuestro Dios y él hará.

Deuteronomio 19: 1 - 21: 23; Lucas 5: 1 - 6: 49

La recompensa de la fe

Cuando volvieron a casa los que habían sido enviados, hallaron sano al siervo.
Lucas 7: 10

Un centurión no era alguien de quien se esperase demostración de fe en el Dios de los hebreos. Era parte de la maquinaria de la fuerza ocupadora y opresora. Aunque sofisticados en cierto sentido, los romanos eran duros en su ocupación. Por la constante rebelión de los judíos, teniendo que pelear una lucha constante contra una insurrección persistente, los romanos se valieron de leyes fuertes para imponer la tranquilidad en la provincia, leyes tales como que un soldado romano podía obligar a un judío a llevarle la carga por una milla, para así tener las manos libres para repeler cualquier ataque guerrillero de la insurrección. Jesús habló de esto, indicando que había que ir dos millas con la carga en vez de lo requerido según la ley romana.

Los centuriones eran la piedra angular de la maquinaria opresora. Llegaban a ese nivel de mando por la valentía que demostraban, por la dureza de su carácter y por lo implacable de sus acciones para intimidar y controlar al pueblo. No podían ser blandos, no podían mostrar ningún acto de bondad hacia los judíos; no debían fraternizar con el pueblo, y mucho menos mostrar aceptación de sus creencias.

He aquí un centurión que hacía exactamente lo opuesto de lo que se esperaba de él. ¿Quién sabe si no estaría bajo investigación militar por sus simpatías? Era, sin duda, un hombre excepcional y por eso Jesús exclamó que ni en Israel había encontrado tanta fe.

Las circunstancias que lo rodeaban no eran propicias para desarrollar la fe, pero creyó. La vida que tenía que vivir no era conducente a una fe robusta, pero practicó una fe mayor que los que lo tenían todo a su favor para creer. La historia y las acciones del centurión y la subsiguiente acción de Cristo hacia él nos demuestran que no hay excusa para no creer. No hay situación adversa que pueda justificar no ejercer la fe en las promesas de Dios.

La historia no mide la fe del siervo que fue sanado, sino la del centurión, cuya intercesión fue atendida y recompensada. Dios nos pide que creamos, que confiemos. No hay razón de dudar, por difíciles que sean las circunstancias. La tenacidad en momentos difíciles es la mayor prueba de la clase de fe que tenemos. Danos, oh Señor, fe como la del centurión.

10 marzo

Respetemos la dignidad humana

odo lo que tiene relación con Dios debiera ser considerado santo, y todo lo santo debiera ser tratado con dignidad. En su maravillosa providencia, Dios nos enseña que lo santificado por él debe ser tratado con el más alto respeto y dignidad. Dios requiere que hasta en los asuntos tan delicados como el castigo del mal nos acordemos de que hemos sido comprados por precio, y que, por lo tanto, aunque el hombre peque, todavía Dios, en su compasión, no desea que lo que es de él, o alguna vez le ha pertenecido, sea tratado como un animal.

Sucederá que si el delincuente merece ser azotado, el juez lo hará recostar en el suelo y lo hará azotar en su presencia. El número de azotes será de acuerdo al delito. Podrá darle cuarenta azotes; no añadirá más. No sea que, si se le dan más azotes que estos, tu hermano quede envilecido ante tus ojos».
DEUTERONOMIO 25: 2, 3

Limitar el castigo corporal del reo para que sea administrado solamente en presencia de un juez quita la opción de que cualquiera se pueda sentir justificado a tomarse la ley en sus propias manos. Además, la dureza del castigo queda al arbitrio de un juez imparcial, no al capricho de alguien afectado directamente que pueda tener sed de venganza. Por severas que puedan parecer las instrucciones de Dios, debemos considerarlas en el contexto del tiempo en que fueron dadas. El castigo era digno y limitado, porque hasta el reo tenía derechos y era propiedad de Jehová.

El llamado a respetar la dignidad humana, hasta en el peor de los casos, es una advertencia muy seria para nosotros. En nuestros días no se practica la barbarie de los azotes públicos, pero sí el asesinato de carácter, cuando lengua no santificada se atreve a envilecer la propiedad de Jehová con calumnias y ataques sobre los hijos de Dios. Cuando Satanás acusaba a Josué, todo lo que se le dijo fue que el Señor le reprendía (Zac. 3: 1, 2). No se acumularon insultos y acusaciones contra él.

Este es el ejemplo que el Señor nos quiere enseñar. En toda circunstancia, respetemos la dignidad humana. Hasta a los reos Dios limita la humillación que se les puede aplicar. Mejor nos es a los hijos de Dios ver en cada persona un candidato para el reino de los cielos y tratarnos entre nosotros como si estuviéramos en la presencia divina en todo momento.

Deuteronomio 25: 1 - 26: 19; Lucas 8: 1-56

Constantes en la fe

Jehová te esparcirá entre todos los pueblos, desde un extremo de la tierra hasta el otro extremo de la tierra. Allí rendiréis culto a otros dioses, de madera y de piedra, que ni tú ni tus padres habéis conocido.
DEUTERONOMIO 28: 64

Si hemos desarrollado la actitud correcta hacia las dificultades, las pruebas moldean el carácter y nos ayudan a acercarnos más al Señor. Cuando Moisés estaba amonestando al pueblo sobre el futuro curso que habían de seguir con relación a Dios, les hizo ver bien claro que la obediencia tendría bendiciones, mientras que el apartarse de él traería maldición. Una de las consecuencias de apartarse del Señor sería ser llevados de su tierra y en tierra extraña servir a dioses desconocidos.

La separación de Dios provoca hacer cosas extrañas e inimaginables. Servir a dioses de madera y de piedra resultaba inusitado para el pueblo después de haber contemplado los prodigios y maravillas que el Dios verdadero había hecho en su presencia. La enseñanza que Moisés les quería dejar era que no podían descuidar su fidelidad si no querían caer en abismos jamás imaginados.

Es importante que los hijos de Dios renueven cada día su pacto de fidelidad con Dios y determinen por su gracia serle fieles en todo momento. El mensaje básico de Moisés era ese. No se trataba de asustar con maldiciones, sino de invitar a disfrutar de las bendiciones de Dios en todo momento. Esa confianza ayudaría en los momentos más arduos; daría fuerza en las pruebas más difíciles. El fondo del mensaje era que era más fácil resistir las tentaciones y las pruebas que vivir en una condenación por las faltas cometidas. Lamentablemente, las profecías de Moisés se cumplieron cuando el pueblo le dio la espalda a Dios y se encontró sirviendo a dioses que no habían conocido sus padres.

El cristiano anhela ser fiel al Señor y, al considerar el costo de la infidelidad, dirá: «Las bendiciones de la fidelidad sobrepasan a lo efímero de la infidelidad». «Debemos aprender a creer en las promesas para tener una fe constante y para tomarlas como la segura palabra de Dios… Vivamos en la luz del sol que mana de la cruz del Calvario. No moremos más en la sombra, condoliéndonos de nuestros pesares, porque esto solamente los ahondará. Nunca olvidemos, aun cuando caminemos en el valle, que Cristo está con nosotros tan ciertamente cuando recorremos ese lugar como cuando estamos en la cumbre» (LC 53).

12 marzo

Sirve, pero no te olvides

Por el estigma que la esclavitud ha supuesto a través de los siglos sobre el concepto de servicio, se ha creado la noción de que el que sirve es el que menos vale. Sin embargo, Cristo introdujo un cambio significativo cuando dijo que «el Hijo del hombre tampoco vino para ser servido, sino para servir» (Mar. 10: 45). Jesús valoraba el concepto de servicio y lo presentó como algo deseable para sus seguidores. El episodio del lavamiento de los pies es un ejemplo extraordinario de la forma en que el Señor veía el servicio.

> Pero Marta estaba preocupada con muchos quehaceres, y acercándose dijo: «Señor, ¿no te importa que mi hermana me haya dejado servir sola? Dile, pues, que me ayude».
> LUCAS 10: 40

Sin embargo, en la historia de hoy, el Señor parece no estar apoyando a Marta en su afán de brindar el mejor servicio. El problema de Marta no era servir, sino que el servicio la estaba privando de algo mejor. Por bueno que sea el servicio, si nos separa de nuestro Dios, entonces nos está causando daño. Marta estaba tan ocupada en proveer para el Maestro que no tenía tiempo de estar con él. El cristiano debiera ser Marta y María a la vez: servir de todo corazón, pero no olvidarnos de nuestro Señor.

No se debe permitir que el servicio, por bueno que sea, sea razón de separación del Señor. Es digno de mención observar que en los asuntos religiosos el cansancio llega más rápido que en los asuntos que no tienen que ver con nuestra fe. La fatiga espiritual hace que se prefiera estar ocupados en buenas cosas y olvidar estar en la cosa mejor de estar con nuestro Señor.

Si el servicio no es lo más necesario en presencia de Cristo, hay que definir qué es entonces lo de mayor importancia. «La "una cosa" que Marta necesitaba era un espíritu de calma y devoción, una ansiedad más profunda por el conocimiento referente a la vida futura e inmortal, y las gracias necesarias para el progreso espiritual. Necesitaba menos preocupación por las cosas pasajeras y más por las cosas que perduran para siempre. Jesús quiere enseñar a sus hijos a aprovechar toda oportunidad de obtener el conocimiento que los hará sabios para la salvación. La causa de Cristo necesita personas que trabajen con cuidado y energía. Hay un amplio campo para las Martas en su celo por la obra religiosa activa. Pero deben sentarse primero con María a los pies de Jesús» (DTG 483).

Deuteronomio 29: 1 - 30: 20; Lucas 10: 1-42

En tus afanes y en tu dolor, Dios cuidará de ti   *marzo 13*

¡Bienaventurado eres tú, oh Israel! ¿Quién como tú, oh pueblo salvo por Jehová, escudo de tu socorro y espada de tu excelencia? Tus enemigos tratarán de engañarte, pero tú pisotearás sus lugares altos.
DEUTERONOMIO 33: 29

Dios no nos ha creado y dejado a nuestra suerte, como algunos pretenden. Él está muy cercano a su creación, sosteniéndola, protegiéndola. En cambio, grande es el odio que Satanás manifiesta hacia la creación en su saña destructiva de seres como las aves. Por eso precisamente señaló Jesús: «Así que, no temáis; más valéis vosotros que muchos pajaritos» (Mat. 10: 31). Si el Señor no ha abandonado su creación, mucho menos abandonará a quienes lo han aceptado como Salvador para así constituirse hijos de Dios. «Pero a todos los que le recibieron, a los que creen en su nombre, les dio derecho de ser hechos hijos de Dios» (Juan 1: 12).

Quien ose negar la eficacia del cristianismo desconoce las bendiciones de estar en armonía con el Señor. La idea de que la paz y la felicidad se encuentran lejos de Dios es verdaderamente satánica. Si bien a corto plazo esto podría parecer así en algunos casos, lo cierto es que, en última instancia, los hijos de Dios serán los herederos de todas las cosas.

Aun antes del capítulo final que se escribirá con la segunda venida de nuestro Señor, contamos con la promesa segura de que él no deja caer un pájaro sin tomar nota del daño que el enemigo está causando a la naturaleza. Dios nos tiene en muy alta estima y nos asegura que la verdadera felicidad la tiene «el pueblo salvo por Jehová».

Él promete ser «escudo de tu socorro y espada de tu excelencia». Por ello, confiemos en las promesas del Señor para la victoria final, que está a la vista. Sus promesas se cumplirán y él salvará a su pueblo.

«Nuestro Dios tiene a su disposición el cielo y la tierra y sabe exactamente lo que necesitamos. Solo podemos ver hasta corta distancia delante de nosotros; mas "todas las cosas están desnudas y abiertas a los ojos de aquel a quien tenemos que dar cuenta" (Heb. 4: 13). Por sobre las perturbaciones de la tierra está él entronizado; y todas las cosas están abiertas a su visión divina; y desde su grande y serena eternidad ordena aquello que su providencia ve que es lo mejor» (3JT 268).

14 marzo

Confía y acércate

El versículo de hoy lo conoce de memoria cualquier niño adventista. El Señor nos indica además que la confianza en él será premiada: «Confiad en Jehová para siempre, porque Jehová es la Roca de la eternidad» (Isa. 26: 4).

Las palabras de Dios no eran solamente para la conquista de la Tierra Prometida. Enseñan que no hay circunstancias ni desafíos que lo hagan apartarse de nosotros. Cuando uno siente que su crecimiento cristiano se ha detenido, cuando las tentaciones y los pecados abiertos u ocultos están entrando en la vida, cuando parece que hay tiempo para todo menos para Dios, debemos recordar que él ha prometido estar con nosotros, que no debemos desmayar, sino ser valientes y esforzados, porque él estará con nosotros dondequiera que vayamos, o sea, en toda circunstancia.

> ¿No te he mandado que te esfuerces y seas valiente? No temas ni desmayes, porque Jehová tu Dios estará contigo dondequiera que vayas.
> Josué 1: 9

El Señor no deja a los suyos. Aunque hayamos abandonado los principios y estemos a punto de arrojar la toalla, debemos recordar la invitación: «Esfuérzate y sé valiente». Seamos valientes, resistamos al diablo y él huirá de nosotros. La promesa es de victoria; la esperanza es de la presencia eterna de Dios en nuestra vida. La seguridad es la de la intervención de Dios en nuestro favor en todo momento.

Podemos confiar que en este mismo instante Dios sabe dónde estamos y qué estamos haciendo. Nuestro Salvador nos dice: «No temas ni desmayes, porque Jehová tu Dios estará contigo». No importa lo que te espera hoy, acuérdate: «Jehová es tu guardador, él es tu sombra a tu mano derecha y no permitirá que tu pie resbale».

«Por encima de las confusiones de la tierra, Dios está en su trono; todas las cosas están abiertas a su divina mirada; y desde su grande y serena eternidad ordena lo que a su providencia le parece mejor» (MC 397).

«Dios no se propone rendir cuenta de sus caminos y de sus hechos. Para su propia gloria, oculta sus propósitos ahora; pero muy pronto serán revelados en su verdadera importancia. Pero no ha ocultado su gran amor, que es el fundamento de todo su trato con sus criaturas» (FV 45).

Josué 1: 1 - 2: 24; Lucas 12: 1-59

Interésate por los demás

> Y puso las manos
> sobre ella; y ella
> se enderezó luego,
> y glorificaba a Dios.
> LUCAS 13: 13

Intervenir a favor del prójimo es el privilegio de cada hijo de Dios. La forma más fácil de intervenir a favor de otros es hacer como hizo Jesús, que anduvo haciendo el bien. La otra forma es recordarnos mutuamente en oración. Jesús nos enseñó dónde orar, cómo orar, cuánto tiempo pasar en oración, las diferentes formas de oración y las razones por las cuales orar. También hizo énfasis en la necesidad de orar los unos por los otros, buscando siempre el bien de los demás.

«En Santiago 5: 16 se declara con todo énfasis el valor de la oración intercesora. La promesa hecha a Abimelec de que recobraría la salud mediante la intercesión de Abraham respalda el principio de que un justo puede convertirse en el canal mediante el cual fluyen las bendiciones divinas (Hech. 9: 17, 18). El propósito de Dios es inducir a los que son sensibles a la verdad para que vayan a sus representantes humanos» (*Comentario bíblico adventista,* tomo 1, p. 353).

Las intervenciones de Cristo en la vida de los demás, como en el caso del versículo de hoy, nos muestran el interés que deberíamos tener para el bien de los demás. Las palabras que Jesús le dirigió a Pedro fueron de gran consuelo: «Simón, Simón, he aquí Satanás os ha pedido para zarandearos como a trigo» (Luc. 22: 31). No dejó a Pedro solo. No le dijo: «Vete y ora por ti mismo, mientras yo vigilo». Tampoco le dijo que él ya había vencido al diablo en nombre de Pedro. Sus palabras fueron: «Yo he rogado por ti». La intercesión hace que uno se dé cuenta de que hay muchos seres involucrados en el bienestar de uno. El que ora ama a la persona por quien ora. Dios, que escucha la oración, aprecia al que ora, porque pide desprendidamente por el prójimo y no para beneficio personal. La persona por la cual se ora también recibe el beneficio de saber que hay gente interesada en su bienestar.

Ese es el ejemplo que Pablo nos exhorta a seguir: «Por esto exhorto, ante todo, que se hagan súplicas, oraciones, intercesiones y acciones de gracias por todos los hombres» (1 Tim. 2: 1). Hoy sería un buen día para elaborar una lista de personas a las que deseas el máximo bien y por las que quieres orar. Ora por tu familia; ora por tu iglesia; ora por el anciano de la iglesia; ora por el pastor de tu iglesia; ora por los líderes de la iglesia. Sí, ora. Hazlo también por los gobiernos para que se pueda seguir predicando el evangelio en paz y tranquilidad.

Acuérdate de tu Dios continuamente

El trajín tortuoso de Israel llegó a su fin. ¡Qué alegría y qué felicidad! Significaba que ya no habría más necesidad de desarmar y armar tiendas, ya no más miedo de serpientes venenosas, ya no más batallas con los amalecitas, no más incertidumbres en el desierto. El peregrinar había llegado a su fin. Al fin habían llegado a la tierra que fluye leche y miel y tenían la comida de la tierra para satisfacer sus necesidades. Esto implicaba que ya no necesitaban más maná y podían sembrar, cosechar, y comer de la tierra.

> Y el maná cesó al día siguiente, cuando comenzaron a comer del fruto de la tierra. Los hijos de Israel nunca más tuvieron maná. Más bien, ese año ya comieron del producto de la tierra de Canaán.
> JOSUÉ 5: 12

Al fin, el inicio de un periodo de paz, un año en el que podían disfrutar de las bendiciones del cielo. Esto es lo que no se debe olvidar. El final del peregrinar tiende a causar el olvido de las promesas hechas. Es algo similar con el año: se observa que apenas transcurridas unas semanas del año, tendemos a olvidar las promesas y los propósitos del año nuevo. Comer «del producto de la tierra de Canaán» puede causar el olvido de las promesas y las bendiciones recibidas en el desierto.

Pasadas ya varias semanas desde el inicio del año, es importante recordar las promesas y propósitos del año nuevo. Recordar que, aunque se está disfrutando de las bendiciones del nuevo año, no hay que olvidar que «hasta aquí nos ayudó Jehová». Las bendiciones experimentadas a lo largo del año pasado debieran ser un recordatorio de cómo el Señor nos ha guiado por el desierto, y ello constituye la mejor certeza de que él estará con nosotros también para el resto del año y por siempre.

Establecerse en la tierra que fluye leche y miel hizo que el pueblo se olvidara de la forma en que el Señor lo había guiado en el desierto, de cómo la columna de humo y fuego los había dirigido, de cómo el maná los había alimentado durante tanto tiempo, de cómo el agua fluyó de la roca para saciar la sed, de cómo el mar se había partido en dos para dejar pasar al pueblo y guardarlo del peligro.

El pueblo de Dios jamás debería olvidar cómo el Señor lo ha guiado en el pasado.

 Josué 5: 1 - 6: 27; Lucas 14: 1 - 15: 32

La presunción es costosa

¡Oh, Señor! ¿Qué diré, puesto que Israel ha vuelto la espalda delante de sus enemigos?
Josué 7: 8

La presunción siempre ha sido uno de los más grandes motivos de derrota en la vida de muchos cristianos, sobre todo en el ámbito espiritual. No debemos creer que nuestra aparente firmeza vaya a evitarnos una posible caída. Por eso la Biblia está repleta de invitaciones a siempre manifestar un espíritu humilde en todas las cosas. El presumido, quien, lleno de confianza en sí mismo, cree no necesitar nada es el candidato número uno para el fracaso.

El pecador es atrevido y piensa que nada le va a ocurrir. Nadie se encamina al mal con el pensamiento que en el camino algo le impedirá pecar o que después su pecado será descubierto y castigado. El pecador habitual está convencido de que puede hacer lo que le dé la gana y salirse siempre con la suya. En cambio, la humildad hace que uno siempre viva pensando en su relación con Dios, en la consecuencia de los propios actos y en su efecto sobre los demás.

Cuando Acán decidió tomar los artículos prohibidos, actuó con sumo egoísmo. No consideró el daño que haría al pueblo de Dios. Sin embargo, el pecado no fue solo de Acán, porque el pueblo actuó con presunción al dar por sentado que, tras la toma de Jericó, la conquista de Hai sería empresa fácil. «La gran victoria que Dios había ganado por ellos había llenado de confianza propia a los israelitas. Por el hecho de que les había prometido la tierra de Canaán, se sentían seguros y perdieron de vista que solo la divina ayuda podía darles éxito... Los israelitas habían comenzado a ensalzar su propia fuerza y a mirar despectivamente a sus enemigos. Esperaban obtener la victoria con facilidad, y creyeron que bastarían tres mil hombres para tomar el lugar» (PP 527).

La derrota en Hai ya se había producido antes de encaminarse al poblado. Si no hubiese sido por el pecado de Acán y la presunción del pueblo y sus líderes, las cosas habrían salido de otra manera. Cuando el pecado reina, afecta la forma de pensar y de decidir, lo que finalmente llevará a la derrota no solo en el momento de la batalla, sino en la propia toma de decisiones. La mente acostumbrada a hacer el mal y "triunfar" no podrá discernir entre el bien y el mal. La presunción lleva a la derrota final desde el primer paso que se dé, porque no lleva la bendición del Señor. Que el Señor colme el corazón de humildad para evitar la presunción que lleva a la derrota.

Líbranos del mal

A menudo Jesús enseñó sobre la necesidad de estar listo para su venida. También enseñó a sus seguidores a pedir liberación y protección del mal. Esto, en el contexto de su venida, es esencial, pues nadie que haya sucumbido al pecado tendrá parte en su reino.

> Os digo que los defenderá pronto. Sin embargo, cuando venga el Hijo del hombre, ¿hallará fe en la tierra?
> LUCAS 18: 8

Los hijos de Dios han de vigilar en oración, pidiendo protección y ayuda para resistir el mal y estar listos para la venida del Señor. La pregunta de Jesús de si hallaría fe en la tierra en su venida nos enseña que estar en la fe es importante para vivir con él. La fe persistente que se niega a rendirse al mal, que sigue confiando a pesar de las circunstancias adversas, es la que el Señor busca y desea en los suyos.

Como casi todas las parábolas son tomadas de vivencias cotidianas, es posible que él estuviese haciendo referencia a un problema que los judíos enfrentaban en sus días: la indiferencia de los romanos de cara a resolver los problemas de los judíos. Algunos comentaristas opinan que la mujer no buscaba venganza, sino más bien protección. Aunque el juez no mostraba interés en ella, la mujer no se desanimó, e insistió hasta conseguir lo deseado. Su fe insistente en que el sistema de justicia tenía que protegerla fue recompensada.

Habrá veces que no entendamos las respuestas del cielo, pero no por eso hemos de dejar de orar. La fe nos ayudará en los tiempos difíciles, cuando equivocadamente nos parezca que Dios no contesta. La fe nos ayudará a sostenernos, aunque no entendamos los silencios de Dios, y nos llevará al encuentro de nuestro Salvador.

«Cuando nos parezca que nuestras oraciones no son contestadas, debemos aferrarnos a la promesa; porque el tiempo de recibir contestación seguramente vendrá y recibiremos las bendiciones que más necesitamos. Por supuesto, pretender que nuestras oraciones sean siempre contestadas en la misma forma y según la cosa particular que pidamos, es presunción. Dios es demasiado sabio para equivocarse y demasiado bueno para negar un bien a los que andan en integridad. Así que no temáis confiar en él, aunque no veáis la inmediata respuesta de vuestras oraciones. Confiad en la seguridad de su promesa: "Pedid, y se os dará"» (CC 96).

En paz y armonía

> Reparte esta tierra
> como heredad entre
> las nueve tribus y
> la media tribu
> de Manasés
> JOSUÉ 13: 7

Hay tareas cuyo mero ejercicio trae unidad, pero hay otras cuyo resultado puede ser una separación muy difícil de remediar, especialmente cuando de bienes se trata. Por cristianas que sean las personas, casi siempre hay dificultades cuando se trata de ver con qué se queda cada cual. ¡Cuántos hermanos que han vivido en paz y tranquilidad se separan por el reparto de una herencia! En un reparto de bienes, lo que preocupa no es saber con qué se queda cada cual, sino asegurarse de que no se aprovechen de uno, y de defender nuestros derechos.

No fue tarea fácil dividir la tierra conquistada. De hecho, los planes para el reparto del territorio se hicieron mucho antes de que toda la tierra fuese conquistada. Se cree que llevó muchas décadas colonizar ciertas regiones: «Siendo Josué ya viejo y de edad avanzada, le dijo Jehová: "Tú eres ya viejo y de edad avanzada, y queda todavía muchísima tierra por conquistar"» (Jos. 13: 1).

Lo importante es que el reparto de la tierra no llevó a una guerra civil entre los hebreos. Cada cual aceptó lo que se le había asignado, y no hubo pleitos porque alguien se llevase un territorio mayor, más fértil o más estratégicamente situado. Hubo paz y armonía en el reparto de la tierra, pues consideraron que ello tenía más valor que poseer bienes raíces.

La paz y la armonía entre el pueblo de Dios son de tan gran estima para Jesús que oró por los fieles pidiendo «que todos sean una cosa, así como tú, oh Padre, en mí y yo en ti, que también ellos lo sean en nosotros; para que el mundo crea que tú me enviaste» (Juan 17: 21). Es importante seguir el principio de Cristo, y procurar siempre la paz y la armonía entre el pueblo de Dios.

La paz y la armonía se buscan en uno mismo, en su relación con el Señor. Se persiguen activamente en el hogar, con perdón, tolerancia y reconocimiento de los demás. Se mantienen en la iglesia, reconociendo que esto es del Señor y sometiéndonos humildemente a ser guiados por su Espíritu. «Mis hermanos y hermanas: ¿No quisieran ser colaboradores de Dios para trabajar por la paz y la armonía? Oren por la dulce y modeladora influencia del Espíritu Santo. Sean gobernados los labios de ustedes por la ley de la bondad. No sean agrios, descorteses ni duros. Sean fieles a su profesión de fe...» (CDD 112).

¿Para qué lo quieres saber?

El conocimiento es un regalo que se debe atesorar con mucho cuidado, porque de él puede depender la vida. Una persona que sabe que algo le puede causar daño, lo evitará a toda costa, a menos que tenga tendencias suicidas. El conocimiento y la experiencia combinados pueden ser el elemento más poderoso para la autopreservación. Muy a menudo se asume la posición de que hay que experimentar las cosas por uno mismo para estar seguro de los resultados. Esto, sin embargo, no tiene por qué ser así, pues se sabe, por ejemplo, que un tiro en la cabeza, en la mayoría de los casos, causa la muerte, de modo que no hace falta que haga experimentos de tal cosa para saber que no es bueno. La experiencia de otros me basta para tener el conocimiento para cuidarme.

> Y le hablaron diciendo:
> «Dinos, ¿con qué
> autoridad haces
> estas cosas? ¿O quién
> es el que te dio
> esta autoridad?»
> LUCAS 20: 2

El interrogatorio de los rabinos a Jesús no era algo inocente que buscase aprender algo nuevo para seguirlo. Ellos eran los que podían certificar la idoneidad de una persona para enseñar en los asuntos religiosos, médicos, científicos o en cualquier otra cosa de la vida. La certificación rabínica era de gran valor, pero, con el correr de los años y sus prácticas no siempre transparentes, fue cayendo en el descrédito. El asunto había llegado a tal punto de corrupción que se hablaba de establecer procesos paralelos para garantizar la pureza de la práctica.

Esta circunstancia es la que los impulsó a interrogar a Jesús. No querían adquirir conocimiento, sino desacreditarlo para impedir su misión. «Los dirigentes judíos habían exigido que Jesús realizara una señal como prueba de su autoridad para enseñar (Juan 2: 18). En este momento, con esta pregunta, los dirigentes judíos buscaban alguna evidencia para incriminar a Jesús» (*Comentario bíblico adventista*, tomo 5, p. 462).

Su aparente búsqueda de conocimiento no era sincera: no tenían interés en aprender para ser mejores personas, sino para seguir con su labor de obstrucción. La sinceridad en todos los asuntos es de suma importancia, porque solamente así se puede llegar al conocimiento que lleva a la vida eterna. El Señor espera de sus hijos actuaciones sin doblez, con toda sinceridad, demostrando en la vida la realidad de una relación permanente con nuestro Salvador.

Posponer es cancelar

Pero habían quedado
siete tribus
de los hijos de Israel,
a las cuales todavía
no se les había
repartido heredad.
JOSUÉ 18: 2

Un dicho popular holandés dice que «posponer es cancelar» y hay verdad en ello, pues cuanto más se postergan las cosas, más interés se pierde en lograrlas. Una de las armas más eficaces del enemigo es promover la cultura de dejar las cosas para mañana. Tal cultura hace que siempre se crea que habrá tiempo y que no hay por qué agitarse. Hasta hay quien cita aquello de «cada día trae su propio afán» para justificar una cultura de negligencia y abandono del deber.

Es muy peligroso creer que todo se puede dejar para después. La lectura de hoy indica que las siete tribus estaban cómodas con los logros obtenidos y que esperaban compartir el terreno ya conquistado sin esforzarse en colonizar la parte que les tocaba. Josué tuvo que tomar medidas drásticas e inusuales para impedir que la conquista se detuviera. Posponer el asunto llevó a sentir que ya no había necesidad, que era posible compartir lo que ya tenían los demás y dejar las cosas como estaban. El Señor había dado indicaciones claras, pero la naturaleza humana no se sentía inclinada a seguir los planes de Dios.

Posponer las cosas puede hasta afectar la urgente necesidad de ocuparnos en nuestra «salvación con temor y temblor» (Fil. 2: 12). Hay cosas urgentes que no se pueden dejar para mañana, y la salvación es la más urgente de ellas. Jugar con la decisión apremiante de una dedicación completa por el Señor es ponernos en la coyuntura de llegar a sentirnos tan cómodos, tan satisfechos, tan sin necesidad de nada, que caigamos en la condición de las siete tribus de decir: «Quedémonos aquí; no nos arriesguemos en la conquista».

El cristiano jamás debiera sentirse tan cómodo a este lado de la Canaán celestial como para decir, como los de las siete tribus, «No hay problema; estamos bien». Todo ello puede derivarse del simple hecho de haber cultivado una cultura de posponer las cosas. Aquel que es negligente en las cosas pequeñas de la vida puede llegar al peligro de querer cancelar el privilegio de entrar en la Tierra Prometida.

Si hay algo hoy que hay que lograr, que no se posponga, porque posponer puede suponer la cancelación. Seamos diligentes en todo, especialmente en los asuntos que tienen que ver con nuestra salvación.

Cosas fuera de lo común

Hay muchas cosas que sucedieron durante los días anteriores a la crucifixión de Cristo. La Biblia menciona unas cuantas que tienen un elemento en común. Todas fueron extraordinarias, cosas que no eran habituales, cosas que desafiaban toda lógica y forma normal de actuar y de pensar.

> Él les dijo: «He aquí, cuando entréis en la ciudad, os saldrá al encuentro un hombre llevando un cántaro de agua. Seguidle hasta la casa adonde entre».
>
> Lucas 22: 10

Lo inusual de estas cosas era para llamar la atención a lo que estaba a punto de ocurrir. Debemos recordar que cada vez que Dios interviene en los asuntos de los hombres, lo hace de tal manera que al hombre no le queda otra alternativa sino la de inclinar la cabeza y reconocer la grandeza de Dios.

En la historia de hoy, Jesús da instrucciones inusitadas: «Os saldrá al encuentro un hombre llevando un cántaro de agua». Esta frase parece no decir mucho, pero contiene un mundo de información al que debemos prestar atención. No era la costumbre ni la práctica que los hombres estuvieran cargando agua; en los días de Jesús esto era para las mujeres. Los acontecimientos eran también desacostumbrados. La Pascua era para ser celebrada en familia, y había que invitar a los que no tenían dónde celebrarla. En esta ocasión sin embargo, Jesús deseaba estar a solas con sus discípulos, porque era la última ocasión que tenía para acabar de enseñarles la importancia y el carácter de la misión que vino a cumplir. De la comprensión correcta de ellos dependía el futuro de su iglesia y hasta la salvación de la humanidad. Usó métodos inusuales para enseñar lecciones extraordinarias que llevarían a resultados asombrosos. Era importante despertar el interés de sus discípulos, porque esta Pascua sería como ninguna otra.

«En esta última noche con sus discípulos, Jesús tenía mucho que decirles. Si hubiesen estado preparados para recibir lo que anhelaba impartirles, se habrían ahorrado una angustia desgarradora, desaliento e incredulidad. Pero Jesús vio que no podían soportar lo que él tenía que decirles. Al mirar sus rostros, las palabras de amonestación y consuelo se detuvieron en sus labios… La simpatía y ternura despertadas por el pesar de Cristo parecían haberse desvanecido. Sus entristecidas palabras, que señalaban su propio sufrimiento, habían hecho poca impresión. Las miradas que se dirigían unos a otros hablaban de celos y rencillas» (DTG 599).

Josué 20: 1 - 22: 34; Lucas 22: 1-71

¿Para qué escuchas?

> Entonces, levantándose toda la multitud de ellos, le llevaron a Pilato.
>
> LUCAS 23: 1

Cuando se recibe la Palabra con gozo, la vida cambia. Lo triste es que en muchas ocasiones el gozo no dura. Se debe recordar que recibir la Palabra es una cosa, pero si esto no va acompañado de la recepción genuina de Cristo en el corazón, pronto pasará el primer gozo y casi no quedará memoria de él.

De la multitud que en aquellos momentos buscaba la destrucción de Jesús, seguramente había quienes lo habían seguido por mucho tiempo, pendientes de cada palabra que salía de su boca. Lamentablemente, no era para que sus palabras les diesen vida, sino más bien para encontrar de qué acusarlo. Puede que alguno llegase a sentir en alguna ocasión la necesidad de convertirse, pero, lamentablemente, no permitió que las palabras de Cristo lo transformaran.

El cristiano debe velar para que su experiencia sea distinta. Recibir la Palabra es apenas el principio de una relación que debiera durar toda la vida. Una relación fundamentada en Jesucristo y no en las cosas superficiales de la vida. El cristiano debe estar seguro de tener raíces profundas en Cristo; si no, el calor de la vida quitará el gozo que pueda sentir en la relación con su Señor. Debemos hacernos la pregunta: «¿Estoy bien fundamentado en la fidelidad y el amor hacia mi Jesús?» Si el corazón no se enternece y no es fertilizado por la gracia, la buena semilla pueda germinar por un tiempo, pero los rigores de la vida pronto la destruirán, juntamente con cualquier retoño que haya podido dar, porque no puede subsistir sobre la roca, sobre un corazón empedernido, que no permite que la gracia de Cristo lo suavice para el bien. La semilla no puede subsistir en un corazón no suavizado; no puede producir lo mejor cuando está sobre una roca; no puede dar frutos cuando está en un corazón no santificado por la gracia de Cristo.

Decir que se es cristiano y no mostrar el fruto del Espíritu es señal de que la semilla cayó sobre la roca del corazón, pero nunca tuvo ni la menor oportunidad de llegar a nada, pues no se ha permitido que la gracia de Cristo siga haciendo el trabajo de santificar el corazón y la vida. En condiciones tales, cuando se presente la oportunidad, lo peor del hombre sale a la superficie para participar en obras destructivas. Abramos nuestro corazón genuinamente a la influencia del Espíritu.

Josué 23: 1 – 24: 33; Lucas 23: 1-56

Se te reconocerá

Podría decirse que caminar con Cristo es la forma más fácil de reconocerlo. Cabría pensar que por el solo hecho de haber pasado tanto tiempo con Jesús, los discípulos que se encaminaban a Emaús deberían haberlo reconocido hasta en su forma de caminar. ¡Cuántas veces no reconocemos hasta en la oscuridad los pasos de alguien con quien convivimos! Pero no pasó así con los que iban a Emaús acompañados por el Señor. Lo reconocieron solamente cuando partió el pan y oró. Parece que los momentos que pasó Jesús en oración con sus discípulos fueron determinantes hasta el punto de llegar a ser la forma de reconocer a su Señor. Prestaban mucha atención a las oraciones de Jesús, porque él siempre oraba por ellos. La oración intercesora nos acerca a Dios y a nuestro prójimo. Orar por los demás nos identifica con ellos.

> Y aconteció que estando sentado con ellos a la mesa, tomó el pan, lo bendijo y les dio.
> Lucas 24: 30

Todo lo relacionado con la oración nos fue enseñado por el Maestro y por los escritores bíblicos. «En Santiago 5: 16 se declara con todo énfasis el valor de la oración intercesora. La promesa hecha a Abimelec de que recobraría la salud mediante la intercesión de Abraham respalda el principio de que un justo puede convertirse en el canal mediante el cual fluyen las bendiciones divinas (Hechos 9: 17, 18). El propósito de Dios es inducir a los que son sensibles a la verdad para que vayan a sus representantes humanos» (*Comentario bíblico adventista*, tomo 1, p. 353).

La intercesión hace que uno se dé cuenta que hay muchos seres involucrados en su bienestar. El que ora ama a la persona por quien ora. Dios, que escucha la oración, aprecia al que ora, porque se da cuenta de que pide desprendidamente por el prójimo y no para beneficio personal. La persona por la cual se ora también recibe el beneficio de saber que hay gente interesada en su bienestar.

Decía Pablo: «Por esto exhorto, ante todo, que se hagan súplicas, oraciones, intercesiones y acciones de gracias por todos los hombres» (1 Tim. 2: 1). Hoy sería un buen día para elaborar una lista de personas por las cuales interceder, no solamente porque tengan necesidad, sino porque es bueno orar los unos por los otros. Ora por tu familia, ora por tu iglesia, ora por el anciano de la iglesia, ora por el pastor de tu iglesia, ora por los líderes de la iglesia, ora hasta por los gobiernos para que se pueda seguir predicando el evangelio en paz y tranquilidad.

Sé diligente y termina la tarea

> Estas son las naciones que Jehová dejó para probar por medio de ellas a Israel, a todos los que no habían conocido ninguna de las guerras de Canaán.
>
> JUECES 3: 1

«Todo lo que te venga a la mano para hacer, hazlo con empeño. Porque en el Seol, adonde vas, no hay obras, ni cuentas, ni conocimiento, ni sabiduría» (Ecl. 9: 10).

Dejar las cosas a medias suele tener consecuencias más allá de lo que se puede imaginar. Aunque el Señor instó a los hebreos a conquistar toda la tierra, ellos hicieron caso omiso. Quizá cansados de la guerra, decidieron dejar las cosas hasta donde habían llegado. Esa decisión de no finalizar llegó a ser muy costosa para ellos. Algunos hasta se atreven a decir que los conflictos actuales del Cercano Oriente tienen sus orígenes en que la conquista se dejó a medias. Después de Josué, los jueces ya no pudieron terminar la conquista.

En la vida hay cosas que resultan desagradables; otras resultan difíciles y, por lo tanto, se dejan "para mañana". Pero el mañana no hace más fáciles las cosas. El Señor nos permite participar en muchas cosas: en el hogar, en la iglesia, en nuestro lugar de empleo… Pero siempre espera lo mismo de nosotros: que seamos diligentes y terminamos lo que hemos empezado. Poner la mano en el arado para procurar soltarlo con el pensamiento de que «mañana termino» no es la forma como el Señor desea que sus hijos hagan las cosas.

«Hay ciencia en el trabajo más humilde, y si todos lo consideran así, verán la nobleza del trabajo. El corazón y el alma deben aplicarse al trabajo de cualquier clase, y entonces habrá gozo y eficiencia… Empléese la habilidad adquirida en inventar nuevos métodos para realizar el trabajo. Esto es lo que quiere el Señor. Cualquier trabajo que debe hacerse es honroso… La fidelidad en el cumplimiento de cualquier deber ennoblece el trabajo y manifiesta un carácter que Dios puede aprobar… El deber de cada obrero no consiste solamente en poner su fuerza en lo que hace, sino además su mente y su pensamiento… Podéis estereotiparos en una conducta equivocada por carecer de decisión para reformaros, o bien podéis cultivar vuestras facultades para prestar el mejor de los servicios, y así ser buscados por todos y en todas partes. "En lo que requiere diligencia, no perezosos; fervientes en espíritu, sirviendo al Señor" (Rom. 12: 11)» (Ms 8, 1894).

Desafío al sentido común

n el ámbito militar, hay tácticas que el paso del tiempo ha consagrado a ojo de los estrategos. Cuesta abandonar tácticas que han demostrado tener éxito en el pasado. No es de extrañar que la táctica no convencional que Gedeón quería usar suscitase recelo entre los más experimentados de su pequeño ejército, apenas horas antes de lanzarse con una táctica ridícula contra sus enemigos. «Esos hombres meticulosos, metódicos y apegados a la forma podrían no haber

Los tres escuadrones tocaron las cornetas, y quebrando los cántaros tomaron las teas con su mano izquierda mientras que con la derecha tocaban las cornetas y gritaban: «¡La espada de Jehová y de Gedeón!»
Jueces 7: 20

visto más que inconsistencia y confusión. Podrían haber retrocedido con protestas decididas, y ofreciendo resistencia; podrían haber argumentado extensamente para mostrar la incoherencia y los peligros de combatir de una forma tan arriesgada y, con su juicio limitado, haber calificado toda esa estrategia de completamente ridícula e irrazonable» (RH 5 de mayo de 1896).

Cuando el Señor asume la responsabilidad del éxito de una empresa, lo que se requiere no es que entendamos su acción, sino estar quietos y reconocer que Jehová es Dios y siempre nos sorprende. El elemento básico para entender a nuestro Dios es la fe. Aunque una táctica pueda parecer ridícula a nuestros ojos, para Dios no hay nada imposible.

Es cosa sumamente peligrosa resistir las indicaciones de Dios, y permitir que la experiencia humana y el conocimiento adquirido ocupen el lugar de un «así dice Jehová». La victoria de Gedeón no fue solamente una victoria militar contundente y sorprendente, sino un acto de fe, donde el hombre se hizo totalmente vulnerable al fracaso, para que la victoria no se atribuyese al brazo de los soldados, sino al poder de lo alto. Por eso se nos indica: «No con ejército, ni con fuerza, sino con mi espíritu, ha dicho Jehová de los ejércitos» (Zac. 4: 6).

Hoy y otros días traerán desafíos. Pero los desafíos no son lo peor que nos pueda ocurrir, sino la falta de fe en que estamos en las manos de un Dios siempre pendiente para resolver los desafíos. No confiemos en el brazo humano, sino aceptemos lo que pueda parecer ridículo a la vista del hombre, pero que es lo más sabio para la persona de fe. Confiemos en un Dios que ha dado tantas muestras de buenas intenciones para con sus hijos en todo momento.

Jueces 6: 1 - 8: 35; Hechos 2: 1-47

No hay forma de esconderlo

> Y viendo la valentía de Pedro y de Juan, y teniendo en cuenta que eran hombres sin letras e indoctos, se asombraban y reconocían que habían estado con Jesús.
>
> Hechos 4: 13

Cuando Cristo está en la vida de uno, no hay forma de esconderlo. Los discípulos no eran personas de las que se esperase la audacia de enfrentarse a dirigentes y sacerdotes. Estos poseían todas las herramientas para aplastar a cualquiera en un debate sobre asuntos religiosos. Eran expertos en las tradiciones de los padres y tenían la autoridad jerárquica para demandar obediencia inmediata. Estaban acostumbrados a ganar todo debate público, con la excepción de los que habían tenido con Jesús.

Habiendo eliminado a Jesús, estaban confiados en que sería restaurada la autoridad que antes tenían, que disfrutarían nuevamente de ser los únicos que podían enseñar en el templo, recibir elogios en las plazas y ser reverenciados doquiera acudiesen.

¡Qué equivocados estaban! Lo habían hecho todo basándose en el conocimiento que tenían. Pero jamás se habían imaginado el efecto que la relación con Cristo tendría sobre los que caminaron con él. El cristiano debe ser el reflejo de su relación con Cristo. Su amabilidad, su bondad, su ternura, su apego a la verdad y la justicia, todo lo de Cristo debiera ser reflejado en la vida del cristiano.

Si fuésemos lo que profesamos ser, deberíamos ser el retrato de nuestro Señor. El mundo debe mirarnos y notar que hemos estado con Jesús. Los vecinos, los hermanos, nuestros colegas del trabajo, las personas sobre quienes tenemos cierta autoridad y los que tienen autoridad sobre nosotros, todos deben darse cuenta de que hemos pasado tiempo con nuestro Señor. El que anda con Jesús no tiene miedo de dejar reflejar su luz, nunca siente vergüenza de la religión que profesa, jamás se preocupa de que nuestra forma de ser nos haga distintos de los demás y, por lo tanto, objeto de burla. Haber estado con Jesús es mostrar la santidad de Jesús, su humildad y sencillez. Es tener la compasión y la misericordia de Jesús.

Haber pasado tiempo con Jesús nos permite mostrar los mismos intereses que él mostró, tener una vida devota y de acercamiento al Padre como la que él tuvo. Que el mundo que nos contempla y estudia pueda exclamar, como dijeron de Pedro y Juan, que hemos estado con Jesús.

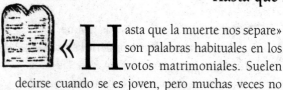

28 marzo — Hasta que la muerte nos separe

«**H**asta que la muerte nos separe» son palabras habituales en los votos matrimoniales. Suelen decirse cuando se es joven, pero muchas veces no encuentran cumplimiento en la madurez o en la vejez. La violación de los votos matrimoniales es la forma de traición más prevaleciente en el mundo. No existe sociedad donde esto no ocurra, y hasta entre los hijos de Dios se viola voto tan sagrado. El voto matrimonial en sí expone a la persona al dolor de la traición.

> Jefté el galaadita era un guerrero valiente. Él era hijo de una mujer prostituta, y el padre de Jefté era Galaad.
> JUECES 11: 1

La infidelidad en el matrimonio es rechazada por Dios. Por ello, los hijos de Dios deberían hacer todo lo posible para que ese voto se cumpla hasta la muerte. Algunos han ido más lejos de lo que la Biblia indica, y, en su amor por su cónyuge difunto, rehúsan casarse de nuevo. Hay sociedades donde la infidelidad es castigada con la muerte, pero esto no quita que el corazón pecaminoso no encuentre medios para burlar la ley. Existen los denominados "matrimonios recreativos", por los que se procede a una boda legal por una noche. Al día siguiente, se procede al divorcio. Así, técnicamente, la infidelidad no constituye adulterio, pues se realizó con una esposa "legítima".

En el caso del juez Jefté, la Biblia dice que su padre lo engendró con una prostituta, aunque algunos creen que la traducción correcta debería ser «la dueña de una taberna». Jefté pudo vivir en su casa paterna hasta la muerte de su padre, pero luego fue expulsado por los hijos legítimos. Aunque posteriormente, fuera restaurado a la honra de dirigir a Israel por su valentía, no cabe duda que el acto del padre causó gran dolor después de la muerte de este.

La infidelidad en el matrimonio casi siempre deja un mal sabor y conlleva consecuencias que muchas veces están fuera del control del que comete tal acto. Una traición matrimonial es un acto egoísta que no considera las consecuencias sobre los demás. Al cristiano se le insta a ser fiel a los votos matrimoniales «hasta que la muerte nos separe». Así honramos a nuestro Dios, damos felicidad a los demás, y no buscamos excusas para violar votos tan sagrados. La invitación del Señor es que respetemos los votos matrimoniales, porque el matrimonio es el símbolo de la relación entre Dios y su pueblo. Él nos amó con amor eterno y solamente nos pide fidelidad mientras vivamos.

Jueces 11: 1 - 12: 15; Hechos 5: 1 - 6: 15

Lo pequeño que nos hace olvidar lo grande

Teniendo mucha sed, Sansón clamó a Jehová diciendo: «Tú has dado esta gran liberación por mano de tu siervo; y ahora, ¿he de morir de sed y caer en mano de los incircuncisos?»

JUECES 15: 18

Sansón tenía mucha sed y casi se resignaba a la suerte de morir allí. La falta de agua era peor que cualquier cosa que hubiese experimentado hasta la fecha. Hasta entonces era el héroe triunfador que lo conquistaba todo, pero esa sed era insoportable. Tener sed en realidad no era comparable con la batalla contra los filisteos. Había triunfado sobre miles de ellos, pero esa sed… esa sed estaba acabando con él. La gran victoria no significaba nada si no podía encontrar cómo saciar la sed. Para él las dificultades actuales representaban mucho más que todo lo que había enfrentado en la vida.

Esta actitud es más común de lo que puede parecer. Encontrar una pequeña dificultad, a pesar de haber tenido una gran victoria, tiende a causar desánimo. Sansón había matado a miles de filisteos y había amontonado sus cadáveres en el campo de batalla. Tenía energía para pelear y hasta para limpiar el campo de batalla, pero esa sed… Esa pequeña dificultad le hizo desesperar y hasta dudar de las providencias divinas. Dios podía darle fuerza para matar a muchos filisteos, pero, ¿podría salvarlo de la sed?

Jacob había luchado con el ángel del Señor y triunfado, pero salió cojeando de la cadera. Después de grandes victorias, el Señor nos mantiene humildes, dándonos pruebas para hacernos recordar que no triunfamos gracias al brazo humano, sino dependiendo del brazo omnipotente de Dios. Era necesario que Sansón reconociera que esta victoria vino de Jehová y no de su propia fuerza.

Pedimos victorias todo el tiempo, pero debemos reconocer que la victoria viene de Dios y nunca pensar que la hemos logrado por nuestra propia fuerza. Si por el Señor se han obtenido victorias, por él también serán satisfechos los desafíos y necesidades de hoy. Las victorias de ayer nos dan garantía que él está dispuesto y listo para socorrer. Hay que vivir siempre conscientes de que el enemigo tratará de presentar dificultades pequeñas y hacerlas parecer temibles, todo con el objetivo de no disfrutar de las bendiciones de Dios. Quiere que nos fijemos en nuestras aparentes dificultades para olvidar que Dios lo puede todo.

Que hoy sea un día de victoria, pero, más aún, que sea un día de reconocimiento de lo que Dios ha hecho en nuestra vida.

Jueces 13: 1 - 16: 31; Hechos 7: 1 - 8: 40

Tu nombre, tu fortaleza, tu debilidad

Al principio, los seguidores de Cristo no eran conocidos como *cristianos,* sino como hombres y mujeres del Camino. Basándose en diversas evidencias, se cree que esto era más bien una designación despectiva, pero también una identificación que los seguidores de Cristo habían adoptado por haberse identificado Jesús como «el camino, la verdad, y la vida».

> ... Y le pidió cartas para las sinagogas en Damasco, con el fin de llevar preso a Jerusalén a cualquiera que hallase del Camino, fuera hombre o mujer.
> HECHOS 9: 2

Antioquía fue el primer lugar en el que los seguidores de Cristo fueron denominados *cristianos* para así identificarlos despectivamente con el crucificado. Para aquellos creyentes era todo un honor ser reconocidos como seguidores de Cristo o pertenecientes a él.

Ser algo puede llevarnos a la suficiencia propia de decir «yo soy», pero *pertenecer* a alguien conlleva supeditar la propia existencia a la del dueño. Hasta los opositores y enemigos de la fe al comienzo de nuestra era sabían que para los cristianos el vivir era Cristo, que no tenían otra razón de ser, que todo su actuar era de acuerdo a las enseñanzas de Jesús. Es bonito ser considerados cristianos, seguidores de Cristo, pero es más hermoso que se reconozca que pertenecemos a Cristo. El mismo Señor nos dio ejemplo en esto, porque no hacía nada salvo la voluntad del Padre, y pudo decir el «Padre y yo somos una misma cosa».

La relación que se espera del cristiano es que sea más que un seguidor, y que más bien llegue a ser propiedad de Cristo.

«Toda alma de cada familia está sometida a prueba. Hemos de considerar que nuestro tiempo de prueba pertenece a Cristo. Ha de considerarse que nuestro tiempo y nuestras oportunidades son sumamente valiosos. Nuestros pensamientos han de espaciarse en las cosas escritas en las Sagradas Escrituras. A menos que, como súbditos comprados por la sangre de Cristo, mostremos en nuestros caracteres las virtudes de su vida, no podemos ser salvos. La única forma en la que podemos obtener la salvación es mediante la aceptación de Cristo como Redentor del mundo, y única esperanza del pecador.

»La supuesta excelencia propia no es nada. Cristo es nuestra vida. Es su virtud lo que debe imbuir la vida de sus seguidores. El yo y todo vestigio de egoísmo deben morir» (NUR 16 de abril de 1907).

Jueces 17: 1 - 19: 30; Hechos 9: 1-43

Reacción excesiva

> Entonces todo el pueblo, como un solo hombre, se levantó y dijo: «¡Ninguno de nosotros irá a su morada, ni nadie regresará a su casa!»
>
> Jueces 20: 8

«Hacer una tormenta en un vaso de agua» es una expresión popular que significa reaccionar de forma extrema a algún acontecimiento. Hay quien cree que la reacción a la acción nefanda descrita en la historia de hoy fue excesiva, pues supuso una guerra civil, miles de muertos por ambos bandos y el casi exterminio de una tribu antes de llegar a la reconciliación.

No hay excusa para el mal cometido por los hombres de Gabaa contra el levita y la concubina de la historia: la violación reiterada de esta pobre mujer hasta causarle la muerte. Pese a todo, ¿era el pecado de tal naturaleza que requiriese una reacción tan fuerte? La reacción causó grandes pérdidas en vidas humanas, daños a la propiedad, y el desastre de tener que reconstruir toda una tribu y múltiples ciudades. Las consecuencias económicas fueron grandes; las familias destruidas de ambos bandos fueron numerosas; los huérfanos ni se mencionan; las viudas no tenían a dónde ir; los hombres largo tiempo sitiados en la peña de Rimón quedaron sin futuro. Y todo por lo que parece una reacción desmedida a algo que quizá se podría haber arreglado de otra manera.

Cuando de pecado se trata, Dios no usa la diplomacia; no entra en diálogo, sino que solamente busca el rescate del pecador. Cuando el Señor decide el exterminio del mal, no se le puede acusar de reaccionar en exceso, pues siempre intenta antes salvar al pecador, no causar su destrucción. Dios, en su misericordia busca hasta el diálogo con el pecador, para causar el arrepentimiento de este. Pero cuando no hay más remedio, y por amor a los justos, Jehová se levantará y pondrá fin al pecado y los pecadores.

No, las medidas drásticas de Dios contra el pecado no se pueden tildar de reacción excesiva, pues Dios siempre da oportunidad a la paz antes de la guerra, da ocasión a que el pecador se arrepienta antes de su destrucción. En su amor y misericordia, siempre extiende la mano de amor, y dice al pecador «volveos a mí». Dios no reacciona desmedidamente ante el pecado, y no destruirá a inocentes, porque si hay solo uno que ha de ser salvo, él salvará a ese uno antes de ejecutar su juicio. Confiemos en un Dios de amor y misericordia y volvamos de los caminos equivocados a disfrutar la paz con el Señor.

Jueces 20: 1 - 21: 25; Hechos 10: 1-48

Aplícate a lo más importante

La asiduidad es un estilo de vida que todo buen cristiano debiera tener. De hecho, somos amonestados a actuar con asiduidad: «Todo lo que te venga a la mano para hacer, hazlo con empeño» (Ecl. 9: 10). La Biblia da enseñanzas e instrucciones en contra de la pereza: «El perezoso hunde su mano en el plato, pero ni aun a su boca la llevará» (Prov. 19: 24). Nadie quiere ser considerado un perezoso y trata siempre de evitar ser considerado como tal.

> Rut espigó en el campo hasta el atardecer y desgranó lo que había espigado, y he aquí que había como un efa de cebada.
> RUT 2: 17

Una de las muchas cosas buenas de Rut es que no era perezosa. Puede ser este un factor que llamara la atención de su esposo. Como sucede hasta en nuestros días, los emigrantes son laboriosos, y trabajan mucho, porque están motivados para lograr algo en la vida. La vida difícil que dejaron atrás los impulsa a alcanzar lo mejor y avanzar en el país o lugar donde se encuentran.

Rut escogió ser emigrante, con todas las posibilidades de sufrimiento que esto conllevaba. Había experimentado el sentir de emigrante que manifestó su esposo fallecido y cómo este había trabajado de sol a sol para salir adelante en tierra extraña. Ahora estaba decidida a seguir con la tradición de la familia de trabajar como emigrante para lograr algo en la vida.

La historia de Rut nos enseña mucho más que una lealtad premiada. Los cristianos somos extranjeros y advenedizos en esta tierra. Nuestra patria está en los cielos; nuestro destino es la tierra nueva; nuestro rey es el Señor Jesús. Ese sentir de emigrantes espirituales debiera impulsarnos a hacer lo que hacen los emigrantes motivados a labrarse una nueva vida: trabajar con todas nuestras fuerzas, porque no queremos quedar aquí. «Ocupaos en vuestra salvación con temor y temblor» (Fil. 2: 12). Sí, somos salvos por la gracia, pero nunca debiéramos perder de vista la importancia de nuestra salvación. Nuestra cooperación con el Señor es de tal importancia que, sin ella, Dios no nos puede salvar, porque él no salva a nadie en contra de la voluntad de tal persona. La asiduidad en la vida es importante, pero mucho más lo es en materias de salvación. Rut se aplicaba a la tarea para lograr un fin. Nosotros debiéramos aplicarnos a escuchar la voz del Espíritu Santo constantemente y permitir que el Señor nos guíe a la salvación, porque estamos dispuestos a seguirle a cada paso.

Rut 1: 1 - 4: 22; Hechos 11: 1 - 12: 25

Cumple tus promesas

> Después aquel hombre, Elcana, subió con toda su familia, para ofrecer a Jehová el sacrificio anual y cumplir su voto.
> 1 SAMUEL 1: 21

La historia del deseo, la concepción, el nacimiento y la dedicación de Samuel ha cautivado a grandes y pequeños a través de las edades. Una mujer piadosa con un deseo ardiente de tener un hijo ora al Señor y este escucha su clamor y le concede la petición de su corazón. Es una historia preciosa, pero la historia de la familia de Samuel no nos enseña solamente eso. Era una familia devota cuyos miembros hacían las cosas y adoraban juntos. No hay mejor forma de identificar a una familia que esta, y así deberían ser las familias adventistas.

«"Cumplir su voto" era parte de la forma de actuar de Elcana y su familia. El voto a que se refiere aquí no es el voto que hizo Ana de dedicar su hijo a Jehová. Definitivamente Elcana estuvo de acuerdo con ella, porque el asunto de los hijos no es asunto de una madre solamente. El padre debe estar de acuerdo. Por lo tanto, Elcana también estuvo de acuerdo con la dedicación de Samuel. Sin embargo "cumplir su voto" aquí no se refiere al voto de Ana. La Septuaginta pone que Elcana cumplió sus votos de devolver a Jehová lo que le había prometido, y llevó sus diezmos al templo» (*Wycliffe Bible Commentary*).

Elcana nos da el ejemplo de cómo los hijos de Dios debieran tratar los asuntos de Jehová. La promesa de apoyar a la iglesia con nuestra influencia, nuestros diezmos y nuestras ofrendas no debiera quedarse en nada. Es un privilegio para los hijos de Dios cuando acuden a la casa de Dios que lo hagan como Elcana y su familia: con disposición de adorar, con la buena voluntad de disfrutar de la ocasión con los demás hijos de Dios, y sobre todo, con la buena voluntad de cumplir nuestros votos al Señor, porque el Señor ama al dador alegre. La devolución del diezmo no es una carga; es nuestro reconocimiento de que todo lo que somos y tenemos le pertenece a Dios.

Es un privilegio enseñar a nuestra familia acerca de la bondad del Señor y acerca de la importancia de «subir para adorar», de «cumplir nuestros votos» y, sobre todo, de mantener un corazón contrito y humillado ante nuestro Dios. Cualquier otro uso o destino que demos a lo que el Señor pide no es cumplir con la voluntad de Dios. Sigamos el buen ejemplo dado por el padre de Samuel y toda su familia.

1 Samuel 1: 1 – 2: 36; Hechos 13: 1-52

3 abril — Las dimensiones del cristianismo

¿Hay algo que se suponga que debe hacer un creyente una vez ha aceptado a Cristo? Si bien es cierto que la salvación afecta fundamentalmente al interior, y no a cuestiones como la comida, la bebida o el vestido, ¿cómo se conoce al cristiano en un mundo donde los valores se confunden tan a menudo? Cuestiones como esta fueron las que llevaron al Concilio de Jerusalén a definir lo que significaba ser cristiano. Los apóstoles hicieron hincapié en tres dimensiones específicas:

> Más bien debemos escribirles que se abstengan de lo contaminado por los ídolos, de la inmoralidad sexual, de la carne de animales estrangulados y de sangre.
> Hechos 15: 20

La dimensión religiosa: Abstenerse de lo contaminado por los ídolos. Los ídolos no tenían poder de contaminar ni de purificar a nada, pero los paganos creían que sí. En otras palabras, la opinión pública de las cosas era importante, y por lo tanto el cristiano debía evitar cualquier cosa que respaldase los errores de los no cristianos. La participación en las cosas que hacían los gentiles afirmaba en la mente de estos que sus prácticas no ofendían a Dios y que, por lo tanto, no había razón de abandonarlas.

La dimensión social: Apartarse de la inmoralidad sexual. El desenfreno sexual en todas sus formas reduce al ser humano creado y comprado por Dios al nivel del animal determinado por sus instintos. Esta dimensión social puede afirmar al pecador en su pecado, y así causar su destrucción. Al vivir una vida sana y limpia de estas cosas, el cristiano está afirmando la pureza que el Señor espera de sus hijos, evitando dar fuerza al pecado que lleva a la perdición.

La dimensión de la salud. Aunque es verdad que la salvación no es asunto de comer y beber, no es menos cierto que el cuerpo es el templo del Espíritu Santo. Al llevar una vida controlada por prácticas temperantes, el cristiano está dando un testimonio de su fe en el Señor y la confianza que tiene de que el Señor quiere habitar en un cuerpo sano. Esto no significa que una persona enferma no tenga el Espíritu Santo; afirma más bien que tenemos una responsabilidad social y moral con los que nos rodean, y que nuestro estilo de vida les ayudará a entender mejor al Señor. El Señor espera de nosotros que seamos cristianos completos, no que procuremos esgrimir argumentos para evitar ser cristianos en todas las dimensiones esperadas.

1 Samuel 3: 1 - 4: 22; Hechos 14: 1 - 15: 41

Armonía

Así que Pablo decidió llevárselo. Por causa de los judíos que vivían en aquella región, lo circuncidó, pues todos sabían que su padre era griego.
HECHOS 16: 3

Para la unidad y la paz en la iglesia, debe haber armonía entre los hermanos. Aunque tal armonía no se logra claudicando ante la presión social, cuando hay opiniones variadas en la iglesia hay que, por lo menos, escuchar la voz discrepante. Cuando hay diferencias de opinión y la mayoría de la iglesia se ha pronunciado sobre el asunto, es responsabilidad de los que quedaron en minoría deponer sus actitudes y vivir en paz con sus hermanos.

En el episodio de la circuncisión de Timoteo, Pablo nos da un ejemplo perfecto de condescendencia, tolerancia y conciliación para lograr la paz en la iglesia. Los dirigentes de la iglesia habían concluido que la circuncisión no era importante ni requerida para los gentiles. Con todo, para poder predicar a los judíos sin ser rechazado por el prejuicio de estos, se optó por el doloroso proceso de circuncidar a un adulto. Pablo no estaba comprometiendo la fe, porque en otro caso, donde las circunstancias eran diferentes, rehusó circuncidar a Tito (Gál. 2: 3-5). En las circunstancias que rodearon el caso de Timoteo, Pablo sabía que si llegaba con alguien no circuncidado, la predicación del evangelio se iba a ver estorbada, porque los judíos no iban a asociarse con un incircunciso. No era asunto de salvación, como en el caso de Tito, sino más bien de plasmar la estrategia enunciada por Pablo de hacerse griego para alcanzar al griego. Era una decisión prudente para alcanzar una victoria mayor. Era un retroceso táctico para alcanzar una victoria total. Timoteo no fue obligado a seguir los rituales judíos, ni ello afectó su estado espiritual, pues no se hizo para buscar la justificación bajo la ley.

La lección que podemos sacar de este hecho un tanto controvertido es que debemos mirar a Cristo, y ser lentos para juzgar a nuestros hermanos cuando no se conocen todos sus motivos. Ni siquiera conociendo los motivos debemos juzgar. En el caso de Tito era la iglesia la que necesitaba recordar que la salvación era por la gracia, y no por la vuelta a las prácticas judaicas. En el caso de Timoteo, era un público que necesitaba conocer la verdad y someterse a Cristo. Los hijos de Dios deben estar siempre pendientes de las oportunidades que se presentan para alcanzar las almas con la verdad de Cristo.

1 Samuel 5: 1 - 6: 21; Hechos 16: 1-40

Dios no tiene límites

4

Dios no hace las cosas a medias. Ni quiere ni puede, pues ello supondría imperfección y él todo lo hace a perfección, incluyendo los cuidados que nos prodiga. Aunque las experiencias negativas nos puedan indicar otra cosa, no hay momento en que nuestro Dios no cuide de sus hijos.

> Luego Samuel tomó una piedra y la puso entre Mizpa y Sen, y la llamó Eben-ezer, diciendo: «¡Hasta aquí nos ayudó Jehová!»
> 1 SAMUEL 7: 12

«Hasta aquí nos ayudó Jehová» parece sugerir que puede que haya algún tiempo futuro en el que deje de hacerlo. El secreto, no obstante, no está en Dios, sino en nosotros. Y eso puede ocurrir por mil motivos: por la interpretación que le damos a las cosas, por nuestro empecinamiento en alejarnos de las bendiciones de Dios. Con todo, hemos de recordar que incluso sobre aquellos a quienes la Biblia llama «los malos» hace el Señor salir el sol y descender la lluvia (Mat. 5: 45).

La Versión Internacional de la Biblia nos ayuda a entender mejor nuestro versículo de cabecera: «Después Samuel tomó una piedra, la colocó entre Mizpa y Sen, y la llamó Ebenezer, "el Señor no ha dejado de ayudarnos"». Echando la vista atrás, vemos bendición tras bendición, y el propio hecho de poder contemplar el pasado es una bendición, ya que el Señor nos permite "evaluar" sus obras y ni siquiera nos reprende si, obcecados por nuestra ignorancia, lo juzgamos mal.

Que el Señor no haya dejado de ayudarnos es garantía para el futuro. Si en el pasado no ha dejado de ayudar, estamos seguros también que, en lo que de él dependa, también estará a nuestro lado en el futuro. La invocación de Samuel es el reconocimiento que sin Dios no podemos hacer nada, que todo depende de él, y que disfruta haciendo el bien a sus hijos, lo que llena nuestro corazón de gratitud.

Podemos estar seguros de que el Dios que se percata de la muerte de un pajarillo colmará todas nuestras esperanzas y siempre cuidará de nosotros. El futuro, ... nte hablando, está lleno de necesidades, como las de la anciani-... nfermedades, el abandono por parte de los seres queridos, y, sí, ... Pero si «el Señor no ha dejado de ayudarnos», podemos vivir ... lo seguirá haciendo.

1 Samuel 7: 1 – 8: 22; Hechos 17: 1-14

Limpieza étnica

> Y habiendo hallado a un judío llamado Aquila, natural de Ponto, recién llegado de Italia con Priscila su mujer (porque Claudio había mandado que todos los judíos fueran expulsados de Roma), Pablo acudió a ellos.
>
> HECHOS 18: 2

Se ha acuñado recientemente una novedosa expresión, muy aséptica, que encubre el prejuicio y el odio entre los pueblos. Se trata de la "limpieza étnica". Consiste en la acción emprendida por una mayoría para exterminar o alejar de entre ella a una minoría étnica. Es la práctica extrema de la intolerancia y del odio y supremacía raciales. Cuando el emperador Claudio decretó que todos los judíos debían salir de Roma se puso de manifiesto que vivir allí era un privilegio velado por algunos de los naturales del lugar. A ojos de ciertos dirigentes romanos, los judíos eran elementos indeseables en la capital del imperio.

El historiador Suetonio (*Vida de Claudio,* xxv.4) indica que había muchas revueltas entre los judíos instigadas por un tal Crestus. Se cree que el nombre *Crestus* es una forma inculta de los romanos de referirse a Cristo. Según parece, la revuelta entre los judíos se debía a que el evangelio estaba siendo predicado en las sinagogas, pero la oposición era tal que constantemente había pleitos entre los que aceptaban a Cristo y los opositores, que querían expulsar de las sinagogas a los primeros. Hartos del desorden público que ello conllevaba, Claudio expulsó de Roma a todos los judíos, cristianos o no.

Que el emperador expulsase a los judíos de Roma porque, según parece, el evangelio causaba los disturbios, confirma que «todos los que quieran vivir piadosamente padecerán persecución» (2 Tim. 3: 12). A pesar de esto, los primeros cristianos no temían ni a la expulsión de una vida cómoda en la ciudad que era el centro de la civilización de aquel entonces. Para ellos, testificar por Cristo, a pesar de las consecuencias, era lo más importante.

No solo era testificar lo más importante para ellos, sino que dondequiera que fueran, llevaban su fe como su "marca registrada", para que todos llegasen a conocer acerca del Cristo al que servían. Es el privilegio del cristiano de hoy tomar ejemplo de aquellos creyentes, como Aquila y Priscila, que lo sacrificaron todo para predicar el evangelio. Entregaron su vida, su posición social, sus amistades; todo por esparcir la fe de Cristo. El Señor espera de sus hijos hoy una dedicación similar.

Usar sus armas para vencerlos

En los tiempos de la guerra fría, aunque la Unión Soviética se veía obligada a hacer negocios con Occidente, uno de sus dirigentes llegó a decir que «compramos la soga de ellos para luego ahorcarlos con su propia soga».

> Todos los israelitas iban a los filisteos para afilar cada uno su reja de arado, su azadón, su hacha o su hoz.
> 1 Samuel 13: 20

Para el cristiano supone una cierta contradicción vivir en el mundo pero nos ser del mundo; usar las cosas del mundo, sin enamorarse de ellas; aprovechar la tecnología sin olvidarnos que el poder viene del Espíritu Santo. El uso de las «cosas del mundo», especialmente en la predicación del evangelio es una oportunidad que el cristiano no debe desperdiciar. La tecnología debe aprovecharse al máximo para ganar a los que necesitan oír la verdad de Cristo, aunque siempre hay que recordar que es el Espíritu Santo quien usa nuestros talentos y conocimientos para alcanzar y convertir a las almas.

En los días de los jueces los filisteos gozaron de un monopolio tecnológico que negaba a los hebreos materia prima para crear armas y tenerlas afiladas. El embargo armamentista, no obstante, no impidió que el pueblo hebreo deseara la libertad, ni evitó que usase cuanto tenía a su alcance para lograr su fin.

Los cristianos también deberíamos fijarnos metas y concentrarnos en su realización. Aunque el enemigo querría mantenernos inermes, contamos con la mejor arma para la lucha contra el mal: el poder del Espíritu Santo. Cuando lo que nos rodea nos quiere distraer para perder la concentración sobre lo más importante de la vida, Cristo nos dice «Seguidme». El embargo de armas que el mundo nos quiere imponer no debe desanimarnos, porque lo que tenemos no está bajo el control del mundo. Con oración y dedicación, podemos usar las cosas del mundo (no así sus métodos) para alcanzar al mundo con la verdad de Jesucristo. Los veloces medios de transporte, el uso de los nuevos medios de comunicaciones para que nuestra voz llegue a donde no podemos hacerlo físicamente, el empleo de la ciencia y el arte son ejemplos de acudir a los filisteos para afilar las armas para combatir contra el príncipe de este mundo. La victoria es segura, porque tenemos las mejores armas. A fin de cuentas, el Señor nos asegura que las cosas no se hacen con armas ni con ejércitos, sino por su Espíritu. Confiemos en la dirección del Señor para la victoria final.

1 Samuel 11: 1 – 13: 23; Hechos 20: 1-38

Nada justifica la rebelión

abril 8

> Entonces Samuel preguntó: «¿Se complace tanto Jehová en los holocaustos y en los sacrificios como en que la palabra de Jehová sea obedecida? Ciertamente el obedecer es mejor que los sacrificios, y el prestar atención es mejor que el sebo de los carneros».
>
> 1 Samuel 15: 22

A muchos humanos les gusta polemizar con el Señor, sobre todo en nuestros días, cuando ya no estamos acostumbrados a escuchar la voz audible de Dios. Tenemos la tendencia a "interpretar" las cosas según lo que estimamos que es lo correcto. Esto trae como consecuencia, a menos que estemos bien arraigados en la Palabra de Dios, que nos podamos equivocar gravemente en lo que creíamos que era la voluntad de Dios. Lo que puede salvaguardar al cristiano de cometer tal error es un profundo conocimiento de la voluntad de Dios como está revelada en su Palabra. No es costumbre de Dios bajar el listón para luego decirle al hombre: «Acepto tu debilidad y así está bien».

Cuando el Señor expresa su voluntad, es un disparate suponer que podamos atenernos a ella o no y que él aceptará nuestro parecer. Obedecer la voluntad de Dios es aceptar que él tiene toda la sabiduría y que no podemos mejorar lo que ha propuesto.

Saúl se encontró en la coyuntura de decidir si aceptaba plenamente un «así dice Jehová» o trataba de "mejorar" la voluntad revelada de Dios. La orden de destrucción de los amalecitas no dejaba lugar para la aparente bondad de Saúl de preservarle la vida al rey enemigo y permitir que el pueblo tomara lo mejor del ganado y de las ovejas. El argumento pudo haber sido que estaban haciendo provisión para glorificar a Dios en la humillación del rey y que los animales eran todos para ser sacrificados a Jehová. No sonaba mal, pero no era la voluntad de Dios.

Apartarse de la voluntad de Dios, aunque con "buenas" intenciones, es visto por él como una rebelión. Para los que no conocen la voluntad de Dios, es de sumo agrado atender la voluntad personal o de otras personas, pero descuidar lo que el Dios del cielo ha indicado. Se debe recordar siempre que todo acto de desobediencia es pecado, no importan las razones. Por eso el Señor espera que sus hijos conozcan bien su voluntad expresada en su Palabra y que la obedezcan con su ayuda.

1 Samuel 14: 1 – 15: 35; Hechos 21: 1-40

105

Cuanto más bajitos son los afectados por el "síndrome del hombre pequeño", más grande es su complejo por querer ser altos. La apariencia de una persona tiende a impresionar a muchos, por la falsa idea de poder determinar el carácter de la persona basándose en las apariencias.

Dios busca lo que él puede moldear a la imagen de su carácter, y las apariencias externas no caen dentro de esta categoría. Es conocido por todos que Dios puede tomar un criminal y convertirlo en un santo. No hay nada imposible para Dios, y su mayor deleite es ver a un endemoniado incontrolable postrado a sus pies dándole gloria y alabanzas.

> Pero Jehová dijo a Samuel: «No mires su apariencia ni lo alto de su estatura, pues yo lo he rechazado. Porque Jehová no mira lo que mira el hombre: el hombre mira lo que está delante de sus ojos, pero Jehová mira el corazón».
> 1 SAMUEL 16: 7

Los humanos podemos discernir las apariencias, pero Dios sabe cómo es la persona. El Señor valora el corazón, y, sobre todo, valora la disposición a dejarse moldear por la influencia del Espíritu Santo.

El hermano mayor de David tenía cuanto la vista humana podía desear en un líder, pero el Señor sabía que no era de corazón puro para con él. Elena White dice: «Eliab era el mayor, y el que más se parecía a Saúl en estatura y hermosura... Cuando Samuel miró su porte principesco, pensó ciertamente que era el hombre a quien Dios había escogido como sucesor de Saúl... Pero Jehová no miraba la apariencia exterior. Eliab no temía al Señor. Si se le hubiera llamado al trono, habría sido un soberano orgulloso» (PP 692).

La historia de la elección de David nos enseña sobre todo algo muy importante acerca de Samuel: estaba dispuesto a no encapricharse con sus ideas y opiniones, sino esperar la indicación de Dios para seguirla. Muchas veces se formulan opiniones basadas en la información disponible, pero el cristiano debe aprender a someter sus ideas, sus opiniones y sus conclusiones a Dios y pacientemente esperar la dirección de Dios.

Que la voluntad de Dios sea suprema en nuestra vida, para aprender a desechar hasta las cosas que, desde nuestra perspectiva humana, nos parezcan más seguras. Que podamos aprender a esperar en Aquel que conoce los corazones y no juzga por las apariencias o ideas preconcebidas.

No uses el nombre de Dios con fines egoístas

> Entonces Saúl dijo a David: «He aquí Merab, mi hija mayor. Yo te la daré por mujer, con tal que me seas un hombre valiente y lleves a cabo las batallas de Jehová». Pero Saúl pensaba: «No será mi mano contra él. ¡La mano de los filisteos será contra él!»
>
> 1 Samuel 18: 17

Aunque saben que el Señor no aprueba su forma de actuar, muy a menudo los seres humanos usan el nombre de Dios para conseguir algo.

La pretensión de Saúl y su engaño eran grandes cuando pidió lealtad a David. Sabía que David le era fiel y leal en todo, pero sus celos lo cegaban. Su promesa de darle su hija mayor era otro engaño que sabía que no iba a cumplir. De hecho, Saúl tenía el compromiso de darle su hija a David desde hacía tiempo, a raíz de su victoria sobre Goliat. Ahora Saúl volvía a prometer lo mismo.

Al violar su promesa a David, buscaba que este cometiera una imprudencia, dándole así una excusa para matarlo. No se atrevía a hacerlo sin un pretexto válido, porque sabía que el pueblo admiraba a David y se podía sublevar ante el asesinato del héroe nacional.

A pesar de todo, David se mantuvo humildemente al servicio de Saúl. David estaba poniendo en práctica el «poner la otra mejilla», «andar dos millas», «no pagar mal por mal», enseñanzas todas de Jesús, dándonos un ejemplo perfecto de hombre según el corazón del Señor. Nunca mostró deseo de venganza, nunca se alteró, siempre actuó con prudencia, incluso cuando su vida peligraba. Ni la oposición ni la perversidad de los demás justifican el mal proceder de un cristiano. Que otros se porten como el diablo no nos da la licencia para ser un diablito.

Saúl no despreciaba ocasión de mostrar su maldad. En cambio, David no dejaba pasar oportunidad para mostrar el espíritu de Cristo. Saúl actuaba como si fuera un gran devoto preocupado por las guerras de Jehová; David actuaba como el gran seguidor de Jehová y bajo ninguna circunstancia quería usar malos principios para defender la causa de Dios.

En nuestro afán por hacer la obra de Dios, muchas veces nos equivocamos usando métodos que él no aprueba. Seamos fieles en todo y estemos siempre del lado de Dios, hasta cuando, a nuestro modo de ver, podamos sentirnos justificados en usar métodos que el Señor no aprueba.

11 abril

Él vive hoy

¡Cuánto les habría gustado a los judíos que Festo hubiese trasladado a Pablo a Jerusalén! Ya lo tenían todo dispuesto para asesinarlo en el camino. La empresa era suicida, pues, aunque lograsen su objetivo, era probable que acabasen siendo apresados y crucificados por el ataque a una escolta militar romana. Así y todo, tan grande era su odio contra Pablo y lo que predicaba, que los más fanáticos entre los judíos tradicionalistas estaban dispuestos a arriesgarse. El mensaje de la resurrección siempre despierta reacciones fuertes: o el hombre queda anonadado por ese hecho y se rinde ante el amor del Señor, o trata de burlarse de esa gran verdad o reacciona incluso violentamente contra ella.

Solamente tenían contra él ciertas cuestiones acerca de su propia religión y de un cierto Jesús, ya fallecido, de quien Pablo afirmaba que está vivo. Hechos 25: 19

Los planes asesinos judíos se frustraron cuando Pablo apeló a César. Ahora Festo tenía que elaborar un informe y presentar ante el emperador el crimen del que se acusaba a Pablo: la proclamación de la resurrección de Cristo. Festo pidió la ayuda del rey Agripa porque pensó, equivocadamente como se vio poco después, que su ascendencia judía le daría mayor discernimiento de tal cuestión.

Aunque es verdad que hoy día la resurrección de Cristo es aceptada por la gran mayoría del mundo cristiano, no es menos cierto que en amplios sectores de la población se la trata con indiferencia y hasta como una locura, igual que pasaba en los días de Pablo. Tal creencia era lo que los judíos odiaban y presentaban como crimen digno de la pena capital, lo que los gobernantes romanos no lograban entender, aquello de lo que el público no quería saber nada. Toda nuestra fe y esperanza están basadas en esta gran verdad de que Cristo vive hoy. No está en la tumba, pues Jesús fue mucho más que un mero personaje religioso que tuviese una idea peculiar para resolver los problemas del hombre.

Porque nuestro Salvador ha resucitado, tenemos la plena confianza que volverá. Porque él vive hoy, tengo la plena confianza de que está intercediendo por mí. Porque la tumba no lo pudo contener, estoy totalmente convencido que mi salvación está asegurada en el cielo.

1 Samuel 21: 1 - 23: 29; Hechos 25: 1 - 26: 32

El ángel de Dios está conmigo

> Porque esta noche estuvo conmigo un ángel del Dios de quien soy y a quien sirvo.
> HECHOS 27: 23

El temor y el miedo pueden fácilmente tomar el control de todo lo que hacemos. Triste es aquel que vive su vida atenazado por el miedo. No se atreve a hacer nada. Todo lo paraliza; todo se mide a la luz del miedo. Resulta alentador, en cambio, que, habiendo mil razones para la parálisis a causa del miedo, uno siga adelante. Ello es indicio que esa persona tiene algo de lo que otros carecen.

Esta fue la experiencia de Pablo. Estando en medio de una tempestad, rodeado de hombres que constantemente estaban mirando a la muerte cara a cara en cruentas batallas, hombres que cada día estaban listos y dispuestos a morir por un ideal nacional, Pablo no tenía, como ellos, el terror de perecer ahogado. La tempestad, la oscuridad, la incertidumbre del momento siguiente, todo se conjugaba para infundir temor en los militares que custodiaban a los presos, y hasta en los marineros que tenían la obligación de llevarlos a todos al seguro puerto. El barco era un universo de miedo, siendo que todos, con excepción de Pablo, sentían pánico ante la perspectiva de un naufragio.

En estas condiciones, Pablo les dice: «Pero ahora os insto a tener buen ánimo». Las palabras del apóstol indicaban que, si no fuera por algo especial que le había ocurrido, posiblemente él también habría tenido miedo. La presencia de un ángel en su vida la noche anterior afianzó tremendamente al apóstol en su seguridad de que el Señor tenía el control de la tempestad, dándole un ascendiente del que carecían los más aguerridos de sus guardianes.

La Biblia nos enseña que «el ángel de Jehová acampa alrededor de los que lo temen y los defiende» (Sal. 34: 7). El cristiano tiene esa gran diferencia en las cosas que tienden a infundirnos miedo. La seguridad de la dirección de Dios es el elemento que nos diferencia de los demás. Cuando nuestro servicio se hace en el temor de Dios, podemos estar seguros que él intervendrá para que su nombre sea glorificado. Y si escoge no intervenir, todavía podemos suponer un estímulo positivo para que otros sepan que un ángel ha estado con nosotros.

Cuando atravesemos dificultades y cuando tengamos tranquilidad tenemos que estar seguros del cuidado de los ángeles, que acuden a ministrar en favor de los hijos de Dios.

1 Samuel 24: 1 - 25: 44; Hechos 27: 1 - 28: 31

La obediencia de la fe

L a salvación es por gracia y es Cristo quien la da. Algunos creen que esto elimina la necesidad de la obediencia, pues suponen que la obediencia supone buscar la salvación por las obras. La obediencia de la fe y la salvación por las obras no tienen nada en común.

> Por él recibimos la gracia y el apostolado para la obediencia de la fe a favor de su nombre en todas las naciones.
> ROMANOS 1: 5

Todo aquel que haya recibido al Señor tendrá sumo gozo de permitir la influencia del Espíritu para llevar una vida de santidad.

Se debe reconocer que la profesión cristiana no es un asunto de mero conocimiento, ni de asentir intelectualmente a una propuesta. Tampoco consiste en estar preparado para un debate y fulminar a los oponentes con argumentos que no se puedan rebatir. La experiencia cristiana consiste en una relación con una Persona, y esa relación conlleva querer hacer la voluntad de ese Persona en la medida de nuestra capacidad. La obediencia de la fe no es por ganar la salvación, sino un reflejo de nuestra gratitud por lo que Cristo ha hecho. Atendiendo a su amor, uno solamente querrá obedecer. Tal obediencia es el resultado de la salvación, no la forma de obtener la salvación.

Los que han respondido al llamado de Cristo y se han sometido a su gracia salvadora son capaces de obedecer por el gozo de servir a Uno que dio su vida por la humanidad. Es deber del cristiano ser santo, porque para esto fuimos llamados. El apóstol saluda a los santos, quienes han respondido al Señor, y les desea gracia y santificación.

El apóstol indica claramente que la obediencia cristiana resulta de la fe y que nunca es independiente de una relación con Cristo. Por esto pudo aseverar que todo lo que no proceda de la fe es pecado (Rom. 14: 23), porque toda obediencia fuera de la gracia y la fe es mera arrogancia pecaminosa, con pretensiones de poder lograr la salvación por obra propia. Cualquiera que piense que es bueno sin Dios está equivocado.

Cuando uno aprende a vivir por la fe, pone todo a los pies de Jesús y todo esfuerzo humano pierde valor, a no ser que esté santificado por la gracia de Cristo. Nuestra oración constante debiera ser: «Señor, ayúdame a vivir por la fe, y que por medio de esa fe, yo te pueda obedecer en gratitud por la salvación tan grande hecha posible para mí».

¡Soy mejor que tú... en mi opinión!

> Por lo tanto, no tienes excusa, oh hombre, no importa quién seas tú que juzgas; porque en lo que juzgas a otro, te condenas a ti mismo, pues tú que juzgas haces lo mismo.
>
> ROMANOS 2: 1

Se dice que cada vez que señalamos con el dedo a otra persona escondemos otros tres dedos que nos apuntan a nosotros mismos. Emitir juicio sobre los demás es una práctica muy común, pero cuenta con el rechazo de nuestro Salvador. No hay justificación bíblica para juzgar a los hermanos. De hecho, la Biblia deja claro que acusar a los hermanos es obra del diablo.

La tentación más grande del cristiano no es violar uno de los mandamientos expresos del Señor. La tentación mayor, y muchas veces imperceptible, es la de sentirse superior a los demás, sentirse tan santo que todos los demás son miserables pecadores y que la única persona digna de ir al cielo es uno mismo. Pablo arremete contra semejante manifestación de suficiencia propia. El argumento del apóstol es que debemos reconocer que «todos hemos pecado» y, por lo tanto, todos hemos recibido la misma gracia para ser salvos.

Desgraciadamente, hay autosuficiencia dentro de la iglesia. Sus practicantes son fieles hermanos que no cometen pecados abiertos, sino, como dice George Knight, «pecados vegetarianos». Su aire de superioridad les hace pecar, porque les roba la oportunidad de sentir la necesidad de Cristo para ayudarles. Están en grave peligro, y no lo saben.

Pablo enumera los múltiples peligros del autosuficiente:

- Menospreciar la gracia y la misericordia de Cristo. Aunque lo prediquen, en el fondo piensan que el Señor es demasiado bondadoso con "los pecadores" y que la misericordia de Dios más bien se constituye en debilidad (Rom. 2: 5).
- Dureza de corazón. Son implacables ante los que, según su punto de vista, están en el error. El perdón para los tales debe venir después de haberlos castigado. El «vete y no peques más» nunca se debe dar en la iglesia (Rom. 2: 5).
- Incapacidad de disfrutar la paz que el Señor da. Están tan pendientes de los demás y de sus pecados que no tienen tiempo para disfrutar de la gracia que Cristo les ofrece a ellos (Rom. 2: 9).
- El autosuficiente deshonra a Dios por su hipocresía (Rom. 2: 23).

Que el Señor quite toda autosuficiencia de nosotros y que la paz de Cristo pueda morar en nuestros corazones.

1 Samuel 29: 1 – 31: 13; Romanos 2: 1-29

15 abril

Constante defensa

Una tendencia muy humana es encasillar a las personas según nuestra forma de ver y de juzgar. Una vez que nos formamos una opinión de una persona, le resulta sumamente difícil librarse de esa opinión que hemos formado. Por eso, hemos de ser sumamente cuidadosos en la forma en que presentamos a los demás.

Luego, ¿invalidamos la ley por la fe? ¡De ninguna manera! Más bien, confirmamos la ley.
ROMANOS 3: 31

Algunos de sus contemporáneos encasillaron a Pablo en el papel de enemigo acérrimo de la religión judía y entendían que cuanto él enseñaba iba contra la voluntad de Dios. Pensaban que él enseñaba cosas contrarias a la ley.

No es de extrañar que Pablo se defendiese para justificar su ministerio. Deja claro que jamás tuvo intención de destruir la ley ni de hacer que otros la abandonaran. En nuestro pasaje, *ley* puede entenderse de varias formas. Veamos tres:

- La ley como todo el Antiguo Testamento. De ninguna manera estaba él hablando en contra del Antiguo Testamento. Más bien lo estaba usando constantemente para comprobar que hasta los patriarcas fueron justificados por medio de la fe.

- La ley restringida a la de Moisés. La fe apoya la ley en este sentido, dándole su debido lugar en el plan de la salvación, porque sirvió para guiar a la única fuente de salvación, que es Jesucristo. Nunca tuvo la eficacia de salvar al pecador, sino de servir como una ilustración para llevar al pecador a ver la gracia de Dios. La ley condenaba al pecador, haciendo aún más necesaria la venida y muerte de Cristo para salvarlo.

- La ley como requisitos morales establecidos por Dios mismo, escritos con su propio dedo. Hay quien pretende que Pablo enseñó que los diez mandamientos ya no son válidos, pero lo último que Pablo buscaba era deshacerse de la ley. La fe establece la ley, puesto que justifica su razón de ser. La ley permanece para siempre, porque nos indica que somos pecadores, necesitados de un Salvador. La ley y la gracia obran en beneficio del pecador, llevándonos a aceptar que la salvación se encuentra solo en la gracia de Cristo.

La fe cristiana nos lleva a aceptar la ley como ayo que nos lleva a ver nuestra necesidad de Cristo, quien nos salva por su gracia. Aunque no podemos observar la ley para ser salvos, sabemos que los méritos de Cristo nos limpian.

2 Samuel 1: 1 – 2: 32; Romanos 3: 1-31

Resistir la presión del entorno

> Pero David respondió a Recab y a Baaná, su hermano, hijos de Rimón de Beerot, y les dijo: «¡Vive Jehová, que ha rescatado mi vida de toda adversidad!»
> 2 Samuel 4: 9

Resistir la presión social requiere mucha fuerza. Ver a jóvenes en la iglesia semana tras semana es motivo de alegría, porque las presiones para conformarse al entorno son muy fuertes.

En la historia de hoy, dos hermanos, que habían cometido una atrocidad, se presentaron ante David con la intención de presionarlo, pensando que él iba a pasar por alto la maldad que habían cometido. Esta historia nos hace recordar a otro rey que no supo vencer la tentación y que cedió a la presión para cometer un crimen. Se trata de Herodes Antipas.

Herodes se metió él solito en un callejón sin salida. En *Antigüedades*, xiii.5.2, el historiador Flavio Josefo explica que Herodes se había buscado una guerra con el rey árabe Aretas, cuya hija era su esposa antes del adulterio con Herodías, cuñada del primero. Aretas recompensó la infamia de Herodes declarándole la guerra. Necesitado de aliados para su guerra, Antipas entendió que su fiesta de cumpleaños era la oportunidad para cimentar alianzas. Estaba controlado por las circunstancias. No podía mostrar debilidad en ese momento. Habiendo comprometido su palabra con Salomé, hija de Herodías, no se pudo echar para atrás. Herodías aprovechó la coyuntura para vengarse de Juan el Bautista.

Si Herodes Antipas no hubiera cometido adulterio con Herodías, su esposa legítima no lo habría abandonado ni su ex suegro le habría declarado la guerra. Por lo tanto, no habría necesitado aliados y no se habría visto entre la espada y la pared por una promesa detestable, hecha en un momento de debilidad, que no se atrevería a desatender.

A menudo se achaca el pecado a la presión irresistible del entorno, pero la presión surge cuando uno mismo crea las circunstancias para verse en una situación en que el resultado lógico es el pecado. La lucha no es contra el entorno, sino contra ese primer paso que lleva a la presión que explota la debilidad y que acaba llevando al pecado. La oración del cristiano cada día debería ser: «Señor, guárdame de dar el primer paso que me adentre por un callejón sin salida y que me acabe llevando al pecado».

Saber discernir la voz de Dios

Es muy placentero orar, pero lo es mucho más saber interpretar la voz de Dios. A quienes estén acostumbrados a comunicarse con él les resultará fácil entender su voz, que no es un trueno, sino que está llena de suavidad y melodía que susurra seguridad.

La señal que el Señor le había indicado a David para actuar seguramente también la verían los filisteos, pero no la supieron identificar. Los filisteos habían aprendido a temer al gran aliado de Israel, el Dios del cielo. Pero desde la muerte de Saúl habían creído que el Señor había abandonado a su pueblo y que, por lo tanto los hebreos serían presa fácil. En la historia de hoy, David recibe la certeza de que el Señor estará con él, y se le indica que debe confiar y actuar atendiendo las indicaciones de Dios.

> Y sucederá que cuando escuches el sonido de una marcha en las copas de los árboles, entonces actuarás con decisión, porque entonces Jehová saldrá delante de ti para derrotar al ejército de los filisteos.
> 2 Samuel 5: 24

En los momentos de dificultad y también en los momentos de bonanza, el pueblo de Dios debiera aprender a discernir y acatar la voz del Señor. Esto se logra cuando hay una vida de continuo contacto con el cielo, una vida de conversación con Dios y de aprendizaje para escuchar y entender su voz. Nuestros conceptos no debieran hacernos confiar en nuestros propios conocimientos hasta el extremo en que ya no podamos discernir la voz de Dios.

Elena G. de White indica que es el propósito del enemigo lograr que no entendamos la voz de Dios, de modo que podamos caer en el error: «Cuando el Señor tiene luz para su pueblo, no es de esperar que Satanás se quede tranquilo, sin hacer esfuerzos para impedirles que la reciban. Él obrará en las mentes para excitar desconfianza, celos e incredulidad. Tengamos cuidado de no rechazar la luz que Dios envía porque no viene de una manera que nos agrade» (2JT 317).

Las victorias espirituales concedidas debieran darnos la plena confianza de que Dios está a nuestro lado. Cuando él se manifiesta, solamente los que están acostumbrados a la comunión con él podrán discernir y entender su voz. Por lo tanto, una vida de dedicación y consagración hoy nos da la garantía de poder entenderle en momentos de crisis y actuar de acuerdo con su voluntad.

2 Samuel 5: 1 – 6: 23; Romanos 5: 1-21

«Haz tal como has dicho»

> Ahora pues, oh Jehová Dios, confirma para siempre la palabra que has hablado acerca de tu siervo y de su casa, y haz tal como has dicho.
>
> 2 Samuel 7: 25

Era un momento culminante en la vida de David. Con gran regocijo había llevado el arca a Jerusalén, para luego encontrarse con el desprecio de su esposa, hija de Saúl, que lo acusó de no portarse con la dignidad y arrogancia esperada de un rey. David respondió que su actuación estuvo movida por el propósito de dar gloria a Dios. Lo que importaba realmente no era la pompa de la que el rey se rodease, sino la fidelidad de Dios al cumplir sus promesas.

«Y a aquel que es poderoso para hacer todas las cosas mucho más abundantemente de lo que pedimos o pensamos, según el poder que actúa en nosotros, a él sea la gloria en la iglesia y en Cristo Jesús, por todas las generaciones de todas las edades, para siempre. Amén» (Efe. 3: 20, 21).

Siendo que el Señor nos conoce mejor que nosotros mismos, las cosas no suceden por nuestras oraciones, sino como consecuencia de sus promesas. ¿Qué más o mejor podemos pedir que el cumplimiento de las promesas anticipadas que él nos ha hecho? Por buenas, inspiradas, elocuentes y centradas que puedan ser nuestras oraciones, nunca pueden ser mejores o lograr más de lo que el Señor ha prometido para sus hijos. Esto no significa que no debamos orar; simplemente indica que las palabras y promesas divinas hechas antes de que oremos son el motor principal de la intervención de Dios en nuestra vida. Antes de que pidamos, Dios ya ha identificado el desafío por medio de una promesa. Glorificamos a nuestro Dios cuando reclamamos sus promesas, cuando dependemos no de nuestros méritos, sino de lo que él ha prometido.

«En todos los tiempos los testigos señalados por Dios se han expuesto al vituperio y la persecución por amor a la verdad. José fue calumniado y perseguido… David, el mensajero escogido de Dios, fue perseguido por sus enemigos… Esteban fue apedreado porque predicó a Cristo y su crucifixión. Pablo fue encarcelado, azotado con varas, apedreado y finalmente muerto… Juan fue desterrado a la isla de Patmos "por la palabra de Dios y el testimonio de Jesucristo".

»Estos ejemplos de constancia humana atestiguan la fidelidad de las promesas de Dios, su constante presencia y su gracia sostenedora. Testifican del poder de la fe para resistir a las potestades del mundo» (HAp 459-60).

2 Samuel 7: 1 – 8: 18; Romanos 6: 1-23

Una bendición usada como maldición

19 abril

Nunca fue la intención de Dios que sus mandamientos fueron vistos como una carga. Las indicaciones del Antiguo Testamento presentan la ley como una delicia, como algo bueno para el hombre. El pecado hizo que el hombre viera la ley de Dios como una carga indeseable, porque su naturaleza pecaminosa no quería someterse a la voluntad de Dios. Hoy no solo se presenta la ley como una carga, sino que se enseña erróneamente que la ley ha sido abrogada.

> De manera que la ley ciertamente es santa; y el mandamiento es santo, justo y bueno.
> ROMANOS 7: 12

Cuando lo santo nos es una carga, entonces no es lo santo lo que hay que cambiar, sino a nosotros mismos. El salvo hace un compromiso de obediencia a Dios. Esto no es un soborno a Dios para salvarlo, sino una promesa de querer estar siempre en los atrios del Señor. La descripción de la ley de Dios es contraria a lo que hoy se quiere hacer creer a las personas. El apóstol Pablo usó el Antiguo Testamento para confirmar su fe en la palabra de Dios y en la ley de Dios.

«La ley de Jehová es perfecta; restaura el alma. El testimonio de Jehová es fiel; hace sabio al ingenuo. Los preceptos de Jehová son rectos; alegran el corazón. El mandamiento de Jehová es puro; alumbra los ojos. El temor de Jehová es limpio; permanece para siempre. Los juicios de Jehová son verdad; son todos justos. Son más deseables que el oro, más que mucho oro fino. Son más dulces que la miel que destila del panal. Además, con ellos es amonestado tu siervo; en guardarlos hay grande galardón» (Sal. 19: 7-11).

Es característica humana eliminar lo que nos molesta. La ley acusa, molesta al alma y nos dice que necesitamos un Salvador. Lamentablemente, muchos prefieren quitar la molestia de la ley en vez de correr hacia Cristo para ser salvos y ponerse de acuerdo con la ley. La ley de Dios no es un dolor de muelas que podemos arrancar para aliviar el dolor. La ley de Dios no es un cáncer que podemos tratar para extirparlo. No, la ley es santa, porque refleja el carácter de Dios. La ley es justa, porque es el regalo de Dios para el hombre. La ley es buena, porque revela la bondad de Jehová, que nos protege de todo mal. Por su gracia, podemos probar que su ley está para el bien del hombre.

Nuestra oración debiera ser: «Padre, ayúdame a aceptar a Cristo como mi Salvador, y, por su gracia, a obedecerte y hacer tu voluntad como está revelada en tu santa ley».

2 Samuel 9: 1 - 10: 19; Romanos 7: 1-25

La única garantía

> Y sucedió que
> al atardecer David
> se levantó de su cama
> y se paseaba
> por la azotea
> del palacio, cuando vio
> desde la azotea a una
> mujer que se estaba
> bañando. Y la mujer
> era muy bella.
> 2 SAMUEL 11: 2

La tentación es algo que no se puede tratar descuidadamente. Sin la gracia de Cristo, no hay quien pueda resistir y triunfar sobre la tentación. Somos más vulnerables cuando nos sentimos seguros de nosotros mismos.

En la oración modelo, Jesús nos enseñó a orar pidiendo la intervención divina en momentos de tentación. Es interesante ver cómo lo ponen las distintas traducciones. En inglés y holandés dice «No nos guíes a la tentación»; el Papiamento, como el español, pone «No nos dejes caer en la tentación»; en francés dice «No nos induzcas a la tentación».

Está claro que la relación de Dios y sus hijos en momentos de tentación es una relación de apoyo. Él puede hacer por nosotros lo que no podemos hacer solos. Esta es una gran verdad, pero debemos también recordar que no debemos crear las oportunidades de pecar, forzando así al Señor a tener que hacer horas extra para cuidarnos. Hay historias interesantes en la Biblia de personas que se pusieron donde la tentación era mayor. En algunos casos no cedieron, pero en otros, como el caso de David, no pudieron resistir la tentación.

Cuando fue mayordomo de Potifar, José fue consciente de las intenciones e insinuaciones sexuales de la esposa de Potifar. Sin embargo, no evitó quedarse solo con ella en casa cuando los demás siervos se habían ido (Gén. 39: 11). La tentación nunca da cuartel, y no hay ocasión donde uno pueda estar tan fuerte que pueda resistir cualquiera tentación. Esto es posible solamente por la gracia de Cristo. David posiblemente subió a un lugar desde donde era posible espiar a sus vecinos, y así, cuando fue tentado, no pudo resistir la tentación. La mejor manera de resistir la tentación es orar constantemente al Señor pidiendo su ayuda.

«Aquí tenemos un ejemplo para todas las generaciones de creyentes que habrían de vivir sobre la tierra. Aunque estén expuestos a la tentación debieran saber que hay una defensa al alcance de la mano, y que si finalmente no reciben protección será por su propia culpa. Dios será un pronto auxilio y su Espíritu será un escudo. Aunque estén rodeados de las más terribles tentaciones hay una fuente de fortaleza a la cual pueden recurrir para resistirlas» (HR 104-5).

21 abril

¿Quién te crees que eres?

Las pretensiones humanas suelen sobrepasar ampliamente lo que nuestro limitado conocimiento podría aconsejar. Y es que, como suele decirse, la ignorancia es muy atrevida. Es asombroso que, conociendo tan poco de Dios, y siendo tan limitada nuestra comprensión de su forma de actuar, haya quien se atreva a cuestionar a Dios.

Aunque el Señor da al hombre la capacidad de escoger y decidir, Dios sigue siendo soberano. Dicho de otro modo, la libertad del hombre no limita la autoridad de Dios. Dios se reserva el derecho de actuar en la esfera humana según sus propios deseos y prerrogativas. Mientras suceden cosas que agradan al hombre, ningún creyente duda de tildarlas de buenas y de atribuirlas a Dios. Sin embargo, tan pronto ocurra algo que desagrade al hombre, se empieza a desafiar la autoridad de Dios.

La palabra clave en todo esto es *fe*. Dios tiene autoridad por habernos creado, por habernos salvado, por dirigir los asuntos de nuestra vida y, sobre todo, por la sangre de su Hijo derramada por nosotros. El hombre tiene que reconocer que, no importa cuánto rechacemos la autoridad de Dios ahora, al final Dios tendrá plena autoridad sobre el hombre y no habrá forma de sustraerse de ello.

Cuando el Señor diga por fin «Venid, benditos de mi Padre», el hombre ya no podrá disentir. Nuestro «sí» o nuestro «no» solo gozamos de libertad para pronunciarlo hoy. Cuando el Señor diga a muchos «Apartaos de mí al lago de fuego», nadie podrá decir: «Yo no voy». No tendremos tal autoridad ni libertad.

El Señor nos invita ahora a aceptar su autoridad. Hoy podemos reconocer que él es el Alfarero y nosotros el barro; ahora nos podemos someter del todo a la voluntad de nuestro Dios, sabiendo que nos ha amado con amor eterno y que siempre ha deseado el bien para nosotros. Cuando alguien se atreve a cuestionar la sabiduría de Dios y pretende dirigir la mano del Alfarero, es señal inequívoca de que ha entendido radicalmente mal la bondad de Dios de darnos libre albedrío.

Que hoy sea otro día más de total sumisión a la voluntad de Dios para nosotros.

> Antes que nada, oh hombre, ¿quién eres tú para que contradigas a Dios? ¿Dirá el vaso formado al que lo formó: «¿Por qué me hiciste así?» ¿O no tiene autoridad el alfarero sobre el barro para hacer de la misma masa un vaso para uso honroso y otro para uso común?
> ROMANOS 9: 20, 21

2 Samuel 13: 1 - 14: 33; Romanos 9: 1-33

Sutil es el engaño

Con Absalón fueron doscientos hombres de Jerusalén, invitados por él. Ellos fueron inocentemente, sin tener conocimiento de nada.

2 Samuel 15: 11

Cuando se recurre a artimañas para engañar, hasta las personas más nobles pueden quedar bajo el embrujo de la mentira. Por eso el Señor amonesta a sus fieles para que eviten ser engañados. Estar siempre vigilante es deber de todo cristiano.

Los engaños de Absalón fueron difíciles de desenmascarar. Primeramente engañó a su padre. ¡Qué padre no se alegra en ver a su hijo en actividades religiosas, mostrando devoción al Señor! Con el pretexto de ir a Hebrón a adorar y cumplir sus votos, Absalón engañó totalmente a su anciano padre. Pretender ser religioso con fines malignos es lo peor que puede haber, porque se difama a Dios y se engaña a los hombres. Las personas que de esta manera usan la religión terminarán, como Absalón, en total destrucción.

Absalón engañó a los nobles de Jerusalén, porque nunca reveló la razón de su viaje a Hebrón. Sabía que Hebrón era una ciudad resentida contra David por haber mudado la capitalidad a Jerusalén. La mayoría de los que acompañaron a Absalón a Hebrón desconocían sus planes de expresar a los habitantes de esa ciudad lo bien que entendía su resentimiento y lo dispuesto que estaba a devolver la capitalidad a la antigua ciudad.

La única persona que no fue engañada fue Ahitofel. Ahitofel era abuelo de Betsabé, hija de Eliam (2 Sam. 11: 3; 23: 34.) Ahitofel estaba resentido contra David por la desgracia que trajo a la familia y por haber causado la muerte de su yerno Urías. Se unió a la sublevación por el odio y resentimiento que albergó por tanto tiempo. Su asociación con David durante tantos años no había eliminado el resentimiento de su corazón.

Absalón engañó a medio mundo, pero Ahitofel se aprovechó de las circunstancias para vengarse de David. Albergar odio y resentimientos, hasta en las cosas religiosas, nos hace presa fácil del enemigo. Cuando nuestro Señor nos advierte del peligro de ser engañados, hemos de prestar atención. Debemos buscar la raíz de la ira, lo que quede en nosotros de resentimiento, y cuantas cosas hayamos de confesar, y apartarnos de ellas, pues el enemigo puede explotar hábilmente estos sentimientos para llevarnos a caer en la tentación y sentirnos justificados en hacerlo.

23 abril

E Israel será salvo

¡Cuán grande debe de haber sido el gozo de Moisés al ver a los hijos de Israel cruzar el Mar Rojo! Podemos imaginárnoslo fijándose en la vanguardia de la columna cuando llegaba a la otra orilla, pero atento al resto, pues todavía había pueblo viajando por el lecho del mar. El agua estaba detenida, y ni una gota cayó sobre ninguno de los israelitas. Esta situación permaneció así hasta que la retaguardia de la columna puso los pies en la otra orilla. De inmediato, el muro de agua se disolvió y el mar volvió a su estado natural. Y todo Israel estaba a salvo.

> Y así todo Israel será salvo, como está escrito: «Vendrá de Sión el libertador; quitará de Jacob la impiedad».
> ROMANOS 11: 26

Moisés reconoció que el milagro había ocurrido únicamente por la gran misericordia de Dios, y expresó en su canto: «En tu misericordia guías a este pueblo que has redimido, y lo llevas con tu poder a tu santa morada» (Éxo. 15: 13). El reconocimiento de que la salvación viene del Señor es una de las cosas que nos sostiene y nos guía en nuestra admiración de la grandeza de nuestro Dios. Cada día uno vive dependiendo de la gracia y misericordia de nuestro Dios, y hoy no debiera ser diferente.

El contexto en que Pablo pone esta historia es que todo aquel que quiere puede ser salvo, siendo que la salvación está a la disposición de todos. Hasta los integrantes del pueblo que rechazó a Jesús tienen la esperanza individual de alcanzar la salvación.

Los hijos de Dios deberíamos tener presente en todo momento que la salvación supone el inmenso e inmerecido privilegio de ser llamados hijos de Dios. Es voluntad de nuestro Salvador que todos alcancen la salvación. Esto implica que, en su amor, nuestro Dios pone hoy, como lo ha hecho siempre, todos los recursos del cielo a nuestra disposición para salvaguardar una salvación tan grande que nos fue otorgada por la sangre de Cristo. El Señor tiene tanto invertido en nuestra salvación que no le es fácil descansar un solo día y dejarnos a nuestra suerte sin su ayuda.

La lección del día es que nuestro Dios ha hecho y hará todo lo posible para que ese día glorioso podamos entrar a ocupar las mansiones que Cristo ha ido a preparar. La raza humana se reunirá alrededor del trono para dar gloria al Señor por su gran salvación.

2 Samuel 17: 1 - 18: 33; Romanos 11: 1-36

Contemplad la cruz

> Y Rizpa hija de Ayías tomó una manta de cilicio y se la tendió sobre una roca, desde el principio de la siega hasta que empezó a llover sobre ellos agua del cielo, sin dejar que ningún ave del cielo se posase sobre ellos de día, ni los animales del campo de noche.
> 2 SAMUEL 21: 10

Es difícil determinar el tiempo necesario para el luto. Hay quien pasa rápidamente el trance del dolor y logra reemprender su vida en el punto en el que se dio el hecho luctuoso. Otros necesitan mucho más tiempo para llorar la pérdida. También hay quienes no quieren ser consolados después de la muerte de un ser querido, y en ciertas culturas incluso se da que la esposa, obligada o de buena gana, se arroje a las llamas de la pira funeraria que consume los restos de su marido.

Todo momento de dolor causa una reacción que puede ayudarnos a reflexionar y tomar decisiones sabias para el futuro. En el caso particular de la lectura de hoy, Rizpa no quiso olvidar a sus hijos. Pasó meses velando y cuidando para que las aves y las fieras no tocasen los cadáveres de los así ajusticiados para expiar el pecado de Saúl contra los gabaonitas. Ella no quiso olvidarse de la muerte de sus hijos y la razón por la cual fueron ejecutados.

La muerte de Cristo es una muerte que jamás se debiera olvidar. Aunque su duelo no dure siglos, sí debemos meditar constantemente en lo que significa y por qué fue sacrificado. Un amigo compartió conmigo una lección de la muerte de Cristo que circula por internet:

«A los 33 años Jesús fue condenado a muerte, la "peor" muerte de la época. Solo los peores criminales morían como Jesús. Y con Jesús todavía fue peor, porque no todos los criminales condenados a aquel castigo recibían clavos en sus miembros. Sí, fueron clavos… ¡y de los grandes! Cada uno tenía de 15 a 20 cm de largo, con una punta de 6 cm.

»Eran clavados en las muñecas y no en las manos, como se creía. En la muñeca hay un tendón que llega al hombro, y cuando los clavos fueron martilleados, ese tendón se rompió, obligando a Jesús a forzar todos los músculos de la espalda, por tener sus muñecas clavadas, para poder respirar, pues perdía todo el aire de los pulmones… Jesús aguantó esta situación poco más de 3 horas…»

El sufrimiento físico fue horrible, pero lo aguantó todo por nosotros. Meditar en la cruz nos ayuda a valorar lo que allí sufrió nuestro Salvador por nosotros.

25 abril

Fiel hasta la muerte

Es un privilegio poder mirar atrás y decir: «Hasta aquí me ha ayudado Jehová». David quería dejar un legado de fidelidad a su hijo Salomón, y aprovechó sus últimos días para dar instrucciones en público para el futuro.

Estas son las últimas palabras de David: «Dijo David hijo de Isaí, dijo el hombre a quien Dios levantó, el ungido del Dios de Jacob, el dulce salmista de Israel...»
2 Samuel 23: 1

Los años de lucha, sus victorias, los logros de su vida..., ninguna de estas cosas era lo que quería mencionar. David se remonta a su humilde origen. Él era hijo de Isaí, el pastorcillo en el que nadie se fijaba. Pese a sus logros, David nunca olvidó quién era. Con humildad sirvió al Señor y a su pueblo. Su dependencia de Dios lo llevó a siempre buscar la dirección divina en todo lo que hacía.

David no habría alcanzado nada si no hubiese sido por la confianza en Dios. Su dependencia de Dios fue total. Por eso, en su lecho de muerte, el rey recuerda que todo cuanto logró fue por la bondad de Dios. La expresión «el hombre quien Dios levantó» era un tributo a la obra de Dios en su vida. Así debe vivir el cristiano, siempre consciente de que sin Dios no podemos hacer nada. Es Cristo quien lo hace todo posible.

A lo largo de su vida, David puso de manifiesto con frecuencia su dependencia de Dios. No llegó al trono por voluntad propia, sino que fue llamado por Dios, y él permitió que el Señor lo usase. A todo cristiano se le brinda la oportunidad de reconocer que el Señor llama, el Señor capacita y el Señor nos usa en diferentes formas para el bien de su obra.

En nuestro texto de cabecera, David se identifica, por último, como el dulce cantor de Israel. No de Israel como nación, sino como pueblo de Dios. No solamente por los preciosos salmos que cantó y escribió, sino por la influencia que tuvo en la vida de sus conciudadanos y hasta nuestros días. El cristiano debe vivir siempre consciente de su lugar en la historia del pueblo de Dios, reconociendo que todos tenemos una influencia para el bien o para el mal. Como David, podemos ser identificados como alguien que tuvo una dulce influencia para el bien del pueblo de Dios. Que hoy seamos identificados como personas que tienen una influencia dulce y duradera para el bien en el pueblo de Dios y en nuestra comunidad.

2 Samuel 22: 1 – 24: 25; Romanos 13: 1-14

¿Liberal o conservador?

> El que come no menosprecie al que no come, y el que no come no juzgue al que come; porque Dios lo ha recibido.
> ROMANOS 14: 3

Lamentablemente, la religiosidad de algunas personas se encasilla en bandos, y así se habla de los liberales y de los conservadores. Tal encasillamiento obedece a menudo al afán de condenar a otras personas que puedan tener ideas diferentes de las nuestras, pero no necesariamente malas. Es importante notar que tales distinciones no se encuentran en la Biblia. Más bien hay en ella llamamientos a la tolerancia. La intolerancia es uno de los "pecados blancos" más prevalecientes en la iglesia. Abunda el sentir de que cualquiera que no piense o interprete la Biblia igual que yo debe ser rechazado.

Es cierto que la iglesia tiene normas que no deben ser violadas ni rebajadas; de lo contrario, pronto no habría iglesia, sino solo un grupo de personas cada una de las cuales haría lo que mejor le pareciese. Sin embargo, por mucho celo que podamos sentir por la iglesia, sus doctrinas, sus prácticas, su estructura, sus integrantes y sus dirigentes, debemos ser conscientes de que la propia Biblia se define en favor de la tolerancia en cosas que no son de consecuencia.

Lo que Pablo nos recuerda hoy es el elemento común que debiera prevalecer en la congregación del Señor: reconocer que «Dios lo ha recibido». Si Dios lo ha recibido, ¿quién soy yo para rechazarlo? El juicio pertenece a Dios y debo someterme a la dirección de Dios y no seguir mis inclinaciones naturales de estar condenando a todo el mundo.

Pablo usa la cuestión de la comida a modo de ilustración para llamar la atención a algo mucho más grande: Debemos amarnos de tal manera que seamos capaces de tolerar las diferencias. El llamamiento a la tolerancia es que pongamos al otro primero, porque «Dios lo ha recibido». En realidad, el apóstol está haciendo mucho más que abogar por la tolerancia: está demandando un amor de corazón puro que nos ayude a ser menos dados a condenar y que amemos hasta al pecador, tal como lo hace Cristo. Sí, no hay duda: las normas están para ser guardadas, y las doctrinas deben considerarse inviolables. Sin embargo, el amor es el elemento unificador que nos mantiene como quiere Cristo. Él pidió en su oración: «Que todos sean uno». Que el Señor nos ayude a ser más tolerantes con los demás.

1 Reyes 1: 1 – 2: 46; Romanos 14: 1-46

Usa tu fuerza para el bien

Querer imponer la voluntad por la fuerza es humano. La ley de la jungla, donde prevalece el más fuerte, se puede encontrar en casi toda actuación humana. La fortaleza se usa casi siempre para sacar ventaja personal y aprovecharse de los más débiles.

> Así que los que somos más fuertes debemos sobrellevar las flaquezas de los débiles y no agradarnos a nosotros mismos.
> ROMANOS 15: 1

Pablo apela a la iglesia para que sea diferente. Lo que es normal en el mundo no debe serlo en la iglesia. «Entre vosotros no será así», dijo Cristo. Los cristianos deben vivir guiados por la ley del amor y no por la de la jungla. La fortaleza de la que habla Pablo no es la física ni la de la opinión, sino la que se deriva de la autoridad que uno puede pensar que tiene o que la iglesia le ha conferido. En realidad, todo lo que se haga en y para la iglesia tiene que hacerse bajo la ley de amor.

Se pide del cristiano que sea un sacrificio vivo, que ame entrañablemente, que siga el ejemplo de Cristo. No ha habido ni habrá uno más fuerte que nuestro Señor, y, con todo, se sometió a ser siervo para rescatar a muchos. Se humilló a padecer la muerte de cruz para que podamos ser salvos. A esto se refiere el apóstol cuando dice que «debemos sobrellevar las flaquezas de los débiles y no agradarnos a nosotros mismos».

La ley de la jungla dicta que el más fuerte saca provecho para sí mismo; la ley de Cristo enseña que debemos usar todo lo nuestro, nuestros talentos, nuestras aptitudes, nuestra influencia, nuestra autoridad, nuestra fuerza espiritual y, sí, hasta nuestra fuerza física para lograr el bien de los demás.

Si hay algo que el cristianismo deja bien en claro es que Dios no nos da nuestra fortaleza para provecho propio, sino para ser de servicio a los demás. La iglesia sería un lugar mucho más agradable de lo que es si todos viviéramos con el sentir cristiano de servirnos unos a otros, de ser compasivos, de ser bondadosos, de no ser causantes de fricciones. Esta es la unidad por la cual rogó nuestro Señor.

El reino de Dios será de los humildes, de los pobres en espíritu, de los que reconocen que no tienen fuerza propia, pero también de los que se crean fuertes pero usen todo lo bueno que puedan tener para el bien de los demás.

1 Reyes 3: 1 – 4: 34; Romanos 15: 1-33

Evita problemas

> Pero os ruego, hermanos, que os fijéis en los que causan divisiones y tropiezos en contra de la doctrina que habéis aprendido, y que os apartéis de ellos.
>
> ROMANOS 16: 17

Hay muy pocos pasajes en la Biblia donde se nos enseñe a apartarnos de los demás. El lema prevaleciente en la Palabra de Dios es que debemos buscar la unidad, la paz y la armonía. Debemos buscar cómo acercarnos más los unos a los otros. Sin embargo, encontramos aquí una de las raras ocasiones en la Palabra de Dios donde se nos insta a apartarnos de ciertas personas. Las personas de las que habla nuestro texto de forma específica son «los que causan divisiones». Se trata de individuos avezados a juzgar a sus hermanos. Que lo hagan con o sin razón importa menos, pues lo más destacable es que, por su actitud, causan querellas en el pueblo de Dios. Todo empieza por juzgar a los demás.

Aunque es verdad que hay que corregir al pecador, dar un toque certero de trompeta y no tolerar el pecado, no es menos cierto que la unidad de la iglesia es de suma importancia para el Señor, porque es el testimonio ante el mundo de que somos de él. Las libertades que algunos se toman para criticar a los demás por cuestiones personales, hasta a los dirigentes de la iglesia –desde la congregación local hasta la organización mundial– no provienen del Señor, pues generan divisiones. Para evitar tal mal nos amonesta el apóstol para que nos apartemos de tales personas. Apartarnos, sin embargo, no es para considerarlos enemigos, porque también por ellos murió el Señor.

En segundo lugar están los que ponen «tropiezos en contra de la doctrina». Hay algunos adventistas que han hecho de cuestiones doctrinales nimias su caballo de batalla. Sin importarles el daño que puedan causar a la iglesia, llegan a ciertas conclusiones de las que nadie puede sacarlos. Insisten en un asunto doctrinal, pasando por alto la gran verdad de que Dios ama a su iglesia y que es él quien se encargará de ella. Las interpretaciones privadas en contra de las enseñanzas generales de la iglesia pueden causar mucho daño. Cuando se nos invite a grupitos clandestinos, sea para criticar o para "estudiar la Biblia" debemos atender a los requerimientos del apóstol de apartarnos. Que el Señor nos dé la fuerza para no participar en ningún movimiento divisorio, por justificado que parezca.

Diplomacia del cielo

E l apóstol Pablo da un ejemplo magnífico de cómo tratarnos entre hermanos. Los problemas en Corinto eran muchos, pero Pablo no entra a insultar o a regañar, sino que comienza apelando a lo que es la iglesia. Con todos los desafíos que había en la congregación de Corinto, los hermanos no dejaban de ser «los santificados en Cristo Jesús y llamados a ser santos».

> A la iglesia de Dios
> que está en Corinto,
> a los santificados
> en Cristo Jesús y
> llamados a ser santos,
> con todos los que
> en todo lugar invocan
> el nombre de nuestro
> Señor Jesucristo,
> Señor de ellos
> y nuestro.
> 1 CORINTIOS 1: 2

No era la iglesia de Pedro, ni de Apolos ni de Pablo. Debemos entender que nadie cuenta con la autoridad de imponer su voluntad sobre el pueblo de Dios. La expresión «santificados en Cristo» introduce una doctrina muy importante, y Pablo habla de esto para hacernos entender la realidad de una sana relación con nuestro Salvador.

La santificación no quiere decir que no cometan pecado. La santificación es vivir una vida en medio de pecado, pero sin las obras del pecado; es vivir una vida dedicada al Señor, en la que la voluntad de Dios es lo más importante. *Santificación* significa ser apartado por el Señor, como propiedad de él, para su propio uso.

Las cuatro dimensiones de la santificación bíblica son: (1) La atribución de santidad conferida por la gracia de Cristo, gracias a la cual ya no estamos condenados en nuestros pecados, sino perdonados y aceptados por Dios por medio de la sangre de nuestro Señor Jesucristo. (2) Desde ese instante, Dios ya no nos ve como perdidos, sino como hijos suyos por haber aceptado a Jesús. «Pero a todos los que le recibieron, a los que creen en su nombre, les dio derecho de ser hechos hijos de Dios, los cuales nacieron no de sangre, ni de la voluntad de la carne, ni de la voluntad de varón, sino de Dios» (Juan 1: 12, 13). (3) Sigue el proceso de crecimiento diario que nos hace mejores cristianos, aumentando en la gracia cada día. (4) El paso último de la santificación es llegar a la semejanza de Cristo. Equivale a la glorificación, cuando estemos por siempre con el Señor.

Nada ni nadie debe arrancarnos de las manos del Señor. Pagó un precio por nosotros y por él estaremos ante el Padre. Que hoy sea un día de victoria para cada uno de nosotros, y que crezcamos hacia la semejanza de nuestro Señor.

1 Reyes 7: 1 – 8: 66; 1 Corintios 1 : 1-31

De Cristo sois

> Y vosotros sois de Cristo, y Cristo de Dios.
> 1 Corintios 3: 23

Somos de Cristo. Lo somos por una donación, porque el Padre nos ha donado al Hijo. Somos de él por el precio sangriento que pagó por nuestra salvación. Pagó mucho más de lo que valíamos, porque, pecadores perdidos como éramos, no valíamos nada. Por su sangre nos dio valor, porque en nuestro estado de perdición él sintió tan gran estima por nosotros que pagó el precio máximo para lograr nuestra salvación. Por lo tanto, somos de él por la redención; somos de él por la dedicación, pues nos hemos consagrado a él; somos de él por la relación que mantenemos con él. Llevamos su nombre y ¡qué mejor relación hay que esa! Somos sus hijos, sus hermanos, su propiedad, coherederos con él.

Con una relación tan estrecha, debemos vivir de tal manera que el mundo sepa que somos el siervo, el amigo, la novia de Cristo. Cuando vengan las tentaciones debemos responder: «No puedo hacer este gran mal, porque soy de Cristo». Son principios inmortales que impiden que los amigos de Cristo pequen. Son principios que el hombre no logra entender, pero que hacen que el hermano de Cristo no lo crucifique de nuevo y que impulsan a la novia de Cristo a no traicionar a su Señor y Dios.

Cuando surjan tentaciones de riquezas mal habidas, diga el hijo de Cristo: «No, no quiero. No lo puedo tocar porque soy de Cristo». Cuando el enemigo atenta contra los principios morales que heredaste de Cristo como parte de la herencia recibida de él, debes decir: «Si el Señor estuviera aquí, no lo haría; por lo tanto, tampoco lo hago yo». Es Cristo quien nos da la fuerza para resistir el mal y el pecado, porque nos compró por precio. Al estar expuestos al peligro del olvido, hay que recordar siempre que él ha prometido estar con nosotros, como un hermano mayor cuidando a su hermano pequeño en las peores condiciones. No hay por qué flaquear, porque nadie sino los hijos de Dios tienen tantos recursos a su disposición para triunfar.

Cuando en derredor nuestro vemos a otros sentados sin hacer nada, levantémonos y pongamos manos a la obra, pues somos colaboradores del Señor. Él está haciendo el trabajo, y todo lo que nos pide es que estemos dispuestos y disponibles para ser usados. Podemos estar seguros de las bendiciones que nos acompañarán para representarle siempre dignamente, pues somos de Cristo.

No todo lo que hay en la Biblia

El relato bíblico está repleto de bondades y bendiciones. Dios siempre se ha gozado en mostrar a sus hijos lo bueno que es. En cambio, son pocos los casos en la Biblia donde el hombre muestre su lealtad a Dios. Constantemente se describen las debilidades, los pecados, las desobediencias y hasta la pura maldad de los hombres.

> Tuvo setecientas mujeres reinas y trescientas concubinas. Y sus mujeres hicieron que se desviara su corazón.
> 1 REYES 11: 3

No todo lo que se revela en la Biblia es ejemplo para que lo sigamos, porque mucho de lo revelado, especialmente de los hechos de los hombres, es para ensañarnos qué no hacer. Que Salomón tuviera tantas mujeres no es un ejemplo ni una justificación para hacer lo mismo. No solo se excedió con tantas mujeres, sino que algunas eran extranjeras. No era que Dios odiara a las extranjeras, porque también por ellas había de morir Cristo. La cuestión era que tales matrimonios harían que Salomón se desviase y anduviese tras las religiones de sus mujeres.

El sabio Salomón llegó a una situación en la que su sabiduría no le sirvió de nada. De ser capaz de emitir juicios justos y definir el engaño, pasó a ser un anciano al que sus mujeres llevaban arrastrado a los templos de sus dioses. La sabiduría que era el resultado del temor de Jehová ya no se encontraba en él.

Salomón transgredió la ley no solo en lo referente a las mujeres, sino también en su acopio de riquezas y caballos (Deut. 17: 16-17). ¿Cómo puede ser que un hombre con tanto conocimiento, con capacidad de razonar de causa a efecto, que había tenido por lo menos dos encuentros extremadamente significativos con Dios, cayera en tan profunda idolatría en su vejez? La respuesta es que se había alejado del Señor glorificándose en su sabiduría. Las cosas que el Señor le había confiado fueron usadas para gloria propia y el Dios del cielo dejó de ser la meditación preferente de Salomón. No hay nada que garantice la victoria sobre el mal, salvo caminar constantemente con Dios. Cuando el hombre se cree bueno es señal que su caída ha comenzado. La historia de Salomón se repite todos los días en la vida de muchos que se creen fuertes y firmes. A la larga abandonan a Dios por confiar en sí mismos y no vivir pendientes del Señor.

Que hoy sea un día de victoria para cada hijo de Dios, porque el que hoy se descuida puede llegar a ser el pecador lleno de vicios en el futuro.

1 Reyes 11: 1-43; 1 Corintios 4: 1 - 5: 13

¿No hay entre vosotros ni un solo sabio?

> Para avergonzaros lo digo. Pues, ¿qué? ¿No hay entre vosotros ni un solo sabio que pueda juzgar entre sus hermanos?
> 1 Corintios 6: 5

La pregunta retórica de Pablo no se debe tomar a la ligera. Dios espera que su pueblo sea un pueblo sabio. No solamente en el conocimiento de las ciencias y las letras, sino en el diario vivir. Tal sabiduría no proviene de la acumulación de información, sino de saber vivir la vida y vivirla de acuerdo a la voluntad de Dios.

La razón por la cual algunos acuden a los tribunales es porque no confían en la sabiduría de los hermanos para dirimir dificultades con justicia. ¿Qué pasaría si fuésemos llamados a decidir asuntos de querellas entre hermanos? En primer lugar, no debiera haber querellas entre hermanos. Si todos viviéramos con la humildad que el Señor requiere de sus hijos, entonces las cosas que puedan llegar a ser disputas se resuelven antes de llegar a un punto de ebullición. Si hay que llevar un caso ante un juez es porque los hermanos no han sido sabios para atender el asunto. Algunas de las cosas que demuestran falta de sabiduría son: (1) Instigar el mal. En vez de asociarse con personas pacificadoras, algunos se asocian con personas belicosas que echan más leña al fuego. (2) La parcialidad y tomar partido, aunque no se haga públicamente. (3) No buscar la reconciliación.

La falta de sabiduría entre el pueblo de Dios para atender los asuntos de diferencias de opiniones es una falta grave. ¡Qué bonito sería que, en vez de ahondar en una situación desagradable, hubiese sabios pacificadores entre el pueblo de Dios! «Bienaventurados los que hacen la paz, porque ellos serán llamados hijos de Dios» (Mat. 5: 9).

Cada día se nos presentan oportunidades para demostrar nuestra sabiduría para así ayudar a los hijos de Dios en su lucha contra las tendencias naturales, para ayudar a otros a conocer la humildad de Jehová, que, pese a la maldad y el pecado, es el primero en perdonar, buscar la reconciliación y traer paz. La sabiduría que proviene del cielo nos enseña a aportar paz, armonía y buena voluntad. Dios nos da ejemplo en esto, y espera que sus hijos demuestren una actitud sabia que promueva la paz, no más disensión y pleitos. Que seamos ese sabio que pueda juzgar entre los hermanos y promover la paz y la armonía que Dios quiere ver entre sus hijos.

3 mayo

Un corazón íntegro

Él anduvo en todos los pecados que había cometido su padre antes de él. Su corazón no fue íntegro con Jehová su Dios, como el corazón de su padre David.
1 Reyes 15: 3

La expresión «íntegro de corazón» o «de corazón sincero» se repite varias veces en la Biblia, y deberíamos considerarla muy seriamente. La integridad de corazón implica un servicio completo. El servicio a nuestro Dios es un asunto de una relación deseada por nuestra parte y aceptada por Dios. La condición básica para que nuestro Dios acepte tal relación es que debiera ser una relación completa. Dios no acepta las cosas a medias. Cuando él nos garantiza que con amor eterno nos ha amado, no se refiere solamente al tiempo, sino a la calidad. Aunque somos pecadores, nos ama con amor intenso, único en su clase, no limitado por nada (ni tan siquiera por nuestros pecados).

Servirle con «corazón sincero» requiere tal dedicación que no haya nada que pueda cambiar la relación de nuestra parte. Quien no sirve al Señor con integridad de corazón, le sirve a medias. Tal persona puede no ser enemiga de la religión, pero es amiga distante, indiferente o con poco interés; falta devoción sincera, y su servicio a Dios se hace siempre esperando algo mejor que pueda seguir. En cambio, el que sirve con integridad de corazón no espera ni quiere nada más que estar en los atrios de nuestro Dios, porque reconoce que es el estado preferente de su vida y no anhela nada más.

La integridad de corazón no es ausentarse de las realidades de la vida, sino más bien demostrar en la vida práctica que la voluntad de Dios es lo más importante. Es ser el mejor cristiano posible. No es apartarse de los hombres, sino estar en el mundo pero no ser del mundo, y así, de forma práctica, demostrar el poder de Cristo en uno.

Es posible que el mejor ejemplo de integridad de corazón se encuentre en estas palabras de Pablo: «Porque es necesario que el obispo sea irreprensible como mayordomo de Dios; que no sea arrogante, ni de mal genio, ni dado al vino, ni pendenciero, ni ávido de ganancias deshonestas. Antes bien, debe ser hospitalario, amante de lo bueno, prudente, justo, santo y dueño de sí mismo; que sepa retener la palabra fiel conforme a la doctrina, para que pueda exhortar con sana enseñanza y también refutar a los que se oponen» (Tito 1: 7-9).

1 Reyes 14: 1 - 16: 34; 1 Corintios 8: 1 - 9: 27

Repítelo

> Luego dijo a su criado:
> «Sube, por favor, y
> mira hacia el mar».
> Él subió, miró y dijo:
> «No hay nada».
> Él le volvió a decir:
> «Vuelve siete veces».
> 1 REYES 18: 43

La repetición se usa para lograr varias cosas. En la educación se usa para lograr retener lo que se quiere aprender. En la ciencia se usa para corroborar un descubrimiento. Cuando Dios repite algo, es para certificar lo que afirma.

Se suele pensar que la repetición implica haber fracasado, por no estar bien hechas las cosas o porque falta algo. Es un planteamiento común cuando nos asedian una y otra vez las mismas tentaciones. Tal situación repetida tiende a hacernos pensar que estamos en un estado tan deplorable que nos vemos obligados a andar la misma senda vez tras vez.

El secreto es llegar a confiar que Dios tiene un propósito con la repetición. Si fuera por nuestra fuerza, nunca lo lograríamos. La repetición es para ayudarnos a confiar plenamente en la fuerza del Señor. El aparente fracaso no debiera hacernos desesperar, porque Dios obra a su tiempo.

Debemos entender y seguir el ejemplo de Elías. En medio de los fracasos aparentes y del éxito, nunca dejó de confiar en el poder de Dios. Siempre había confiado en el poder del Señor, y cuando Dios se manifestó con el fuego abrasador, el profeta no se atribuyó ningún mérito a sí mismo. Después de abrir el camino para una conversión genuina entre el pueblo, estaba listo para que Dios le encomendase otra tarea, una vez eliminada la influencia nociva de los sacerdotes de Baal.

Tras esta gran victoria, Elías siguió sirviendo al Señor con humildad. No buscó la admiración de nadie, sino que se sentó con el rostro entre las rodillas, pero con una fe inquebrantable en que el Señor pondría fin a la sequía. Cuando el siervo informó tras su séptima exploración de la nube que divisó, Elías no esperó más manifestación, porque sabía que el Señor iba a mandar un chubasco. Pudo haber pensado que era una nube pasajera, pero tenía plena confianza de que venía la lluvia que había pedido y así lo hizo saber al rey Acab.

Las repeticiones no fueron motivo de desánimo, más bien sirvieron para confirmar la fe de los que estaban observando. Así, en nuestro diario vivir, cuando el Señor hace repetir las cosas, es con un motivo que él conoce y un propósito que siempre redundará para nuestro bien.

Un camino todavía más excelente

¿Será posible que los mismos problemas del pasado vuelvan para ser solucionados en nuestros días? ¿Será que las lecciones de Cristo y las enseñanzas de Pablo caen hoy en oídos sordos? Jesús tenía que ayudar a sus discípulos a entender que el secreto de la verdadera grandeza es servir a los demás y someterse voluntariamente a la voluntad de Dios. La lucha por la supremacía fue uno de los problemas con los que tuvieron que luchar los discípulos hasta casi los últimos días que Jesús pasó con ellos.

> Con todo, anhelad los mejores dones. Y ahora os mostraré un camino todavía más excelente.
>
> 1 Corintios 12: 31

Años después, Pablo encontró los mismos desafíos en la iglesia de Corinto. Aparentemente, era una iglesia cuyos miembros tenían muchos dones. No faltaba quien supiera hacer las cosas bien. La lucha no era por ver quién trabajaba y quién no, sino acerca de cuál era el trabajo más importante. ¿Cuál de los dones era indispensable para la buena marcha de la iglesia? Y, sí, ¿cuál era el don que Dios más apreciaba? Había convicciones fuertes al respecto. Esa lucha aparentemente persiste en la iglesia que ha de ver venir al Señor. Estuvo presente en la fundación de la iglesia, y aparentemente estará presente en la culminación de la obra de Cristo en la tierra. ¿Será la lucha por puestos y supremacía la última lucha entre los miembros de la iglesia?

En Corinto, estas luchas llegaron al extremo de generar odio, sed de venganza y luchas constantes. Ninguna de estas cosas debiera estar presente en la iglesia, y los dones jamás deberían ser causa de contiendas. En el ejercicio de los dones para el bien de la iglesia, no se debe olvidar que los hijos de Dios son todos útiles y que el Señor usa todos los dones que él ha dado a su iglesia. Tampoco se debe perder de vista el principio que enseña que las buenas obras no cubren los malos hechos y pecados.

El apóstol enseña que, aunque debemos anhelar los mejores dones, hay un camino más excelente que todos los dones puestos juntos: el amor entre los hermanos. Saber "hacer cosas" en la iglesia es de suma importancia y necesario, pero lo más importante es que la iglesia demuestre al mundo que Cristo es el Señor. Este es el camino más excelente: que los hermanos se amen entre sí. Andemos por ese camino más excelente, amándonos como Cristo nos ha amado.

· 1 Reyes 20: 1 – 21: 29; 1 Corintios 12: 1 – 13: 13

Todo para tu bien

Josafat hizo barcos
como los de Tarsis,
para ir a Ofir por oro.
Pero no fueron,
pues los barcos
se destrozaron
en Ezión-geber.
1 REYES 22: 48

Según parece, Josafat era un buen gobernante. Gobernó como corregente con su padre Asa de Judá, pero cometió un error al aliarse con la casa de Acab, rey de Israel. En su gran prosperidad quiso ser como Salomón y así mando a construir barcos para importar más mercancías, especialmente para traer oro de Ofir. Pero, a diferencia de los de Salomón, los barcos de Josafat nunca llegaron a surcar los mares. La prosperidad de Josafat era asombrosa, pero quizá más prosperidad les habría hecho daño a él y a la nación. Aunque no tenía por qué hacerlo, el Señor le dio una explicación a Josafat de su actuación: «Entonces Eliezer hijo de Dodava, de Maresa, profetizó contra Josafat, diciendo: "Por cuanto has hecho compañía con Ocozías, Jehová destruirá tus obras". Y las naves se rompieron, y no pudieron ir a Tarsis» (2 Crón. 20: 37).

Los chascos no siempre se deben tomar como un mal, porque muchas veces el Señor hace las cosas para el bien, no para satisfacernos. La destrucción de la flota mercantil era la intervención de Dios para salvar a un hombre que casi fue destruido por su éxito. Porque él era precioso a ojos del Señor, Dios intervino para evitar que quedase cegado por las riquezas que lo habrían apartado de él. La Biblia enseña que el Señor castiga al que ama.

La Providencia, con sus razones, dio éxito a la empresa marítima de Salomón, pero no a la de Josafat. Lo que hay que reconocer es que el gran Gobernante del universo es tan bueno y sabio en el éxito como lo es en el aparente fracaso. Todo es cuestión de humildemente aceptar la voluntad suprema del que todo lo sabe. Aunque no logremos entender el plan divino, a la larga tendremos que aceptar que él ha obrado con sabiduría y amor hacia nosotros.

Habrá gran gozo en el cielo, no solamente por el hecho de haber pasado la aflicción y habernos mantenido fieles al Señor, sino también porque allí tendremos la oportunidad de entender todas las cosas plenamente. Se descubrirá de cuántos males el Señor nos ha librado sin que nos diéramos cuenta. El gozo de reconocer que, aunque nos sintiéramos chasqueados, el Señor obró para nuestro bien en tantas ocasiones será motivo de gran gozo para los hijos de Dios. Con humildad, aceptemos la disciplina del Señor.

Por mala que la persona pueda ser, siempre despierta simpatía cuando aparentemente está recibiendo un castigo considerado excesivo. En el episodio de Elías y los siervos de Ocozías es fácil llegar a conclusiones erróneas si no se entiende el porqué y las circunstancias. Muchos creen que el que Elías invocase el nombre de Dios y bajase fuego del cielo para consumir a un destacamento fue excesivo, ya que los soldados simplemente estaban cumpliendo una orden.

> Elías respondió y dijo al jefe de cincuenta: «Si yo soy hombre de Dios, que descienda fuego del cielo y te consuma a ti con tus cincuenta». Entonces descendió fuego del cielo y lo consumió a él con sus cincuenta.
> 2 Reyes 1: 10

Sin embargo, la historia está llena de militares criminales que han alegado que simplemente estaban cumpliendo una orden. Esa fue la defensa favorita de los nazis en Nuremberg.

Los militares destruidos no eran reclutas, sino voluntarios que estaban incondicionalmente al servicio de Ocozías y su régimen apóstata. No fueron enviados contra su voluntad. No se dirigieron a Elías como «hombre de Dios» por respeto, sino más bien a modo de desafío al Dios del cielo. Ocozías no se proponía reconocer la autoridad de Dios, sino eliminar todo lo que se opusiese a la idolatría.

El fuego que bajó no era obra de Elías, sino de Dios, quien estaba afirmando su autoridad sobre un rey empedernido y decidido a seguir en el pecado. El tercer capitán se salvó porque reconoció la autoridad de Dios. Fue necesaria la intervención directa de Dios para hacer que Ocozías escuchara el mensaje que Dios había mandado por medio de Elías. El mensaje del ángel ante la invitación del tercer capitán indica que los dos primeros no tenían intención de llevarlo ante el rey, sino de hacerle daño en el camino y así eliminarlo.

No es el placer de Dios causar la muerte del pecador: «"¿Acaso quiero yo la muerte del impío?", dice el Señor Jehová. "¿No vivirá él, si se aparta de sus caminos?"» (Eze. 18: 23). Esta historia no es de crueldad ni tampoco de sed de venganza. Más bien nos indica la paciencia de Dios, su misericordia, su disposición para hacer cualquier cosa para lograr la salvación del pecador. Este acontecimiento, junto con la muerte de Ocozías, trajo otra vez al pueblo a la gran realidad de que Jehová es Dios y no hay ningún otro.

2 Reyes 1: 1 - 2: 11; 1 Corintios 15: 1 - 16: 24

Su fidelidad es grande

> Bendito sea
> el Dios y Padre
> de nuestro Señor
> Jesucristo, Padre
> de misericordias y
> Dios de toda
> consolación.
> 2 CORINTIOS 1: 3

Todos los días ocurren tragedias en todas partes: tragedias personales que afectan a una sola persona, tragedias nacionales que llevan el luto a toda una nación, tragedias institucionales que afectan a un buen número de personas. Tragedias, tragedias, y más tragedias. Aunque varían de lugar en lugar y tienen impacto diferente sobre las distintas personas, toda tragedia tiene algo en común: Dios ve y entiende. Quienes han aprendido a confiar en Dios, por difícil que sea la situación, saben que Dios está ahí con el consuelo necesario.

Aunque sufrió toda clase de desdichas, Pablo también había experimentado en su vida la gracia ilimitada del Señor. Para él las tragedias, que casi lo llevaron a considerarse muerto y que habrían desanimado a cualquiera, eran solamente una oportunidad para reconocer la gran misericordia de Dios. En medio de las más graves tragedias de su vida, había experimentado la grandeza de Dios. Había aprendido a dar la bienvenida a los desafíos de la vida como una oportunidad más para glorificar a Dios.

Al pronunciar la bendición por las bondades y las consolaciones de Dios, Pablo nos estaba indicando el camino que hemos de tomar en casos de sufrimiento y desafíos en la vida. Mientras estemos a este lado del cielo, mientras reine el pecado en este mundo, debemos reconocer que el sufrimiento y las tragedias son parte de la vida, y no indicio del abandono de Dios. Por lo tanto, siendo que todos, en un momento u otro, afrontaremos sufrimientos, será mejor prepararnos para tales ocasiones. Esto se logra reconociendo que Dios es Padre de misericordias y de toda consolación. Tal confianza nos ayudará a enfrentar las dificultades, porque cuando estamos en las manos del Señor, cuando estamos seguros de estar amparados bajo la sombra de sus alas, podemos hacer frente a cualquiera situación, por difícil que sea.

Esta confianza es tan grande que hasta en las situaciones más difíciles podemos escuchar la voz que nos dice que no hemos de llorar como los que no tienen fe. La referencia al «Padre de nuestro Señor Jesucristo» es para ayudarnos a recordar que este «sufrió todas nuestra dolencias» y que, por lo tanto, Dios simpatiza perfectamente con nosotros.

9 mayo

Y nadó el hierro

¡Qué tragedia! ¡Se perdió el hacha! Según los conocimientos de la época, no había forma de recuperarla. Las alternativas no eran muy buenas. Y lo triste era que no era solamente cuestión de la pérdida de un hacha. Era un tiempo en que no había mucho hierro en la nación, y

El hombre de Dios preguntó: «¿Dónde cayó?» Le mostró el lugar. Y él cortó un palo, lo echó allí e hizo flotar el hierro.
2 REYES 6: 6

solamente las personas con un gran poder adquisitivo eran capaces de poder permitirse el lujo de tener herramientas tales como un hacha de ese metal. Y solo se prestaba para cosas muy concretas a personas a las que se estimaba dignas de plena confianza. De modo que lo que estaba en juego era mucho más de lo que hoy podría suponer la pérdida de una herramienta de uso común. Aparte del quebranto económico que podía suponer para las escuelas de los profetas devolver el hacha perdida, la propia calidad de la enseñanza y la disciplina de tal institución podían quedar en entredicho a los ojos de sus conciudadanos.

Ahí estaba el problema de la situación. Con la pérdida del hacha, estaban en juego el buen nombre y la reputación de los hijos de los profetas como personas fiables. Estos entendieron que la devolución del hacha a su dueño era una necesidad de primer orden, pues, aparte de no tener que incurrir en el pago de una cantidad cuantiosa por la pérdida, significaba además que la institución que representaban no sufriera merma a los ojos del pueblo. La angustia de los hijos de los profetas derivaba de su celo por la palabra de Dios en medio de una sociedad muy necesitada de ella.

Como narra el pasaje de hoy, el Señor actuó para mantener la credibilidad de las instrucciones comunicadas a la sociedad por aquellos jóvenes estudiantes y para que sus palabras no dejasen de oírse en la tierra de Israel. No hay nada imposible para nuestro Dios. Aunque no sabemos del todo cómo lo hizo, hasta la aparente imposibilidad de que un hacha flote se realizó con el propósito de que siempre se crea un «así dice Jehová».

Por medio de sus profetas Dios enseñó su revelación, en la antigüedad y ahora, para mostrarnos el camino de salvación. Recordemos que solamente en la medida en que creamos y aceptemos al Señor seremos salvos.

2 Reyes 5: 1 - 6: 33; 2 Corintios 3: 1 - 4: 18

No tienes que someterte a tu destino

> Había cuatro hombres leprosos a la entrada de la puerta de la ciudad, los cuales se dijeron unos a otros: «¿Para qué nos quedamos aquí hasta morir?»
>
> 2 REYES 7: 3

Los cristianos no creemos en la predestinación, es decir, que todos tengan un destino fijo al nacer y que, no importa qué pase en la vida, tendrán que cumplir tal destino. Especialmente en lo tocante a la salvación, no creemos que Dios marque a algunos para ser salvos y a otros para ir a la condenación, porque esto atenta contra las enseñanzas del mismo Jesús. Sabemos que «de tal manera amó Dios al mundo, que ha dado a su Hijo unigénito, para que todo aquel que en él cree no se pierda, mas tenga vida eterna» (Juan 3: 16).

Los leprosos de la historia de hoy nos enseñan que nadie tiene por qué someterse a un así llamado destino y no hacer nada por cambiarlo. Analizaron la situación y descubrieron que quedar en la inacción significaba la muerte; entrar en la ciudad era muerte segura por hambruna o apedreamiento. Pasarse al bando enemigo suponía un riesgo del cincuenta por ciento: los sirios los podían matar, o tener compasión de ellos. Vistas las posibilidades, los leprosos no se rindieron a su suerte. Tomaron la decisión de moverse de donde estaban y buscar la vida. Esto nos enseña que nadie tiene por qué perderse, pues todos pueden aceptar la vida que el Señor ofrece.

Todos llevaremos las consecuencias de nuestras decisiones. «¿Para qué nos quedamos aquí hasta morir?» se puede traducir para nosotros en «¿Por qué estamos dispuestos a no hacer nada, sabiendo que esto nos lleva a la perdición?» El Señor ofrece la salvación gratuitamente a todo aquel que cree, pero todos tienen que levantarse, aceptar la gracia ofrecida y permanecer en Cristo. Los leprosos se levantaron, buscaron lo que creían imposible y descubrieron que era gratis. Aceptaron lo que se les ofreció y lo compartieron, ayudándonos a entender que todo aquel a quien el Señor ha salvado no puede quedar en silencio, pues, de una manera u otra, dará a conocer a los demás lo que ha descubierto y lo que el Señor ha hecho en su vida.

No, no tenemos que someternos a un destino de perdición. Podemos cambiar las cosas aceptando la gracia ofrecida por la sangre de Cristo y luego compartir esto con los demás.

Guarda tu buena reputación

La buena reputación y el buen nombre son tesoros que no se deben descuidar, especialmente en relación con nuestro servicio al Dios del cielo. En el asunto de las ofrendas y las finanzas de la iglesia, todo debiera ser para dar gloria a Dios. Cuando se recogió una buena ofrenda voluntaria, los donantes no preguntaron acerca la reputación de los receptores. No pensaron en no dar porque fulano de tal lo fuera a administrar. Las ofrendas y las contribuciones hechas en el seno de la iglesia se basan en la confianza en Dios. El dador alegre reconoce que está dando a Dios y que Dios se encargará del resto. Con todo, este principio de confianza en Dios y la iglesia no quita que hay que ser prudente para evitar levantar sospechas y así afectar la relación de otros con el Señor.

> Y enviamos juntamente con él al hermano cuya alabanza en el evangelio se oye por todas las iglesias.
> 2 Corintios 8: 18

Habiendo recogido una ofrenda similar un año atrás, y habiéndola administrado con honradez, llegó el momento de mandar una delegación de hombres de confianza para recaudar y transportar la ofrenda para ser usada con el propósito con el cual se recogió. Aunque no hay mención de nombres, se cree que el tal hermano era Lucas, aunque algunos creen que fue Silas, Apolos o algún otro. Lo importante era que la ofrenda iba a ser administrada por personas conocidas y enviadas por la iglesia.

Cuando se recogen ofrendas en la iglesia es importante seguir estos principios: (1) La iniciativa parte de la propia iglesia. (2) El propósito de la ofrenda coincide con el de la iglesia. (3) Los que recaudan deben ser miembros de iglesia de confianza. (4) Debe generar confianza en la iglesia y sus dirigentes.

La manera como ofrendamos demuestra el contenido del corazón o la tendencia del corazón. Nuestra relación con Dios debe ser admiración, reverencia y adoración. Cuando se da y tal dádiva no genera un espíritu de adoración, devoción y confianza, debemos examinar nuestros motivos y nuestra relación con el Señor. Dar para crear contiendas y no para adorar es indicio de un corazón que necesita examinar su relación con el Señor.

Que el Señor nos dé el espíritu de los hermanos de Corinto, que daban con corazón sincero, con el solo propósito de ver adelantar la obra del Señor, no solo donde ellos estaban, sino en todas partes.

Una buena disposición

> Porque conozco la buena disposición que ustedes tienen. Esto lo he comentado con orgullo entre los macedonios, diciéndoles que desde el año pasado ustedes los de Acaya estaban preparados para dar. El entusiasmo de ustedes ha servido de estímulo a la mayoría de ellos.
> 2 Corintios 9: 2, NVI

En los días de Pablo, las lealtades eran primeramente para la ciudad o pueblo natal de cada uno. No era común que los habitantes de una ciudad prestaran ayuda a los de otra ciudad, y menos si esta era rival. Pero los cristianos no pensaban así. Vinculados a un fin común, con una fe común, con principios comunes, vivían con la convicción de que su ciudadanía estaba en el cielo. Sí, seguían siendo habitantes de su ciudad natal, pero reconocían algo más que el lugar donde nacieron: reconocían su nacimiento en el reino de Cristo, y la lealtad se establecía para el reino de Cristo en primer lugar; después venía su ciudad o pueblo natal. Al entrar Cristo en el corazón, cambian las lealtades, se modifican las disposiciones y nace un hombre nuevo.

La buena disposición de ese hombre nuevo se manifestaba en que ahora estaba dispuesto a ayudar a los demás. La iglesia de Corinto llevaba más de un año recogiendo ofrendas y nadie cuestionó la colecta. Estaban unánimes en el propósito de ser buenos cristianos y ayudar a los demás. La buena disposición había eliminado todo egoísmo entre ellos. No argumentaban que ellos mismos tenían necesidades, y tampoco se cuestionaban por qué habían de ayudar a personas que ni siquiera eran de su propia tierra. La buena disposición se sentía en la forma en que actuaban en aquel proyecto. Aunque tenían diferencias en otras cosas, ese proyecto que los unificaba y ponía de manifiesto su grado de conversión.

No era poca cosa, y por eso Pablo lo presentó a otros cristianos como ejemplo digno de ser imitado. La buena disposición de la iglesia en Corinto nos enseña que hay que poner los intereses personales a un lado por el bien de la obra de Dios.

Si se evaluara la iglesia hoy, si individualmente se nos examinara, ¿se podría decir de nosotros como se dijo de los cristianos de Corinto: «Conozco la buena disposición que ustedes tienen»? Que el Señor nos ayude siempre a tener y demostrar tan excelente disposición.

13 mayo

Pretensiones verificables

Toda persona que dice ser algo, en algún momento tiene que dar pruebas de ello. Los que terminan alguna carrera reciben un diploma para que años más tarde puedan demostrar su formación académica.

¿Son hebreos?
Yo también.
¿Son israelitas?
Yo también.
¿Son descendientes
de Abraham?
También yo.
2 Corintios 11: 21, 22

Tras el trabajo hecho por Pablo en la iglesia de Corinto, surgieron allí elementos judaizantes que pretendían ser la iglesia "verdadera". Su cuestionamiento de la autoridad del apóstol obligó a este a defenderse y demostrar que él era igual o más que ellos. Sin detenerse a atacar a sus detractores, Pablo mostró que, como ellos, también él era descendiente de Abraham, y, además, que había sufrido por la iglesia y por Cristo, credencial de la que ellos carecían.

Aunque no era posible contradecir lo que Pablo enseñaba, él tuvo a bien abordar a sus detractores en su propio terreno. Lo más significativo, con todo, no fue lo que dijo, sino la forma en que lo dijo. Nos dio un ejemplo perfecto de cómo debiéramos comportarnos en casos de controversia. Algunos piensan que hay que devolver golpe por golpe, insulto por insulto, agravio por agravio. Sin embargo, es importante recordar que hasta en lo más difícil el cristiano debe seguir siendo cristiano. Esta es la mejor credencial de que somos de Cristo: sufrir con humildad todo sin responder de la misma manera. Hay un refrán que dice: «No ataques en tus presentaciones ni te justifiques en tus defensas». Aunque es un principio secular, bebe de las enseñanzas de Cristo de poner la otra mejilla, andar una segunda milla, dar la capa, etcétera.

El apóstol Pablo nos enseña esto al no tratar de ofender a sus detractores, que lo acusaban de todo tipo de males mintiendo. Se mostró mucho más cristiano que los que pretendían ser cristianos; se mostró mucho más maduro que los que pretendían ser maduros; se mostró mucho más cuerdo que los que lo tenían por loco.

Hoy habrá más de una ocasión en la que alguien intentará ofender, herir, hacer daño o humillar. No respondamos a la provocación. Mostrémonos más "hebreos" y mejores cristianos que tal persona. No respondamos al mal con mal; contestemos más bien con un acto de bondad. Esta es la mejor credencial de nuestro cristianismo y de nuestro andar con Jesús.

2 Reyes 13: 1 - 14: 39; 2 Corintios 11: 1 - 12: 21

Fiel a su promesa

E impuso Manahem este dinero sobre Israel, sobre todos los poderosos y opulentos; de cada uno cincuenta siclos de plata, para dar al rey de Asiria; y el rey de Asiria se volvió, y no se detuvo allí en el país.

2 REYES 15: 20

Hay desenlaces terribles de secuestros en los que, tras pagar grandes sumas para obtener la liberación de una persona, esta es asesinada. Tal maldad es una mofa de los sentimientos de los supervivientes.

Tras obtener el tributo deseado, el rey Pul se fue de Israel. Los habitantes del reino del norte pudieron respirar tranquilos durante algún tiempo, aunque no mucho después se produjeron otras invasiones asirias que fueron cercenando la independencia de aquel reino hasta acabar con él.

La fidelidad a la palabra dada es de gran importancia, especialmente en nuestra relación con Dios. A diferencia de Pul, que prometió *no hacer daño* y cuya palabra no era de gran valor, Dios nos promete *hacer el bien*. La fidelidad de Dios en el cumplimiento de sus promesas nos hace recordar que no tenemos por qué temer.

Tenemos la promesa del cuidado de Dios en todo momento, y esa confianza debiera ayudarnos a no sucumbir ante las tentaciones. «No os ha sobrevenido ninguna tentación que no sea humana; pero fiel es Dios, que no os dejará ser tentados más de lo que podéis resistir, sino que dará también juntamente con la tentación la salida, para que podáis soportar» (1 Cor. 10: 13). No se conoce ningún caso en el que Dios haya violado su palabra o no haya cumplido sus promesas, sean para aplicar disciplina o para otorgar su misericordia y perdón.

La confianza en Dios nos ayuda a superar los desafíos que podamos afrontar. La vida se hace más llevadera cuando hay la seguridad de no poder ser atacados por contar con un aliado que siempre está dispuesto a ayudarnos. Eso es exactamente lo que tenemos en las promesas de nuestro Dios. «He aquí estoy con vosotros hasta el fin del mundo» se refiere a más que simplemente la seguridad en la predicación del Evangelio. Se refiere a la seguridad de que la Palabra es firme en toda circunstancia.

Hoy puedes confiar, pues Dios te ha dado su palabra de fidelidad. Confiemos en él, porque no quiere nuestro mal, y si este sobreviene, él ha prometido estar a nuestro lado. Confiemos en la bondad de nuestro Dios.

2 Reyes 15: 1 – 16: 20; 2 Corintios 13: 1-14

15 mayo

La antigüedad de algo nos sirve

Es muy extendida la tendencia a pensar que lo viejo ya no sirve, que su tiempo ya pasó, que por el deterioro provocado por el inexorable paso del tiempo ya no es de valor ni de confianza. Si bien esto puede ser cierto en muchas cosas en el ámbito humano, no lo es en todas, y, desde luego, en los asuntos de Dios dista de serlo. Pablo había recibido el llamado de Dios solo, pero no podía trabajar sin la bendición de la iglesia. El Señor le indicó que se pusiese en contacto con otros creyentes. Tras pasar un tiempo con la iglesia, el futuro apóstol de los gentiles fue a Arabia.

> Ni subí a Jerusalén a los que eran apóstoles antes que yo; sino que fui a Arabia, y volví de nuevo a Damasco. Después, pasados tres años, subí a Jerusalén para ver a Pedro, y permanecí con él quince días.
> GÁLATAS 1: 17, 18

Más o menos por entonces, surgió la primera crisis importante con elementos judaizantes, que pretendían que la única forma de ser aceptado por Dios para un gentil era hacerse judío, adhiriéndose a lo que la ley de Moisés especificaba. La "carta de recomendación" que presentaban algunos de tales elementos era impresionante: venían de Jerusalén, de la iglesia madre, y su "antigüedad" en la iglesia estaba acreditada. Para ellos, el evangelio que Pablo predicaba era "nueva teología" y por, lo tanto, estimaban que era imprescindible "corregirlo".

Ya era costumbre por entonces poner etiqueta a cosas y personas. Cuanto no estuviera de acuerdo con la forma de ver las cosas que tenían ciertos individuos que se imaginaban saber más que los demás, recibía una "etiqueta" para desacreditarlo. Pablo se defendió, mostrando que su evangelio no era de los hombres, puesto que lo había recibido directamente de Dios. Con todo esto, no se distanció de la iglesia. Se sometió a la sabiduría de Pedro. Consultó con él; buscó la dirección de los apóstoles, y, por último, accedió a someterse al juicio de la iglesia cuando se reunió en concilio para estudiar el asunto suscitado y dar una respuesta de una vez para siempre.

Esta es una lección sumamente valiosa para nuestros días. Es el deber de todos los creyentes confiar en el juicio de la iglesia del Señor, y no participar en movimientos que busquen crear divisiones basadas en ideas particulares que la iglesia no haya sancionado.

2 Reyes 17: 1-41; Gálatas 1: 1 - 2: 21

La falta de fe es idolatría

Esto solo quiero saber de vosotros: ¿Recibisteis el Espíritu por las obras de la ley, o por el oír con fe?
GÁLATAS 3: 2

La idolatría se toma muchas veces por ser solamente la atención indebida a imágenes y otros objetos creados por los hombres. Aunque, desde luego, el concepto abarca lo anterior, sabemos que cuanto tiende a reemplazar a Dios como objeto de veneración se convierte en un ídolo, aunque no sea una estatua. Así, cualquier cosa que compita con Dios por nuestra atención debe ser considerada como un ídolo. Incluso cosas buenas, como el trabajo, la diversión, una propiedad, una amistad o hasta la familia –llámese padres, cónyuge o hijos– pueden llegar a acaparar toda nuestra atención. Por buenas que sean, y pese a que sería un gran error desatenderlas, si interfieren en nuestra relación con Dios, deben ser consideradas ídolos.

En el versículo de hoy, el apóstol Pablo llama la atención a los creyentes de Galacia acerca de las costumbres que tenían antes de aceptar la gloriosa verdad en Cristo que los había librado de su servidumbre. «Los gálatas eran idólatras, pero cuando los apóstoles les predicaron se gozaron en el mensaje que les prometía libertad de la servidumbre del pecado» (HAp 169).

La idolatría requiere ver las cosas para creer. Necesita ver, palpar, captar con los sentidos antes de creer. La idolatría no deja espacio para la fe. El desafío de Pablo en cuanto al «oír con fe» era un llamamiento a la realidad que vivían ahora, algo opuesto a su antigua costumbre de ver, palpar, sentir y experimentarlo todo a través de los sentidos.

Tal actitud puede afectar a cualquier cristiano hoy cuando no ha aprendido a confiar implícitamente en el Señor sin la necesidad de demostraciones de su poder o su forma de actuar. El «oír con fe» nos enseña que en nuestra relación con Dios debe bastarnos que el Señor diga algo para creerlo. En realidad, la propia falta de fe o cuestionar lo que Dios dice es una forma de idolatría. Lo es porque sometemos a Dios a lo que nosotros podemos experimentar, y nos imaginamos que, si mis sentidos no lo aceptan o no lo captan, es porque no es así. Con tal actitud estamos haciendo exactamente como los idólatras.

Ojalá podamos tener tal fe que no exija demostraciones, sino que pueda confiar en un «así dice Jehová» y aceptar la verdad de Dios sin requerir demostraciones para que sean experimentadas por los sentidos humanos.

Perseverar en la oración

Los hijos son el tesoro más preciado que uno puede tener, y los nietos más. Cuando nació nuestra primera nieta, unos amigos de la Asociación General me mandaron una tarjeta con un mensaje que decía «Bienvenido al mundo de los abuelos chiflados». Seguro que ellos ya habían experimentado el gozo que se siente cuando nos visitan nuestros hijos ya adultos y los nietecitos. Los padres estamos dispuestos a hacer cualquier cosa por nuestros hijos, hasta el extremo de parecer chalados. Por eso, causa cierta alarma leer las palabras que pronunció Ezequías tras escuchar acerca de la suerte que correrían sus hijos y sus nietos por un descuido que él había cometido.

> Entonces Ezequías dijo a Isaías: «La palabra de Jehová que has hablado, es buena». Después dijo: «Habrá al menos paz y seguridad en mis días».
> 2 REYES 20: 19

Que implícitamente dijese aquello de «después de mí, el diluvio» no es muy característico de un padre que ama a sus hijos. Conviene recordar que Ezequías tenía experiencia en orar para lograr cambios. Cuando se le anunció que iba a morir en breve, lloró y oró y el Señor le prolongó la vida. Esa experiencia debía haberle recordado que, no importan las condiciones, si hay arrepentimiento, si hay conversión, el Señor obra en favor del hombre.

Si Ezequías hubiese tenido compasión de sus hijos y sus nietos, habría derramado su corazón en oración y súplica en favor de ellos. Tenía el privilegio de conocer el futuro de sus descendientes, y no hizo nada por mejorarlo. Sus palabras indican que se conformó con la situación sin hacer ningún intento de interceder por sus familiares.

La oración es un arma poderosa y tenemos la promesa de que el Señor escucha la oración sincera. Si el Señor prolongó la vida de Ezequías, si tuvo misericordia de Nínive, ¿qué impide que hubiese salvado a los descendientes de Ezequías?

Orar sin cesar es una indicación válida hasta en las profecías, pues Dios no se goza en el castigo de los hombres. Él busca el arrepentimiento y la conversión. Podemos llegar con confianza al trono de la gracia para conseguir el oportuno socorro. No debemos rendirnos y dejar de orar. En cualquier situación, debemos recordar que los oídos de nuestro Dios están siempre pendientes a las oraciones de sus hijos.

¿Qué buscas en el templo?

> Asimismo el escriba Safán declaró al rey, diciendo: «El sacerdote Hilcías me ha dado un libro». Y lo leyó Safán delante del rey.
>
> 2 REYES 22: 10

Frecuentar la casa de Jehová era uno de los placeres más agradables para el pueblo hebreo. En nuestros días, asistir a la iglesia y estar en comunión con Dios y con los hermanos debería también ser lo que más anhelemos durante toda la semana. Lamentablemente, muchos no encuentran paz ni gozo en el servicio divino. Ello se debe a que el espíritu con que llegan al templo no es el adecuado. Se dice que llevamos nuestro universo dondequiera que vayamos, y esto se aplica también a la iglesia. Lo que vamos a buscar es lo que encontramos. Sin embargo, hay grandes sorpresas cuando vamos a la casa de Dios.

La historia de hoy es parte de la historia del rey Josías y de la reparación que emprendió en el templo. Cuando, a su juicio, el trabajo no progresaba, mandó al escriba Safán a retirar el dinero que se había acumulado en el templo para así acometer las reparaciones. Aunque el escriba se dirigió al templo para recoger el dinero, el sumo sacerdote le presentó una grata sorpresa. El redescubrimiento del libro de la ley causó un gran reavivamiento.

Cuando uno llega a la casa de Dios con reverencia, el Señor tiene grandes sorpresas para uno. El espíritu de llegar a la casa de Dios debiera ser para encontrarse con Dios, y no para estar de pelea con los prójimos o para criticar a los ancianos, diáconos u otros líderes de la iglesia. Hay veces que tristemente se llega a la iglesia y al darse cuenta del predicador del momento, algunos cambian de parecer y van a otra iglesia cercana, o peor aún regresan a sus hogares, porque tienen un mal concepto del predicador.

Cuando acudimos a la casa de Dios, siempre hay que hacerlo con la mente abierta, con el corazón dispuesto a escuchar la voz de Dios y ser sorprendido por el Señor. Los hijos de Dios debieran cultivar el sentir del salmista cuando afirma: «Yo me alegré con los que me decían: "¡Vayamos a la casa de Jehová!"» (Sal. 122: 1). Asistir a los cultos debiera ser motivo de alegría, de felicidad y de gozo. Con tal espíritu, ciertamente el Señor nos hablará al corazón y producirá el reavivamiento esperado. La asistencia a la casa de Dios nos da gratas sorpresas, nos da gozo, nos prepara para la próxima reunión, y nos prepara para estar para siempre con nuestro Señor. Vayamos a la casa de Dios con gozo.

No hay nada mejor

Aunque llegue a desarrollarse a plena capacidad, la mente limitada del hombre jamás logrará entender las profundidades de Dios. Dios no puede ser abarcado, y, por más que el hombre se esfuerce, no logrará entender los misterios de Cristo. Tratar de explicarlo es una actividad vana. Por eso la fe es tan importante en la religión cristiana.

> A mí, que soy menos que el más pequeño de todos los santos, me fue dada esta gracia de anunciar entre los gentiles el evangelio de las inescrutables riquezas de Cristo.
> EFESIOS 3: 8

Por la fe se acepta que Dios es; por ella se acepta la salvación que se nos ofrece; por ella se acepta la vida que el apóstol describe a los efesios y también a nosotros. La vida así descrita es sobrehumana, porque el hombre quiere hacer lo contrario de lo que enseña el libro de Efesios.

No hay aritmética que pueda contar, ni hay razón capaz de medir, ni imaginación que pueda visualizar, ni elocuencia capaz de describir las riquezas insondables de Cristo. No se trata de riqueza que el hombre pueda atesorar, sino de profundidades que ni se pueden imaginar.

¿Cómo es posible que se diga a un ser humano que no debe odiar? ¿Cómo es posible que se diga a un pecador que no encuentre gozo en el pecado? ¿Cómo es que se dice a una persona herida que no debe desear la venganza? ¿Cómo se puede entender que seres egoístas puedan vivir en armonía, buscando el bien de los demás y sacrificando lo propio para que otros salgan adelante? Esto no es humano; esto lo puede lograr solamente la gracia de Dios en los corazones.

Por la fe se puede entender y aceptar que Dios está más dispuesto a perdonar que nosotros a pecar, aunque nuestra naturaleza tiende de continuo al mal. Pese a ser llevados como una hoja en el viento detrás del pecado, la misericordia y la gracia de Dios son mayores que nuestra capacidad para pecar. Cuando por fe logremos aceptar que Dios no quiere que ninguno perezca, sino que todos tengan vida eterna, entonces estaremos más que dispuestos a dejar que su Espíritu Santo obre en nuestra vida su querer y hacer.

Si confesamos nuestros pecados, él es fiel y justo para perdonar y recibir. Tal es la superficie de las riquezas insondables de Dios. Solo él puede hacer que una persona destinada a la condenación sea declarada justa y aceptada a vivir eternamente con él. Su gracia está a nuestra disposición hoy también.

2 Reyes 24: 1 - 25: 30; Efesios 3: 1 - 4: 32

Tus dones sin oración no tienen valor

Por el cual
soy embajador
en cadenas; que con
denuedo hable de él,
como debo hablar.
EFESIOS 6: 20

Aun diplomático acreditado se le conceden privilegios y libertades de los que no gozan ni los ciudadanos del país anfitrión. Hay casos tristes de diplomáticos que cometen delitos, y todo lo que se puede hacer es declararlos *persona non grata* y expulsarlos del país.

Cuando Pablo afirma ser un «embajador en cadenas», no habla de lo habitual en la diplomacia. A los embajadores se les trata con deferencia, no con prisión. El apóstol presenta esta realidad porque lo importante no era lo que él era, sino lo que tenía que hacer. Su comisión era lo más importante. Ser embajador en cadenas era señal de que ni la cárcel ni el trato deferente le podían impedir anunciar a Cristo crucificado. Encadenado a un soldado romano, preparando su audiencia con el emperador, y deseoso de presentar ante él la gran verdad de Jesucristo, el apóstol deseaba tener a toda la iglesia involucrada en la empresa evangelizadora. Para los creyentes, Pablo era un héroe, aunque sus cadenas representasen un impedimento.

Las virtudes de Pablo eran: (1) Su elocuencia, que era de tal calibre que llegaron a llamarlo Mercurio (Hech. 14: 12); pese a ello, el apóstol pidió que oraran por él para poder hablar con denuedo. (2) Su valor. No tenía miedo a nada; con todo, pidió las oraciones de sus hermanos para hablar como debía. Reconocía que sin las oraciones se podía equivocar.

Lo encumbrado de la misión o de la persona no quita la gran necesidad de orar los unos por los otros. La oración intercesora es una necesidad apremiante para los hijos de Dios. Las circunstancias no iban a cambiar la forma de pensar de Pablo. Era un embajador para Cristo, y las cadenas no iban a cambiar las cosas. Las cadenas eran un impedimento, pero no iban a quitarle el gozo de presentar a Cristo. Lo único que necesitaba era sentir el calor de los hermanos y saber que oraban por él.

El ejemplo de Pablo nos da una gran lección de humildad y servicio. Ni persecuciones, ni dificultades ni nada debieran quitar de nosotros la bendición de la oración de los unos por los otros. Que el pueblo de Dios se dedique a orar sin cesar para que a todos se nos dé la fuerza, hasta en las peores condiciones, para hablar de Cristo.

Para mí el vivir es Cristo

No siempre el creyente ha vivido su vida para Cristo. Empieza a hacerlo cuando el Señor, por medio del Santo Espíritu, lo convence de pecado y

> Porque para mí el vivir es Cristo, y el morir es ganancia.
> FILIPENSES 1: 21

cuando por la gracia es llevado a contemplar al Salvador moribundo haciendo propiciación por su culpa. Desde el momento del nuevo nacimiento que proviene del cielo, el hombre empieza a vivir para Cristo. Jesús llega a ser la perla de gran precio por la cual estaremos dispuestos a abandonar cuanto tenemos.

Dios nos ama de tal manera que no podemos hacer otra cosa que amarlo entrañablemente. Lo amamos tanto que nuestro corazón late solamente para él; queremos vivir solamente para darle honra y que toda la gloria sea para él. Queremos vivir para defender el evangelio y estamos hasta dispuestos a morir en el intento. Jesús llega a ser el modelo para nuestra vida. Es nuestra delicia imitar su carácter.

Las palabras del apóstol Pablo significan más de lo que se puede ver a simple vista. Implican que el blanco y el propósito de la vida de Pablo era Cristo, y no solo esto, sino que su propio vivir era Cristo: Jesús era su aliento de vida, la razón suprema de su existir. «Para mí el vivir es Cristo» quiere decir que en su corazón latía Cristo, su respirar era Cristo, su llorar era Cristo, su gozo, tristeza, dolor, todo ello era Cristo.

¿Estamos tan imbuidos de Cristo? ¿Está nuestra vida tan entretejida con la vida de Cristo? ¿Impregna él nuestros asuntos, nuestras actividades, nuestra forma de pensar, nuestras luchas? Hasta nuestros disgustos debieran estar llenos de Cristo, para así evitar pecar. Tener a Cristo de manera semejante en nuestra vida no es para gloriarnos en ello, sino para que sea el controlador de todos nuestros actos.

Si profesamos vivir por Cristo, ¿cómo podemos vivir con otros objetivos en mente? ¿Cómo podemos permitir que otras cosas ocupen nuestro pensar? Querer vivir una vida así llena de Cristo necesita la constante influencia del Espíritu Santo. Que durante el día de hoy podamos quedar abiertos a la influencia del Espíritu de Dios para recordar que todo lo nuestro debiera quedar escondido en Cristo y que la vida que vivamos sea una vida llena del Espíritu para poder repetir con el apóstol: «Para mí el vivir es Cristo».

1 Crónicas 3: 1 - 5: 26; Filipenses 1: 1 - 2: 30

Mi mayor necesidad

No lo digo porque tenga escasez, pues he aprendido a contentarme, cualquiera que sea mi situación. Sé vivir humildemente, y sé tener abundancia; en todo y por todo estoy enseñado, así para estar saciado como para tener hambre, así para tener abundancia como para padecer necesidad. Todo lo puedo en Cristo que me fortalece.
FILIPENSES 4: 11-13

Abraham Maslow (1908-1970) hizo un estudio sobre las necesidades humanas y estableció una "jerarquía" o "pirámide" de las mismas. Señaló que unas son básicas, mientras que otras son necesidades de antojo, y otras son necesidades creadas. Este estudio se ha usado hasta para definir estrategias políticas, pues se entiende que los pueblos apoyarán a la corriente política que mejor satisfaga sus necesidades básicas, entendidas como la seguridad, el alimento, el vestido, la protección, etcétera.

Sin embargo, lo anterior no atiende a una necesidad sin la que el hombre no puede vivir: la de encontrar la paz y la satisfacción en Jesucristo. Pablo dijo: «He aprendido a contentarme, cualquiera que sea mi situación». Las necesidades dictan el curso de acción de la persona, pero cuando, en Cristo, ha aprendido a contentarse en cualquier situación, entonces no será movida por los vientos de la prosperidad o la adversidad; no atará su fe a las circunstancias que la pueden rodear.

Este modelo de vida, como es aquí descrito por el apóstol Pablo, muestra con claridad su diferencia con la filosofía imperante en nuestro entorno. La cultura que nos rodea ha aprendido a existir en esa insatisfacción que zarandea al hombre como una hoja llevada por el viento. Es la raíz de los crímenes. Por causa del «siempre necesito más», no se puede encontrar solución a los problemas de la humanidad.

El cristiano ha aprendido a ser diferente. Ha aprendido a estar contento con poco o con mucho; ha aprendido que no solo de pan vivirá el hombre. La necesidad apremiante del cristiano es satisfacer el anhelo del encuentro con su Dios. La persona que no ha aprendido a vivir con poco o con mucho estará todo el tiempo persiguiendo lo inalcanzable: la satisfacción en esta vida. El cristiano que ha aprendido a contentarse con lo que tiene dispone de tiempo para buscar lo más importante de esta vida: «Mas buscad primeramente el reino de Dios y su justicia, y todas estas cosas os serán añadidas» (Mat. 6: 33).

1 Crónicas 6: 1 - 7: 40; Filipenses 3: 1 - 4: 23

23 mayo

La puerta del rey

E ra costumbre en la antigüedad que los reyes tuvieran entrada privilegiada para entrar a los lugares de adoración. Había casos en que hasta podían entrar a caballo o en un carruaje al lugar de culto. La religiosidad de muchos de estos monarcas era más una necesidad política que un acto de adoración sincera.

Hasta ahora entre las cuadrillas de los hijos de Leví han sido estos los porteros en la puerta del rey que está al oriente.
1 Crónicas 9: 18

Parece que los hebreos copiaron de los pueblos vecinos esa costumbre de asignarle una entrada particular al monarca, que llegó a ser conocida como «la puerta del rey». Un grupo de levitas custodiaba tal entrada.

De la circunstancia de que esa puerta real se encontraba al oriente, los habitantes de Jerusalén desarrollaron la idea de que el Mesías entraría por la puerta este de la ciudad, que era la que daba al Monte de los Olivos.

Se cuenta que los no judíos que ocuparon Jerusalén tiempo después de la catástrofe del año 70 de nuestra era llegaron a estar tan preocupados con la perspectiva de la llegada del Mesías que cegaron la puerta oriental de la ciudad y que, no contentos con ello, establecieron un cementerio frente a la puerta oriental de la ciudad hasta el día de hoy, sabedores de que los judíos no se atreverían a quitar dicho cementerio para no contaminarse con los cadáveres allí enterrados.

¡Cuántas cosas no se hacen para impedir la entrada del Mesías! A lo largo de la historia de la humanidad, Satanás ha tratado, con cierto grado de éxito, de convencer al mundo de que la noción de un Mesías no se basa en la realidad. Son incontables los millones que han aceptado este engaño y no han podido aceptar la idea no solo de que ya vino, sino que esté a punto de regresar. Aunque sus hijos lo esperan, gran parte del mundo deja ver que no tiene deseo alguno de que regrese Cristo. Y, así, sellan la puerta y establecen cementerios. Sin embargo, luchan en vano, pues sabemos que «el que ha de venir vendrá y no tardará».

Como los hijos de Leví, a quienes se había dado la responsabilidad de cuidar «la puerta del rey», el pueblo de Dios está llamado a «allanar el camino» para que entre el Rey de gloria. Seamos porteros para preparar a un mundo para la venida de nuestro Dios, porque vendrá y nos salvará.

1 Crónicas 8: 1 - 9: 44; Colosenses 1: 1 - 2: 23

Orad sin cesar

Perseverad siempre en la oración, vigilando en ella con acción de gracias.
Colosenses 4: 2

La oración es uno de los temas que más atención recibe en la Biblia. No solamente hay enseñanzas en cuanto a la oración, sino ejemplos de formas de orar, oraciones modelo, enseñanzas acerca de los beneficios de la oración, e instrucciones de cómo orar. Desde el inicio de la Biblia hay ejemplos de oración, y la Biblia termina con el cierre habitual de toda oración, con un *amén*.

Hay ejemplos de patriarcas y profetas que dedicaron tiempo a orar y en cuya vida podemos ver el resultado de la oración. El ejemplo más recordado es el del profeta Daniel, para quien la oración era tan importante que arriesgó su vida para no perder el buen hábito y práctica que había adquirido en su niñez. David no tenía vergüenza de declarar su dependencia de la oración y su confianza en la dirección de Dios. Vemos a Elías, en el monte; a Pablo y Pedro, en prisiones; a mártires modernos martirizados con una oración en los labios. ¿Qué mejor ejemplo de oración que el de Cristo? Nos enseñó a orar, dio ejemplos de oración, oró por nosotros, y, por último, oró en la cruz por aquellos que lo estaban crucificando. Tenemos muchos mandatos de orar siempre, así como promesas acerca de las bendiciones que acompañan a una vida de oración.

La oración es vista comúnmente como una actividad consistente en pedir, pero el versículo de hoy nos ayuda a entender que una de las partes más importante de la oración es la de dar gracias. La gratitud debe ser parte de nuestras oraciones. Queda claro que algo que Dios ha hecho tan prominente en su Palabra debe de ser de suma importancia, ya que él sabe que lo necesitamos muchísimo.

Se dice que un alma que está falta de oración es también un alma que está vacía de Cristo. Con el Señor en el corazón suceden dos cosas: se reconoce que sin él nada podemos, y se reconoce que la oración es el medio por el cual podemos estar constantemente en comunión con él. Cuando por la gracia de Cristo estemos en el cielo la oración será innecesaria, pero ahora que nuestras dades son tan grandes no podemos prescindir de ella.

Hoy es otro día en el que, si no sentimos la necesidad de debemos reconocer y agradecer los beneficios recibidos. « instrucción para todos los cristianos.

152

1 Crónicas 10: 1 - 11: 47; Colosenses 3: 1 - 4: 18

25 mayo

Una guerra no muy fría

La expresión "guerra fría" fue acuñada después de la Segunda Guerra Mundial para describir la tensa relación que existía entre los bloques del este y del oeste. Denotaba una tensión constante, que costó incontables sumas, causó la muerte de muchas personas, afectó al medio ambiente y ha anquilosado la economía y el bienestar de muchos pueblos.

El pueblo de Dios está en una situación similar, con la salvedad que la guerra no es tan "fría". Los ataques son constantes; las bajas entre el pueblo de Dios son cuantiosas; la eternidad de muchos está en juego. Si no fuera porque tenemos de aliado a Jesucristo, esta guerra ya habría terminado hace tiempo con la victoria del enemigo de las almas. Las grandes y pequeñas victorias sobre el enemigo que obtiene el Señor a diario nos animan a seguir en la lucha.

El conflicto con el mal no se debe subestimar. En todo momento Satanás está probando nuevas y viejas armas que le han dado éxito y le están siendo muy útiles. Hasta antes de que aceptásemos a Jesús él ya tenía su servicio de inteligencia observando y estudiando cómo mantenernos fuera del redil del Señor. El ataque es constante, decidido y furioso. La mejor arma es convencer al hijo de Dios que no está siendo atacado. Tal engaño es la mejor arma del enemigo.

Simplemente debemos recordar que toda buena dádiva proviene de Dios. Por lo tanto, todo lo negativo de nuestra vida es parte de la estrategia diabólica para alejarnos del Señor. En ese conflicto constante, en esa lucha perenne, el enemigo de las almas está tratando de entorpecer o imposibilitar nuestra relación con nuestro Dios.

El desánimo, la falta de deseo de orar, el sentirse sin ganas de ir a culto, el no tener un canto en el corazón son todos parte de ese «Satanás nos lo impidió». Un día cercano la guerra no tan fría llegará a su fin, y no habrá más estorbo del ~~n~~emigo. Pero ahora nuestro gran aliado está al frente de cada lucha. La batalla ~~d~~el Señor. Confiemos en que hoy también el Señor nos ayudará para que ~~lo~~s no nos impida una buena relación con nuestro Dios.

> Pero nosotros, hermanos, separados de vosotros por un poco de tiempo, de vista pero no de corazón, tanto más procuramos con mucho deseo ver vuestro rostro; por lo cual quisimos ir a vosotros, yo Pablo ciertamente una y otra vez; pero Satanás nos estorbó.
> 1 TESALONICENSES 2: 17, 18

1 Crónicas 12: 1 - 14: 7; 1 Tesalonicenses 1: 1 - 2: 20

La ignorancia no te salvará

> Pero acerca de los tiempos y de las ocasiones, no tenéis necesidad, hermanos, de que yo os escriba. Porque vosotros sabéis perfectamente que el día del Señor vendrá así como ladrón en la noche.
> 1 TESALONICENSES 5: 1, 2

«¡Bendita ignorancia!» Este es el sentir de aquellos que piensan escudar la culpabilidad en una ignorancia voluntaria. Hace años llegó un misionero a trabajar en el hospital donde yo era capellán. Era un hombre con muchos talentos, tanto en su área profesional como en el servicio de la iglesia. Conversando con él cierto día, le indique que las leyes del país permitían a un extranjero conducir con un carné extranjero durante seis meses, pero que luego había que sacar el carné nacional. Antes de que yo acabara de hablar, me interrumpió y me dijo: «No me lo digas, porque si no lo sé, no tengo culpa». Muchos piensan que la ignorancia es la mejor defensa, pero está demostrado que esa defensa no funciona ni en los tribunales humanos ni ante Dios.

Muchos viven en la ignorancia en cuanto a la cercanía de la segunda venida de Jesús. Ni saben ni quieren saber, pero ello no impedirá que acontezca. En el versículo de hoy, el apóstol Pablo habla de quienes conocen y entienden las señales de los tiempos y anhelan el regreso de su Señor, aunque no sepan el día ni la hora. Lo importante es que están al tanto de los acontecimientos, las circunstancias, las consecuencias y las razones de la venida del Señor. Para ellos, la venida no será como ladrón en la noche, sino la mañana gloriosa tan esperada.

La venida del ladrón no tiene justificación. Es una circunstancia desagradable que puede ocurrirle a cualquiera, y se hace cuanto se puede por evitarla: se cierran todas las puertas, se ponen alarmas antirrobo y se aseguran las ventanas. Lamentablemente, suele quedar alguna parte vulnerable por donde el ladrón puede entrar. Las medidas contra el robo sirven solamente para dificultar la actividad del ladrón, pero no siempre logran evitarla si él pone empeño.

Para los hijos de Dios, el Señor no vendrá «como ladrón en la noche», pues anhelan su regreso y están atentos al «tiempo y las sazones». Están listos para el viaje en todo momento. Han ensayado el canto de victoria, conocen la música de memoria y están listos para unirse a todos los salvos vivos en ese momento para expresar a voz en cuello que «este es nuestro Dios; le hemos esperado y él nos salvará».

S uele entenderse que la consolación hace referencia al pasado. Cuando sucede algo triste, algo desagradable, surge la necesidad de consolar al dolido. Sin embargo, la función de la consolación tiene más que ver con el futuro que con el pasado o el presente. Cuando una madre consuela a un hijo que llora, no lo hace fundamentalmente por lo que pasó, sino como seguridad de que, en lo que de ella dependa, no volverá a pasar. Las palabras de seguridad para el futuro son el mejor consuelo. «Estaré contigo en tu dolor», «Esto no volverá a ocurrir», «No estás solo», «Dios cuidará de ti», «Tu iglesia sufre contigo»... son todas palabras con referencia al futuro.

> Y el mismo Jesucristo Señor nuestro, y Dios nuestro Padre, el cual nos amó y nos dio consolación eterna y buena esperanza por gracia, conforte vuestros corazones, y os confirme en toda buena palabra y obra.
> 2 Tesalonicenses 2: 16, 17

La «consolación eterna» a la que se refiere Pablo es la certeza de saber que tenemos un futuro seguro con nuestro Señor. Tenemos acceso al cielo; podemos acercarnos al trono de la gracia; podemos confiar que nuestros pecados han sido perdonados, y que, en Cristo, limpiados por su sangre, podemos presentarnos ante el Padre. Ese consuelo nace de la gran esperanza que se tiene en el futuro. Tal esperanza es beneficiosa, pues afianza la seguridad del glorioso retorno de nuestro Señor. No hay consuelo mayor que saber que hay un futuro brillante. Por difícil que sea la vida actual, por terrible que sea la lucha contra el mal, por imposible que parezca todo, saber que Cristo ya triunfó sobre el mal nos da ánimo para el futuro.

La consolación eterna es la seguridad de los pecados perdonados, de tener el testimonio del Espíritu Santo en el corazón. La consolación eterna es sentir la presencia permanente de Cristo en el corazón, porque la unión con Cristo resucitado es la más grande consolación por la certeza que nos da para el futuro. En tal estado de cosas, no hay temor a las enfermedades, no hay preocupación por el desempleo, no hay tristeza por el abandono, no hay preocupación ni por la muerte. Con tal esperanza podemos hacerle frente a cualquier cosa. Por todo ello, la esperanza cristiana debe ser la razón de nuestro consuelo. El consejo inspirado del apóstol es: «Por tanto, alentaos los unos a los otros con estas palabras» (1 Tes. 4: 18).

Los gigantes no son invencibles

Volvió a levantarse guerra contra los filisteos; y Elhanán hijo de Jaír mató a Lahmi, hermano de Goliat geteo, el asta de cuya lanza era como un rodillo de telar.

1 CRÓNICAS 20: 5

Aparentemente, las "armas secretas" en las guerras del pasado eran los soldados de mayor tamaño. Los filisteos parecían disponer de un auténtico arsenal de gigantes dispuestos a ponerles las cosas difíciles a los hebreos. Se conocen varios episodios en los que intervinieron tan corpulentos personajes.

Los filisteos lanzaron a un tal Isbi-benob con el objetivo expreso de matar a David, quien ya era conocido como matador de gigantes por haber triunfado sobre Goliat: «Entonces Isbi-benob, uno de los descendientes de Harafa, cuya lanza pesaba 300 siclos de bronce, ceñido con una espada nueva, trató de matar a David» (2 Sam. 21: 16). Abisaí, sobrino de David, mató a este gigante. Otro gigante vencido fue en la batalla de Gob: «Aconteció después de esto que hubo otra batalla contra los filisteos en Gob. Entonces Sibecai, de Husa, mató a Saf, uno de los descendientes de Harafa» (2 Sam. 21: 18). El posterior libro de Crónicas parece dar un nombre ligeramente distinto al personaje en cuestión: «Entonces Sibecai, de Husa, mató a Sipai, uno de los descendientes de los refaítas» (1 Crón. 20: 4). El versículo de hoy relata la victoria sobre otro de estos gigantes para salvar a Israel.

La victoria más espectacular de todas fue le épica batalla entre David y Goliat, que dio confianza a los hebreos de que el tamaño del gigante importa poco si uno cuenta con la ayuda de Dios.

Esta es la lección principal de hoy. Quizá no estemos enfrentándonos a gigantes literales, pero ¡hay tantos obstáculos, tantas dificultades, tantas derrotas seguras que nos acechan! Sin embargo, no hay gigante que pueda vencer a los hijos de Dios, que viven confiados en su Señor y asidos de la mano de Jehová. Es asombroso notar que todas las victorias sobre los gigantes se produjeron cuando el pueblo andaba en los caminos del Señor.

No hay obstáculo invencible cuando Dios está peleando nuestras batallas. Hoy podemos vivir confiados, porque Jehová está de nuestro lado. La victoria de Cristo, como en el caso de David sobre Goliat, es la certeza de que los gigantes son vencibles. Confiemos todas las luchas a nuestro Dios para que él luche por y con nosotros.

Tal el rey, tal el pueblo

Las normas que se suelen poner para los dirigentes son muy altas, y no debiera ser de otra manera. Los que dirigen al pueblo de Dios deben tener las mejores cualidades. Esto es de suma importancia, pues el liderazgo del pueblo debe estar centrado en Dios y las cosas deben hacerse como Dios desea. Además, jamás debe perderse de vista que tal como sea el líder, así será el pueblo. Si las normas son altas para el líder, no pueden ser menores para el pueblo.

Al describir las características deseadas de los líderes del pueblo de Dios, Pablo está diciendo al pueblo: «Ustedes no pueden ser menos que esto». Dios espera una iglesia sin mancha ni arruga, un pueblo escogido, un sacerdocio santo, una nación pura. Las normas de Dios para su pueblo no son menos que sus requerimientos para sus líderes. Es un error pensar que la descripción de los líderes es solamente para ellos. No es que el líder santifique al pueblo, sino más bien al revés, pues los que constituyen el pueblo llevan la impronta de la santidad de Dios estampada en sus vidas.

> Pero es necesario que el obispo sea irreprensible, marido de una sola mujer, sobrio, prudente, decoroso, hospedador, apto para enseñar; no dado al vino, no pendenciero, no codicioso de ganancias deshonestas, sino amable, apacible, no avaro; que gobierne bien su casa, que tenga a sus hijos en sujeción con toda honestidad.
> 2 TIMOTEO 5: 2-5

Algunas de las indicaciones de lo que Dios espera de su pueblo son:

- «Asimismo, nos escogió en él desde antes de la fundación del mundo, para que fuésemos santos y sin mancha delante de él» (Efe. 1: 4).
- «Para que seáis irreprensibles y sencillos, hijos de Dios sin mancha en medio de una generación torcida y perversa, en la cual vosotros resplandecéis como luminares en el mundo» (Fil. 2: 15).
- «Y el mismo Dios de paz os santifique por completo; que todo vuestro ser —tanto espíritu, como alma y cuerpo— sea guardado sin mancha en la venida de nuestro Señor Jesucristo» (1 Tes. 5: 23).
- «Por tanto, oh amados, estando a la espera de estas cosas, procurad con empeño ser hallados en paz por él, sin mancha e irreprensibles» (2 Ped. 3: 14).

Si, los papeles se invierten, tal el pueblo, así serán sus líderes. Como pueblo, seamos santos ante nuestro Dios en todo momento y en todo.

Una corona para mí

> Por lo demás, me está reservada la corona de justicia, la cual me dará el Señor, el Juez justo, en aquel día. Y no solo a mí, sino también a todos los que han amado su venida.
>
> 2 Timoteo 4: 8

Se sirve al Señor con o sin recompensa. El que viene por los panes y los peces no está sirviendo con la motivación correcta. Esto no quita que haya recompensa, y el apóstol Pablo está dando la confirmación de ello. Estaba a punto de ser martirizado, pero no había temor a la muerte. La paz que solo Cristo puede dar inundaba su corazón. No tenía pánico, sino que por fe veía los resultados del fruto de sus labores, de su fe en el Señor y en la esperanza bendita por la cual ha luchado contra potestades de fuera de la iglesia, contra detractores dentro de la iglesia y contra su propio aguijón en la carne.

La sangre de los mártires, aunque no constituyó una expiación, sí fue un reconocimiento de la gracia de Dios y de su verdad. La corona de Pablo, para él y los que lo siguieron, era la confirmación de la victoria de la iglesia sobre el enemigo. El apóstol pudo ir confiado al martirio porque sabía que los que lo seguían iban a seguir adelante con el trabajo que él había iniciado. Moriría con la confianza de que, al final, la iglesia sería lo último que quedase en pie. Sus asesinos ya no existen, los que buscaban la destrucción de la iglesia ya no están. Pero, la iglesia, la iglesia del Señor sigue de victoria en victoria.

Como fiel cristiano y ministro del Señor, Pablo había servido bien: corrió la carrera sin vacilar un momento. Cuando abrazó la fe cristiana, lo hizo con la confianza de ver venir a nuestro Señor en gloria. Esa esperanza lo acompañó hasta el martirio y ni siquiera entonces flaqueó su confianza. La esperanza que él tenía de recibir su corona era como la garantía de que después de él habría muchos más que llevarían esa esperanza adelante. Al ir al martirio, Pablo sabía que la pregunta formulada acerca de si habría «fe en la tierra» con ocasión de la venida del Señor quedaría contestada, porque nosotros estaríamos aquí.

Pablo enseñó que cuando se manifieste el Señor los justos muertos, entre los cuales estará él, resucitarán primero y los vivos seremos transformados y juntos tomados en el aire para así estar para siempre con nuestro Señor. Allí, acompañando a Jesús por la eternidad, el apóstol de los gentiles recibirá por fin su corona, junto con todos los creyentes de todas las edades.

31 mayo

No te desligues de tu pasado

Vivimos en tiempo de cambios. Muchos de ellos afectan a la humanidad en su conjunto. Hay expectativa de grandes cosas. Se espera que la ciencia dé respuestas a interrogantes no resueltos. Se espera que, un día cualquiera, se difunda la noticia de algún descubrimiento en el campo de la medicina que suponga un avance tan importante como en su día fue el de la penicilina, que vino a poner fin a muchas enfermedades hasta entonces mortales. Hay quien espera contactos con inteligencias de otros mundos, o una época de paz sin precedentes en la historia. Se espera, se espera… Se espera un cielo en la tierra, pero sin Dios. El hombre no tiene lugar para Dios, porque cree que lo puede todo la necesidad del Dios de nuestros padres. La triste razón de estos sentimientos es que el hombre ha olvidado a Dios.

> Entonces David bendijo así al Señor en presencia de toda la asamblea: «¡Bendito seas, Señor, Dios de nuestro padre Israel, desde siempre y para siempre!»
> 1 CRÓNICAS 29: 10

En su oración, David hizo memoria de lo que siempre lo sostuvo: la confianza en el Dios de sus padres. Aunque hay tantos cambios al derredor nuestro, nunca se debe perder de vista de dónde hemos venido y lo que el Señor ha hecho por nosotros. Al referirse al «Dios de nuestro padre Israel», David no estaba invocando a un dios que lo fuera de su padre pero no de él. Al referirse al «Dios de nuestro padre», él estaba haciendo memoria de la grandeza de Dios: grande en el pasado en la vida de sus padres y grande en sus días. Y más grande aún en los días de su hijo Salomón, que iba a ascender al trono.

El Dios de nuestros padres ha hecho, está haciendo y hará en la vida de cada uno de nosotros. El Dios de nuestros padres, que hizo grandes cosas por ellos en el pasado, nos da hoy la seguridad de que está con nosotros. Es de mucha importancia recordar que el Dios al que servimos es el Dios vivo, el de verdad. Que yo esté aquí alabando al Dios de mi padre es porque, igual que él guió y se manifestó en la vida de mi padre, estoy seguro de que hará exactamente lo mismo conmigo. En otras palabras, si mi padre es real, el Dios al que él sirvió también lo es.

Es importante reconocer a este Dios que ha estado activo en el pasado, con la convicción que lo es ahora y también lo será por siempre. No nos olvidemos del Dios de nuestros padres, porque él no se olvida de nosotros.

1 Crónicas 28: 1 - 29: 30; Tito 1: 1 - 3: 15

El derecho de ser

> Te ruego por mi hijo Onésimo, a quien engendré en mis prisiones, el cual en otro tiempo te fue inútil, pero ahora a ti y a mí nos es útil.
>
> FILEMÓN 10, 11

La historia de Pablo y el esclavo que huyó de su amo es un ejemplo magnífico de la persona que, carente de todo futuro, llega a cambiar de perspectiva y a ser útil gracias a su relación con otra persona.

En la sociedad romana los esclavos eran tenidos por personas, pero, a la vez, eran reconocidos como propiedad a la que se podía vender, comprar y hasta matar sin temor a castigo. Además, las leyes romanas en cuanto a la esclavitud eran muy estrictas. Por ejemplo, si el dueño era asesinado por uno de sus esclavos, todos ellos eran ejecutados.

Algunos esclavos podían trabajar y así lograr su libertad. Los esclavos con formación y con un oficio útil servían a sus amos en asuntos de negocios, y a veces viajaban. La confianza otorgada a tales esclavos suponía un riesgo para sus amos, pues, a veces, se iban con parte de las riquezas de sus amos y no regresaban. El tiempo en que un esclavo permanecía fugado se añadía al monto total de lo sustraído por él, y, una vez capturado, debía responder de todo ello. Parece que Onésimo estaba en esta situación.

El regreso para someterse a Filemón no era nada fácil. Aunque Pablo escribió una carta de recomendación, no se sabía cómo iba a actuar Filemón. Algunos eruditos opinan que el hecho de que Filemón atesorase la carta de Pablo es indicativo de que atendió al apóstol y le concedió la libertad a Onésimo.

La historia de Onésimo tiene una gran lección de confianza en la palabra de uno que es considerado como padre. Como Isaac, quien confió en la palabra de su padre Abraham y se sometió a pesar del peligro de perder la vida, Onésimo confió en la palabra de su padre espiritual, Pablo, y se sometió al riesgo de regresar con Filemón solo porque Pablo lo había dicho. Su bienestar físico, su responsabilidad financiera, la posibilidad de morir…, nada de esto era suficiente para que no regresara. Regresó porque confió en su padre espiritual.

Tal debiera ser la actitud de los cristianos: confiar en un «así dice Jehová», aunque suponga poner la vida y nuestros bienes en peligro, porque lo que el Padre nos ofrece es de mucho más valor que lo que la vida puede dar. Que hoy sea un día de confianza absoluta en las promesas de Dios.

2 junio

La lealtad es la razón del servicio

Hay un renovado interés en los ángeles. Hasta los incrédulos parecen dispuestos a pensar en el asunto. El cristiano siempre ha sabido que hay ángeles buenos y ángeles malos.

¿No son todos los ángeles espíritus dedicados al servicio divino, enviados para ayudar a los que han de heredar la salvación?
HEBREOS 1: 14

La diferencia entre estos dos tipos de ángeles no está tanto en su maldad o su bondad como en el objeto de su lealtad. Los buenos son leales a Dios el Padre y a su capitán, el Señor Jesucristo. Por eso hacen todo el bien que pueden para ayudar a quienes el Padre amó de tal manera que dio a su Hijo unigénito por ellos. El servicio de la hueste angelical a la raza humana no se deriva de ningún merecimiento nuestro, sino de su lealtad a Dios.

Los ángeles malos, en cambio, hacen todo el mal posible para demostrar su lealtad a su capitán, Satanás. Cada acto de maldad es como un ejercicio de iniciación para comprobar no solamente cuán malos son, pero más aún para demostrar su lealtad al diablo. Se dice que hay una lucha de demostración de lealtad y que el campo de batalla es el mundo.

Tenemos plena confianza en el servicio de los ángeles, porque sabemos que somos amados por el Padre, el Hijo y el Espíritu Santo y, por lo tanto, objeto de la solicitud de los ángeles. Tal es el gozo de los ángeles en cuidar de los hijos de Dios, que la Biblia nos dice que hay gozo entre ellos por cada pecador que se suma a la iglesia. Consideran cada pecador convertido como una oportunidad más para demostrar su lealtad a la divinidad por medio del servicio a tal persona.

La entronización de Jesús despertó el más grande sentido de lealtad entre los ángeles, que cantaron arrobados cuando Jesús regresó al cielo después de su expedición salvadora en la tierra, y en cuyos misterios desean ahondar. Ellos demuestran su lealtad a nuestro Salvador dándonos el mejor servicio posible. Si creemos que somos salvos por la gracia de Cristo, creeremos también en la lealtad de sus ángeles demostrado en el cuidado hacia nosotros.

La eternidad revelará tan profunda lealtad. Allí nos daremos cuenta de cuántas veces intervino un ángel en nuestro beneficio para demostrar su lealtad a nuestro Padre celestial.

160

2 Crónicas 3: 1 - 4: 22; Hebreos 1: 1 - 2: 18

Entrad en mi descanso

Por tanto, queda todavía un reposo sabático para el pueblo de Dios.
HEBREOS 4: 9

«El hombre, nacido de mujer, es corto de días y lleno de tensiones» (Job 14: 1). Esta es una gran verdad mientras estamos todavía aquí en la tierra. La fatiga y el cansancio son parte integral de la existencia humana. Todo ser nacido en este mundo tiene que pasar por este proceso de nacer, trabajar para vivir, y morir. Aquí no hay esperanza de descanso sin luchas, y hasta el descanso físico es para recuperar fuerzas para continuar la lucha. En el ámbito espiritual, la lucha contra el mal y las tendencias naturales son parte de la existencia.

Los hombres han procurado buscar la paz espiritual de muchas maneras, pero todo intento de hallar la salvación fuera de Cristo ha resultado vano. Desde la muerte de nuestro Señor, ya no es asunto de luchar en vano, sino de creer y aceptar que somos salvos por la gracia de nuestro Señor. Aunque sigan las luchas, esta confianza nos permite descansar tranquilos, pues sabemos que, al final, estaremos con nuestro Señor, donde ya no habrá estas cosas. Pablo no está presentando una alternativa para el descanso del sábado semanal del Señor; más bien nos hace partícipes de la gran esperanza de estar un día en el entorno en que no habrá más luchas contra las tendencias naturales.

Antes de los días de los apóstoles, los creyentes que los habían precedido no habían entrado en el descanso que el Señor quería, pero desde entonces queda un descanso para quienes aceptan la gracia de Cristo. Ese es el «verdadero reposo de la fe» (DMJ 9). «Entramos en el "reposo" de Dios cuando consideramos a Jesús (Hebreos cap. 3: 1) y escuchamos su voz (cap. 3: 7, 15; 4: 7), cuando depositamos nuestra fe en él (cap. 4: 2 3), cuando desistimos de nuestros propios esfuerzos para ganar la salvación (vers. 10), cuando retenemos nuestra profesión (vers. 14) y cuando nos acercamos al trono de la gracia (vers. 16). Los que quieran participar de esta experiencia deben librarse de un "corazón malo de incredulidad" (cap. 3: 12), deben dejar de endurecer su corazón (cap. 3: 8, 15; 4: 7), y deben esforzarse por entrar en el "reposo" de Dios (cap. 4: 11). Los que entren en el "reposo" de Dios retendrán su "profesión" (vers. 14). Se acercarán "confiadamente al trono de la gracia, para alcanzar misericordia y hallar gracia para el oportuno socorro" (vers. 16)» (*Comentario bíblico adventista*, tomo 7, p. 438).

2 Crónicas 5: 1-14; Hebreos 3: 1 - 4: 16

La luz, ¿escondida por la oscuridad?

A Dios se le relaciona con la luz, no con la oscuridad. Comúnmente se acepta que la oscuridad es lo malo, y que la luz es lo bueno; por ello, no es común pensar que Dios habite en la oscuridad. Cuando Salomón dijo esto de Dios, estaba haciendo referencia a la experiencia de Moisés en la montaña, cuando «Jehová dijo a Moisés: "He aquí, yo vengo a ti en una nube espesa, para que el pueblo oiga mientras yo hablo contigo, y también para que te crean para siempre"» (Éxo. 19: 9). La oscuridad que rodeaba a Dios cumplía su propósito de no ser visto, ya que el Señor quería que el pueblo creyera al escuchar su voz.

> Entonces dijo Salomón: «Jehová ha dicho que él habitaría en la oscuridad».
> 2 CRÓNICAS 6: 1

Sabemos por el registro bíblico que a Jehová nadie lo ha visto jamás, y que el que se llega a Dios debe creer y aceptar por fe, sin demostraciones para creer. En el Sinaí no era cuestión de ver, sino de creer. También hoy el Señor nos pide que ejercitemos la fe, sin la cual nadie lo verá. Llegará el día en que lo veamos cara a cara y estemos en su presencia.

Sabemos que Dios es luz (1 Juan 1: 5) y que habita en la luz (1 Tim. 6: 16), pero él no se puede mostrar al hombre, porque «ningún hombre me verá y vivirá» (Éxo. 33: 20). En el Sinaí se recalcó la necesidad de escuchar la voz de Dios y de aceptar que él es. La experiencia de hoy no es muy diferente a la de Salomón. Debemos tener el oído presto para escuchar la voz de Dios y conocer cuándo nos está hablando.

El salmista lo pone de la siguiente manera: «Inclinó los cielos, y descendió; y había densas tinieblas debajo de sus pies... Puso tinieblas por su escondedero, por cortina suya alrededor de sí; oscuridad de aguas, nubes de los cielos» (Sal. 18: 9, 11). Aunque, dada nuestra finitud, no siempre logramos entender a Dios, podemos estar seguros de que él siempre quiere el bien de todos sus hijos. Pese a que no lo veamos, aunque no siempre seamos capaces de entenderlo, la fe nos llevará hasta él, porque tenemos la plena confianza que todas las cosas obran para bien, según el designio de Dios.

Debemos vivir con la plena confianza en que nuestro Dios no hará ningún mal ni hará cosas para ofender o hacer daño. Hasta en los momentos oscuros, debemos recordar que él quiere y busca nuestro bien.

No pierdas la confianza

> Porque este Melquisedec, rey de Salem, sacerdote del Dios Altísimo, que salió a recibir a Abraham que volvía de la derrota de los reyes, y le bendijo...
> HEBREOS 7: 1

Muchos se han preguntado quién sería este misterioso Melquisedec, especialmente porque la Biblia dice de él que era «sin principio ni fin». Con todo, parece que se alude al hecho de que no se conserva su genealogía.

Lo importante no es tanto quién fue Melquisedec, sino qué representaba. Melquisedec plasmó en sí un sacerdocio anterior y distinto del aarónico, y por eso es usado para representar el sacerdocio de Cristo, que es para siempre. Jesús murió una sola vez y entró al santuario celestial para ministrar para siempre.

El libro de Génesis presenta que Melquisedec salió al encuentro de Abraham, lo bendijo y le dio pan y vino. Esto es muy significativo, porque, como receptor del diezmo de Abraham, era mayor que Abraham, pero, pese a ello, agasajó al patriarca y pronunció bendiciones sobre él. Esto representa el servicio de Cristo, que da bienes a sus siervos.

Elena de White presenta así el encuentro: «Otro que salió a dar la bienvenida al victorioso patriarca fue Melquisedec, rey de Salem, quien trajo pan y vino para alimentar al ejército... Abraham regresó alegremente a su campamento y a sus ganados; pero su espíritu estaba perturbado por pensamientos que no le abandonaban. Había sido hombre de paz, y hasta donde había podido, había evitado toda enemistad y contienda; y con horror recordaba la escena de matanza que había presenciado. Las naciones cuyas fuerzas había derrotado intentarían sin duda invadir de nuevo a Canaán, y le harían a él objeto especial de su venganza. Enredado en esta forma en las discordias nacionales, vería interrumpirse la apacible quietud de su vida» (PP 130-1).

El encuentro con Melquisedec animó al siervo de Dios, pues le hizo recordar que estaba en las manos de su Señor. Es otra ilustración del sacerdocio de Cristo, ya que Cristo vive para animar, consolar y dirigir a sus hijos. El encuentro con Melquisedec debía afirmar en Abraham la fe en las promesas del Señor de que le suscitaría descendencia al patriarca como la arena del mar. El encuentro con Melquisedec también reafirmó la esperanza en el Mesías que nacería de la simiente de Abraham.

6 junio

La conmiseración en el sufrimiento

C uando se atraviesan dificultades, es frecuente verse abandonado por los amigos, con honrosísimas excepciones. Cuando la policía hace un arresto, pocos

> No perdáis, pues, vuestra confianza, que tiene grande galardón.
> HEBREOS 10: 35

habrá que se identifiquen con el arrestado de entre sus propios asociados. Es común que hasta lo denuncien para así ganar puntos con las autoridades. Cuando Jesús fue arrestado, sus discípulos más allegados, tal como el Señor previó, lo abandonaron. El más valiente de ellos, Pedro, se atrevió a seguirlo, pero rehusó identificarse con él en el momento más sombrío.

En la epístola escrita a los creyentes hebreos se los elogia por su comportamiento de practicar el principio de la conmiseración con los demás hasta en los momentos más difíciles. Aquellos creyentes estaban dispuestos a apoyar a los perseguidos, hasta el punto de poner en peligro su propia vida por identificarse con las víctimas. No estaban dispuestos a abandonar a los perseguidos ni en el peor momento. Al contrario, los receptores de esa epístola estaban dispuestos a sufrir reproche, a sufrir persecución, a perder sus bienes materiales y hasta a ir a la cárcel con los arrestados con tal de apoyarlos. Parecían despreciar su propia vida con tal de mostrar compasión por los demás.

Lamentablemente, no todo era perfecto en aquella congregación, pues parecían dispuestos a escuchar a elementos judaizantes que querían robarles la fe en la sangre expiatoria de Cristo, desviándose así de la fe apostólica por una senda divergente que podía hacerles perder no ya la vida física, sino su propia salvación.

Perder la confianza era regresar a las prácticas del pasado, olvidarse de Cristo y su sacrificio. De momento, tenían gran confianza y esperanza, pero corrían peligro de perderlas. Es peligroso dejarse llevar por voces que pretendan sacar a los creyentes del camino de la fe y la esperanza. Es triste observar a cristianos de mucho tiempo emprender el camino de la incredulidad.

Se dice que los accidentes más graves ocurren a pocos kilómetros de casa, porque se pierde la vigilancia y se deja de estar alerta. Así también puede ocurrir con los que ahora, tan cerca del reino, se descuidan y pueden perder la esperanza. Redoblemos la esperanza y levantemos la cabeza, «porque aún un poquito, y el que ha de venir vendrá, y no tardará» (Heb. 10: 37).

2 Crónicas 11: 1 - 12: 16; Hebreos 9: 1 - 10: 39

La sangre rociada

Sino que os habéis acercado al monte de Sión, a la ciudad del Dios vivo, Jerusalén la celestial, a la compañía de muchos millares de ángeles, la congregación de los primogénitos que están inscritos en los cielos, a Dios el Juez de todos, a los espíritus de los justos hechos perfectos, a Jesús el Mediador del nuevo pacto, y a la sangre rociada que habla mejor que la de Abel.

HEBREOS 12: 22-24

Acercarse a la «sangre rociada» de Cristo es más que meramente aceptar las doctrinas o las enseñanzas. No es llegar a un consenso intelectual sobre Jesús ni iniciar una vida de práctica de ciertas ceremonias. Tampoco es vivir una experiencia más o menos placentera. No, llegar a la sangre rociada de Cristo es todo esto y mucho más.

La sangre rociada de Cristo es la vida misma de toda piedad. Para reconocer esto, se debe recordar cómo se ha aceptado a Cristo. El Espíritu Santo lleva al creyente con dulzura a reconocer que no hay salvación en ningún otro, salvo en el nombre de Cristo. «Así como la sangre rociada sobre los dinteles había salvado a los primogénitos de Israel, tiene la sangre de Cristo poder para salvar al mundo» (DTG 35-6).

Nuestra epístola presenta una larga lista de testigos que nos dejaron un ejemplo digno de ser imitado. Pero concluye con el mejor y mayor ejemplo de todos: la sangre derramada de Cristo. Se dice que es mejor que la de Abel, que, a diferencia de la de Cristo, no fue derramada por voluntad propia.

El asesinato de Caín no fue un acceso de ira irracional que durase un instante. Él rehusó ofrecer el sacrificio que el Señor pedía, el sacrificio con sangre. Esto era importante porque simbolizaba la sangre de Cristo que había de ser derramada para la salvación del mundo. Caín ofreció sacrificio de la suficiencia propia. Ofreció lo que tenía y no lo que el Señor pedía. Lo que causó la ruina de Caín fue su actitud de justificarse ante Dios por sus propias obras. En cambio, la sangre de Abel era un símbolo de los que humildemente aceptan la gracia y la voluntad divina en su vida.

Llegar a la «sangre rociada» de Cristo es aceptar la voluntad de Dios, estar dispuesto a ser guiado por él, reconocer que a la salvación solo se puede llegar por los méritos de Cristo. Mis obras, la fruta de Caín, no me pueden salvar; solo lo hará la «sangre rociada» del Cordero en quien confiaba Abel.

8 junio

Diagnosticar la conducta humana es fácil, pero aceptar tal diagnóstico requiere humildad para reconocer la autoridad de quien lo da. Cuando un niño nos indica lo que debemos hacer lo tomamos a broma. Hacemos como que obedecemos y nos reímos del jueguecito con los niños. Sin embargo, si es una persona con autoridad, como un policía, un gobernante o un líder religioso, aunque no siempre nos guste lo que nos indiquen, estamos más dispuestos a tomarlos en serio. La disposición a obedecer es mucho más grande cuando se trata de un asunto de fe, pues aceptamos que Dios lo sabe lo que es mejor.

> Sean vuestras costumbres sin avaricia, contentos con lo que tenéis ahora; porque él dijo: «No te desampararé, ni te dejaré».
> HEBREOS 13: 5

«Porque él dijo» en el versículo de hoy se refiere a la preciosa promesa de Dios de estar siempre cerca de los suyos. Es más que darnos las cosas que necesitamos, o que el hecho de que sus ángeles acampen en derredor nuestro: abarca incluso, si nosotros se lo permitimos, que el Señor modifique nuestra forma de ser.

Si un niño nos hubiera dicho «Sean vuestras costumbres sin avaricia, contentos con lo que tenéis ahora», podíamos cuestionar la autoridad que pretende tener para instruirnos de tal manera. ¿Cómo sabe si nuestras costumbres son con avaricia? ¿Cómo sabe si no estamos satisfechos con lo que tenemos? Cualquiera que dé semejantes instrucciones puede ser retado a que demuestre lo mucho o poco que nos conoce. Pero, ¿Dios? ¿Quién puede cuestionar la sabiduría, el conocimiento y la profundidad del que escudriña los corazones y conoce los motivos?

Que Dios haya dicho algo nos induce a obedecer sin cuestionar. Cuando nuestro Señor nos indica que dejemos la avaricia y estemos contentos, aceptamos sus indicaciones humildemente. La aceptación de lo que Dios dice, por el mero hecho de decirlo, despierta una fe profunda en nosotros. Aceptamos de él lo que difícilmente aceptamos de otro ser. Acatamos sus órdenes, porque sabemos que él siempre ha procurado lo mejor para nosotros. Aceptar un «así dice Jehová» nos lleva al despertar de la fe a los niveles más profundos de la persona, e indica una disposición humilde a dejar que la voz de Dios sea lo más importante en nuestra vida.

2 Crónicas 15: 1 - 16: 14; Hebreos 13: 1-25

El camino de la no violencia

> Por esto,
> mis amados
> hermanos,
> todo hombre
> sea pronto para oír,
> tardo para hablar,
> tardo para airarse;
> porque la ira
> del hombre no obra
> la justicia de Dios.
> SANTIAGO 1: 19, 20

En los días de Santiago había una corriente de pensamiento que incitaba y justificaba la violencia como paliativo de la ocupación romana de la tierra de Israel. Esta corriente estaba dividiendo a la iglesia, pues algunos simpatizaban con ella, mientras que otros abogaban por una actitud de no resistencia. El camino tradicional del cristiano ha sido el de la no violencia y la no resistencia. Las enseñanzas de Jesús de poner la otra mejilla, de andar una segunda milla, de no pagar mal por mal muestran que no debemos recrearnos en la violencia y la venganza.

Estas características cristianas no deben darse solamente cuando uno es objeto de persecución y violencia, sino, sobre todo, en la forma de vivir la vida día a día, hasta en las cosas menores. Santiago indica que no debemos usar medios humanos para pretender lograr la justicia de Dios. No hay razón ni justificación para asumir actitudes no cristianas. Por mala que podamos pensar que es una situación, no tenemos licencia para apartarnos de la conducta cristiana.

La actitud de hablar y actuar apresuradamente en pos de una supuesta "justicia", sin pensar en las consecuencias, supone un abandono de las prácticas cristianas y no encuentra apoyo en la Palabra de Dios. La amonestación de Santiago tenía por objetivo que las personas irascibles escucharan a los líderes que pregonaban la no violencia, que cuidaran sus palabras y no siguieran con la instigación al mal, que no pensaran que el odio y la ira son aceptables a Dios, por justificados que puedan parecer. Las cosas de Dios se llevan adelante espiritualmente, no con la violencia en ninguna de sus formas.

Se nos amonesta a tener sumo cuidado en nuestras relaciones para no herir a otros con nuestra forma de ser. Comenta Elena de White acerca de una mujer que no manifestaba las características cristianas: «Si procurase el adorno celestial, el ornato de un espíritu afable y apacible, que Dios, el Creador del cielo y de la tierra, afirma que es de gran valor, entonces ella sería de gran ayuda para la iglesia. Si abrigase el espíritu de Cristo y llegase a ser una persona pacificadora, su propia alma prosperaría, y sería una bendición para la iglesia dondequiera que se encontrase» (2T 51).

as tentaciones están por todos lados a nuestro alrededor, y no se debe esperar a estar sumidos en ellas para decidir qué hacer o cómo hacer las cosas, pues entonces ya es tarde. Es cierto que tenemos la promesa de ayuda y de victoria en Cristo, pero una vida en armonía con el Señor es una garantía adicional de la victoria sobre las tentaciones. El sabio enseñó: «Hijo mío, si los pecadores te quisieran engañar, no

> Someteos, pues, a Dios; resistid al diablo, y huirá de vosotros. Acercaos a Dios, y él se acercará a vosotros. Pecadores, limpiad las manos; y vosotros los de doble ánimo, purificad vuestros corazones.
> Santiago 4: 7-9

consientas. Porque sus pies corren hacia el mal, y van presurosos a derramar sangre» (Prov. 1: 10, 16). Elena G. de White añade lo siguiente:

«No es conveniente que los profesos seguidores de Cristo se relacionen con los descuidados y los atolondrados; porque es un asunto fácil llegar a ver las cosas como ellos las ven, y perder todo sentido de lo que significa ser un seguidor de Jesús. Guardaos en este aspecto en particular, no seáis influenciados y arrastrados por los que es fácil reconocer por sus palabras y actos que no están en relación con Dios...

»Oíd la voz de Dios: "Hijo mío, si los pecadores te quisieren engañar, no consientas". Los que están dominados por el Espíritu de Dios deben conservar despiertas sus facultades de percepción; porque ha llegado el tiempo en que será probada su integridad y la lealtad a Dios y al prójimo. No cometáis la más mínima injusticia a fin de obtener ventaja para vosotros mismos. Haced a los demás, en los asuntos pequeños y grandes, como quisierais que los otros os hicieran. Dios dice: "Sois mis testigos". Debéis obrar en mi lugar.

»Si pudiera correrse la cortina, veríais el universo celestial contemplando con intenso interés a todo el que es tentado. Si no os rendís ante el enemigo, hay gozo en el cielo. Cuando se oye la primera sugerencia para hacer el mal, elevad una oración al cielo y resistid firmemente la tentación de transigir con los principios condenados en la Palabra de Dios. La primera vez que venga la tentación, hacedle frente con tal decisión, que nunca más se repita. Apartaos del que se ha aventurado a sugeriros malas acciones. Apartaos resueltamente del tentador diciéndole: "Debo separarme de tu influencia; porque sé que no estás caminando en los senderos de nuestro Señor"» (HHD 166).

La fe se fortalece en las tormentas

> En lo cual vosotros os alegráis, aunque ahora por un poco de tiempo, si es necesario, tengáis que ser afligidos en diversas pruebas, para que sometida a prueba vuestra fe, mucho más preciosa que el oro, el cual aunque perecedero se prueba con fuego, sea hallada en alabanza, gloria y honra cuando sea manifestado Jesucristo.
> 1 Pedro 1: 6, 7

Pretender emitir juicios sobre la calidad de fe de una persona no es cristiano, porque solamente Dios tiene el derecho y la sabiduría para hacer tal cosa sin posibilidad de error. Sin embargo, sí es posible afirmar que no se puede tener mucha confianza en el temple de una fe que no ha sufrido pruebas ni ha pasado por momentos difíciles. La fe de los que persisten se fortalece cuando las tempestades invitan a otros a abandonar.

El gran predicador Charles Spurgeon lo expresó así: «La fe nunca prospera tanto como cuando todo está contra ella. Las tempestades la entrenan, los relámpagos la iluminan. Cuando reina la calma en el mar, por mucho que despliegues tus velas, el velero no se moverá a puerto, porque en un mar dormido también el barco duerme. Sin embargo, ¡que soplen los vientos, que el mar se embravezca! Aunque el velero pueda tambalearse y su mástil se queje bajo la carga del vendaval, irá raudo al puerto avanzando con decisión».

Esto no debiera desanimar a los jóvenes en la fe, pues una fe reciente también puede haber pasado por grandes pruebas. Lo importante es no juzgar la fe de los demás por el tiempo que lleven en la iglesia. Si somos más veteranos que ellos y hemos sufrido por Cristo, demos gracias al Señor por el privilegio de haberlo hecho y de poder ser un buen ejemplo para los fieles.

«Las pruebas y los obstáculos son los métodos de disciplina que el Señor escoge, y las condiciones que señala para el éxito. El que lee en los corazones de los hombres conoce sus caracteres mejor que ellos mismos. Él ve que algunos tienen facultades y aptitudes que, bien dirigidas, pueden ser aprovechadas en el adelanto de la obra de Dios. Su providencia los coloca en diferentes situaciones y variadas circunstancias para que descubran en su carácter los defectos que permanecían ocultos a su conocimiento. Les da oportunidad para enmendar estos defectos y prepararse para servirle. Muchas veces permite que el fuego de la aflicción los alcance para purificarlos» (MC 374).

Dios cuidará de ti

Una forma de aliviar el dolor y el sufrimiento es contar con la certeza de que Dios se preocupa de uno.

> Echad sobre él toda vuestra ansiedad, porque él tiene cuidado de vosotros.
> 1 PEDRO 5: 7

Cuando se ha desarrollado tal fe en el Señor y se tiene la confianza de que él escucha y está dispuesto a ayudar, sentimos un gran alivio a la hora de encarar los contratiempos. Los cristianos no debemos deshonrar la fe andando con una cara de dolor y pesadumbre, porque tenemos la firme promesa de que podemos echar todas nuestras cargas sobre el Señor y confiar que él las quiere y puede llevar. Lo mejor es que nuestro Señor puede llevar las cargas de todos a la vez y seguir teniendo la capacidad de que se le eche más encima. Si llevamos cargas agobiantes es que no utilizamos los recursos puestos a nuestra disposición. Nuestras cargas nos pueden paralizar o aplastar, pero lo más hermoso es que, si las lleva él, nuestro Señor ni las siente. Por eso nos invita a echar las cargas sobre él. Lo que nos pueda parecer todo un mundo de problemas no es ni un gramo de peso para el Señor.

La preocupación y las cargas vienen cuando no se sabe adónde ir o qué solución aplicar. No hay nada que pueda hacer perder el sueño a nuestro Dios, que todo lo puede. Él tiene solución para todo, y por eso nos invita a confiarle a él la solución de las cargas. Tenemos que aprender a recostarnos en los brazos de nuestro Señor, y no buscar otra voluntad sino la de él.

Como hijos de Dios debemos confiar que no hay sufrimiento ni dolor que él no pueda atender. Debemos vivir confiados en que él no se ha olvidado de nosotros. Debemos recordar que el que alimenta a los pájaros satisfará también nuestras necesidades. Cuando vivimos en la gracia de Dios, buscando siempre hacer su voluntad, podemos vivir tranquilos que el que nunca ha fallado a un hijo amado no nos dejará solos. La solución del problema no es siempre quitar el problema, sino ayudarnos a sobrellevarlo.

El brazo de la fe es lo que nos puede sostener hasta en los momentos más difíciles de la vida. Millones de cristianos han experimentado la gracia acompañadora del Señor. Han aprendido a confiar que la invitación hecha de echar nuestra carga sobre él no es una invitación vacía.

Que el Señor nos ayude a confiar en que su invitación es firme, y las promesas reales, hoy y siempre.

2 Crónicas 25: 1 - 26: 23; 1 Pedro 3: 1 - 5: 14

Creced en la gracia

Más bien, creced en la gracia y en el conocimiento de nuestro Señor y Salvador Jesucristo. A él sea la gloria ahora y hasta el día de la eternidad. Amén.

2 Pedro 3: 18

La gracia de Dios no tiene medida, y no se da a medias. El hombre es quien pone límites a lo que la gracia puede hacer. No es que seamos más fuertes que la gracia, sino que el Señor se revelará a la medida que nosotros le damos cabida en nuestra vida. Crecer en gracia implica crecer en todas las gracias. Esto implica crecer en la fe, creer las promesas con más firmeza que hasta el momento. Permite que la fe se desarrolle plenamente, que sea una fe constante y simple. La fe aumenta con la práctica y la sumisión a la voluntad del Señor.

El crecimiento en la gracia también implica crecer en amor. Debemos pedir que nuestro amor se extienda cada día a círculos más alejados de lo conocido y común. Que nuestro amor sea más intenso, más decidido a hacer el bien por el bien, no importa a quién ni bajo qué condición, a pedir cada día que el Señor nos ayude a ser como Cristo. Que nuestro amor se revele en la vida práctica, con actos de bondad hacia los demás. Que el amor influya en cada pensamiento, palabra y acción.

Crecer en la gracia también implica crecer en humildad. El orgullo es lo que mantendrá a muchos fuera del reino de los cielos. Seamos humildes para poder pedir perdón, para respetar a los demás, para ensalzar el nombre del Señor y darle gloria y honra en todo. Al crecer en humildad, se crece en acercamiento al Señor; la vida de oración llega a ser el anhelo preferido del creyente y la comunión con Cristo será la ocupación más deseada.

Crecer en la gracia implica también crecer en «el conocimiento de nuestro Señor y Salvador». El Espíritu Santo está más que dispuesto a ayudarnos en ese proceso de crecimiento. El que no crece en Cristo pierde las bendiciones a nuestra disposición, porque conocerlo es la vida eterna y el progreso en este conocimiento es la verdadera felicidad. Quien no anhela conocer más de Cristo no conoce nada de él todavía. Si no se desea conocerlo mejor, es porque no se ha bebido de la fuente verdadera de todo conocimiento y felicidad.

Crezcamos en la gracia, que quiere decir crecer en la fe, crecer en el amor y crecer en el conocimiento de Cristo.

14 junio   Vivir o morir por Cristo, ¿qué es más fácil?

Un príncipe cuya nación tenía una religión no cristiana había aceptado el cristianismo. La persecución que se desató en su contra era terrible. Fue desheredado, desterrado y sentenciado a muerte si volvía a su país. Mantuvo su fe en medio de todas estas persecuciones y dijo: «Es más fácil morir por Cristo que vivir por él.» La frase «Él murió por nosotros, para que vivamos por él» es muy conocida, y supone un auténtico desafío para todos.

> En esto se mostró el amor de Dios para con nosotros, en que Dios envió a su Hijo unigénito al mundo, para que vivamos por él.
> 1 Juan 4: 9

Vivir por Cristo es el desafío del cristiano, porque lo único que ayuda a cumplir este propósito es la gracia de Cristo que nos acompaña. La vida de santificación no se puede vivir si no es por la intervención constante del Espíritu Santo en nuestra vida. Todo lo que hay en la tierra atenta contra el propósito de «vivir por Cristo».

El himno "Vivo por Cristo" nos ayuda a entender lo que supone entregarle todo a él. Las palabras de este himno nos dan ánimo para la vida; nos ayudan a recordar que vivir por él se puede ser más fácil, y de hecho se hace, cuando nos entregamos enteramente a su voluntad.

«Vivo por Cristo, confiando en su amor; vida me imparte, poder y valor; grande es el gozo que siento por él; es de mi senda Jesús guía fiel. ¡Oh Salvador bendito!, me doy tan solo a ti, porque tú en el Calvario te diste allí por mí; no tengo más Maestro, yo fiel te serviré; a ti me doy pues tuyo soy, de mi alma eterno rey».

En todo esto, el amor es central, porque «de tal manera amó Dios». Por su amor sin igual, lo dio todo por nosotros, y, como pecadores salvados, no podemos hacer menos que amarlo de todo corazón. Nuestro amor por él debiera ser de tal naturaleza que nos entreguemos a su dirección para vivir por él. No pretende que sea fácil, pero sí nos garantiza que es posible.

Vivir por él es dejar que nuestros pensamientos, nuestros planes, nuestro actuar, en fin, todo lo nuestro esté totalmente controlado por él, aunque esto vaya en contra de la naturaleza pecaminosa que todos hemos heredado.

Hoy el Espíritu de Dios está dispuesto a revelarnos de nuevo el gran amor de Dios y ayudarnos a vivir por él.

Solo de todo corazón

> En todo cuanto
> emprendió
> en el servicio
> de la casa de Dios,
> de acuerdo con la ley
> y los mandamientos,
> buscó a su Dios,
> lo hizo de todo corazón,
> y fue prosperado.
> 2 CRÓNICAS 31: 21

Por regla general, los que buscan y desean la prosperidad tienen que dedicarse de todo corazón a la tarea que tienen por delante. Cuando se hacen las cosas de forma indolente, el resultado siempre es el fracaso y el dolor, porque quienes emprenden la tarea habiendo dejado medio corazón fuera de la misma terminarán con todo el corazón dolorido por el fracaso.

Hacer las cosas de todo corazón implica gran concentración en la tarea y no estar deambulando por todos lados sin un rumbo fijo o un propósito bien definido. El consejo que recibimos del Señor es que hay que tener concentración en todo lo que emprendemos, tanto en las actividades seculares, como en las religiosas; tanto en las cosas temporales, como en las cosas que tienen consecuencias eternas.

«La capacidad de fijar los pensamientos en la obra emprendida es una gran bendición. Los jóvenes temerosos de Dios deberían esforzarse por desempeñar sus deberes con reflexiva consideración, manteniendo los pensamientos en su debido curso y poniendo de su parte lo mejor de que son capaces. Deberían reconocer sus deberes actuales y cumplirlos sin permitir que la mente se desvíe. Esta clase de disciplina mental será útil y beneficiosa durante toda la vida. Aquellos que aprenden a concentrar sus pensamientos en todo lo que emprenden, por pequeña que parezca la obra, serán útiles en el mundo» (MPJ 147).

«Todos los que hayan de ser útiles en esta vida deben pasar por la escuela de la disciplina mental y moral más severa, y entonces Dios los ayudará combinando el poder divino con el esfuerzo humano… Los hábitos equivocados no son vencidos por un solo esfuerzo. Solo mediante una lucha larga y penosa se domina al yo» (4T 610-2).

Tener el corazón a medias en las cosas es el origen del estado descrito en el Apocalipsis de no ser ni frío ni caliente. Tal estado es causa de rechazo por parte del Señor. Jesús nos dio el ejemplo perfecto. A él se le aplicó el dicho de que «el celo de tu casa me consume». Era un interés íntegro. Sudó gotas de sangre cuando oraba por nosotros, porque sus esfuerzos no eran a medias. Vivamos nuestra fe con corazón íntegro.

2 Crónicas 31: 1 - 32: 33; 2 Juan 1 - 3 Juan 15

Llámalo por su nombre

l reinado de Manasés fue uno de los peores para el pueblo de Dios, hasta el punto que las desgracias que vinieron sobre la nación casi hicieron olvidar las gloriosas reformas de su padre Ezequías. Algunos se preguntan cómo es posible que el hijo de un hombre tan piadoso pudiese ser tan malo. La Biblia no lo explica. Elena de White, por su parte, describe los hechos escuetamente así: «El reino de Judá, que prosperó durante los tiempos de Ezequías, volvió a decaer durante el largo reinado del impío Manasés, cuando se hizo revivir el paganismo, y muchos del pueblo fueron arrastrados a la idolatría... La gloriosa luz de generaciones anteriores fue seguida por las tinieblas de la superstición y del error. Brotaron y florecieron males graves: la tiranía, la opresión, el odio a todo lo bueno. La justicia fue pervertida; prevaleció la violencia» (PR 282).

> De doce años era Manasés cuando comenzó a reinar, y cincuenta y cinco años reinó en Jerusalén.
> 2 Crónicas 33: 1

Quizá la siguiente ilustración nos ayude a entender el misterio del pecado en un hijo bien criado. La Biblia nos dice que cuando Ezequías encontró a los hijos de Israel adorando la serpiente de bronce, que había sido hecha por Moisés en el desierto, la destruyó (2 Rey. 18: 4). ¿Cómo es que un ídolo pudo haber existido por tanto tiempo? Aunque habría sido de esperar que alguna de las anteriores reformas lo hubiese destruido, no fue así, pues no se reconocía que ese objeto fuese un ídolo, sino tan solo una reliquia que en otro tiempo fue buena. Los hijos de Israel justificaban su adoración porque no le daban el nombre de ídolo. Ezequías le dio el nombre que le correspondía: era un ídolo.

El problema de la justificación del pecado es lo que lleva a muchos a caer en él. Usan otros nombres para encubrir el mal. El adulterio no es adulterio, sino "una relación sentimental". Una vida de placeres sensuales se dice que es "vivir intensamente". Encontrar palabras para justificar el pecado es lo que lleva a muchos a caer en el pecado.

Abraham Lincoln le preguntó a uno que lo criticaba: «¿Cuántas patas tiene una vaca?» «Obviamente, cuatro», contestó el crítico. «Y si llamásemos pata al rabo, ¿cuántas tendría?» «Cinco», vino la respuesta. «No –dijo Lincoln–, llamar pata al rabo no lo hace pata. Llámelo por su nombre, y así evitará caer en el error».

2 Crónicas 33: 1 - 34: 33; Judas 1-25

Sufres, pero eres rico

> Yo conozco tus obras, y tu tribulación, y tu pobreza (pero tú eres rico), y la blasfemia de los que se dicen ser judíos, y no lo son, sino sinagoga de Satanás.
>
> APOCALIPSIS 2: 9

De las siete iglesias mencionadas en Apocalipsis, Esmirna es una de las dos que son alabadas totalmente. Grande fue la tribulación de Esmirna. Era una ciudad portuaria, y, por lo tanto, de mucho interés comercial para los romanos. Para garantizar que los cristianos no llegasen a perturbar la vida económica de la ciudad, los romanos desataron la peor persecución en esta ciudad. Hoy la ciudad moderna de Izmir, en Turquía, casi no tiene pueblo adventista.

Hasta donde llega mi información, de entre millones de habitantes, solo cuenta con tres adventistas: una madre adventista europea casada con un musulmán convertido y el hijo de ambos, a quien tuve el privilegio de bautizar hace algún tiempo. La persecución que sufrieron los seguidores de Cristo en esta ciudad fue dura, cruel y efectiva.

La persecución romana bajo el emperador Diocleciano llevó a los creyentes a una pobreza que ni se puede describir. Perdieron todo lo que tenían y no se les permitía hacer nada para sobrevivir. No eran considerados ciudadanos; por lo tanto, no tenían derecho a nada. A pesar de esto, no abandonaron su fe. Se mantuvieron firmes hasta la muerte, y muchos perdieron la vida por la fe en Cristo.

Se dice que Esmirna fue la ciudad que más resistió la conquista de los musulmanes, pero que, al final, la fe fue destruida en esta ciudad también.

El Señor los consuela con las palabras de promesa de que ni la muerte les robaría la salvación. «No temas en nada lo que vas a padecer. He aquí, el diablo echará a algunos de vosotros en la cárcel, para que seáis probados, y tendréis tribulación por diez días. Sé fiel hasta la muerte, y yo te daré la corona de la vida» (Apoc. 2: 10, 11).

El meollo del mensaje es que no importa cuán cruel fuese la persecución, sería de duración limitada, porque Cristo será victorioso al final.

Este es el mensaje para el pueblo de Dios hoy también. Debemos recordar que las tribulaciones son de tiempo limitado, pero la eternidad no tiene fin. Los que triunfen recibirán la corona de vida. El Señor nos invita hoy a resistir el mal y desear ser victoriosos en Cristo.

2 Crónicas 35: 1 - 36: 23; Apocalipsis 1: 1 - 2: 29

18 junio

Estás amonestado

No todo el mundo recibe una amonestación con gracia. El orgullo y la suficiencia propia muchas veces se interponen entre la amonestación con amor y el arrepentimiento. La Biblia no presenta la respuesta de las iglesias amonestadas. Quizás el Señor lo dejó inconcluso para que nos sirva de amonestación hoy.

El mensaje a Sardis nos ayuda a evitar las cosas que parecen simples, pero cuyo descuido lleva a la ruina. La Palabra de Dios nos ayuda a conocer lo que hemos de hacer, pero muy a menudo también nos enseña lo que debemos evitar. Quienes han pasado por tiempos difíciles siempre pueden ser de ayuda para los que vienen detrás. Por eso, sus amonestaciones debieran ser provechosas. Hay muchas cosas que sería bueno evitar en la vida. He aquí algunas:

- Evita el remordimiento por los fracasos de ayer. Confía en el perdón, pues el Señor es misericordioso para limpiarnos de toda injusticia.
- Evita la ansiedad ante los desafíos de hoy. No podemos cambiar un pelo de la cabeza. Por lo tanto, la mejor manera de encarar los desafíos es dejárselos a Jesús. Él nos ha prometido su ayuda, y esto incluye los desafíos de hoy también.
- Evita las preocupaciones por los problemas de mañana. Cada día trae su propio afán.
- Evita posponer los deberes de hoy. Cuando se sabe que hay cosas que hacer, no las pospongas, por difíciles que sean. Se dice que «posponer es cancelar».
- No sientas resentimiento por el éxito de los demás. Disfrutemos sinceramente con ellos. No solamente debemos celebrar con los demás su éxito, sino ayudarlos de todo corazón para que lo obtengan.
- Evita criticar las imperfecciones de tu prójimo. No hay nadie perfecto, y nadie puede arrojar la primera piedra, porque todos tenemos defectos que el Espíritu Santo está ayudando a corregir.
- Evita ser impaciente con los jóvenes. Se debe recordar que todos fuimos jóvenes una vez, y que los jóvenes también son heredad de Jehová.
- Evita la incredulidad en la providencia divina. Dios cuida de nosotros y debemos confiar en cada momento en su Providencia.

Esdras 1: 1 - 2: 70; Apocalipsis 3: 1-22

No prometas lo que no estés dispuesto a cumplir   *junio 19*

> Y el aspecto del que
> estaba sentado era
> semejante a piedra
> de jaspe y de cornalina;
> y había alrededor
> del trono un arco iris,
> semejante en aspecto
> a la esmeralda.
> APOCALIPSIS 4: 3

En los anales de la historia humana hay muchos casos de promesas rotas, promesas que se hicieron con la intención premeditada de nunca cumplirlas. Se dice que hay tratados hechos por las naciones que no valen ni el papel sobre el que se plasmaron.

No es así con las promesas de Dios. Hasta la fecha, nuestro Dios ha cumplido todas sus promesas. Cuando él hace una promesa y añade juramento, podemos estar doblemente seguros de que, ciertamente, lo cumplirá. El arco iris alrededor del trono es un símbolo perfecto de lo que el Señor promete y cumple. Cuando la tierra fue destruida por el diluvio, el Señor puso el arco iris en el cielo para recordar a los humanos que ya no tienen por qué temerle a un diluvio universal. Elena de White observó que «cuando por su impiedad el hombre provoca los juicios divinos, el Salvador intercede ante el Padre en su favor y señala el arco en las nubes, el arco iris que está en torno al trono y sobre su propia cabeza, como recuerdo de la misericordia de Dios hacia el pecador arrepentido» (PP 98).

Según los profetas, el arco iris es el símbolo de Dios. «Como parece el arco iris que está en las nubes el día que llueve, así era el parecer del resplandor alrededor» (Eze. 1: 28). El arco iris alrededor del trono no es de la forma como comúnmente se ve en la tierra. Está alrededor del trono, es decir, tiene forma circular. Tal fenómeno se puede observar cuando uno está volando en avión y puede ver la sombra del avión proyectada sobre las nubes que hay debajo. Se ve entonces el círculo perfecto. La perfección del círculo es símbolo de la eternidad y la perfección de Dios.

El propósito del arco no es únicamente darnos confianza por la misericordia de Dios en el pasado, sino también darnos la garantía de que él cumplirá la gran promesa de la salvación eterna. «Yo siento que de nuestros labios mortales debería ascender un constante himno de acción de gracias por esta promesa. Coleccionemos estas preciosas joyas de promesas, y cuando Satanás nos acuse de nuestra gran pecaminosidad, y nos tiente a dudar del poder de Dios para salvar, repitamos las palabras de Cristo: "El que a mí viene, de ningún modo le echo fuera"» (HS 157-8).

Esdras 3: 1 - 5: 17; Apocalipsis 4: 1 - 5: 14   177

20 junio — Confía en Jehová y no en el brazo humano

La reconstrucción de la casa de Dios no fue fácil, y los primeros pasos dados fueron entorpecidos por la férrea resistencia de aquellos que no tenían ningún interés de ver restaurada la nación de los judíos. Tan difícil era la tarea que tres monarcas tuvieron que dar su bendición y amenazar castigo para quienes se opusieran para que sucediera. «Edificaron, pues, y terminaron, por orden del Dios de Israel, y por mandato de Ciro, de Darío, y de Artajerjes rey de Persia» (Esd. 6: 14).

> En el año primero del rey Ciro, el mismo rey Ciro dio orden acerca de la casa de Dios, la cual estaba en Jerusalén, para que fuese la casa reedificada como lugar para ofrecer sacrificios, y que sus paredes fuesen firmes; su altura de sesenta codos, y de sesenta codos su anchura.
> ESDRAS 6: 3

Lo importante no es que se requiriera el mandato de estos tres monarcas, sino que se reconozca que fue «por orden de Dios». No hay registro en la historia de que ningún otro pueblo fuese tratado con tanta bondad, porque los judíos no eran el único pueblo subyugado. El rey dispuso que los códigos de construcción de los tiempos fuesen observados, que los cofres del rey cubrieran todos los gastos, que fuesen devueltos los implementos del templo llevados por Nabucodonosor, y que la adoración al Dios verdadero fuese restaurada. Todo, por el buen testimonio de algunos del pueblo de Israel.

Lo más destacado es que el Señor nunca los había abandonado. Estuvo con ellos en lo peor del cautiverio y fue quien lo ordenó todo. Esdras reconoce la bondad de los monarcas, pero pone por encima de todo esto que fue «por orden del Dios de Israel».

Es bueno disfrutar de las bondades que los hombres nos pueden dar, pero nunca a costa del reconocimiento de la intervención de Dios en nuestro favor. Es el Señor quien vela por sus hijos, y jamás debemos olvidar ninguno de sus beneficios. «Bendice, alma mía, a Jehová, y no olvides ninguno de sus beneficios» (Sal. 103: 2). Por difíciles que sean las pruebas, nunca se debe olvidar que Jehová vela por los suyos, y que, en su momento, intervendrá con fuerza para beneficio de los que confían en él.

Que hoy sea otra oportunidad de recordar y reconocer los beneficios de nuestro Dios.

Esdras 6: 1 - 7: 28; Apocalipsis 6: 1-17

Fe o presunción

> Pues tuve vergüenza de pedir al rey una tropa de soldados y jinetes que nos defendiesen del enemigo en el camino, porque habíamos hablado al rey diciendo: «La mano de nuestro Dios es para bien sobre todos los que le buscan, pero su poder y su furor están sobre todos los que le abandonan».
>
> ESDRAS 8: 22

Se dice que «el éxito tiene muchos padres, pero el fracaso siempre es huérfano». Cuando se sabe que algo va a tener éxito, muchos se suben al carro de tal empresa. En el caso de Esdras, si él hubiera pedido escolta para el viaje, seguramente la habría conseguido. Hacer la travesía sin contratiempos era muy deseable, pero lo importante era que el nombre del Señor fuese glorificado en todo. La ayuda de parte de las autoridades habría sido interpretada que el milagro era atribuible a ellas.

Las continuas luchas en los territorios mesopotámicos a lo largo de los siglos habían acostumbrado a sus habitantes a sobrevalorar la importancia de la fuerza bruta, de modo que la mera presencia de una escolta habría profundizado el sentimiento en algunos de que Persia "la fuerte" todo lo podía.

A diferencia del viaje posterior de Nehemías, en el que sí hubo escolta (Neh. 2: 9), puesto que iba como gobernador de Judea, el regreso de Esdras tenía que hacerse sin un atisbo de sospecha de que el brazo humano lo hizo posible. Dios no necesitaba ayuda externa para mostrar que él podía encargarse de sus asuntos. No pedir escolta era un asunto de fe. Nadie se atrevía a realizar ese trayecto sin una fuerte presencia militar. La fe de Esdras daba gloria al Dios del cielo, y por eso él y su séquito salieron confiados en la protección divina.

El cristiano debe vivir constantemente pendiente de las formas en que puede glorificar a Dios. Aunque pedir ayuda no es pecado, y, de hecho, cuando salían de Egipto, los israelitas fueron instruidos a pedir riquezas a sus vecinos, las circunstancias en el caso de Esdras eran otras.

El cristiano debe constantemente evaluar su forma de actuar. Alcanzar el fin a cualquier coste no debe ser nuestra forma de actuar. Alcanzar el fin para la gloria de Jehová es lo que debemos buscar. Con razón Pablo nos insta a hacerlo «todo para la gloria de Dios» (1 Cor. 10: 31). Pensemos en la gloria debida a Dios; pensemos en agradarle en todo.

Arrepentimiento y conversión

Digno ejemplo tenemos en Jesucristo para saber cómo tratar al pecador. Conocemos y repetimos la verdad bíblica de que Dios odia el pecado, pero ama al pecador. Sin embargo, muchas veces el trato con los

> Levántate, porque esta es tu obligación, y nosotros estaremos contigo; esfuérzate, y pon mano a la obra.
> ESDRAS 10: 4

que han cometido una falta deja mucho que desear. Por supuesto, no es cuestión de ponerse a jugar con las normas de la iglesia, pero sí de llamar la atención a la forma como se pretende corregir al pecador.

El caso era grave en el pueblo de Dios y hasta parecía cruel que familias enteras tuvieran que separarse. La forma en que se iba a tratar el caso era crucial en la resolución del problema. El sacerdote no actuó de forma irracional o descuidada, sino que respetó los sentimientos y el bienestar de cada uno de los "pecadores" involucrados.

«Con infinita paciencia y tacto, y con una cuidadosa consideración de los derechos y el bienestar de todos los afectados, Esdras y sus asociados procuraron conducir por el camino correcto a los penitentes de Israel. Sobre todo lo demás, Esdras enseñó la ley; y mientras dedicaba su atención personal a examinar cada caso, procuraba hacer comprender al pueblo la santidad de la ley, así como las bendiciones que podían obtenerse por la obediencia» (PR 458-9).

No sacrificó principios, pero sí mostró amor tierno para los que habían cometido el pecado de tomar mujeres extranjeras. Es toda una lección para afrontar los desafíos en la iglesia. Que una persona se haya portado como un diablo no nos da licencia para portarnos como un diablillo. Los principios cristianos deben prevalecer hasta en la dolorosa tarea de disciplinar a un pecador.

La reprensión no debiera ser motivo de crear un enemigo, sino, simplemente, de hacer que un pecador se dé cuenta de su pecado y proceda al arrepentimiento. ¡Qué bonito es ver a pecadores arrepentirse de su pecado porque se les trató como Cristo lo habría hecho! Demostrar amor para el que yerra ha hecho que más de uno se arrepintiese de su pecado y se mantuviese dentro de la iglesia sin llegar a ser enemigo de ella.

Mantengamos las normas de la iglesia, pero también respetemos la dignidad humana, hasta del peor pecador, porque para este también Cristo derramó su sangre.

Esdras 10: 1-44; Apocalipsis 8: 1 - 9: 21

Ningún cristiano es una isla

Palabras de Nehemías hijo de Hacalías. Aconteció en el mes de Quisleu, en el año veinte, estando yo en Susa, capital del reino, que vino Hanani, uno de mis hermanos, con algunos varones de Judá, y les pregunté por los judíos que habían escapado, que habían quedado de la cautividad, y por Jerusalén.
NEHEMÍAS 1: 1-3

Cada sociedad tiene sus costumbres, que pueden ser ofensivas para otras sociedades. Se dice que entre los "latinos", no importa cuántas veces se encuentre uno a una persona en un mismo día, siempre hay un saludo afectuoso de «¿Cómo estás?», o cosas por el estilo. En cambio, hay otras sociedades en las que, una vez saludado, te puedes dar por saludado para todo el día. El razonamiento es: «Si ya te saludé, ¿qué más quieres?»

Estas son prácticas a las que no siempre prestamos atención, pero son importantes. Algunos, por no ser tildados de entremetidos, no se atreven a indagar sobre la salud o el bienestar de los demás.

Nehemías muestra interés en los demás, especialmente en la vida espiritual de los judíos que habían regresado a Jerusalén. Tenía interés en el bienestar espiritual de sus hermanos que habían abandonado el exilio y vuelto a Judea. La información que recibió no fue muy buena. Aparentemente, los hermanos estaban abatidos. Habían iniciado la reconstrucción del muro pero los samaritanos lo habían derribado otra vez, y estaban desanimados.

Nehemías sintió gran preocupación por ellos, pero no se quedó ahí, sino que buscó autorización para ir personalmente a ver qué estaba pasando. El bienestar de los demás era importante para él, especialmente si se trataba de la vida espiritual. Nehemías reconocía que él era guarda de su hermano.

¡Hay tanta gente a nuestro alrededor que anhela un poquito de atención! Desean que alguien se interese en ellos, necesitan compartir su pena con alguien con un oído comprensivo. Aunque es verdad que todos podemos llegar con nuestras penas y ponerlas sobre nuestro Salvador, no es menos cierto que, como cristianos, podemos procurar hacer más llevadera la carga de los demás. «Sobrellevad los unos las cargas de los otros, y cumplid así la ley de Cristo» (Gál. 6: 2).

Por la gracia de Cristo, hagamos la vida más llevadera hoy para nuestros hermanos y también los que no son de la fe.

Nehemías 1: 1 - 2: 20; Apocalipsis 10: 1 - 11: 19

Los jardines de los reyes

Een la Biblia se habla de jardines en muchas ocasiones. Muchos de los grandes acontecimientos de la relación entre Dios y el hombre tuvieron lugar en un jardín. Es un buen ejemplo de la importancia de estar en la naturaleza para comunicarnos con Dios. Si bien es verdad, como dice Salomón, que no hay edificio o lugar lo suficientemente grande para contener a Dios, no es menos cierto que tampoco hay lugar específico en la naturaleza capaz de abarcarlo. Aunque Dios es tan grande que no cabe en el universo, nos ama tanto que quiere habitar en el corazón de todos sus hijos.

> La puerta del Manantial la restauró Salum hijo de Coljoze, jefe del distrito de Mizpa. Él la reedificó, la proveyó de cubierta y colocó sus puertas, con sus cerraduras y sus cerrojos; también el muro del estanque de Siloé, hacia el jardín del rey y hasta las escalinatas que descienden de la Ciudad de David.
> Nehemías 3: 15

Al hablar del jardín del rey, Nehemías nos hace recordar que era el lugar donde posiblemente el rey y la familia real acostumbraban pasear y pasar buenos ratos. El jardín es un lugar de delicia, aunque el enemigo intentó convertir tan bello lugar en un lugar de espinas y cardos. Al hablar de un jardín, automáticamente nos acordamos de ese lugar de paz, pero que el pecado hizo que nuestros primeros padres tuvieran que abandonarlo y salir a un lugar donde tenían que esforzarse para lograr su sustento. El jardín del Edén fue también el lugar donde Dios hizo la promesa segura de la salvación de que el Hijo de Dios aplastaría la cabeza de la serpiente para así dar salvación a la humanidad.

De este jardín primigenio nos desplazamos a otro en el que ocurrió algo trascendental para la familia humana. En el jardín de Getsemaní el Señor sudó sangre para darnos la salvación. Los hechos salvíficos obrados allí son dignos de nuestra contemplación constante, y por la eternidad le daremos a Dios las gracias por ellos.

El tercer jardín de importancia primordial es el jardín de mi corazón. Es mi privilegio poder invitar al Rey de reyes a pasear por él y, sí, hasta a quedarse a vivir ahí. La presencia de Cristo en el corazón será perceptible para todos, pues abundarán en nuestra vida las flores y los frutos del Espíritu para el deleite de los demás.

¡Todos menos yo!

> Y la adoraron todos
> los moradores
> de la tierra
> cuyos nombres
> no estaban escritos
> en el libro de la vida
> del Cordero que fue
> inmolado desde
> el principio
> del mundo.
> APOCALIPSIS 13: 8

Aceptar a Cristo y llegar así a ser hijo de Dios (Juan 1: 12) da una autonomía a la persona difícil de imaginar antes de dar ese paso. Aceptar a Cristo da a la persona el poder de resistir el mal, autoridad para testificar, y para mantenerse del lado de la verdad aunque se desplomen los cielos.

El engaño será tal que los que ahora disfrutan adorando las cosas de "la bestia" acabarán cayendo fácilmente en sus garras. Las cosas que la hacen sobresalir son su poder, su autoridad, su dominio, su capacidad de razonar hasta con sus enemigos y apaciguarlos y triunfar sobre ellos. Los que ahora admiran estas cosas caerán en las garras del engaño.

La autoridad moral que actualmente ejerce este poder hace que muchos gobernantes busquen su consejo. La capacidad de razonar e ir de causa a efecto que ejerce este poder actualmente hace que hasta los que rechazan a Dios tiendan a admirarlo y reverenciarlo. Las ceremonias suntuosas, que llaman la atención y despiertan la admiración de muchos, serán la razón por la cual muchos que no están firmemente arraigados en Cristo caigan en el día de la manifestación de esta autoridad.

El tiempo se aproxima cuando el cristiano tendrá que hacer frente a todo el mundo y saber en quién ha creído y mantenerse del lado de la verdad. El engaño diabólico será tan convincente que hasta los escogidos pueden ser engañados. El secreto es estar «escrito en el libro de la vida del Cordero».

En otras palabras, no serán las armas de "la bestia" las que nos puedan dar victorias. Depender de nuestro raciocinio, buscar meramente una autoridad moral y saber discernir entre el bien y el mal, y tener ceremonias y prácticas para atraer y mantener a los creyentes no podrán darnos la victoria sobre "la bestia". Eso solo puede hacerlo el estar escrito en el libro de la vida del Cordero, es decir, conocer tan bien a nuestro Señor que el más sofisticado engaño no nos pueda hacer cambiar de opinión.

La garantía de la victoria es conocer a Cristo ahora, y evitar las prácticas que son las armas de "la bestia".

Hay muchos pronósticos de lo que habrá en el cielo. Una cosa es cierta: en el cielo, Cristo será el centro de toda actividad y atención. Juan tuvo el privilegio de ver lo que había en el cielo, y lo describe para nuestra edificación y atención. Los salvos, representados por los 144.000, son importantes, pero lo más importante es «el Cordero de pie sobre el monte Sión». Nada ni nadie más atrajo tanto la atención del vidente.

> Y miré, y he aquí el Cordero de pie sobre el monte Sión, y con él estaban los 144.000, que tenían su nombre y el nombre de su Padre escrito en sus frentes.
> APOCALIPSIS 14: 1

Jesús será el tema de todos los cantos en el cielo y de toda conversación; los labios nunca se cansarán de contar lo que ha hecho. Los redimidos cantarán un canto que nadie más puede cantar porque solo ellos estuvieron un día perdidos. El Cordero nos da el derecho a ese título único de antes perdidos y ahora salvos. Ningún otro ser en todo el universo tiene tal privilegio.

La escena será de gran gozo. «Y miré, y he aquí el Cordero de pie sobre el monte Sión, y con él estaban los 144.000». Ellos daban gloria y honra al Cordero. Si Cristo ha de ser el centro de toda adoración y atención en el cielo, es preciso que también lo sea hoy en la vida de cada uno de nosotros. Tener a Cristo como el centro de la vida es aceptar su dirección; es vivir la vida que él vivió; es estar dispuestos a hacer la voluntad que él nos ha mostrado.

Allí no habrá más llanto, pues Cristo es el centro de todo. Allí no habrá más dolor, pues Cristo estará cerca y donde está él no puede haber tales cosas. En la presencia del Señor no habrá nada de lo que hoy nos aflige. Ahora, a través de las lágrimas, podemos ver al Cordero, quien nos consuela. Entonces, a través de las risas podremos ver al Codero, quien será el centro de nuestro gozo. Ahora, en las luchas contra el mal y el pecado, podemos sentir la mano segura de nuestro Cristo que nos sostiene. Entonces, por la eternidad le agradeceremos por haber sido nuestro sustento en la lucha contra el mal y por su victoria sobre el enemigo que tanto nos ha atormentado. Una cosa es cierta: cuando se nos dice que el mal no se levantará ni allí habrá pecado, es porque no habrá tiempo de pensar en estas cosas, ni de contemplar las cicatrices de la lucha, porque todo aliento, todo pensamiento y toda energía serán usados y dirigidos a la adoración del Cordero.

No estés con la mayoría

> Habitaron los jefes del pueblo en Jerusalén; mas el resto del pueblo echó suertes para traer uno de cada diez para que morase en Jerusalén, ciudad santa, y las otras nueve partes en las otras ciudades. Y bendijo el pueblo a todos los varones que voluntariamente se ofrecieron para morar en Jerusalén.
>
> NEHEMÍAS 11: 1-2

En momentos de crisis es cuando se conoce la verdadera madera de la persona. El cristiano debe saber que no habrá paz mientras estemos en esta tierra. Si no fuera por la determinante intervención de los ángeles del Señor, muchos no sobrevivirían los embates diabólicos. Cuando se recrudece la lucha se revelará quiénes no se cruzan de brazos. Son los que no se arrodillan para tomar agua, porque reconocen que no hay tiempo que perder.

Jerusalén era el lugar más peligroso de la nación y la mayoría del pueblo preferiría estar donde las cosas no estaban tan candentes, donde podían disfrutar de cierta calma y tranquilidad.

Los líderes del pueblo reconocieron su responsabilidad de engrandecer su capital y, por eso, subieron a vivir en Jerusalén, pero buena parte del pueblo era reacio a cambiar su lugar de residencia. Hubo alegría cuando se presentaron voluntarios para engrosar la lista de habitantes de la capital. Otros, en los que recayó la "suerte", tuvieron que trasladarse a pesar de sus propios deseos.

¡Qué alivio para el indolente cuando los responsables dan un paso adelante para hacer la tarea! En muchos casos, es una minoría quien se ofrece para hacer el trabajo. Hace un siglo, el economista italiano Vilfredo Pareto descubrió lo que hoy se denomina el *principio de Pareto,* o *principio 80-20,* que postula que el 20% de los trabajadores hacen el 80% del trabajo, o, en términos económicos, que el 20% de la población controla el 80% de las riquezas, etcétera.

Las enseñanzas de Jesús adquieren urgencia en nuestros tiempos, porque «entre vosotros no será así». Lamentablemente, en la iglesia no es diferente. En muchas congregaciones son casi siempre los mismos los que dirigen. No por falta de gente capaz, sino porque hacen falta voluntarios que reconozcan el privilegio que el Señor nos da de entrar en su servicio. Cuando la mayoría de los miembros se unan con los ministros, podremos esperar ver la terminación de la obra y a nuestro Señor regresar en gloria. No formemos parte del 80% de indolentes, sino del 20% de personas activas en terminar la obra del Señor.

Nehemías 10: 1 - 12: 47; Apocalipsis 15: 1 - 16: 21

La influencia de una madre

Los hijos normalmente aprenden el idioma en el que su madre se dirige a ellos. Cuando están en un país con otro idioma, los niños descubren que tienen que usar otra lengua para desenvolverse en la sociedad. Hay casos tristes de padres que privaron a sus hijos del privilegio de aprender otro idioma por hablar en casa la lengua del país, con lo que los hijos nunca aprendieron el idioma de sus padres.

> Vi asimismo en aquellos días a judíos que habían tomado mujeres de Asdod, amonitas, y moabitas; y la mitad de sus hijos hablaban la lengua de Asdod, porque no sabían hablar judaico, sino que hablaban conforme a la lengua de cada pueblo.
> NEHEMÍAS 13: 23-25

En la historia de hoy, Nehemías acusa a los que violaron los mandamientos de Jehová tomando mujeres extranjeras como esposas. Naturalmente, ellas enseñaron el idioma de su país de origen a sus hijos. Algunos opinan que lo que hablaban los hijos no era ni lo uno ni lo otro, sino una mezcla del idioma de su madre y el idioma del país. Otros comentaristas creen que el asunto del idioma causó divisiones en la familia, porque parte de los hijos hablaban una cosa y la otra parte hablaba otra cosa. En todo caso, lo importante en este asunto no es tanto el idioma que se hablase, sino el problema generado por la transgresión de la indicación dada por Dios.

La Biblia dice que las muchas mujeres de Salomón hicieron que se desviara su corazón de Jehová. Ese es también el meollo de este problema que menciona Nehemías. No es solamente un idioma extraño que las madres enseñaran a sus hijos, sino que la cultura que implantaban en sus hijos era ajena a las enseñanzas de Jehová. La religión de las madres, sus costumbres, sus hábitos culinarios... eran todas cosas que llegaron a socavar el fundamento de la nación. Por eso reaccionó Nehemías tan fuertemente contra la práctica de tomar mujeres extranjeras. No era por discriminación, sino por el peligro de que estas mujeres desviaran a sus hijos y esposos. Esto nos lleva a entender la importancia de guiar a nuestros hijos para que escojan el camino del Señor.

Con todo, abstengámonos de acusar a padres cuyos hijos abandonan la fe. Nuestra responsabilidad es «instruir al niño en su camino» y dejar las cosas en las manos de Jehová. Asegurémonos de que nuestros hijos crezcan conociendo el idioma, la cultura, las costumbres y las expectativas del pueblo de Dios.

Nehemías 13: 1-31; Apocalipsis 17: 1 - 18: 24

No te aproveches de la oportunidad

> Y dijo Memucán delante del rey y de los príncipes: «No solamente contra el rey ha pecado la reina Vasti, sino contra todos los príncipes, y contra todos los pueblos que hay en todas las provincias del rey Asuero».
>
> ESTER 1: 16

En la historia de Ester resalta la forma milagrosa en que el Señor libró a su pueblo. La historia también realza que la trampa urdida contra los hijos de Dios resultó en castigo para los enemigos de estos. Otra lección de la historia es que hay que ser fiel pese a las consecuencias. Las palabras de Ester, «… y si perezco, que perezca» (Est. 4: 16), son una inspiración para los que son «fieles al deber como la brújula al polo» y no temen estar de parte de la verdad «aunque se desplomen los cielos».

Pero hay otra lección no muy mencionada en la historia. Es la base para la decisión de Asuero para deshacerse de Vasti. Vasti gozaba de privilegios poco comunes entre las mujeres de su tiempo, y tales cosas habían creado cierta inquietud entre los gobernantes persas. Además, el rey había decretado que, durante la fiesta, nadie fuese obligado a beber (Est. 1: 8). La negativa de Vasti de comparecer ante su esposo borracho no carecía totalmente de razón.

Por mucho que Asuero se enojase por la negativa de Vasti, sabía que la reina contaba con respaldo jurídico. Por lo tanto, al rey le tocó consultar a los abogados del reino antes de actuar (Est. 1: 13-15). La justificación dada no fue una justificación legal, sino más bien de orden social. Los consejeros indicaron al rey que el futuro del reino estaba en peligro: la autoridad del rey, que apenas llevaba tres años en el poder, estaba en entredicho. «Tus obligaciones para el futuro del reino, oh rey, están por encima de tus sentimientos hacia tu reina. Por mucho que la quieras, aunque ella sea tu "esposa trofeo", cuya belleza te gusta exhibir ante el mundo, tienes que actuar. De no ser así, la misma fibra de la sociedad estaría en peligro. Ya no habrá sumisión de las mujeres en tu reino y, por ende, ningún pueblo sujeto por tu poder tendrá la obligación ni el temor de obedecerte. Llegarías a ser el hazmerreír del reino». Ante semejantes argumentos, el rey tuvo que desterrar a Vasti y privarla de todos sus poderes.

Cuidemos las razones que hay detrás de nuestros actos. No es correcto aprovecharse de una situación para lograr otros fines. Que siempre obremos de acuerdo a los principios de nuestro Dios.

Ester 1: 1 - 3: 15; Apocalipsis 19: 1 - 20: 15

30 junio
Hazlo según tus fuerzas

Cuando hay peligro de muerte, el tiempo, la distancia y el costo son elementos de importancia secundaria. Cuando se sabe que la inacción puede causar pérdida de vidas, hay que poner todo el empeño por lograr el bien de los demás.

Los correos, pues, montados en caballos veloces, salieron a toda prisa por la orden del rey; y el edicto fue dado en Susa capital del reino.
ESTER 8: 14

El asunto de la supervivencia del pueblo hebreo en el seno del Imperio persa y los que participaron en el drama son mencionados muy a menudo. La determinación de Ester, la sabiduría e insistencia de Mardoqueo, la maldad de Amán, la buena voluntad y la justicia del rey Asuero, hasta los personajes anónimos que ayunaron y oraron para la salvación del pueblo son motivo habitual de recuerdo. Sin embargo, hubo otro grupo anónimo de participantes de quienes dependió la salvación del pueblo hebreo: los correos a caballo. Teniendo en cuenta el terreno que había que cubrir, se trataba de toda una prueba contrarreloj. La distancia y el tiempo eran sumamente esenciales para el éxito de la empresa de salvar a los judíos. Había 127 provincias desde la India hasta Etiopía, un territorio inmenso, carente de las buenas carreteras que tendría más tarde el Imperio romano. Existía además el peligro de asaltos y robos en cualquier recodo del camino.

Lo importante de aquellos jinetes era que se trataba de hombres dedicados a la tarea. Había una misión que cumplir, y ni el tiempo ni la distancia iban a impedir el cumplimiento de tal misión. Salvar a los judíos era lo más importante. Quizás algunos de ellos estuvieron montados por largos días, y puede ser que hasta reventaran a su caballo en el afán de llegar a tiempo, sin tomar tiempo para descanso del jinete o de su cabalgadura.

Lo importante es que no descansaron hasta cumplir la misión. En este ejemplo de dedicación el pueblo de Dios debería tomar inspiración para la misión que nos toca. Se avecina un día de destrucción. Hay millones que perecerán, y nosotros somos los jinetes con la cabalgadura veloz para hacerles saber de la destrucción venidera. Los jinetes en la historia de Ester no descuidaron la misión de llevar la salvación. Se espera del pueblo de Dios en estos últimos tiempo igual o mayor fervor en la salvación de las almas. Pongamos todo nuestro empeño para dar vida a los que están pereciendo en el pecado.

Ester 4: 1 - 6: 14; Apocalipsis 21: 1 - 22: 21

El camino a mi corazón

> Como está escrito en el profeta Isaías: «He aquí envío mi mensajero delante de ti, quien preparará tu camino. Voz del que proclama en el desierto: "Preparad el camino del Señor; enderezad sus sendas"».
>
> MARCOS 1: 2, 3

La voz que clama en el desierto demanda un camino para el Señor, un camino preparado, porque es un camino en el desierto. El desafío personal es estar atentos a la voz del Maestro y prepararle camino en nuestro corazón. Para esto hay que prestar atención a las cuatro directrices mencionadas en el texto.

«Todo valle será rellenado». Hay que deshacerse de toda duda y desesperación. Todo pensamiento egoísta y carnal debe hacer camino para que el Espíritu de Dios more en nosotros. Hay que salir de la profundidad del valle para, con la ayuda del Espíritu Santo, estar en las alturas de Jehová, permitir que se proyecte una senda gloriosa que lleve a la presencia del Señor.

«Y toda montaña y colina serán rebajadas». El orgullo, la autosuficiencia y la sensación de ser mejores que los demás deben bajarse al nivel donde opera el Espíritu Santo, es decir, con los humildes. Solamente allanando tales "colinas" puede el Señor tener comunión con sus hijos. Tal comunión no se puede efectuar con los altivos, orgullosos y autosuficientes. El Señor considera a los contritos y humildes de corazón. Los altivos son una abominación para él. Debemos permitir que el Espíritu Santo allane las colinas de nuestra vida.

«Los senderos torcidos serán enderezados». El corazón dubitativo debe llegar a conocer un sendero derecho, que no vacile en cuanto a las cosas de nuestro Dios, que no se agite de un lado al otro con cualquier viento. Las señales de tal sendero deberían ser una firme determinación y «santidad a Jehová». Dios no aprecia las mentes vacilantes. Claudicar entre dos pensamientos no debiera ser la práctica ni la costumbre de los hijos de Dios.

«Y los caminos ásperos, allanados». Las piedras de tropiezo, puestas por el pecado, deben ser quitadas; toda espina de rebelión, arrancada. Los visitantes al jardín de nuestra vida no debieran encontrar ninguna de estas cosas que pueda impedirles aprender a andar con el Señor. Todos los hijos de Dios, por los méritos de Jesús, debiéramos ser cartas abiertas, sin espinas ni estorbos para los demás.

Ester 7: 1 - 10: 3; Marcos 1: 1-45

Para acusar sí eres bueno

L a pregunta de Satanás a su Hacedor, aunque basada en la realidad, no tenía buenas intenciones. La malintencionada pregunta no era tan-

> Y Satanás respondió a Jehová diciendo: «¿Acaso teme Job a Dios de balde?»
> Job 1: 9

to para hacer resaltar las virtudes de Job como para lanzar un ataque cruel contra Dios. Se insinuaba que Dios era injusto por proteger a Job, pues supuestamente el patriarca no lo merecía. Además, Satanás afirmaba que la única razón por la que Job obedecía era por el trato de favor que recibía de Dios.

Hay quien se siente animado a seguir a Dios por los beneficios materiales que suponen que les reportará semejante relación. Sin embargo, Dios no obra así. Si bien recompensa a los fieles, es también cierto que él quiere nuestra lealtad tanto cuando las cosas nos sonríen como cuando hay dificultades. Cuando servimos a Dios por lo que él nos da o por lo que hace por nosotros, estamos dándole la razón a Satanás. Si nuestro servicio a Dios depende únicamente de los beneficios materiales que obtenemos, entonces el diablo ya ha ganado la partida, pues nosotros mismos hemos dado los primeros pasos que nos apartarán del Salvador cuando llegue alguna adversidad.

La iglesia adventista no enseña la teología de la prosperidad, que es aquella que proclama que los beneficios temporales son la prueba más clara de la bendición de Dios. Cierto es que creemos que el Señor bendice a los fieles, pero tal confianza no nos lleva a la conclusión equivocada de que toda adversidad es signo inequívoco de la maldición de Dios.

Satanás no solo acusó a Dios de soborno, sino que también acusó a Job ante Dios y sus "amigos" con el fin de tratar de destruir la fe del patriarca con la aseveración de que estaba siendo castigado por Dios. Como acusador es el mejor que hay. Las personas que se pasan la vida buscando de qué acusar a su prójimo simplemente están siguiendo el camino que hace tanto tiempo trazó Satanás, cuya actividad favorita consiste en hacer que los hijos de Dios pequen para luego echarle a Dios en cara la debilidad de los creyentes. Que el Señor nos ayude a ser fieles en la prosperidad, y que nos dé sabiduría para que, cuando la situación que nos rodee no sea tan halagüeña, aprendamos a seguir a nuestro Salvador, no por las bendiciones, sino porque lo amamos con todas nuestras fuerzas.

Job 1: 1 - 2: 13; Marcos 2: 1-28

La inacción no es una opción viable

Y les dijo: «¿Es lícito en los días de reposo hacer bien, o hacer mal; salvar la vida, o quitarla?» Pero ellos callaban.
MARCOS 3: 4

En su conversación con los que le andaban poniendo trampas, Jesús enseñó que la inacción no es una opción aceptable. El hecho de que el Señor nos indicase que guardásemos el sábado no es razón para pensar que no debemos hacer nada ese día. El día de reposo no es un día de ocio. Es el día en el que las actividades cambian para concentrarse exclusivamente en Jehová.

Las opciones presentadas por Jesús no incluía el no hacer nada. El sábado era para hacer el bien o el mal, pero nunca para hacer la nada. El sábado era para salvar la vida o quitarla, pero no para ignorarla. Lógicamente, los verdaderos hijos de Dios no consideran las opciones negativas. Nunca ven en el mandato de Dios una licencia para hacer el mal o practicar la maldad en sábado o en otros momentos. Si acaso hay que decidirse por una opción, sería la opción de Cristo de hacer todo el bien a cuantos podamos, de contribuir en la salvación de las almas de cuantos se crucen con nosotros, sea en sábado o en cualquier otro día de la semana.

¡Cuántas veces nuestras actuaciones en sábado son causantes de grandes males! ¡Cuántas personas llegaron a un templo en sábado para salir y jamás regresar! Y eso, simplemente, por el trato que recibieron el sábado en la casa de Jehová.

No solo presenta Jesús la opción del bien o del mal en sábado, sino que también presenta las opciones de quitar o salvar una vida. Lógicamente, no vamos a hablar del uso de armas para quitar vidas en sábado. Sin embargo, sí podemos hablar de actitudes que pueden impedir la salvación de una vida en el día del Señor en la casa de nuestro Dios. Una palabra dura, una mirada de reproche injustificado, una actitud de falta de caridad cristiana, una conversación de desánimo y de busca de pleitos... son todas formas de causar la pérdida de un alma para la eternidad.

Estemos pendientes para que no estemos inactivos en el día del Señor. Que nuestras actividades redunden para el bien y para la salvación de las almas. Hagamos del día del Señor para los demás lo que Dios quiere que sea para nosotros: delicia, paz y afirmación de nuestra salvación en Jesús.

4 julio

No tienes de qué quejarte

La situación de Job no era nada agradable. Él intentaba dar explicaciones de su propia perspectiva, pero sus amigos no paraban de verter acusaciones poco veladas acerca de su estado.

> ¿Acaso gime
> el asno montés
> junto a la hierba?
> ¿Muge el buey
> junto a su pasto?
> Job 6: 5

En su afán de dar explicaciones, Job dependía de que los demás considerasen su vida antes de su desgracia. No había sido una persona de quejas ni murmuraciones, sino un creyente fiel y feliz con lo que viniera del Señor. Sin embargo, muy pocos entendían su situación real en aquel momento. Además, las acusaciones y pseudoanálisis de la situación por parte de sus amigos más bien le causaban más dolor.

Tenazmente, Job resistió tales "consuelos". Ante las observaciones de que él no tenía de qué quejarse, sino más bien reconocer su "pecado", hizo una doble pregunta que para el lugar y el tiempo era fácil de entender. «¿Acaso gime el asno montés junto a la hierba? ¿Muge el buey junto a su pasto?» Dicho de otra manera, si el asno o el buey tienen qué comer, ¿por qué van a llamar la atención de que tienen hambre? Ante abundante comida, cuanto hay que hacer es disfrutarla. Si hay alimentos disponibles, no podemos quejarnos de su ausencia. En un banquete, todo lo que hay que hacer es comer.

El cristiano que se da cuenta del alimento espiritual que tiene por delante, no tiene tiempo de quejarse. Tiene la Palabra de Dios, de la cual puede saciarse espiritualmente todos los días y en toda circunstancia. Dicho de otra manera, cuando mostramos un espíritu de desdicha, o nos pasamos el tiempo murmurando y quejándonos de todo, estamos despreciando el banquete espiritual que el Señor nos pone por delante. El cristiano puede vivir cada día buscando la mejor manera para representar a Cristo. Una vida de gozo y felicidad, a pesar de las circunstancias, es una muestra de que no estamos llorando ante un plato suculento. «Si representamos verdaderamente a Cristo, haremos que su servicio parezca atractivo, como es en realidad. Los cristianos que llenan su alma de amargura y tristeza, murmuraciones y quejas, están representando ante otros falsamente a Dios y la vida cristiana. Hacen creer que Dios no se complace en que sus hijos sean felices, y en esto dan falso testimonio contra nuestro Padre celestial» (CC 117-8).

Job 6: 1 – 7: 21; Marcos 4: 1-41

No seas tan sensible

Mis días han sido más ligeros que un correo; huyeron, y no vieron el bien. Pasaron cual naves veloces; como el águila que se arroja sobre la presa. Si yo dijere: «Olvidaré mi queja, dejaré mi triste semblante, y me esforzaré», me turban mis dolores; sé que no me tendrás por inocente.
Job 9: 25-28

Es doloroso tratar con gente que es tan sensible que todo la ofende. Tales personas sufren de tales complejos que el vocabulario se le queda corto a la ciencia para describir sus multiformes fobias. Los hay que incluso sospechan de críticas hacia ellos cuando ven a dos personas hablar. En los casos más serios, llegan a conclusiones y no hay forma de convencerlos de que las cosas no son como ellos las perciben. Se ofenden fácilmente y reaccionan violentamente, en la mayoría de los casos injustificadamente.

Lo manifestado por Job en sus quejas contra Dios parece encuadrarse en tal sintomatología. Es amarga su queja, y él reconoce que daría rienda suelta a su amargura. Si en ese momento tan solo hubiese podido entender el camino de Dios, su reacción habría sido la que tuvo más tarde.

Se debe reconocer que Dios tiene propósitos que no siempre alcanzamos a entender. Las pruebas que nos vienen de vez en cuando se deben ver como parte de la disciplina de Jehová. Por difícil que parezca la situación, en el esquema de las cosas que Dios contempla, el Señor tiene un propósito para el bien. Las aflicciones son como el terciopelo oscuro que usan los joyeros para hacer destacar con mayor belleza una joya preciosa.

En nuestro contacto con otros seres humanos, en nuestra relación con Dios y en los afanes de la vida, debemos siempre dar un paso atrás antes de permitir que las cosas que no entendemos nos lleven a depresiones y nos hagan sufrir innecesariamente. Es mejor cerciorarse de las intenciones y propósitos de los demás, antes de llegar a conclusiones erróneas.

La Biblia nos enseña en más de una ocasión el principio de la espera, de no precipitarnos y, especialmente, de no llegar a conclusiones sin tener suficientes elementos de prueba para no equivocarnos en nuestras apreciaciones. Sí, también hoy, espera, alma mía, en Jehová, y no te precipites en tus conclusiones. Conoce el camino de Dios y tendrás satisfacción en entender que, hasta en las pruebas reales, Dios tiene un propósito noble para con cada uno de nosotros.

Job 8: 1 - 10: 22; Marcos 5: 1-43

6 julio
El descanso no es ociosidad

Se cuenta que el alcalde de cierta aldea decidió remozarla, para lo que se construyó una torre con un reloj para guiar las actividades de los aldeanos. Tiempo después, un visitante llegó a la aldea y se dio cuenta de que la gente dormía durante el día y trabajaba de noche. No entendiendo el asunto, decidió preguntar la razón de esa anomalía. La respuesta fue que desde que se había instalado el reloj, el sol se ponía cada vez más temprano de acuerdo al reloj. Las horas del día acabaron siendo oscuras, mientras que las de la noche tenían luz. «Somos una aldea única, donde el sol cambió su ciclo. Queremos pedir al Gobierno de la nación que nos reconozcan como la única aldea donde esto ocurre».

> Él les dijo: «Venid vosotros aparte a un lugar desierto, y descansad un poco». Porque eran muchos los que iban y venían, y ni siquiera tenían oportunidad para comer.
> MARCOS 6: 31

La verdad era que el nuevo reloj iba atrasado porque algunos pájaros habían hecho un nido en el mecanismo. Los aldeanos dejaron que la tiranía del reloj modificase todas sus costumbres. Cuando uno es controlado por condiciones similares, pierde la noción de la realidad. Por otra parte, uno puede estar tan atareado en lo "urgente" que se olvide de lo necesario.

Jesús se dio cuenta de esto, e invitó a sus discípulos a acompañarlo a descansar y tomar aliento. Por supuesto, no era cuestión, como algunos han sugerido, de que Jesús fuese contrario al trabajo. Él mismo aprobó el trabajo, pero también enseñó que debemos ser equilibrados. Nuestro Creador sabe que no somos eternos y que el descanso es esencial para la prolongación de la vida.

Es interesante que Jesús no invitase a sus discípulos a ir solos al descanso, sino que el texto incida en que la invitación era a ir con él al descanso. Solo en Cristo se consigue el verdadero descanso. La invitación era para atender asuntos emocionales, pues acababan de enterarse de la muerte de Juan Bautista. «Venid y descansar conmigo» nos enseña que podemos confiar plenamente en nuestro Señor en los momentos más difíciles de la existencia.

La invitación era para descansar de la carga espiritual. Los discípulos tenían que trabajar para comer. La invitación para dejar el trabajo y estar con Cristo nos indica que Jesús les quería asegurar que no con el mucho afán se logran las cosas, y que hay que poner a Dios primero.

Job 11: 1 - 14: 22; Marcos 6: 1-56

Ceremonias sin sustancia

> Porque los fariseos
> y todos los judíos,
> aferrándose
> a la tradición
> de los ancianos,
> si muchas veces
> no se lavan
> las manos,
> no comen.
> Marcos 7: 3, 4

El empeño de los enemigos de Jesús por encontrar de qué acusarlo era grande. Entendían que su mejor baza era acusarlo de enseñar cosas contrarias a las tradiciones de los padres.

La verdad es que el asunto de lavarse a las usanzas de la época no tenía base bíblica, de modo que era simplemente un mandamiento de hombres, no de Dios. Por supuesto, no había nada malo en lavarse, aunque llegó a ser una ceremonia más sin valor. Muchas veces, el lavado ceremonial ni siquiera implicaba un ejercicio de limpieza, siendo que, según se cree, a menudo el agua ni tocaba las manos. Era solo un símbolo de querer limpiarse para así quedar purificado antes de comer.

Las ceremonias vacías muchas veces han hecho de la religión un asunto de mero simbolismo, pero de poca sustancia. Jesús condenó tal actitud como hipocresía, porque se hacía sin el verdadero sentimiento de la necesidad de que Dios actúe en la vida de la persona.

También nosotros corremos el peligro de reducir nuestra experiencia religiosa a meras ceremonias y símbolos. Asistir a los cultos puede llegar a ser un asunto de puro formalismo. No se viene para tener una relación con Dios y los hermanos, sino simplemente para dejar "correr el agua" como si estuviera lavando las manos. Orar puede llegar a ser simplemente un ejercicio rutinario consistente en repetir un rezo y no el abrir el corazón como a un amigo.

Jesús no estaba en contra de las prácticas genuinas de la fe, sino de las rutinas carentes de valor espiritual, pues no se podía reconocer en ellas la adoración a Dios. Eran solo «mandamientos de hombres, para ser vistos por los hombres».

Es importante que el cristiano evalúe sus ceremonias y símbolos para estar seguro de que no son meramente gestos externos, sino ejercicios que profundizan nuestra relación con nuestro Dios y nos ayudan a tener una mejor relación con nuestro prójimo.

Que nuestras oraciones, nuestra asistencia a los cultos y nuestra mayordomía sean de corazón sincero, con el deseo de servir a nuestro Dios, y no meramente para ser vistos y agradar a los hombres.

Job 15: 1 - 17: 16; Marcos 7: 1-37

En mi carne he de ver a Dios

Siempre que se viaja hay la expectativa de hacer algo, ver a alguien o lograr algún objetivo. La gran esperanza del cristiano es llegar a la presencia de Dios, y si esta no es la pasión que nos consume, entonces vana es nuestra fe. Aunque habrá muchas cosas para ver en el cielo, lo más importante será «ver a Dios».

Y después
que hayan deshecho
esta mi piel,
¡en mi carne
he de ver a Dios!
JOB 19: 26

Se puede desear llegar allá para ver las calles de oro, o los muros de jaspe, o las puertas de perla, pero el mayor atractivo será ver a Dios, pues esta es la suma y sustancia del cielo, el mayor anhelo de todo creyente. Aunque ahora es un gozo contemplarlo por medio de la fe, es la esperanza más anhelada del cristiano contemplar su rostro. Si disfrutamos pasando tiempo en oración y teniendo comunión con él ahora, ¿qué será verlo cara a cara? Nuestro Dios no será como un político distante una audiencia de dos minutos con el cual requiera citas con meses de antelación. El Señor no tendrá guardaespaldas que nos mantengan alejados de él. Junto a él no habrá discípulos impidiéndonos el paso para que Cristo tenga que gritar por encima de la multitud e imponer su voluntad diciendo: «Dejadlos venir a mí y no se lo impidáis». El deseo ardiente de nuestro Señor de estar cerca de nosotros no tendrá impedimentos.

Algunos interpretan la frase «en mi carne he de ver a Dios» como una alusión a Cristo como «la Palabra hecha carne». Lo cierto es que, pese a las luchas, los chascos y las cosas que tienden a desanimarnos ahora, todo será hecho nada ante la realidad de ver a nuestro Dios, de entender sus propósitos, de conocer su voluntad plena, de disfrutar eternamente de su bondad. Allí verdaderamente moraré en la casa de mi Dios por largos días.

«Al pueblo peregrino de Dios, que por tanto tiempo hubo de morar "en región y sombra de muerte", le es dada una valiosa esperanza inspiradora de alegría en la promesa de la venida de Aquel que es "la resurrección y la vida" para hacer "volver al hogar a sus hijos exiliados"... El patriarca Job, en la lobreguez de su aflicción, exclamaba con confianza inquebrantable: "Pues yo sé que mi Redentor vive, y que en lo venidero ha de levantarse sobre la tierra... aun desde mi carne he de ver a Dios; a quien yo tengo de ver por mí mismo, y mis ojos le mirarán; y ya no como a un extraño" (Job 19: 25 27, VM)» (CS 88).

Job 18: 1 - 19: 29; Marcos 8: 1-34

Ser el polo opuesto de un imán

> Y en seguida toda
> la gente, viéndole,
> se asombró,
> y corriendo a él,
> le saludaron.
> MARCOS 9: 15

Jesús tenía una personalidad atrayente, y era muy común que la gente se apiñara a su alrededor para estar cerca de él. Hay muy pocos casos en la Biblia donde encontremos que se le dijera que se apartara de ellos. Él decidía a veces apartarse para descansar, pues, en la mayoría de las ocasiones, quienes lo rodeaban no se contentaban con mantenerse a distancia, sino que querían estar cerca de él.

Hay personalidades que resultan repelentes a la mayoría de la gente, que las rehúye, a no ser que sea absolutamente necesario. Jesús no era así. Se puede establecer un contraste entre él y Moisés: cuando este descendió del monte, tenía que cubrir su rostro para no ser visto; el semblante de Cristo, en cambio, con mayor gloria que Moisés, invitaba a que lo miraran y lo admiraran.

Cristo no era una estrella del *rock,* de esas idolatradas y seguidas a todas partes por sus incondicionales. La Biblia más bien enseña que, aunque su apariencia fuera agradable, no era su belleza exterior lo que atraía a la gente: «Subirá cual renuevo delante de él, y como raíz de tierra seca; no hay parecer en él, ni hermosura; le veremos, mas sin atractivo para que le deseemos» (Isa. 53: 2).

Lo que atraía de Cristo era su forma de ser. Trataba a todos con amabilidad; tenía palabras de consuelo para el doliente; tenía expresiones de ánimo para el desalentado. Podía tocar al enfermo y devolverle la salud. No ofendía en su forma de ser; no era repulsivo en su hablar; corregía el pecado con el amor del Padre. Hasta cuando su celo lo obligó a defender la casa de su Padre echando a los cambistas, lo hizo para que aprendieran a ser reverentes. En su presencia, la muerte no podía triunfar. Se dice que, hasta en la cruz, murió antes que los otros crucificados, para así no tener la muerte en su presencia. Lo que atraía de Jesús era su carácter amable, bondadoso y cariñoso.

A los seguidores de Cristo se les invita a imitar su carácter de Cristo por la gracia de Dios, a tratar de ser un imán con el polo opuesto siempre dirigido a los demás. La física dice que los polos iguales se repelen, pero los opuestos se atraen. Por la gracia del Espíritu, seamos atrayentes; evitemos palabras y actitudes hirientes, y esforcémonos para que todos puedan ver y sentir la influencia de Cristo en nosotros.

En los momentos difíciles de la vida solemos recurrir a nuestros amigos y familiares, no a desconocidos. Es un principio de la psicología que la confianza genera confianza. Las personas cercanas nos conocen. Conocen nuestras debilidades y nuestras posibilidades y, por lo tanto, nos pueden ayudar más que alguien a quien haya que enseñarle todo lo nuestro antes de que empiece a entender nuestros desafíos y buscar soluciones.

> ¡Quién me diera el saber dónde hallar a Dios! Yo iría hasta su silla. Expondría mi causa delante de él, y llenaría mi boca de argumentos.
> Job 23: 3, 4

En los momentos más difíciles de la vida de Job, él recurrió a quien mejor conocía y quien mejor lo conocía a él. Su confianza en Dios derivaba de una buena relación en tiempos buenos y no tan buenos. Job era un hombre de oración, una persona que tenía a Dios siempre presente.

La única diferencia con respecto al presente que experimentaba, era que en el pasado él siempre había tenido la certeza de poder encontrar a su Dios en el contexto de su existencia antes de la llegada de la tragedia. Ahora, sin embargo, parecía que Dios no escuchaba. El patriarca necesitaba la confirmación de que Dios no estaba detrás de su desgracia. El Dios que él conocía no provocaba tormentos ni hacía sufrir a sus hijos. Esta era la lección que Job tenía que aprender: que, si bien es verdad que «el ángel de Jehová acampa alrededor», también es cierto que el Señor prueba a los que ama.

El secreto es no buscar otro consuelo en momentos de crisis, porque no hay nadie mejor que el Dios que nos conoce íntimamente. Por la variación en la percepción que el patriarca tenía ahora de Dios, no por falta de confianza, sino por la certeza que tenía de que Dios siempre responde y ayuda, él viene a decir: «No está en el lugar acostumbrado ni en su forma de actuar acostumbrada, pero yo sigo confiando en mi Dios». «¡Quién me diera el saber dónde hallar a Dios! Yo iría hasta su silla», pues sigo confiando en que solo él me puede ayudar.

En esto Job nos da la gran lección de la vida. En los momentos cuando todo indica que Dios no escucha y que no está, es cuando más debemos confiar y depender de él, porque, aunque cambien las circunstancias, él nunca nos abandona. Es siempre nuestro amparo y fortaleza, especialmente en momentos de angustia. Debemos siempre anhelar saber dónde está para acudir a él.

La fe que puede vencer todos los obstáculos   *julio 11*

Las promesas de Cristo no son para que sus hijos se pongan a pensar que tienen poderes mágicos y que pueden usar los poderes y autoridad divinos para hacer lo que se les antoje. Es verdad que la fe mueve más que montañas, pero hay que poner esto en el contexto de lo que la Biblia enseña. La interpretación literal de las cosas puede hacer que algunos, al no cumplirse sus pretensiones, pierdan la fe. Bien se puede decir que nunca tuvieron verdadera fe, pues esta no se circunscribe a milagros, sino a una confianza firme y absoluta en el Señor. Tal confianza no se desvanece fácilmente.

En el ambiente donde Jesús se movía, se conocía el dicho de «mover montañas», refiriéndose a dificultades aparentemente insuperables. «Algunos textos judíos hablan de "mover montañas" como una tarea larga o virtualmente imposible, que se puede lograr solamente por los más piadosos. Los rabinos enseñaban que tenía que ver con entender estudios que aparentemente eran humanamente imposibles de aprender» (Craig S. Keener, *The IVP Bible Background Commentary: New Testament*).

En el Antiguo Testamento se presenta una ilustración similar en el libro de Zacarías: «¿Quién eres tú, oh gran monte? Delante de Zorobabel serás reducido a llanura; él sacará la primera piedra con aclamaciones de: "Gracia, gracia a ella"» (Zac. 4: 7). Tales pasajes enseñan que las cosas imposibles se hacen posibles para Dios, porque para él no hay nada imposible.

Jesús pronunció las palabras del versículo de hoy después de hacer tres cosas "imposibles": entrar cabalgando en Jerusalén en un pollino que no era suyo, purificar el templo profanado por los cambistas, y pronunciar la maldición sobre la higuera frondosa carente de fruto. Sus actos eran clara indicación del control que tenía sobre todo.

Con el poder de la oración, no tendremos miedo de nada. Elimine Dios los obstáculos o no, nuestra confianza en él permanecerá imperturbable. La fe en nuestro Dios enriquece a cada hijo de Dios para ser triunfante en Cristo.

12 julio — El pasado como guía de una buena relación

A muchos cristianos les gusta vivir en el pasado. El recuerdo del "primer amor" tiende a avergonzarlos por el cambio habido en su experiencia cristiana. ¡La comunión con Dios era tan placentera, tan absoluta la confianza en la dirección divina, tan vivificante la presencia de Dios en la vida! Ante tales experiencias, el presente parecería no tener nada deseable para el cristiano.

> ¡Quién me volviese como en los meses pasados, como en los días en que Dios me guardaba, cuando hacía resplandecer sobre mi cabeza su lámpara, a cuya luz yo caminaba en la oscuridad!
> Job 29: 2, 3

La pregunta de Job indica una confianza en Dios a pesar de sus dificultades. Job aprendió a no depender de su propia fuerza, sino a depender constantemente de Dios y dejar que Dios dirigiera su vida. Reconocía que las cosas no eran como antes, pero también reconocía que solamente en el Señor podía él encontrar solución a sus desafíos.

Cuando la Biblia dice que en todo esto Job no pecó, se refería a esto. Aunque lamentaba su triste estado, aunque no lograba entender la razón de su situación, Job reconocía a Dios. Volvía siempre a su fuente de poder, porque sabía que Dios tenía la respuesta. Job podría haber usado las palabras de Jesús: «Dios mío, ¿por qué me has abandonado?» Tales palabras no son señal de rebelión, sino una manifestación de la seguridad de que Dios tenía la respuesta. Job estaba confiado en que Dios lo podía ayudar a entender las cosas.

Conocemos que, en el caso de Job, su situación no se debía a fallos en su vida. Pero hay otros casos donde podemos encontrar en nosotros mismos la razón de tal sentimiento de separación del Padre. La falta de una vida constante de oración, los quehaceres de la vida que tienden a apartar a Dios de nuestras actividades preferentes, la forma como nos relacionamos con las cosas del mundo, la lucha por la existencia, un descuido que ni se notó cuando entró en la vida…, son todas cosas que tienden a matar el "primer amor".

Si esto te sucediera, no busques el camino de la rebelión o el abandono de Dios. Como Job, manifestemos con humildad y fe: «¡Quién me volviese como en los meses pasados!» La respuesta se puede encontrar en la certeza de saber que el que me dio la primera experiencia quiere que la renueve cada día. Confiemos en el Señor siempre.

Job 29: 1 - 31: 40; Marcos 12: 1-44

La generación *sándwich*

Yo decía:
«Los días hablarán,
y la muchedumbre
de años declarará
sabiduría».
JOB 32: 7

Se dice que «la experiencia se puede comprar solamente en el almacén de los viejos». Es como si hubiera una confianza en que los viejos saben más.

Así solía ser. Sin embargo, en la era tecnológica que nos ha tocado vivir, nos damos cuenta de que los jóvenes tienen mayor conocimiento de las nuevas tecnologías y hay veces que superan a los de mayor edad. Está claro que hay una gran diferencia entre conocimiento y experiencia, siendo esta la acumulación de información a lo largo de la vida.

Eliú tenía conocimiento, pero reconocía que la experiencia estaba con los de mayor edad. Por tal razón, se calló, pues valoraba la experiencia más que el conocimiento que tenía. El respeto a las canas es esencial en nuestro andar por el mundo. Los padres pueden pensar diferente; pueden tener ideas poco acordes con la forma que tienen los más jóvenes de ver las cosas, pero, con todo, son dignos, como mínimo, de respeto. Con su silencio, Eliú mostró gran respeto con los más ancianos que estaban aconsejando a Job.

Es muy probable que muchos lectores lleguen a engrosar las filas de la generación *sándwich,* la del joven adulto al que le toca lidiar con dos problemas generacionales. Por un lado, tienen hijos que están entrando en la adolescencia, con los desafíos que ello conlleva. Por otra parte, también tienen a sus propios padres, a los que tienen que cuidar, y quienes también se ponen muy difíciles en la vejez. Lamentablemente, existe una tendencia a perder la paciencia con estos, y, a veces, a faltarles el respeto.

A los ancianos hay que tratarlos siempre con dignidad y respeto, aunque estén en una edad difícil y creen problemas para los hijos a quienes les toca cuidarlos. Con el Espíritu de Cristo en el corazón, los integrantes de la generación *sándwich* pueden encontrar gracia y consuelo al saber que no están solos. En estas circunstancias de luchas y desafíos, que bien pueden llevar a la desesperación, se debe recordar que también para esto el Señor ha provisto gracia y ayuda.

Valoremos a los ancianos, sean nuestros progenitores o no, porque también para ellos murió nuestro Señor.

Job 32: 1 - 33: 33; Marcos 13: 1-37

¿Sufrirás el pecado para siempre?

Algunos interpretan este versículo como que Pedro lloraba cada vez que pensaba en las cosas que ocurrieron en la farsa de juicio al que sometieron a Jesús. Tal pensamiento no es compartido por la teología adventista, pues nosotros creemos firmemente en la gran misericordia de Cristo, cuya gracia perdonó y restauró a Pedro. Pedro necesitaba tal perdón y restauración y el Señor se lo dio. Con todo, se puede tomar esa línea de pensamiento para reflejar el momento en que Pedro negó a su Señor y el efecto que esto tuvo sobre él.

> Y el gallo cantó la segunda vez. Entonces Pedro se acordó de las palabras que Jesús le había dicho: «Antes que el gallo cante dos veces, me negarás tres veces». Y pensando en esto, ¡lloraba.
>
> MARCOS 14: 72

Cada vez que Pedro se acordaba de esto, posiblemente recordase la lección aprendida de no confiar en la suficiencia propia. La suficiencia propia es uno de los pecados más peligrosos entre los hijos de Dios. Supone pensar que no hay nada que pueda causar la caída, que no hay barrera que no puede ser vencida, que no hay montaña que no puede ser escalada, y todo esto sin la ayuda del Señor. La autosuficiencia no permite que el Espíritu Santo haga su trabajo en nosotros, y esto puede ser la razón de la caída.

Hay un detalle más que Pedro puede haber considerado al recordar su traición. Se puede alegar que era la lealtad al Señor lo que llevó a Pedro a seguirlo al atrio del sumo sacerdote. No importan las razones, válidas o no: él se puso en el terreno del enemigo. Si la sirvienta lo hubiese confrontado en su barca, o a la orilla del mar, él se habría sentido más fuerte, entre los suyos, en su ambiente, sobre el terreno que él más conocía. La posibilidad de ceder y quedar rendido ante el enemigo habría sido menor. Claro está que el Señor nos puede guardar en cualquier lugar, pero no por esto debemos exponernos en el terreno del enemigo.

¡Qué bonito que cuando Cristo lo restaura era en el ambiente familiar de él, junto al mar, con las artes de pesca, entre las cosas que él conocía! El apóstol restaurado tuvo que reconocer que Cristo era quien lo sabía todo y que solo en él podía ser victorioso siempre. Ese mismo Cristo nos ofrece la ayuda hoy para ser victoriosos.

«Aún tengo palabras a favor de Dios»

> Espérame un poco,
> y te informaré, pues
> aún tengo palabras
> a favor de Dios.
>
> Job 36: 2

A través de los siglos han surgido muchos conflictos a raíz de que algunas personas hayan pretendido hablar en nombre de Dios. Es una verdad establecida que el Señor habla a su pueblo, pero en el tiempo en que vivimos debemos recordar que el Señor habla *a través* de su pueblo. Por eso la iglesia es dirigida por juntas y no por una persona. Cuando los miembros de una junta se ponen de acuerdo, podemos tener más seguridad en que el Señor los está dirigiendo. Esto no elimina la posibilidad de que Dios pueda hablar con una persona, pues, si lo ha hecho con un animal, mucho más lo puede hacer con un ser humano.

La Biblia enseña que en la «multitud de consejos hay sabiduría»; por lo tanto, cuando uno siente que el Señor le está hablando, debe buscar consejo de sus hermanos. He aquí algunas formas para identificar la voz de Dios:

- Dios nunca hablará en contra de lo que está revelado. La Palabra de Dios tiene indicaciones claras de la voluntad de Dios. Cualquier otra noción que contradiga la revelación divina debe ser tratada con sumo cuidado.
- Dios no hablará para causar división en su pueblo. Que su pueblo sea uno es el deseo más ferviente del Señor. Esa fue la última oración de nuestro Señor Jesucristo por sus discípulos. Ese principio está por encima de todas las opiniones personales. Ningún mensaje divino va a causar que la iglesia de Dios sea sometida a vergüenza por causa de divisiones. Está claro que todo lo que causa división, separación, malentendidos, rencillas y hasta odio en el pueblo de Dios no proviene de Dios. Pretender hablar en nombre de Dios y hacer daño a la iglesia de Dios no puede ser de Dios.

Hablemos bien de Dios. Digamos al mundo: «Aún tengo palabras a favor de Dios». Sometamos nuestras ideas, nuestros mensajes y nuestras impresiones a la prueba de la verdad. En todo momento debemos preguntarnos: ¿Está esto de acuerdo con la Palabra de Dios? ¿Está promoviendo esto la unidad del pueblo de Dios? ¿Está esto promoviendo la misión del pueblo de Dios de pregonar la segunda venida de nuestro Señor? Si cualquiera de estas preguntas se puede contestar negativamente, entonces debemos abstenernos de participar en esa actividad.

Job 36: 1 - 37: 24; Marcos 15: 1-47

16 julio

No entres en pleito con tu Dios

En el debate que tuvo con sus "amigos", aunque «no pecó», Job sí llegó al punto donde Dios tuvo que llamarle la atención. En su dolor, y no encontrando respuestas a sus preguntas,

> ¿Has entrado tú hasta las fuentes del mar, y has andado escudriñando el abismo?
> JOB 38: 16

se puso a justificarse ante Dios. Por su obcecación, se estaba equivocando en su forma de ver las cosas. Dios tuvo a bien interpelarlo antes de que Job se deslizase por la senda que lleva al pecado. Le formuló varias preguntas para hacerlo razonar y ayudarlo a abandonar sus premisas erróneas.

«¿Has entrado tú hasta las fuentes del mar?» En los días de Job esa pregunta no tenía respuesta. Pese a los adelantos modernos, aún hoy hay muchísimas cosas que el hombre desconoce sobre el mar. Es tanto lo desconocido que se ha llegado a decir que el hombre sabe más del espacio que del mar, que está aquí mismo. ¡Y del espacio tampoco se conoce gran cosa!

El Señor presentó a Job el desafío de explicar de forma convincente, si tan bien conocía a Dios, los misterios de la naturaleza de los que no tenía ni noción. Por supuesto, el diálogo no buscaba tanto dilucidar asuntos científicos de astronomía o de oceanografía, sino de dar respuesta a una pregunta: «¿Cuánto conoces de Dios?» Esta pregunta siempre confronta al ser humano.

Quizá no en los mismos términos ni en las mismas circunstancias, pero el Señor desafía a la humanidad de la misma manera hoy. En su ignorancia, Job se atrevió a discutir con Dios. Muchos hoy ignorantemente discuten con Dios o lo rechazan porque no logran entender sus propias limitaciones.

Todo lo de Dios requiere de los seres humanos es fe, fe para entender, fe para aceptar y fe para confiar. Lo cierto es que, en el Nuevo Testamento, la epístola a los Hebreos nos enseña que «sin fe es imposible agradar a Dios». La fe hace que no entramos en pleito con nuestro Dios. La misma fe nos sostiene en las cosas que no logramos entender. Pero, sobre todo, es esta fe la que nos permite pasar por la vida, sabiendo que Dios es, y que, por lo tanto, no hay nada que pase sin su conocimiento. En vez de buscar pleito con Dios, empleemos nuestras energías en confiar y desarrollar más fe en nuestro insondable Creador y Salvador. Que hoy sea un día luminoso donde la fe reemplace la idea de discutir lo que no entendemos.

Job 38: 1 - 39: 30; Marcos 16: 1-20

Vivir en paz con los más cercanos

> Este halló primero a su hermano Simón, y le dijo: «Hemos hallado al Mesías» (que traducido es, el Cristo).
>
> JUAN 1: 41

Comúnmente este versículo se ha usado para impulsar la obra misionera, y tal uso no está fuera de lugar. Sin embargo, hay en él un mensaje mucho más profundo que la mera necesidad de compartir lo bueno con los demás.

Para muchos la salvación es meramente una colección de cosas buenas que debemos atesorar. Sin embargo, si lo bueno que tengo no puede ser admirado y aprovechado por los demás, de poco me sirve. En otras palabras: el egoísta no es feliz.

La relación de Andrés y su hermano Simón debe de haber sido muy buena. Cuando la Biblia afirma que «este halló primero a su hermano Simón», debemos entender que Andrés y Simón tenían una buena relación de hermanos. Eran amigos y conversaban de las buenas cosas. Aparentemente, compartían las cosas. Tan pronto como uno descubría algo bueno, lo compartía con el otro.

No siempre la relación entre hermanos adultos es la mejor. Muchas veces no es que haya enemistad, pero cada cual tiene su propia vida, su propia familia, sus propias preocupaciones. A menudo, cuando los padres, que sirven de interés común entre los hermanos adultos, ya no están, desaparecen los incentivos para mantener una relación íntima entre hermanos. La distancia, el tiempo y las preocupaciones de la existencia muchas veces causan una separación provocada por las circunstancias naturales de la vida.

A pesar de todo lo que atenta contra una estrecha relación entre hermanos adultos, Andrés y Simón tenían tal relación. Cuando los niños encuentran algo que les gusta, su gozo es hacer que otros también disfruten de lo encontrado. Que los adultos compartan algo bueno que han encontrado se basa en el mismo principio. Por supuesto, no solo lo encontrado que se comparte es de valor, sino que la propia relación entre hermanos los lleva a compartirlo.

Si es importante que los hijos de Dios se amen entre sí, y no hay duda de que esto es uno de los valores más importantes de Jesús, mucho más querrá el Señor que haya paz entre los hermanos de sangre. Hoy es un buen día para hablar con nuestro hermano o nuestra hermana. Llévalos a los pies de Jesús y, si ya están allí, fortalécelos con una visita para orar juntos.

Los Salmos constituyen uno de los libros más leídos de la Biblia. Aunque son cantos y poesías, los Salmos tienen tanto valor que se puede enseñar cualquiera doctrina con ellos. A diferencia de otros libros de la Biblia, el de Salmos no se divide en capítulos, y no se dice «Salmos, capítulo tal, versículo cual», sino, simplemente, «Salmo tal, versículo cual».

> ¡Cuán bueno es cantar salmos a nuestro Dios, cuán agradable y justo es alabarlo!
> SALMO 147: 1

En el programa del "año bíblico" para 2008 hemos llegado al libro de los Salmos. Un conocimiento de este libro fascinante nos ayudará a entender las grandes verdades que el Señor nos quiere revelar.

Los Salmos tienen una maravillosa capacidad para revelar la realidad de la experiencia humana. Fueron compuestos por varios autores. Expresan las emociones, los sentimientos personales, las actitudes exhibidas, la gratitud y los intereses de la persona común. Muchos lectores logran identificar sus vidas con lo revelado en los Salmos.

En los Salmos podemos encontrar un reflejo de cualquier experiencia humana, ya sea de dolor y frustración, o de gozo y éxtasis. Dios usa los Salmos para llevar consuelo o para confirmar en nosotros su amor y preocupación por el ser humano.

Se usaban los Salmos en la adoración pública, como también en la adoración privada. Nos muestran cuán íntima y con cuánta libertad puede ser nuestra relación con Dios, al compartir cada pensamiento y sentimiento con él.

Al emprender la lectura de los Salmos, podemos estar seguros de que durante los próximos días habrá grandes bendiciones al meditar en las palabras inspiradas encontradas en este libro. Si el ejemplo de la vida de David nos sirve de algo, entonces podemos encontrar mucha inspiración en la lectura de sus salmos.

«Los salmos de David pasan por toda la gama de la experiencia humana; desde las profundidades del sentimiento de culpabilidad y condenación de sí hasta la fe más sublime y la más exaltada comunión con Dios. La historia de su vida muestra que el pecado no puede traer sino vergüenza y aflicción, pero que el amor de Dios y su misericordia pueden alcanzar hasta las más hondas profundidades, que la fe elevará el alma arrepentida hasta hacerle compartir la adopción de los hijos de Dios» (PP 818).

Salmos 1: 1 - 2: 12; Juan 2: 1-25

¿Puede haber más gracia?

> Porque de tal manera amó Dios al mundo, que ha dado a su Hijo unigénito, para que todo aquel que en él cree no se pierda, mas tenga vida eterna.
>
> JUAN 3: 16

La forma en que diferentes religiones conciben lo divino varía muchísimo. Hay muchas cosas en común, pero hay diferencias que no se pueden obviar. En general, las religiones no cristianas tienen una filosofía de lo divino que es la opuesta a la enseñada por la Biblia.

La mayoría de las religiones sirven a un dios que necesita ser apaciguado. Un dios enojado que está empecinado en la destrucción de sus súbditos, a menos que estos le ofrezcan ofrendas para calmar su ira. Tal servicio de Dios es contrario a la fe cristiana, porque el Dios de la Biblia, para empezar, es el único Dios. Todos los demás dioses son creación humana y, por lo tanto, encarnan las peores características de los hombres: son destructores, tienen sed de venganza, con tendencia a humillar a sus súbditos, a no ser que los súbditos puedan apaciguarlos con sacrificios.

El Dios de la Biblia, el único verdadero, es grande en misericordia y perdón. Éxodo 34: 6 es solamente uno de los más de 300 pasajes que hablan de la misericordia de Dios. La más clara y hermosa referencia a ese amor son las palabras del texto de hoy: «Porque de tal manera amó Dios al mundo, que ha dado a su Hijo unigénito, para que todo aquel que en él cree no se pierda, mas tenga vida eterna». El amor de Dios es incomparable e indescriptible. Solo se puede recibir.

La gracia de nuestro Dios es lo que lo distingue de los dioses falsos. No ofreció a su Hijo unigénito por temor; no mandó a su Hijo porque se deleitase en la muerte y la destrucción. A diferencia de los llamados dioses, no ofreció un sacrificio para apaciguar a alguien. Todo lo hizo «porque de tal manera amó» al mundo. ¡Qué más gracia, qué más evidencia se necesita para entender que es lo más grande que se ha manifestado en el universo! En su amor y misericordia, Dios hizo lo máximo por salvar al hombre: enviar a su Hijo amado. Ello no solo demostraba su amor por la raza humana, sino que era lo único que tenía virtud infinita para salvar al pecador hasta lo sumo.

Por esa gracia y amor podemos llegar con toda confianza ante el trono de la gracia, sabiendo que hay oportuno socorro para todo aquel que se refugie en la gracia y amor del Dios único y verdadero.

Guíame, Jehová, en tu justicia

Cuando los hijos de Dios quieren vivir la vida de Cristo son a menudo considerados enemigos de la humanidad. De hecho, el apóstol Pablo lo predijo cuando afirmó que «todos

> Guíame, Jehová, en tu justicia, a causa de mis enemigos; endereza delante de mí tu camino.
> Salmo 5: 8

los que quieren vivir piadosamente en Cristo Jesús padecerán persecución» (2 Tim. 3: 12). La enemistad del mundo contra el pueblo de Dios es notoria. Es fácil perdonar a cualquiera persona veinte mil fallos, pero no hay misericordia ni perdón cuando del cristiano se habla. Cualquiera ofensa del cristiano será magnificada a lo sumo. El mundo mira y vigila a los cristianos.

Muy a menudo se oye a pecadores preguntar de forma acusatoria: «¿No dice que es cristiano?» La realidad de la vida es que el cristiano es un espectáculo ante el mundo. Quizás esto nos alarma o nos incomoda, pero más bien debemos ver esto como un motivo muy especial para orar y andar correctamente ante el Señor y el mundo. Muchos esperan vernos caer; muchos anhelan ver el momento para burlarse del Señor por la forma como nosotros vivamos nuestra vida. El famoso boxeador Muhammad Alí dijo una vez: «La gente no viene a verme ganar; viene a ver cuándo pierdo». En muchas ocasiones, así es como el mundo nos mira.

Se debe recordar que la propia cruz de Cristo es una ofensa para el mundo. Por eso, no debemos asombrarnos ante la realidad de que somos «espectáculo». Lo importante para el cristiano es vivir en las manos del Señor, sabiendo que estamos siendo observados, y depender de nuestro Dios para así no defraudar. «Guíame, Señor» debiera ser nuestra oración diaria. No solo se debe orar, sino vivir la dirección del Espíritu de Dios.

La oración de David pidiendo dirección es el tema y oración que deben estar en la mente de cada cristiano. David no solo pidió dirección, sino que la pidió en justicia. El Señor es justo. Por lo tanto, su dirección es en justicia, en todo lo bueno, en la paz, en buscar el bien. Contrario a esto es el camino de los impíos, camino en el que no debemos ni pensar pisar. Es el camino del pecado, el camino de maldad, el camino que lleva al mal y a la perdición.

Que hoy sea un día de dirección en el camino de la justicia y que, por la gracia de Dios, evitemos la senda de los impíos.

Los cielos cuentan...

> Cuando veo tus cielos,
> obra de tus dedos,
> la luna y las estrellas
> que tú formaste, digo:
> «¿Qué es el hombre,
> para que tengas
> de él memoria,
> y el hijo del hombre,
> para que lo visites?»
> Salmo 8: 3, 4

Hay personas que han hecho de las obras de Dios su razón de estudio y admiración. Lamentablemente, muchos lo hacen en el contexto de la incredulidad. Miran la creación, no para glorificar a Dios, sino para encontrar "razones" para rechazar a Dios. Estos pierden la oportunidad de admirar lo que Dios ha hecho y la forma en que sigue sosteniendo la naturaleza. Cada flor, cada hoja, cada animal, por fiero que sea, testifica de la obra creadora de Dios.

Cuando vivíamos en Maryland por trabajar en la sede de la Asociación General, tuvimos el privilegio de disfrutar de los cambios de las estaciones y ver cómo la naturaleza parecía morir al final del otoño. Los árboles se secaban y las flores se marchitaban. Luego veíamos con mucho agrado cómo en la primavera todo parecía recibir un hálito nuevo del Señor al "resucitar" del sueño del invierno.

Cierto día nos visitó un pastor que no vivía en zonas con cambios estacionales. Al observar la naturaleza muerta, exclamó: «¡Qué feos se ven estos árboles muertos!» Mi esposa, con la cortesía y delicadeza que la caracterizan, comentó: «Hasta en los árboles secos y la naturaleza aparentemente muerta se puede ver la mano de Dios, y ¡esto es tan bello!»

La naturaleza debiera ser más que la expresión de belleza de Dios. Debemos ver en la naturaleza la misma esencia de la belleza de Dios. Algunos han admirado la naturaleza hasta tal punto que equivocadamente han adorado la naturaleza como Dios. La naturaleza es la expresión de la gracia creadora de Cristo, y la admiración de ella nos eleva a adorar al Dios Creador.

En este contexto de la relación de Dios con su naturaleza no se debe perder de vista que el hombre es más que la naturaleza. Cristo así lo indicó cuando nos manifestó que el hombre vale más que los pajaritos. El amor de Dios por los seres humanos va más allá que su cuidado por la naturaleza.

Los cielos cuentan de la gloria de Dios y los hombres, hijos de Dios, pueden disfrutar de su contemplación mientras reconocen la gracia manifestada a ellos. La naturaleza es bella, pero más bello es el amor de Dios hacia el ser humano

Salmos 7: 1 - 8: 9; Juan 5: 1-47

Te alabaré, oh Jehová, con todo mi corazón

A l considerar cuanto Dios ha hecho, no podemos sino asumir una actitud de fervorosa adoración. Alabar a Dios no es algo aprendido, sino espontáneo. Al contemplar la gracia, el amor inmerecido, la misericordia que no se logra entender, sentimos el impulso de adorar al Dios que ha hecho tanto por nosotros. La adoración es una reacción muy natural de sentimientos de gozo y felicidad, porque en la adoración se expresa la gratitud y la confianza de que el Dios que me ha amado en el pasado, el Dios que me ama hoy, es el mismo Dios que me amará mañana y siempre.

> Te alabaré, oh Jehová, con todo mi corazón; contaré todas tus maravillas.
> SALMO 9: 1

Al considerar todo lo que el Señor ha hecho a nuestro favor, no podemos sino adorarlo y alabar su nombre. Hay diversas formas de expresar nuestra adoración a Dios, y esto varía de lugar en lugar, según la cultura. Para algunos la adoración perfecta es inclinar el rostro en sentido de humildad, sin atreverse a alzar los ojos. Entienden unos que inclinar el rostro indica sumisión al Altísimo. Para otros es falta de cortesía hablarle a una persona y no mirarle el rostro o no hacer contacto ocular. En cambio, hay culturas donde pasa exactamente al revés: mirarle el rostro a una persona superior o de mayor edad se considera como la peor falta de respeto o cortesía.

Hay otras personas que piensan que, para expresar su adoración, su admiración y su dependencia, lo más correcto es levantar las manos. Esto es símbolo de dependencia, de reconocer que todo proviene del Altísimo. En estas culturas no se extiende una sola mano a la persona de mayor edad o rango, sino que se extienden las dos manos, aunque no se toca a la persona con las dos. La persona humilde se agarra la mano extendida por el codo y así se extiende a la persona de más rango. Algunos piensan que en la adoración hay que expresar la felicidad con mucho ruido, mientras que para otros lo contrario es lo correcto, porque adoran en absoluto silencio como señal de reverencia.

No importa la forma particular de expresar la adoración de cada cultura. Lo importante es que en la adoración se manifieste la admiración, la dependencia, y la confianza en el Ser que se adora. Nuestro Dios es el único ser nuestra adoración, por lo que ha hecho, está haciendo y hará para

Salmos 9: 1 - 10: 18; Juan 6: 1-71

No hay forma de esconderse

> Jehová está en su santo templo; Jehová tiene en el cielo su trono; sus ojos ven, sus párpados examinan a los hijos de los hombres.
>
> Salmo 11: 4

Hace un tiempo viajábamos por Turquía visitando los sitios de las siete iglesias del Apocalipsis. El guía nos llevó a visitar una fábrica donde hacen alfombras. Para mostrarnos la belleza de las alfombras, se nos indicó que la mejor manera de apreciar la belleza de la alfombra era mirarla a cierta distancia. De cerca no se podía apreciar bien, porque parecía que todo estaba enredado. Sin embargo, al retirar la alfombra a una distancia prudente se pudo apreciar la delicadeza del diseño. Se apreciaba el esmero con el que fue tejida para así dar realce a su belleza.

Dios ha usado un diseño único para crearnos a cada uno. Él trabajó con cada detalle. Aparte de habernos creado con detalles minuciosos, Dios cuenta con la ventaja de observarnos constantemente desde la distancia adecuada. Nos observa así no porque esté lejos de nosotros, sino porque nos permite libertad de movimiento. Aunque Dios está muy cercano, su observación de aparente lejanía no es por falta de interés en lo que ocurre en nuestras vidas, sino para disfrutar de la fe que mostramos en él en nuestras luchas. No se aleja para causarnos daño, sino que nos deja espacio y siempre está dispuesto a extender la mano, aun antes que nosotros pidamos.

En nuestra imaginación, podemos compararlo como un padre que enseña a su hijo a montar en bicicleta. Empieza a ayudarlo a equilibrarse y, luego, lo va soltando poco a poco, pero siempre corriendo detrás, por si acaso. Nunca llegaremos al punto donde el Padre nos dejará totalmente solos, pero sí debemos reconocer que él siente gran gozo cuando nosotros manifestemos confianza en él.

Se ha dicho que Dios habita entre cantos y alabanzas en el cielo, pero que, con todo, es capaz de oír cada suspiro, cada súplica y cada manifestación de necesidad expresada por sus hijos, y siempre está dispuesto a ayudar.

David escribió este salmo en un momento de grandes problemas, cuando los consejeros le aconsejaban que huyera. David establece el contraste entre Dios y los malvados. Los malvados disparan sus saetas desde la oscuridad, pero Dios está en su templo; él observa, entiende y está dispuesto a ayudar. Todo lo que se requiere es confianza en él.

Salmos 11: 1 - 12: 8; Juan 7: 1-53

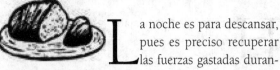

24 julio

El uso de las horas de la noche

La noche es para descansar, pues es preciso recuperar las fuerzas gastadas durante el día. Lamentablemente, no todos aprovechan la bendición de la noche para hacer bien al cuerpo, sino que aprovechan las horas de la noche para pensar y maquinar maldades.

> Y Jesús se fue al Monte de los Olivos.
> JUAN 8: 1

Eso era lo que les pasaba a muchos dirigentes religiosos judíos. Ya se iban acostumbrando a no poder salir airosos de sus encuentros con Jesús, así que mandaron alguaciles a arrestarlo. Cuando estos regresaron con las manos vacías por estar convencidos de la veracidad de las enseñanzas de Jesús, los fariseos los acusaron de haberse dejado engañar. Decían que lo de Jesús no tenía legitimidad, porque ninguno de ellos había creído en él. Frustrados, regresaron a sus casas. Jesús, en cambio, fue al Monte de los Olivos para recuperar fuerzas para el día siguiente, así como para orar, meditar y pasar tiempo a solas con su Padre. «Jesús se apartó de la excitación y confusión de la ciudad, de las ávidas muchedumbres y de los traicioneros rabinos, para ir a la tranquilidad de los huertos de olivos, donde podía estar solo con Dios» (DTG 424-5).

Sin embargo, los incrédulos dirigentes judíos no pasaron la noche igual que él. Dedicaron su tiempo para urdir una trampa de la que no era previsible que pudiera escapar. ¡Habían dado con una pregunta sobre el adulterio cuya respuesta, fuese la que fuese, sería razón de condenación y hasta sentencia de muerte para Jesús!

Por la mañana, llevaron a una pobre mujer ante él y formularon su tramposa pregunta. Si absolvía a la mujer de su culpa, lo acusarían de no respetar la ley de Moisés. Por otra parte, «si la declaraba digna de muerte, se le podría acusar ante los romanos de asumir una autoridad que les correspondía solo a ellos» (DTG 425).

Conocemos el resto de la historia, ellos hablaron y Jesús escribió en el polvo. Lo importante, sin embargo, es lo que ellos hicieron durante la noche. Era una oportunidad para arrepentirse y abandonar el mal, pero más bien se envalentonaron en su maldad. Se pueden usar las horas de la noche para maquinar la maldad en la cama, o, como Nicodemo, para buscar la presencia de Jesús. Aprovechemos cada momento para permitir que el Señor obre en nosotros.

Salmos 13: 1 - 14: 7; Juan 8: 1-59

Las cuerdas me cayeron en lugares deleitosos

> Las cuerdas me cayeron en lugares deleitosos, y es hermosa la heredad que me ha tocado.
>
> SALMO 16: 6

«No se conoce lo bueno hasta que se pierde». ¡Cuántas veces no se oyen lamentos en momentos de duelo, con lloros de reconocimiento de cuán buena era la persona, siendo que, mientras vivía, nadie se manifestó así! Por eso se dice que hay que dar flores a quien las puede oler, es decir, cuando todavía está con vida. Rara vez se oye hablar mal de los muertos, a menos que hayan sido auténticos villanos.

Hay quien odia tanto a otras personas que aun muertas les quiere hacer daño. Hace poco unos familiares se dieron cuenta de que alguien vandalizaba la tumba de una mujer que había sido asesinada. Arreglaban la tumba y siempre la encontraban vandalizada. Contrataron a un detective privado, y este colocó una cámara oculta para averiguar quién era el vándalo. ¡Cuán grande fue el dolor al descubrir que se trataba del ex esposo de la mujer! ¡Tan grande era su odio hacia ella que ni muerta la quería dejar tranquila!

Esto es lo opuesto de nuestra lección bíblica de hoy. «Las cuerdas me cayeron en lugares deleitosos, y es hermosa la heredad que me ha tocado» se refiere a la sorpresa de descubrir cuántas cosas buenas te ha dado la vida y al aprecio de las mismas. Si queremos abrir los ojos, encontraremos un sinnúmero de bendiciones a nuestro lado que el Señor nos ha dado.

¡En nuestro tiempo disfrutamos de tantas cosas que otras generaciones ni soñaban tener! Disfrutar de agua corriente sin tener que ir al pozo, bañarse con agua caliente, iluminar una habitación sin antorchas ni lámparas de aceite, con el simple movimiento de un interruptor, eran todas cosas impensables hace no mucho. Y, ¿qué decir del simple hecho de montar en avión, subir a un automóvil, andar en bicicleta o a pie por aceras bien pavimentadas, tener acceso a cuidados médicos? Por defectuosas que puedan ser, todas estas cosas son bendiciones de nuestro tiempo, y esto por no contar las otras seguridades universales de las que no hace mucho la humanidad no disfrutaba.

Universal y personalmente, vivimos en tiempos de bendición, y por esto también le podemos dar gracias a Dios. Sobre todas las bendiciones, vivimos en tiempos en que la gran mayoría tenemos la libertad de adorar a Dios de acuerdo a nuestra conciencia. ¡Alabado sea el Señor!

Salmos 15: 1 - 16: 11; Juan 9: 1-41

«Y tu condescendencia me ha engrandecido» es una expresión que se puede traducir de diferentes maneras, siempre indicando lo que la relación con el Señor puede causar en nosotros.

> Me has dado el escudo de tu salvación; tu mano derecha me ha sustentado, y tu condescendencia me ha engrandecido.
> SALMO 18: 35

La condescendencia de Dios implica su bondad. Gozar de la vida y obtener logros es solamente por la bondad de Jehová. Dios desea que a sus hijos les vaya bien. En el mundo donde vivimos, el cristiano tiene la obligación de ser lo mejor, esté donde esté: el mejor ciudadano, el mejor esposo, el mejor padre, el mejor obrero en el puesto de trabajo, la mejor madre, y también el mejor hijo. El cristiano debe crecer cada día y buscar mejorar todo a su alrededor para que Dios reciba la gloria. Que se diga del cristiano que es bueno a causa de su religión.

La condescendencia de Dios implica su providencia. La providencia es la manifestación de un carácter bondadoso. Dios nos muestra su bondad cada día, procurando lo mejor para nosotros. En todo debemos agradecer a Jehová, porque solo él, por su bondad, nos puede ayudar en todo. Grande es la bondad de nuestro Dios.

La condescendencia de Dios también implica la ayuda de Dios. No hay nada en la vida del cristiano que pueda hacerse sin la ayuda de Dios. La caída empieza cuando llegamos a ser autosuficientes y sentir que ya somos ricos y no tenemos necesidad de nada. El cristiano siempre vive pendiente de la mano de su Señor y reconoce que todo lo que puede lograr, hasta en lo más pequeño de la vida, es por el brazo de Jehová. El reconocimiento de la ayuda de Dios ayuda al cristiano a ser agradecido en todo, porque todo proviene del Señor.

La providencia de Dios también implica la humildad de Dios. Es difícil entender cómo Dios puede ser humilde, porque las personas con poder y capacidad para controlar las cosas rara vez lo son. Nuestro Dios, en cambio, es humilde, porque, pese al pecado e indignidad del hombre, siempre busca al pecador para salvarlo.

«Estudia día y noche el carácter de Cristo. Su tierna compasión, su inexpresable e incomparable amor por las almas lo indujeron a soportar toda la vergüenza, las injurias, los maltratos, las incomprensiones de la tierra» (AFC 59).

Apártame de la soberbia

> Preserva también a tu siervo de las soberbias; que no se enseñoreen de mí; entonces seré íntegro, y estaré limpio de gran rebelión.
> SALMO 19: 13

Hay muchas oraciones preciosas en el libro de los Salmos y bien haríamos en, por lo menos, conocer y aplicar algunas de ellas. David reconoce la grandeza de Dios, que está en todas partes y de cuya atención nada se puede ocultar. Reconoce también que no vale la pena intentar ocultar la maldad de la vista de Dios, porque es un intento vano. Reconoce que «si Jehová no cuidara la casa, en vano cuidan los que vigilan». David aprendió a depender totalmente de Dios.

Pedir la ayuda de Dios para protegernos de los pecados que solo él y nosotros conocemos es la necesidad de todos. Algunas versiones de la Biblia describen este pecado mencionado aquí en el Salmo 19 como el pecado de la presunción. Es posible que David no necesitase hacer tal oración. Por lo que conocemos de él, era un hombre humilde, dispuesto a seguir las indicaciones del Señor. Era una persona que había aprendido a confiar plenamente en el Señor y dejar todo en las manos de su Creador. Lo tenía todo, pero ahora pide ser protegido de malinterpretar las bendiciones de Dios y volverse presumido, de pensar que era hijo de Dios, y que nada le faltaría.

Los sentimientos de David en esta ocasión debieran ser los sentimientos de todo hijo de Dios, porque, a menos que nos rendimos totalmente a sus pies, el pecado de la presunción puede tomar control de nosotros. Aunque es verdad que Jehová cuida de los suyos, jamás deberíamos llegar a la presunción de pensar que no necesitamos la mano guiadora de Jehová. La posibilidad de pecar es real, y por eso el mismo Jesús nos enseña a pedir constantemente «no nos dejes caer en la tentación, mas líbranos del mal».

Elevemos esta oración a Dios: «Señor, no queremos ser rebeldes. Queremos humildemente hacer tu voluntad; queremos ser librados de llegar a pensar que todo lo podemos solos. Líbranos del mal».

Cuando se somete a ser liberado de todo vestigio de la presunción y la suficiencia propia, el cristiano puede vivir tranquilamente confiado en su Señor. El Señor debe enseñorearse de nosotros, y no debemos ser controlados por nuestras tendencias naturales.

Salmos 19: 1 - 20: 9; Juan 11: 1-57

Hay provisión

El Salmo 22 contiene expresiones que prefiguran el sufrimiento que el Mesías iba a experimentar. Cristo expresó estas palabras en su agonía mientras moría por nosotros en la cruz. Aunque David, que escribió este Salmo, no conocía la tortura de la crucifixión, el Señor le reveló que la agonía de sus propias luchas contra sus enemigos no era comparable con lo que el Mesías habría de sufrir.

> He sido derramado como aguas, y todos mis huesos se descoyuntaron; mi corazón fue como cera, derritiéndose en medio de mis entrañas.
> SALMO 22: 14

Si David sufría por la condición de sí mismo, mucho más el Mesías, que sufriría por los pecados del mundo. Por haber tomado el pecado del mundo sobre sí, Cristo se vio totalmente separado del Padre a causa de nuestros pecados. Su exclamación de «Dios mío, Dios mío, ¿por qué me has desamparado?» (Sal. 22: 1) no fue figurativa, sino que sintió que ya no le quedaban recursos para la lucha. Sin la ayuda divina, sin la presencia de Dios, no hay quien pueda hacerle frente al pecado, y mucho menos al pecado de todo el mundo.

Para Dios el pecado es pecado, y no hay grados de pecado, porque, por inocente que pueda parecer el pecado, siempre conduce a la perdición. Sin embargo, gloria sea al Señor, porque se hizo provisión: el Cordero fue inmolado para que podamos vivir. La muerte de Cristo satisfizo las demandas de la condición de pecado ante Dios, y por sus llagas fuimos sanados. El sentir de Cristo en la cruz era un sentir con conocimiento de los resultados finales, porque él sabía que moría para salvar al hombre, incluso por aquellos que no tenían interés en la salvación.

Basándose en el versículo de esta mañana, algunos interpretan que los sentimientos de Jesús en la cruz eran de derrota. En Mizpa, los Israelitas derramaron agua como símbolo de su impotencia para luchar (1 Sam. 7: 6), pero esto también simbolizaba la provisión que Dios hace cuando uno reconoce que no puede y que depende totalmente de Dios: «Porque de cierto morimos, y somos como aguas derramadas por tierra, que no pueden volver a recogerse; ni Dios quita la vida, sino que provee medios para no alejar de sí al desterrado» (2 Sam. 14: 14).

En el sufrimiento del Mesías vemos cómo el Señor ha hecho provisión para nuestra salvación. No la despreciemos.

Salmos 21: 1 - 22: 31; Juan 12: 1-50

En la peor de las circunstancias

> Aunque ande en valle de sombra de muerte, No temeré mal alguno, porque tú estarás conmigo; tu vara y tu cayado me infundirán aliento.
>
> SALMO 23: 4

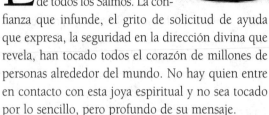

El Salmo 23 es conocido como "la joya de la corona" de todos los Salmos. La confianza que infunde, el grito de solicitud de ayuda que expresa, la seguridad en la dirección divina que revela, han tocado todos el corazón de millones de personas alrededor del mundo. No hay quien entre en contacto con esta joya espiritual y no sea tocado por lo sencillo, pero profundo de su mensaje.

La versión inglesa *Message* traduce este versículo así: «Aunque mi camino tenga que pasar por el valle de la muerte, no tengo miedo, porque tú estarás conmigo». El salmista infunde confianza al indicar que hasta en el trance de la muerte, que es lo peor que le puede pasar a la persona, podemos confiar en la compañía del Señor. El creyente puede manifestar su convicción de que, si tiene que quedarse en el valle de la muerte, lo hace con total confianza porque Jehová está a su lado.

Además de la confianza en la dirección, protección y ayuda divina, este versículo tiene un mensaje muy profundo para los hijos de Dios. ¡Pobre la persona que llega a la muerte sin la seguridad de la salvación! La peor muerte es la muerte sin la presencia de Dios. La verdad es que la muerte es el umbral de la presencia de Dios, no porque inmediatamente después de la muerte se vaya directamente al cielo, sino porque lo primero que verá el fiel que muere es el rostro de Cristo. Si hemos vivido en Cristo, podemos morir en paz, con plena confianza en nuestra salvación. Por el contrario, para quienes no viven en el Señor, la muerte resulta aterradora, porque está claro que la retribución final de la impiedad será el lago de fuego.

Nuestro versículo de hoy no es solamente acerca de nuestra preservación y cuidado en peligro de muerte, sino también una invitación para estar siempre en paz con el Señor. Quien anda por el valle de la muerte no tiene garantía de pasar ileso, pero el creyente que transita esa senda sí tiene la garantía de que Dios estará con él allí y lo resucitará en el día postrero con las palabras: «Bien hecho, buen siervo y fiel».

Podemos confiar en nuestro Dios hasta en los peores momentos de la vida.

30 julio

Seguridad de perdón

A unque estamos convencidos de que no todo sufrimiento viene como resultado del pecado, sabemos que todo pecado tiene su

Mira mi aflicción y mis afanes; perdona todos mis pecados.
Salmo 25: 18

consecuencia. Por eso es importante que las oraciones por el sufrimiento vayan acompañadas de confesiones genuinas del pecado y posible mal cometidos. Será más fácil aliviar el dolor si recordamos que quien confiesa sus pecados y se aparta de ellos alcanzará misericordia.

Es bueno llevar la pena, el dolor y los sufrimientos al regazo de Dios. Recibiremos ayuda para contrarrestar la pena y el dolor, y tendremos la certeza de recibir el perdón del pecado. David conocía la fórmula perfecta, pues llevaba a Dios su aflicción y a él también le confesaba sus pecados.

Si hay una certeza en la presencia de Dios, es la seguridad del perdón del pecado. El alivio del dolor y sufrimiento queda a voluntad de Dios, porque no conocemos qué es lo que mejor pueda glorificar su nombre. Esto no debe quitar de nosotros la confianza de llegar con fe, porque él ha prometido quitar nuestras dolencias. Sin embargo, esto depende de su voluntad. Recibir ayuda en momentos difíciles es una gran seguridad, pero se debe dejar espacio para que Dios obre de la mejor manera posible y darnos el resultado más acorde con su voluntad.

Por otra parte, el perdón del pecado depende de nuestra voluntad, porque tenemos la segura promesa de que él oye y perdona al pecador verdaderamente arrepentido. En lo tocante al perdón, cuanto tenemos que hacer es confesar.

La manera de orar de David nos enseña una gran lección: pide que el Señor mire sus aflicciones y afanes, pero hace también una petición específica sobre el perdón del pecado. Pudo haber pedido: «Borra mis aflicciones y afanes, y mira mis pecados y rebeliones». Pero no, él oró: «Señor, en lo tocante a mis aflicciones y afanes, no dictaré qué debes hacer; dejo esto a tu juicio. Me gustaría que los quitaras, Señor, pero confío en tu juicio. Sin embargo, en lo referente a mis pecados, Señor, borra mis rebeliones. Tú has prometido perdonar, así que perdona mis pecados y rebeliones. Yo sé qué es lo que tú quieres hacer con mis pecados y sé qué es lo que yo quiero. Tú los quieres perdonar; yo me quiero librar de ellos. Mira mis aflicciones, pero perdona mis pecados».

Salmos 25: 1 - 26: 12; Juan 14: 1-21

Paciencia, que todo saldrá bien

julio 31

Aguarda a Jehová;
esfuérzate, y aliéntese
tu corazón; sí,
espera a Jehová.
SALMO 27: 14

Alguien ha dicho que en el servicio a Dios a veces se tiene la sensación de que los semáforos conspiran contra uno. Encontramos todos los semáforos en rojo y parece que no tienen ningún afán por cambiar a verde. Uno sabe a dónde tiene que ir, sabe cómo llegar, sabe cuándo tiene que estar allí, pero encuentra un semáforo que no coopera. Mientras la luz permanece en rojo, no podemos movernos. La palabra clave en todo esto es *paciencia*. A veces no queda más remedio que esperar pacientemente.

Lo triste es que muchas veces los vehículos que están detrás no tienen la paciencia o la cultura de uno; tocan la bocina, y, a veces, hasta alzan la voz con insultos, pensando que el semáforo está estropeado y que hay que seguir a pesar de la luz roja. Cuando ocurre eso es fuerte la tentación a ceder a la presión y violar la ley pasando en rojo. Sin embargo, la cultura cristiana nos dice: «Espera. La ley dice que no se puede pasar en rojo».

A veces, una de las cosas más difíciles que el Señor pide de nosotros es esperar ante el "semáforo" hasta que él dé la indicación de seguir. Debemos recordar que el tiempo de Dios no siempre está de acuerdo con nuestro tiempo o nuestro afán. Cuando se descubre esto, es mejor esperar a Jehová; habrá que esperar las indicaciones de Dios.

La Biblia tiene lecciones de hombres que no supieron aguardar a Jehová. Saúl no pudo esperar a Samuel para el sacrificio, y se adelantó a hacer lo que el Señor no le había autorizado. El mismo David se adelantó a comer del pan de la proposición. La verdad es que no hay indicación de nadie que se haya adelantado a Jehová y le haya ido bien.

El esperar implica tener y ejercer gran confianza en el Señor, reconocer que, a fin de cuentas, Dios sabe mejor las cosas. Implica tener la confianza de que, aunque no sé qué es lo que Dios va a hacer, confío en que será lo mejor.

La falta de paciencia, fe y confianza hace que nos podamos apresurar y correr delante de Dios. Cuanto más delicado sea lo que nos propongamos, más trascendentales serán las consecuencias de nuestro actuar. La promesa es que habrá aliento para el corazón, satisfacción plena al reconocer los caminos del Señor. Sí, espera en Jehová.

Salmos 27: 1 - 28: 9; Juan 15: 1-27

219

1 agosto

Mi gracia te ayuda a adaptarte

La vida es una secesión de cambios, porque cada paso que se da, cada día que se abren los ojos para saludar a la mañana es un proceso de cambios. Hay cambios tan imperceptibles que no se perciben como tales. Otros pueden resultar muy traumáticos y, a menos que haya una preparación intensa, puedan causar grandes dolores.

> Estas cosas os he hablado para que en mí tengáis paz. En el mundo tendréis aflicción; pero confiad, yo he vencido al mundo.
> JUAN 16: 33

Tal fue el caso de Jesús y sus discípulos. En el capítulo 16 de Juan, Jesús los estaba preparando para traumas en la vida. Por eso termina con palabras de seguridad y confianza. La seguridad que les presenta es que la alternativa de seguirlo a él es la mejor de todas. Por otra parte, dejar la lucha para evadir el trauma del cambio no tiene ninguna garantía de éxito.

Ante los traumas en la vida son muchos los que buscan alternativas para evadir el dolor y los problemas. Si la vida cristiana te causa dificultades, si el seguir a Cristo te causa problemas en tu entorno, si tus parientes te hostigan o si tu empleo está en peligro, la solución que te ofrece el diablo es el "cambio" para conseguir el "alivio". Este es el peor error que se puede cometer, porque Jesús les aseguró a sus discípulos, y a nosotros, que la mejor solución es mantener el curso. «En el mundo tendréis aflicción».

Me toca viajar mucho por asuntos de trabajo, y paso mucho tiempo en los aviones. Aunque tengo mucha confianza en la tecnología, he aprendido a confiar en la protección del Señor. Una de las cosas que me llaman la atención es cuando un avión encuentra turbulencias. Muchas veces el piloto hace un anuncio diciendo que la turbulencia es cuestión de tiempo, que dentro de algunos minutos la habremos pasado y podremos seguir volando sin vaivenes. Como viajeros sabios, no buscamos salir del avión por las turbulencias; confiamos en la pericia del piloto, sabiendo que él nos sacará del otro lado de la turbulencia. Jesús hace lo mismo. Él nos dice: «Confiad, yo he vencido al mundo».

Un refrán holandés dice: «Dios no nos ha prometido un viaje sin dificultades, pero sí nos ha prometido un arribo seguro». A pesar de los desafíos en la vida, no busquemos las aflicciones del mundo como solución, porque Cristo es nuestro piloto que nos llevará a puerto seguro.

Salmos 29: 1 – 32: 11; Juan 16: 1-33

Dolor medicinal

> Claman los justos, y
> Jehová oye,
> y los libra de todas
> sus angustias.
> Cercano está Jehová
> a los quebrantados
> de corazón; y salva
> a los contritos
> de espíritu. Muchas
> son las aflicciones
> del justo, pero
> de todas ellas
> le librará Jehová.
> SALMO 34: 17-19

No siempre se logra entender la gracia de Dios. Muchas veces las soluciones de Dios parecen una inconveniencia, pero un examen cuidadoso confirmará que, como dice el apóstol, «a los que aman a Dios, todas las cosas los ayudan a bien». Hay un canto que dice: «Mis ojos él lavó y pude ver; secó mis lágrimas, llenó mi ser». Son palabras de consuelo para el doliente. También son útiles para el que no experimenta dolor, pues contienen promesas para los tiempos difíciles que se puedan avecinar.

No siempre se es posible entender las lágrimas, y muy a menudo no se percibe la razón ni la causa.

La Biblia no indica que Adán y Eva lloraran tras su expulsión del jardín del Edén, pero es más que seguro que lo hicieron. Seguro que en algún momento después del pecado, cuando consideraron la gran pérdida que sufrieron, fluyeron las lágrimas. Hasta entonces no habían conocido el dolor, no habían sufrido desengaños, no habían tenido que ver algo bueno sin poder alcanzarlo.

El pecado causó que las lágrimas llegasen a ser parte integral de la experiencia humana. Alguien ha dicho que «no se deben ver las lágrimas como parte de la maldición de Dios; más bien deben ser aceptadas como un regalo de la gracia». La verdad es que las lágrimas nos ayudan a recibir alivio emocional y físico para el dolor. Aunque parezca que las lágrimas y la risa no tienen nada en común, una buena risa hace que broten las lágrimas, porque ambas contribuyen a llevar alivio al alma de la persona. Muchas veces se siente una mejoría después de un buen llanto o después de una buena risa. Son parte del proceso divino para dar alivio a las personas.

Podemos mantener íntegra nuestra confianza en que Jehová oye la oración del justo, porque está cercano al quebrantado de corazón. La verdad es que cuando el justo peca, se arrepiente y derrama lágrimas por su pecado, Jehová está más que dispuesto a escuchar, a perdonar y a restaurar, porque tenemos la firme promesa de que al corazón contrito y humillado no lo desprecia nunca el Señor misericordioso.

Salmos 33: 1 - 34: 22; Juan 17: 1-26

3 agosto

Allí sí que hay gozo

L a diferencia entre la bondad de Dios y la maldad de los hombres es inmensa. No se puede medir la misericordia de Dios, pues resulta completamente inabarcable para nosotros.

> Serán completamente saciados de la grosura de tu casa, y tú los abrevarás del torrente de tus delicias.
> SALMO 36: 8

El Salmo 36 establece las diferencias entre la bondad de Dios, las esperanzas y posibilidades del hombre, y la maldad de los que no conocen o ignoran a Dios. La característica más destacada del impío es que niega que Dios vea y tome nota. La vida que vive es una vida que ignora totalmente al Creador, y no manifiesta ninguna preocupación por la intervención futura de Dios en ella. El salmista declara que «no hay temor de Dios delante de sus ojos». El pecado principal del impío es que todas las cosas le parecen bien a su propia vista. Las cosas son como las ve él, y no le interesa conocer el otro lado de las cosas. Piensa que su mal nunca lo alcanzará.

Es peligroso pensar que solamente los que no conocen a Dios corren este peligro. Entre los hijos de Dios también hay quienes están totalmente convencidos de que no obran maldad, mientras que las prácticas de su vida muestran claramente que, a menos que haya un arrepentimiento, perecerán.

El creyente no tiene que permanecer en este estado de indiferencia. Al considerar las bendiciones prometidas, al considerar las posibilidades de una vida en armonía con el Señor, uno se da cuenta de que, con el Señor, hay muchas sorpresas gratas para el creyente. El mero hecho de que podamos encontrar refugio en el Señor como un polluelo bajo las alas de la gallina debe ser suficiente para siempre buscar estar del lado del Señor.

El salmista usa los ejemplos del templo para decirle al creyente que hay abundancia de provisiones en la casa de Dios (Sal. 38: 6). Cuando la reina de Saba visitó a Salomón, no se podía imaginar que hubiese tanta abundancia que hasta los siervos de Salomón vivían satisfechos en el palacio del rey. Cuando los que no son de la fe nos observan, deben maravillarse igualmente de que haya tal abundancia en la casa de Jehová que sus hijos, aunque con desafíos, viven satisfechos en la grosura que el Señor les proporciona. Hoy es un buen día para que el mundo sepa que eres un cristiano feliz con tu Señor y que disfrutas de las bendiciones que él nos da.

Salmos 35: 1 - 36: 12; Juan 18: 1-40

Deléitate asimismo en Jehová

> Confía en Jehová,
> y haz el bien; y
> habitarás en la tierra,
> y te apacentarás
> de la verdad.
> Deléitate asimismo
> en Jehová,
> y él te concederá
> las peticiones
> de tu corazón.
> SALMO 37: 3, 4

Resulta difícil encontrar joyas sobresalientes en el libro de los Salmos, porque toda la colección es una joya de valor espiritual inestimable. La joya de hoy tiene que ver con las peticiones y las oraciones, y nos indica las condiciones para una vida de oración sana y vigorosa.

Cuando se solicita algo, siempre hay condiciones para recibir respuesta. Muchas veces estas condiciones no están explícitamente expuestas, pero un estudio a fondo revelará la realidad de que las hay. Todos tienen la necesidad de saber que sus oraciones serán contestadas, pero muchos no prestan atención a las condiciones. Si bien orar es abrir nuestros corazones a Dios como a un amigo, recibir respuesta está condicionado a nuestra relación con Dios. Aunque es cierto que antes de que pidamos, él ya habrá contestado, también es verdad que hay que tener fe y confianza en que él contestará, porque sin fe es imposible agradar a Dios.

Las condiciones para que las peticiones sean concedidas son:

• Confiar en Jehová y hacer el bien. Aunque la salvación no es por obras, se espera de los salvos que vivan aprovechando cada oportunidad para hacer el bien. Pablo nos exhorta con estas palabras: «Y vosotros, hermanos, no os canséis de hacer el bien» (2 Tes. 3: 13). Hacer el bien no es tratar de comprar la salvación, sino imitar a nuestro Señor, que hace llover sobre buenos y malos.

• Deleitarse en Jehová. En todo momento, bajo toda circunstancia, el gozo de Jehová debiera ser la razón de ser de los hijos de Dios. Vivimos para mostrar al mundo que somos gente satisfecha con nuestro Dios. La relación con el Señor debiera reflejarse en el rostro de cada hijo suyo. Cuando hay felicidad y gozo, esto se ve de lejos. El mundo triste en que vivimos se beneficiará de las sonrisas de los hijos de Dios.

El que encuentra su más alta delicia en Jehová no puede desear nada que esté en enemistad con Dios, ni tampoco puede desear algo que Dios, con cuya voluntad está estrechamente ligado, no esté dispuesta a concederle.

Encontremos gozo en el Señor, y vivamos para hacer el bien, encontrando siempre gozo en el servicio de nuestro Dios.

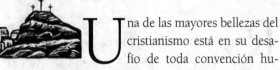

5 agosto

Creer sin ver

Una de las mayores bellezas del cristianismo está en su desafío de toda convención humana. Cuando el hombre dice: «Muéstrame para que crea», el cristiano dice: «Creo, Señor. Aumenta mi fe». Cuando el hombre común demanda que Dios se revele para decidir si va a creer o no, el cristiano dice: «He visto tu gloria, Señor. Escóndete de mí». Las dos cosas no son en absoluto similares ni van nunca juntas, y pobre la persona que necesite satisfacer la curiosidad humana para así creer.

> Jesús le dijo:
> «Porque me has visto, Tomás, creíste; bienaventurados los que no vieron, y creyeron».
> JUAN 20: 29

Durante siglos el hombre ha buscado evidencias de Dios, pero siempre para caer en mayor frustración. Ha habido personas sin escrúpulos que han recurrido a engaños vergonzosos simplemente para aprovechar la tendencia natural del hombre de ver para creer. Hasta se pretende que en algún lugar guardado está el dedo de Tomás que metió en el costado del Señor para comprobar que era él.

La creencia de que si solamente se pudiera encontrar alguna reliquia, se acabaría desvaneciendo toda duda en cuanto a la existencia de Dios ha demostrado ser una mera ilusión. Se ha dicho que cuantos más objetos se encuentren, más aumentará la duda, porque los incrédulos tienden a cuestionar la validez y la veracidad de lo que se dice. Cualquiera que haya hecho un viaje por Tierra Santa sabe que muchas de las cosas allí exhibidas no son realmente lo que pretenden ser.

La mejor evidencia de Dios no está en objetos, por muy antiguos o espectaculares que puedan parecer, sino en que él habite en nuestros corazones. El verdadero cristiano no necesita objetos para creer, no necesita demostraciones. La fe cristiana es una fe cuya fuerza está en creer, y cualquier intento de intercambiar fe por evidencias hace daño a la fe cristiana. La fe cristiana es tan fuerte y firme como cada uno de sus adeptos. Por lo tanto, nosotros seremos el eslabón más fuerte de la fe cristiana si manifestamos fe en las promesas y acciones de nuestro Señor. Por otra parte, podemos ser el eslabón más débil si por doquiera que vamos exigimos demostraciones en vez de manifestaciones de una fe segura en el Señor.

Salmos 39: 1 - 41: 13; Juan 20: 1-31

¿Tienes sed suficiente?

Como el ciervo brama
por las corrientes
de las aguas,
así clama por ti,
oh Dios, el alma mía.
SALMO 42: 1

Cuenta una versión acerca de las circunstancias que rodearon la muerte del gran compositor ruso Chaikovski que, cuando contaba ya 53 años de edad, sintió un día tanta sed que creyó verse morir. No hacía mucho se había declarado una epidemia de cólera en San Petersburgo, por lo que se había comunicado a la población que era muy peligroso beber agua sin hervir. Sin embargo, era tal la sed del genial músico que, a pesar de las advertencias recibidas, se bebió de un trago un vaso de agua no tratada. Lamentablemente, contrajo la horrible enfermedad, que lo llevó a la tumba pocos días después. Tanta sed tenía que se mató tomando agua contaminada.

La sed es un gran motivador. Tanto es así que se pueden cometer graves errores en el afán de saciarla. Se han sacrificado vidas, principios, amistades, y hasta lealtades, todo motivado por la sed. Se ha llegado a poner en peligro la vida de amigos con el afán de conseguir agua. Verse sin agua es una situación terrible para cualquier ser humano. Por otra parte, la sequía es igual de terrible para los animales y las plantas de todo el planeta. Todos los seres vivos tenemos una necesidad apremiante de agua, aunque solo sea en una mínima cantidad.

El salmista usa el ejemplo de desesperación de la sed de un ciervo en tiempo de sequía para ilustrar el grado de deseo que se debe tener de Dios. Debe ser un anhelo tan intenso que sobrepase el deseo de la vida si no se consigue satisfacer. Tal anhelo de Dios en nuestras vidas no debe ser un asunto esporádico, sino una intensa y constante búsqueda para satisfacer el deseo de una relación con Dios. Esto se manifiesta en la costumbre de la oración, en el anhelo de tener la presencia y la aprobación de Dios en todo nuestro andar y hacer. Tal sed de Dios se manifiesta en la forma de ser, que es más que una mera costumbre de relacionarnos con Dios. Si las misericordias de Dios son nuevas cada mañana, con la misma intensidad como si nunca hubiesen existido, con la misma frescura novedosa que las hace atrayentes al creyente, también así debería ser nuestra relación con nuestro Dios.

Debemos buscarlo cada día con la misma intensidad de cuando por primera vez lo conocimos y disfrutamos de la belleza de la salvación.

Salmos 42: 1 – 43: 5; Juan 21: 1-25

7 agosto — Responsabilidad individual hacia la colectividad

En la antigüedad, y, hasta cierto punto, aún hoy, muchos padres daban nombres a sus hijos que evocaban cosas grandes y un futuro halagüeño para los mismos.

> Y dará a luz un hijo,
> y llamarás su nombre
> Jesús, porque
> él salvará a su pueblo
> de sus pecados.
> MATEO 1: 21

Si el nombre elegido por los padres es de gran significado, ¡cuánto más lo será el que Dios identifique algo por nombre! Lo más importante, por supuesto, es el nombre de su propio Hijo. «El nombre Jesús en hebreo significa "Dios es Salvación"» (Craig S. Keener, *The IVP Bible Background Commentary: New Testament*).

En los tiempos del Antiguo Testamento había gran esperanza en que el Mesías vendría a salvar a su pueblo, y los lectores judíos del primer siglo entendieron que esta salvación implicaba más que perdón personal. Rogaban por el día cuando el Señor librara a su pueblo de las consecuencias de sus pecados y del dominio de sus enemigos, pero entendido todo muy colectivamente, pues estaban interesados sobremanera por el destino del pueblo de Israel como nación.

Por supuesto, nosotros no creemos en una salvación universal ni en una salvación nacional, ya que la salvación es un asunto individual de cada uno. Con todo, aunque Dios nos salve individualmente, sí es cierto que nos lleva como pueblo a su reino. Jesús viene a por su iglesia. La creencia judía era que *todos* tenían que ser salvos para que *cada uno* fuese salvo. Bastaba que uno no quisiera la salvación para poner en peligro a la colectividad.

En este sentido, como individuos, tenemos responsabilidad hacia la colectividad. Jesús vino al mundo para que «todo aquel que en él cree no se pierda». Es nuestra responsabilidad lograr que todos lleguen a entender el plan de salvación. Jesús trajo la salvación para la humanidad, pero tenemos que ayudar a preparar un pueblo para el reino de los cielos.

Alguien ha dicho que Dios está inscribiendo a ciudadanos para poblar su reino, y nosotros podemos ayudar a tomar el censo de los que se preparan para vivir allí. Igual que los gobiernos censan a sus ciudadanos de vez en cuando yendo de puerta en puerta, nosotros podemos ayudar a recoger los habitantes del reino yendo a donde están. Vivamos hoy para comunicar las buenas nuevas de salvación a quienes nos rodean.

Nos elige heredad

Él nos elegirá nuestras heredades; la hermosura de Jacob, al cual amó.
Salmo 47: 4

Por el amor que los abuelos sienten hacia sus nietos, son capaces de darles todo. Alguien ha llegado a decir que trabajamos para que nuestros nietos tengan una herencia. Quien lega una herencia lo hace fundamentalmente por amor y pensando en el futuro de los seres amados. La herencia es algo por lo cual normalmente no se ha trabajado. En muchas ocasiones es algo que no se ha escogido, y en la mayoría de los casos es algo muy apreciado.

En el versículo de hoy, el salmista presenta esta gran verdad de que Jehová define y elige herencia para sus hijos. El salmo se refiere a la tierra que el Señor prometió a los hebreos cuando los liberó de la cautividad, pero también puede extenderse a las promesas seguras de la herencia eterna con él. Tenemos herencia asegurada con las mansiones que nos fue a preparar, pero tenemos ya la seguridad de una vida con un futuro seguro en el Señor.

A menos que haya maldad por parte del interesado que acelere la muerte del testador, lo normal es que todo heredero espere pacientemente la herencia. El hijo pródigo no quiso esperar pacientemente, y escogió exigir su herencia antes de tiempo, con el resultado que todos conocemos. La paciencia y mantener el curso de una buena relación son los secretos de disfrutar de la herencia. Es verdad que, cuando hay muchos herederos, casi siempre hay alguno que no queda satisfecho con lo que recibe, y eso puede ser causa de largas y amargas luchas entre los herederos. Sin embargo, el mejor bien que una herencia puede hacer por un heredero es proporcionarle felicidad para el resto de su existencia.

En relación con nuestra herencia en el cielo, no seremos los únicos herederos, pero estaremos perfectamente felices con lo que el Señor nos concede. No habrá guerra sobre lo que recibimos; más bien habrá gozo por lo que podamos compartir los unos con los otros. No plantaremos para que otro coseche, y tampoco construiremos para que otro habite.

Conocemos el testamento que el Señor ha hecho en nuestro beneficio. Él ha trabajado para que sus hijos podamos disfrutar en paz y armonía de los frutos de sus labores. No despreciemos la herencia prometida, ni perdamos la paciencia en la espera. Ante todo, vivamos siempre como mirando al Invisible, porque el fundamento de todo esto es el Señor.

9 agosto — ¿Brújula, radar, o GPS?

> Vosotros sois la luz
> del mundo; una ciudad
> asentada sobre
> un monte
> no se puede
> esconder.
> MATEO 5: 14

Al establecer la estrategia para la conquista del mundo, Jesús dejó muy claro a sus seguidores de todos los tiempos que una de las cosas que no se debe obviar es hacer que los demás se fijen en uno. No mandó a sus seguidores que formasen bandas ni ejércitos para conquistar al mundo con la cruz y la espada, sino que, más bien, les presentó el desafío de que individualmente dejasen brillar su luz para que fuese ser observada por todos los hombres.

Sus discípulos entendieron la ilustración, porque este era el ambiente en que se movían. No había iluminación en las calles, fuera de la luz natural de la luna y las estrellas. No había un sistema público de alumbrado para guiar a las personas en la oscuridad. Cuando se caminaba en grupo, el de delante llevaba una luz que los demás seguían como podían. Los de más atrás muchas veces no alcanzaban a ver el camino iluminado del que llevaba la luz, pero, siendo que la luz pasó por allí, ellos seguían en la oscuridad, porque confiaban en el que pasó por allí con la luz prendida. Si el que llevaba la luz se equivocaba, provocaba que muchos cayeran, porque confiaban en que el que portaba la luz discernía el camino.

Hoy día ya no se necesita la luz para viajar gracias a inventos como la brújula, el radar, o el GPS, que sirven para saber dónde está uno y a dónde se dirige. Hasta los aviones pueden volar en total oscuridad y llegar a su destino solo con instrumentos. Hay sistemas portátiles que pueden guiar al individuo en la más absoluta oscuridad. Con todo esto, el principio establecido por Cristo sigue en pie. El cristiano tiene que ser dirección para los demás.

Jesús presentó a sus seguidores el desafío de iluminar sus obras, sus hechos y sus vidas para que fueran vistos por los hombres. Es como concentrar sobre uno mismo un foco de escenario para garantizar que todos puedan ver lo que uno hace. Esta indicación pone una enorme responsabilidad sobre los seguidores de Cristo. No se pueden ni se deben esconder las obras de uno. Si son malas, traerán oprobio a la causa de Cristo. Si son buenas, hay que resaltarlas. «Así alumbre vuestra luz delante de los hombres, para que vean vuestras buenas obras, y glorifiquen a vuestro Padre que está en los cielos» (Mat. 5: 16).

Salmos 48: 1 – 50: 23; Mateo 5: 1-48

Vuestro Padre celestial

> Mirad las aves del cielo, que no siembran, ni siegan, ni recogen en graneros; y vuestro Padre celestial las alimenta. ¿No sois vosotros de mucho más valor que ellas?
>
> MATEO 6: 26

Alguien dijo en una ocasión que el motivo fundamental por el que hemos de contemplar las aves del cielo es para entender el estado de ánimo que se espera de los hijos de Dios. Los pájaros salen de mañana sin ninguna certeza de dónde van a conseguir la comida. No llevan herramientas de trabajo, ni monedero para comprar, y ni siquiera cargan lo que necesitan a la tarjeta de crédito, pero salen cantando y confiando. El canto de las aves en una demostración de la confianza en la providencia del Señor. Es esta la gratitud y confianza que se debe tener en el Señor, la confianza en que él proveerá y que todo cuanto tengo que hacer es confiar en que mi Padre celestial siempre lo sabe mejor.

Los constituyentes del pueblo de Dios somos sus hijos por partida doble: lo somos por haber sido objeto de su creación, y también lo somos por la adopción en Cristo Jesús. Por lo tanto, tenemos el privilegio de llamarlo «Padre nuestro, que estás en los cielos».

¡Qué expresión más maravillosa! ¡Qué autoridad se nos confiere! Sin embargo, Dios puede preguntar: «Si yo soy el Padre, ¿dónde está mi honra? Si sois mis hijos, ¿dónde está vuestra obediencia?» He aquí el amor mezclado con la autoridad, una autoridad que no induce a la rebelión, sino a una obediencia que se rinde con el mayor gozo, que no se retiene ni cuando hay libertad de hacerlo. La obediencia que los hijos de Dios le dan, debiera ser una obediencia en gozo y amor.

El servicio de Dios no es el de los esclavos que obedecen las exigencias de sus amos. Más bien debiera consistir en andar en la voluntad del Padre simplemente porque es su voluntad, y esta se acepta con gozo y amor. Nuestro ser debiera ser entregado como instrumento de justicia, porque la justicia es la voluntad del Padre. El cetro no es una barra de hierro, sino un cetro de plata que suscita amor en los súbditos.

Es este el honor que el Padre celestial espera de sus hijos, el honor de darle todo simplemente porque él ha dado todo para nosotros. Al decir «Padre nuestro», le estamos diciendo: «No quiero ser otra cosa sino tu hijo obediente».

Salmos 51: 1 - 52: 9; Mateo 6: 1-34

11 agosto

La regla de oro

Un proverbio popular en el Cercano Oriente dice: «Te deseo diez veces lo que tú deseas para mí». Si deseas mi mal, que suceda diez veces peor contigo; si deseas mi bien, que puedas prosperar diez veces más que yo. Jesús puso la responsabilidad sobre cada uno, amonestándonos a no demandar más de los demás de lo que nosotros estamos dispuestos a darles.

> Así que, todas las cosas que queráis que los hombres hagan con vosotros, así también haced vosotros con ellos; porque esto es la ley y los profetas.
> MATEO 7: 12

Influidas o no por las palabras de Cristo, también otras religiones tienen este mismo principio:

- Budismo: «No trates a otros en forma que a ti te duela ser tratado».
- Hinduismo: «Esta es la suma del deber: no trates a otros en forma que sería dolorosa para ti si fueras tratado así».
- Islamismo: «Ni uno de ustedes es creyente de verdad hasta que desee para otros lo que desee para sí mismo».
- Judaísmo: «Lo que te es odioso, no lo hagas a tu prójimo. Esta es la tora completa; lo demás es comentario».
- Zoroastrismo: «No hagas a otros lo que te perjudica a ti».
- Bahaísmo: «No pongas ninguna carga sobre un alma que no desearías que se te pusiera a ti, y no desees para nadie lo que no desearías para ti mismo».

Las palabras de Cristo son perfectamente aplicables para nosotros hoy. El hacer el mal a otros no es la voluntad de Dios. Algunos pecadores osan preguntar con aire de inocencia: «¿Y qué mal hemos hecho a nuestro prójimo?» Ante tal pregunta, el Señor definitivamente contesta: «Cuando levantaste o participaste en falso testimonio, cuando sentiste placer en ver sufrir a los demás, cuando no corregiste la mentira que se decía de tu prójimo, cuando codiciaste la casa, la mujer o las propiedades de prójimo...»

La aplicación de la regla de oro es universal, pero debemos asegurarnos de su aplicación particular hoy, pidiéndole al Señor que nos ayude a no participar en nada que le puede hacer daño al prójimo, que nuestra vida sea un ejemplo para los demás y que nuestro actuar pueda hacer el bien a los demás.

230

Dios está por mí

> Serán luego vueltos atrás mis enemigos, el día en que yo clamare; esto sé, que Dios está por mí.
>
> SALMO 56: 9

Una de las defensas del hijo de Dios ante los embates del maligno es la certeza de que está en las manos de Dios. La Biblia tiene muchas indicaciones de esta confianza. El Señor conoce hasta cuántos cabellos tenemos, de modo que estar seguros de que él aprecia y ama todo nuestro ser.

Job afirma que era tanto el interés del Señor en él como persona, que hasta sabía cuántos pasos había dado en la vida y por qué camino iba (Job 31: 4). Por la misma razón, el Señor conocía perfectamente las circunstancias que rodeaban a David mientras huía de Saúl. El gran consuelo de David, y esto no sin lágrimas, era que, aunque los perseguidores lo apretaban por todos lodos, Dios estaba de su lado. «Esto sé –pudo exclamar él–, que Dios está por mí».

Ese «Dios está por mí» es más que «Jehová es mi amparo y fortaleza»; es más que «Jehová es mi guardador»; es más que «Jehová es la sombra a mi mano derecha». La promesa de Dios de constantemente protegernos es de mucho consuelo, pero «Dios está por mí», como lo refiere David en esta ocasión, es el reconocimiento de que Dios está pendiente de mí, y totalmente a mi favor. No solamente nos protege, sino que estamos totalmente en sus manos.

El cristiano debe reconocer que Dios es mucho más que un sirviente que anda detrás de nosotros para recoger nuestra basura y arreglar las cosas que dañamos. Aunque es verdad que tenemos la protección y la ayuda divina veinticuatro horas al día, siete días a la semana, también debemos reconocer que «los ojos de Jehová van por el mundo». Nosotros vivimos constantemente en la presencia de Dios. Cada actividad, cada actitud y cada pensamiento son vistos por él.

Dice el profeta: «"Y serán para mí especial tesoro", ha dicho Jehová de los ejércitos, "en el día en que yo actúe; y los perdonaré, como el hombre que perdona a su hijo que le sirve"» (Mal. 3: 17).

Vivamos confiados en que Jehová es nuestro baluarte, pero también porque nos conoce íntimamente y porque podemos disfrutar de la dicha de que hemos podido conocer su gracia y su grandeza. Los que han de vivir con el Señor deben conocerlo.

No esperes lo peor antes de empezar

L os que construyen barcos aspiran a que sus naves puedan hacer frente a las condiciones más adversas de las aguas por las que navegan. Se entiende que el barco debe poder valerse por sí solo.

Oye, oh Dios,
mi clamor;
a mi oración atiende.
Desde el cabo
de la tierra clamaré
a ti, cuando mi
corazón desmayare.
Llévame a la roca que
es más alta que yo.
SALMO 61: 1, 2

La construcción del *Titanic* supuestamente había llevado a la industria naviera a un nivel sin precedentes en la seguridad de los barcos. Es bien conocida la historia de este trasatlántico "insumergible", un buque que, supuestamente, no necesitaría la ayuda de nadie, y que no pudo ser socorrido por nadie. Afortunadamente, en el caso algunos naufragios sí hay ocasión a que la nave accidentada pueda ser auxiliada para suplir contingencias no previstas inicialmente por sus constructores.

En el ámbito personal, es una lástima que algunos tengan que ser llevados al punto de naufragio para reconocer que necesitan ayuda y que dependen de un Ser que los trasciende. El salmista no se encontraba en esta categoría de personas, porque constantemente vivía pendiente de la dirección divina. Con todo, reconoce que tenía la tendencia a confiar en sí mismo, por lo que estaba sujeto al desaliento. Sin embargo, para esos momentos de desesperación, tenía la grandeza de reconocer que había «una roca más alta que» él. Por grande e invencible que pareciese, por muchas victorias que hubiese obtenido, todo palidecía ante el reconocimiento de que él no era la roca más grande, pues hay una Roca mucho mayor que él.

Con todo, aunque en tiempos de necesidad busquemos refugiarnos en «una roca más alta», en tiempos de bonanza tenemos la tendencia de confiar en cosas *menores* que nosotros mismos. ¡Qué bendición la del creyente que reconoce en todo momento, bueno o malo, que hay una Roca más alta! Vivamos siempre recordando que tenemos una Roca eterna a la que podemos acudir en todo momento, una Roca que nos da la certeza para seguir confiando.

Precisamente en los momentos en que no sentimos nuestra necesidad es cuando más necesitamos afirmar el corazón en la confianza absoluta en Dios. Fuimos hechos para ser triunfadores en Cristo. Confiemos en la Roca de nuestra salvación.

Salmos 59: 1 - 61: 8; Mateo 9: 1-38

Después de lo bueno, ¿qué?

> Tú coronas el año
> con tus bienes,
> y tus nubes
> destilan grosura.
> SALMO 65: 11

La triste realidad del ser humano es que la felicidad nunca es duradera. Por feliz que sea la persona, vive con la preocupación de que esto tendrá un fin. Nada en esta vida tiene la garantía de durar para siempre. Hasta lo más constante para los seres humanos tiende a dejar un sinsabor. Alguien ha dicho que «la herencia que nos deja el sol es la oscuridad». Después de un día de luz y claridad, todo lo que queda una vez que el sol se oculta son las tinieblas.

En esta vida, lo único con garantía de constancia es el amor de Dios. Todo el año, cada momento del día, en todas las circunstancias, podemos confiar y depender del amor de Dios. Nos bendice en el sueño, nos guarda durante el día, nos da la garantía de que habrá una mañana. A pesar de que el sol nos deja la oscuridad por herencia, el trato de Dios hacia sus hijos no deja secuela negativa. Él nunca deja de brillar y de amar a sus hijos. Decía Charles Spurgeon que «como un río, su amor eterno siempre está fluyendo interminablemente. Esta es su propia naturaleza».

Cuando el salmista dice «Tú coronas el año con tus bienes», no quiere decir que nuestro Dios espere hasta fin de año para otorgar sus bienes. No es que, como un empresario, espere hasta cerrar los libros para repartir dividendos. Nada de eso, sino que, durante todo el año, en cada momento, los bienes del Señor están disponibles y al alcance de los suyos. El cuidado de Dios hacia sus hijos es constante. Hace llover sobre malos y buenos, porque su naturaleza es hacer el bien. Se debe reconocer que Dios no es un dios variable que en cierto momento haga el bien y que luego, cuando se cansa o quiere hacer una maldad, pase a hacer el mal. Esta es la imagen que el enemigo quiere que tengamos de nuestro Dios, pero el salmista asegura que él es constante, y que sus nubes destilan grosura.

Se usa la ilustración de la agricultura para ayudarnos a entender que, como él da la lluvia, como él hace germinar la semilla, como él da el crecimiento, y así provee el alimento para todos, así también podemos tener plena confianza en su intervención y dirección en nuestra vida. Lo importante es que debemos reconocer cada momento que nuestro Dios es un Dios personal y real, que interviene para el bien de sus hijos.

15 agosto

Él me sostendrá

Es asombroso lo poco que nos preocupamos por las bendiciones que Dios nos da. Más aún deberíamos asombrarnos por lo poco que comúnmente se confía en las promesas de Dios. Una cosa es decir con la boca «Creo en el Señor», y otra completamente distinta es vivir una vida de total dependencia de él. No se debe tomar livianamente la expresión «el Dios nuestro», siendo que implica posesión y la confianza en que él está con nosotros.

> La tierra dará su fruto;
> nos bendecirá Dios,
> el Dios nuestro.
> SALMO 67: 6

Aunque él es nuestro Dios, no siempre nos "apropiamos" de él, no le hacemos peticiones, ni buscamos su consejo. Rara vez buscamos su dirección, y, cuando lo hacemos, la mayoría de veces es porque ya no tenemos otro recurso. Olvidamos que está presto a ayudarnos para tomar medidas preventivas y que no nos veamos en la necesidad apremiante en la que él tiene que hacer de socorrista para sacarnos de aprietos. Aunque sabemos que tenemos un Dios presto a socorrer, esperamos hasta el último momento para buscar su ayuda. Se prefiere luchar solo, llevar nuestras cargas en vez de aceptar echarlas todas sobre él, sabiendo que él nos sostendrá. Con el Señor tenemos una invitación abierta y siempre disponible.

Al decir «el Dios nuestro», debiera ser con la confianza de un niño que puede decir a todo el mundo: «Mi papá es fuerte; él puede con todo». Es difícil reconocerlo, pero muchas veces sufrimos por no acudir con confianza al trono de la gracia para el oportuno socorro. El «Dios nuestro» es nuestro amigo, nuestro consejero y nuestro ayudador. Cuando creemos no tener necesidad de él, es cuando más cerca está, procurando que podamos vivir siempre bajo su protección.

Confiar en Dios requiere de una confianza que se adquiere con una práctica constante, con oración de fe y con la humildad de reconocer que él está ahí para nosotros. «Dios nuestro», «Padre nuestro», «Señor nuestro»; todas estas expresiones son expresiones de confianza en el único Dios que se ofrece a servir a sus seguidores, cosa no común en el panteón de los que no son dioses, pues sus seguidores creen que hay que servirles o se enojan. ¡Qué diferencia! Nuestro Dios, en cambio, nos asegura que él quiere estar a nuestra disposición para ayudar y servir en nuestras necesidades. Nos indica que no hay que desperdiciar la oportunidad: el Dios nuestro está de nuestro lado en todo momento.

Salmos 66: 1 - 69: 36; Mateo 11: 1-30

Yo estoy contigo

> La caña cascada
> no quebrará, y
> el pábilo que humea
> no apagará,
> hasta que saque a
> victoria el juicio.
> MATEO 12: 20

Difícilmente se encuentran los elementos de gloria y humildad, poder y mansedumbre, mezclados perfectamente en una persona. Normalmente, son características antagónicas. La persona de Jesucristo es la excepción sobresaliente de este principio. Aunque resulte difícil captarlo plenamente, él es perfectamente Dios y totalmente humano; es el Rey del universo, con autoridad y poder indiscutibles, y, al mismo tiempo, pudo manifestar tal espíritu de humildad que se humilló hasta la muerte en la cruz. (Fil. 2: 8).

En el Todopoderoso no hay demagogia, no hay abuso del poder, no hay destrucción del opositor. Más bien, hay gracia, benignidad, amor eterno, paciencia, mansedumbre, y, sobre todas las cosas, hay gran misericordia. Así como se combinan la autoridad y la misericordia en nuestro Señor, también se combinan el amor eterno y la justicia. Justicia para crear un ambiente libre del pecado para que sus hijos puedan vivir en paz, sin tentaciones ni caídas.

El versículo de hoy nos enseña que, aunque Cristo tiene la autoridad para acabar con «la caña cascada», no lo hace. No hace leña del árbol caído, no se aprovecha de la debilidad de otros para hundirlos. En él no hay ni sombra de sed de venganza. La caña cascada ha perdido toda defensa y está a merced del ambiente hostil. Cuando Cristo la observa, lo hace con amor, porque con amor eterno nos ha amado. Cuando la mecha de la lámpara está que se apaga, y solo falta un suspiro para poner fin a su existencia tormentosa, Cristo dice: «Yo no soplo, porque todavía es redimible». Tal es la actitud manifestada con el pecador: actitud de paciencia, de ternura, de amor, de mansedumbre y de invitación constante al arrepentimiento y la conversión.

Nuestro Dios no se apresura al juicio, pero sí sacará a victoria el juicio. Llegará el momento en que el juicio será ejecutado, no por falta de amor ni por venganza, sino para hacer justicia a sus promesas de una tierra nueva sin pecado.

Hoy siguen abiertas las puertas de la misericordia. El amor de Cristo nos dice: «Estás herido, estás a punto de apagarte; pero confía en mí. Yo te ayudaré, no temas, porque por mí vivirás. Te estoy preparando un lugar donde puedes morar conmigo». Aceptemos la gracia y la misericordia para que nos cubran hoy.

¿Eres tú el problema?

L a Palabra de Dios alcanza a todos por igual. La misericordia del Señor se extiende a todo; su gracia está disponible para quien la desee. Los que se pierdan no podrán echarle la culpa a Dios.

> Pero parte cayó en buena tierra, y dio fruto, cuál a ciento, cuál a sesenta, y cuál a treinta por uno.
> MATEO 13: 8

En la parábola del sembrador, el sembrador es el mismo y la semilla proviene del mismo lugar. La diferencia está en la tierra donde cae. Los cuatro tipos de tierra de la parábola, aunque diferentes, tienen una cosa en común: todas las condiciones pueden cambiar si se le permite a Dios hacer el cambio. No se puede argumentar que la culpa no es de la tierra donde cayó la semilla porque la tierra junto al camino represente a quien no ha entendido todo y se queda a medias, pues quien no tenga sabiduría para entender puede demandar sabiduría de lo alto y será victorioso. El peligro mayor de estar junto al camino es estar contemplando las cosas viejas y querer regresar a lo conocido. El Señor nos puede ayudar a marchar con fe, alejándonos del camino conocido para acercarnos más al camino que lleva a la salvación.

La tierra con piedras recibe la palabra gozo, pero luego la abandona. También aquí puede haber cambios en el entorno. Hay quienes entran a la iglesia con mucho celo y apariencia de perdurabilidad, pero la propia apariencia es lo que los mata. No buscan agradar a Dios, sino complacer a los hombres. Para esto también hay remedio, pues Cristo puede cambiar al corazón y renovar las perspectivas para fijar la vista en él y no en el hombre.

La tierra llena representa al que acepta el evangelio pero retiene sus viejas prioridades. Sin conversión total, pretende andar en dos caminos y servir a dos dioses. Quiere a su Señor, pero no se atreve a soltar lo que conoce y las prioridades que había establecido antes de conocer a Cristo. La conversión implica un cambio de prioridades. Nuestro Señor nos ayuda a ver la vida de una manera diferente y a buscar las cosas de arriba.

La buena tierra también tiene peligro, porque también es fértil para las malezas. Por lo tanto, hay que vigilar y orar, permitiendo al Señor siempre mostrar las cosas que han de ser modificadas.

No importa la clase de tierra de tu corazón, Cristo puede cambiar lo malo, mejorar lo bueno y preservar a todos para la salvación.

La guerra asimétrica también será ganada

> Allí quebró las saetas
> del arco, el escudo,
> la espada y las armas
> de guerra.
> SALMO 76: 3

Nunca se debe olvidar que la batalla campal entre Cristo y Satanás era una batalla real, con un ganador y un perdedor. El victorioso es Jesús, pero esto no es motivo para que el perdedor se entregue y deje de luchar. Al no poder triunfar sobre Cristo, dirigió todos sus esfuerzos para hacer sufrir al Redentor en la persona de sus seguidores. La confrontación frontal de Satanás con Cristo llegó a su fin, pero sigue la guerra de guerrillas. Como se dice en términos militares, se pasó de una guerra convencional a una guerra asimétrica, donde las tácticas del pasado ya no tienen efecto.

La victoria está igual de asegurada en este nuevo frente. Los hijos de Dios no deben olvidar que Satanás es un enemigo vencido. Con todo, aunque está en los estertores de la muerte, está logrando pequeñas victorias que nunca habría podido lograr si no fuera porque algunos ceden, dejando sin valor en su vida la victoria de Cristo en la cruz cuando exclamó: «Consumado es».

Esta exclamación, «Consumado es», fue la estocada final del adversario de los hijos de Dios. Con esto, Jesús rompió las saetas del arco, rompió el escudo, la espada y todos los implementos de guerra del enemigo. Cristo es el héroe del Gólgota. Usó la cruz como la mejor arma para derrotar al enemigo. Sus sufrimientos fueron el martillo con el cual destruyó todas las reservas del enemigo. Eliminó todo argumento para acusar a los santos; tornó en nada cualquier intento de instigar al Señor en contra de sus hijos.

Debemos atesorar la realidad de que ya no queda ninguna condenación para los que están en Cristo. La salvación ha sido asegurada y, aunque el enemigo ruja con todo lo que tiene, tenemos un puerto seguro en Cristo.

La profecía del salmista se cumplió con la exclamación «Consumado es». Somos victoriosos en la victoria de Cristo. Aunque en un mundo de pecado, con todas las evidencias del pecado en derredor y las cicatrices de las batallas contra el mal, no hay razón de desesperación. Cristo ha triunfado y su victoria es nuestra por medio de la fe. Aunque no sabemos exactamente cuándo, pronto contemplaremos la escena de la destrucción definitiva de Satanás.

Disfrutemos de la victoria de Cristo y, por la gracia de Dios, determinemos estar del lado victorioso.

19 agosto

No tiene por qué

Todo cristiano tiene una experiencia de oraciones aparentemente no contestadas. Hay momentos en que desearíamos ver la respuesta de Dios inmediatamente, pero no sucede así.

En la historia de hoy, aunque la mujer mostró gran fe en él, Jesús «no le respondió palabra». Esto no era indicio de que no quisiera contestar. Él tenía la intención de dar una respuesta, pero todavía no. Esa espera puede suscitar preguntas legítimas en algunos. ¿Es que no valían los ruegos de la suplicante? No los había mejores en el mundo. ¿No merecía el caso que ella presentaba atención inmediata? Era un caso que no se podía dejar para después. ¿No había sufrido lo suficiente? Demasiado era ya el sufrimiento de ella y de su hija. ¿No era ella sincera en su petición? Nadie la podía acusar de hipocresía. ¿Tenía ella fe que pudiera mover montañas? El mismo Jesús se maravilló de la fe de ella y le dijo: «Oh mujer, grande es tu fe».

> Pero Jesús no le respondió palabra. Entonces acercándose sus discípulos, le rogaron, diciendo: «Despídela, pues da voces tras nosotros».
> MATEO 15: 23

Si es verdad que la fe trae paz, también es cierto que no siempre la trae de inmediato. Puede haber razones para la prueba de la fe en vez de la recompensa de la fe. La fe verdadera puede ser como una semilla en el cuerpo, pero que todavía no ha germinado y llegado al punto del gozo y la paz. Dios actuará, no cabe duda, pero en su momento. El cristiano debe aprender que el silencio de Dios no necesariamente es la desaprobación de Dios.

Jesús tenía más que a la mujer en su audiencia. En primer lugar, estaban sus discípulos, que no habían entendido todo lo ocurría. Habían rogado a Jesús que despidiera a la mujer, cosa que nunca habían visto a Jesús hacer, porque nunca echó de su presencia a un alma suplicante. El silencio de Jesús era para que los discípulos entendieran la forma en que el Señor trata a los que llegan a él con casos aparentemente imposibles. La aparente dureza de corazón de parte de Cristo, al comparar a los extranjeros con los perritos, era para que sus discípulos entendiesen que Dios responde a los que tienen fe.

Debemos confiar, porque hasta donde Dios no tiene por qué actuar, él actúa para ayudar a los necesitados y a sus hijos de fe. Vivamos por la fe, sin la cual nadie podrá ver a Dios.

Salmos 79: 1 - 83: 18; Mateo 15: 1-39

No tienes nada que perder

> Porque todo el que quiera salvar su vida, la perderá; y todo el que pierda su vida por causa de mí, la hallará.
> MATEO 16: 25

Muchas cosas en la vida están gobernadas por la ley de las probabilidades. La fe, no obstante, hace que el cristiano vea más allá de las probabilidades y acepte las certezas en Cristo. Las probabilidades son más bien para los que no tienen confianza en las promesas del Señor. Para los creyentes el asunto de un Dios con quien nos hemos de reunir en un futuro cercano es una realidad que no se puede negar. Para el incrédulo, en cambio, que tal cosa ocurra no es más que una posibilidad. Esta sería seguramente un asunto que causará grandes sorpresas al final de la historia humana. Veamos sus probabilidades desde la perspectiva del incrédulo:

- El peor de los casos es que exista realmente un Dios de amor que ha dado a su Hijo unigénito para la salvación de los hombres y que lo ha hecho todo para salvarnos. Sin embargo, también es un Dios justo, que dará la recompensa a los fieles. La única forma de salvarse es aceptar a Cristo y permitir que él gobierne nuestra vida. El incrédulo, que ha rechazado todo esto, llega a la eternidad y no está cubierto por la sangre de Cristo. La consecuencia es la perdición.

- Dios no existe y el valor salvífico de la muerte de Cristo es un mito. Si es así, cuando llegue el día final de cada cual, la muerte supondrá el fin definitivo de todos los humanos. El incrédulo perecerá sin esperanza, aunque sin perder nada real.

- Dios es real y se ha aceptado a Cristo como Salvador. Cuando llega el día final, se descubre que la fe no fue en vano. Se oirán las palabras «Venid, benditos de mi Padre».

Esto es mucho más que una mera probabilidad. Es en verdad la gran realidad de la vida. Después de todo, todo ser humano habrá de enfrentar al Señor, cuando toda rodilla se doble en adoración y toda boca confiese que Cristo es Rey. De todas las probabilidades, es esta la gran seguridad.

Para darle argumentos al incrédulo, si Dios no existe, no pierde nada; sin embargo, si Dios existe, lo pierde todo. Ante esta probabilidad, ¿no es mejor "arriesgarse" con la fe?

21 agosto   ¿Estás dispuesto a escuchar?

La promesa fue hecha a David, aunque es aplicable también a Cristo. En nuestros días se aplican los mismos principios. El Señor está dispuesto a comunicarse con los piadosos de su pueblo para así dar a conocer su voluntad. Dios siempre está dispuesto a comunicarse con su pueblo si este está listo para escuchar. La hermana White menciona este versículo en un mensaje personal:

> Antaño hablaste en visión a tus piadosos y les dijiste: «Yo he puesto el socorro sobre un valiente; he enaltecido a uno escogido de mi pueblo».
>
> Salmo 89: 19

«Usted es egoísta, exigente y atropellador. No debiera ser así. Su salvación depende de que usted actúe por principio: se sirve a Dios por principio, no por sentimientos o por impulso. Dios lo ayudará cuando usted sienta su necesidad de ayuda y se dedique a la obra con resolución, confiando en él de todo corazón. A menudo usted se siente desanimado sin razón suficiente. Desarrolla sentimientos semejantes al odio. Sus sentimientos de atracción o rechazo son intensos. Es necesario que los controle. Domine su lengua. "Si alguno no ofende en palabras, es varón perfecto, capaz de refrenar todo su cuerpo" (Santiago 3: 2). La tarea de ayudarnos le ha sido asignada a Uno que es poderoso. Él será su fortaleza y apoyo, su vanguardia y retaguardia» (1T 603).

Se destacan varias cosas aquí en cuanto a los instrumentos que el Señor usa. Tales siervos deben evitar varias cosas que impiden la comunicación con Dios:

El egoísmo. No puede haber una relación con el Señor cuando el yo desempeña un papel preponderante. El egoísmo no deja que la persona perciba la voz del Espíritu Santo, con lo que no pueda responder a las invitaciones del Señor.

La exigencia. Quien siempre cree tener razón y se siente con el derecho a exigir que todo se haga como demanda sin importar lo que opinen los demás no es un canal adecuado para que el Señor lo use. No puede ser considerado entre los piadosos del Señor.

El atropello. Quien no tenga consideración por los demás no puede ser considerado entre los piadosos de Jehová, por medio de los cuales el Señor podrá comunicar su mensaje a su pueblo.

Hay que actuar por principio, y no por sentimientos. Los piadosos de Jehová basarán todo su actuar en principios y no en impulsos.

Liberación

> Porque él te librará
> de la trampa
> del cazador y de la
> peste destructora.
>
> SALMO 91: 3

El Señor tiene muchas maneras de llevar liberación a su pueblo. Para librarlos de «la trampa del cazador» da dos formas de liberación. Los libra de caer en la trampa del cazador y los libera de la trampa del cazador sacándolos de allí. La primera promesa es la más preciosa para algunos, y la segunda lo es para otros.

Podemos decir que las dificultades son una forma de librarnos. En su gran misericordia, y en su afán de salvarnos hasta cuando nos deslizamos por la pendiente de la apostasía, el Señor usa la vara de corrección. Inconscientes de que las dificultades pueden ser para librarnos de cosas peores, preguntamos a veces: «Señor, ¿por qué?» El incrédulo también formula la misma pregunta, pero lo hace en un sentido de rebelión. No espera una respuesta, sino que quiere entablar una discusión con Dios para la que cree contar ya con todas las respuestas, convencido de que lo que Dios hace está mal hecho.

Hay una segunda forma de preguntar a Dios acerca del porqué de las cosas que no es en rebelión ni cuestiona la sabiduría de Dios, sino que, con humildad, espera recibir la respuesta que solo Dios puede dar. En este caso, la respuesta esperada no se usará para entablar una discusión, sino para someterse a la voluntad divina así revelada. Este es el sentido en el que el cristiano genuino se atreve a preguntar «¿Por qué, Señor?» Tal persona se da cuenta que si Dios no la ha salvado de la trampa del cazador, si no la ha guardado de caer, es porque cuenta con más elementos de juicio y seguramente tiene una solución para liberarla de la trampa del cazador y sacarla de la situación difícil. La promesa de que dará juntamente con la prueba la salida se hace mucho más evidente en la vida de tal cristiano y hace que pueda aceptar la disciplina del Señor en humildad, ya que «sabemos que Dios hace que todas las cosas ayuden para bien a los que le aman, esto es, a los que son llamados conforme a su propósito» (Rom. 8: 28).

Una cosa es segura: el Señor dará fuerza espiritual en los momentos difíciles de la vida. Podemos estar seguros que él nos llevará en sus brazos en los momentos más difíciles, cuando casi caemos en las trampas del cazador, y, si no, tendrá una salida definida para la situación más difícil.

Salmos 90: 1 - 91: 16; Mateo 18: 1-35

Los hebreos conocían el libro de los Salmos con el nombre de *Tehil·lim,* o Alabanzas. El libro de los Salmos es también una guía a la oración. En él hay oraciones preciosas que uno repite vez tras vez. Sin embargo, los Salmos no son un libro de rezos realmente. Al leerlo, resulta admirable comprobar con qué honestidad, con qué sencillez y con qué profundidad de sentimientos oraba el salmista, así como el calor de las expresiones, y, especialmente, la intimidad que tenía el salmista con su Señor.

> Jehová reina; se vistió de magnificencia; Jehová se vistió, se ciñó de poder. Afirmó también el mundo, y no se moverá. Firme es tu trono desde entonces; tú eres eternamente.
> SALMO 93: 1, 2

Sus oraciones son dignas de imitar, pero su forma de alabar es lo que más inspira al creyente de hoy a buscar una relación profunda con su Señor. Con todo, se debe reconocer que el principal centro de interés de los Salmos no es el ser humano, sino Dios mismo. Hoy somos instruidos por medio de los Salmos en la forma íntima de orar, de pasar tiempo con Dios, de lamentar los pecados y encontrar gozo por su perdón y en nuestra aceptación por Dios.

La alabanza es una de las muchas lecciones que podemos aprender en el libro de los Salmos. La alabanza es la respuesta humana a la revelación de Dios. Dios busca la intimidad con el hombre; promete estar cerca, y, de hecho, siempre lo está. Este reconocimiento debe guiarnos a irrumpir en alabanzas por su grandeza, porque, a pesar de que es tan grande que el universo no lo puede contener, está tan cercano que puede estar con cada uno de nosotros individualmente. Seguramente resulte apropiado pronunciar las palabras del conocido himno: «Señor, mi Dios, al contemplar los cielos y astros mil girando en derredor… ¡Te amo y proclamo por tu gran poder! ¡Grande eres tú! ¡Grande eres tú!» El salmo parte de la lectura de hoy nos lleva a este sentimiento de arrobamiento y devoción, de reconocer que «Jehová reina, se vistió de magnificencia; Jehová se vistió, se ciñó de poder. Afirmó también el mundo, y no se moverá. Firme es tu trono desde entonces; tú eres eternamente» (Sal. 93: 1, 2).

Hablando del nacimiento de Cristo, el escritor Charles Dickens dijo: «Puede nacer mil veces en Belén, pero, a menos que nazca en nuestro corazón, en vano es su nacimiento». De igual manera, aunque él reina y gobierna en todo el universo, si no es el dueño absoluto de tu corazón, de nada sirve para ti.

Servid a Jehová con alegría

> Servid a Jehová con alegría; venid ante su presencia con regocijo.
>
> Salmo 100: 2

El servicio a Dios no siempre tiene indicaciones claras, como una voz que nos hable, un pasaje bíblico que nos ilumine sobre una cuestión específica. Tenemos la fe, la confianza, la esperanza y la seguridad de que somos aceptos ante el Padre. Experimentamos su aceptación en el gozo que pone en nuestro corazón en el servicio a él.

Es importante recordar que nuestro Dios no busca un grupo de esclavos para obedecer y actuar como zombis ante él. El gozo de Jehová es nuestra fortaleza, y solamente cuando encontramos gozo en servirle se deleita él en nuestra adoración. Nuestro Dios no es el Señor de un imperio de terror; más bien es el Dios de un imperio de amor. Los ángeles del cielo lo sirven constantemente con canto y alegría. Aunque nuestro Dios tiene el oído atento a toda queja de sus hijos, aunque ningún lamento es pasado por alto, en su presencia no hay lamentos ni quejas, sino gozo, alegría, paz, benignidad, templanza y amor abundante. En su presencia no hay obediencia involuntaria, porque el Señor conoce los corazones de los que lo adoran y lo sirven. Si se da cuenta de que el servicio es por obligación, y no basado en corresponder el amor que él nos brinda, nuestra ofrenda ante él será rechazada.

El servicio brindado con alegría es un servicio de corazón, un servicio verdadero. Si a un soldado hay que amenazarlo con un tribunal militar para que sirva, entonces no es un verdadero patriota dispuesto a dar su vida, sino más bien un desertor en potencia. El espíritu que se lleva a la batalla es el sincero de un patriota que cree en su país, o el del aspirante a desertor que odia a su país por obligarlo a acudir al campo de batalla.

El gozo es la base de la fuerza, porque en el gozo del Señor encontramos fuerza para vivir cada día para él y seguir adelante. El gozo del Señor elimina las dificultades y da fuerzas que el no creyente no logra entender. Por el gozo del servicio sufrieron martirio los mártires. En el gozo del Señor durmieron los santos que nos precedieron esperando el bendito cumplimiento de la gran esperanza. En el gozo del servicio al Señor no vemos la demora como abandono de parte de Dios, sino más bien como una oportunidad que él nos brinda para buscar más moradores para ocupar las mansiones que él nos fue a preparar.

25 agosto

No subestimes al Señor

En los días del Imperio Romano, los hacendados ricos usaban a los labradores pobres asentados en sus tierras para hacerlas productivas. En el tiempo de la cosecha, los labradores tenían que entregarle al hacendado cierta porción importante (del 25 al 50%) de las ganancias obtenidas. No había leyes sociales ni reforma agraria en aquellos tiempos, y los labradores estaban a merced del hacendado. Los buenos hacendados trataban benignamente a sus labradores, pero los malos los ultrajaban, y las leyes se lo permitían. En algunos casos extremos, había hacendados que llegaban y les quitaban toda la cosecha a los labradores, dejándolos solamente con las semillas para la próxima siembra y un mínimo para subsistir con la familia. Los labradores estaban a merced del hacendado, que vivía en la ciudad y rara vez visitaba sus propiedades.

> Le dijeron:
> «A los malos destruirá sin misericordia, y arrendará su viña a otros labradores, que le paguen el fruto a su tiempo».
> MATEO 21: 41

La parábola de Jesús invertía las cosas, porque ahora eran los labradores los que tenían el poder. Al menos, así se creían, pues asesinaban a todos los enviados del hacendado. El hacendado de la historia era tan bueno que los otros hacendados probablemente lo habrían tenido por ingenuo. Lo que sobresale en la historia es que los que se suponía que eran desfavorecidos eran malvados y crueles y que se arrogaron una autoridad inusitada. Los labradores se adueñaron de lo que no era de ellos, pero su peor error fue que subestimaron la bondad y la misericordia del hacendado. Sus mensajes de súplica y admonición no fueron apreciados. Al contrario, los malhechores se envalentonaron ante la revelación de piedad y misericordia.

Aunque Jesús dirigió esta parábola fundamentalmente a la sociedad judía de sus días, no cabe duda de que tiene implicaciones para su iglesia hoy. La historia revela, además de la maldad de los "labradores", la paciencia de Dios y su llamada constante al empedernido para que se arrepienta. Precisamente en ese aspecto desempeña un papel tan importante la iglesia de Dios.

Como guardiana de la verdad para nuestros tiempos, se debe hacer todo lo posible para que la iglesia no sea secuestrada por los incrédulos. Se debe procurar la debida representación de Cristo y, sobre todo, lograr que los pecadores presten atención a la voz de Dios.

Aunque yo oraba

> En pago de mi amor
> me han acusado,
> aunque yo oraba.
> SALMO 109: 4

La insistencia es natural cuando pedimos algo para nosotros mismos. La insistencia de la viuda era lógica porque ella tenía una necesidad. Sin embargo, estar pidiendo todo el tiempo por quienes nos quieren hacer daño no siempre es fácil. No es una oración para ser librados de la maldad de los demás, sino una oración pidiendo bendiciones para aquellos que nos maldicen. Muchas veces tales oraciones tienen como meta obtener la liberación de los que nos quieren hacer daño y que se ponga fin a su campaña destructora. Pero, ¿orar pidiendo bendición continua para ellos? No es fácil. Otras traducciones de la Biblia ponen que David dijo: «Pero yo soy un hombre de oración». También se da la interpretación «Me dedico constantemente a la oración».

David no pidió una sola vez y luego se refugió en el silencio. Su santo clamor era de continuo para aquellos que lo odiaban y buscaban su destrucción. Siguió pidiendo que lloviesen bendiciones sobre ellos. La oración por los que desean nuestro mal no debiera ser algo que se haga una sola vez, sino de continuo. Debemos orar y suplicar todo el tiempo, con toda dedicación. Cuando se aprende a pedir todo el tiempo por aquellos que desean el mal de uno, entonces la oración llega a ser parte integral de nuestro ser.

La experiencia de David en aquel momento era extraordinaria. Había quienes harían cualquier cosa por causar su destrucción. Provocaban con palabras y acciones para sacar lo peor de él, pero David se dedicó a orar. La maldad de los hombres puede ser tan cruel que solo daño quieren hacer. La mentira y la calumnia son armas predilectas de Satanás, pero los hijos de Dios se dedicarán a la oración. Por eso Cristo nos enseñó a orar por nuestros enemigos y por los que nos maldicen, porque la oración es la mejor respuesta al odio, la maldad y la sed de venganza. El mundo está acostumbrado al ojo por ojo, pero Cristo nos enseña a poner la otra mejilla.

La oración ocasional puede llegar a ser como una sombra que no tiene poder, porque no hay sustancia en ella. La oración por los que nos maldicen debe ser de corazón para el bien de ellos y no con el objetivo de usar el poder del Señor para nuestra venganza personal. La desgracia del maligno no debiera ser la dicha del cristiano genuino.

Detente, la vida sigue

«Detente, la vida sigue» debiera ser el lema para los que van corriendo de un lado a otro sin tomarse tiempo para disfrutar de las cosas que el Señor ha hecho y provisto para ellos.

> Este es el día que hizo Jehová; nos gozaremos y alegraremos en él.
> SALMO 118: 24

Si hay algo común bajo el sol es la llegada de un nuevo día. Hasta el bebé más ingenuo sabe que no hay ciencia en determinar que va a llegar un nuevo día. Esto es tan común que muchas veces se olvida que, si no fuera por la gracia de Dios, muchos no verían el día. La invitación no es solamente para ver a Dios en todo lo común, sino para tenerlo siempre presente, para nunca dar por sentadas las cosas, sino para ser conscientes de que son así porque Dios las hace así.

La invitación de observar lo común de un día como obra de Dios es para hacernos recordar que, tan constante como es él para proveer el día, lo es para proporcionarnos salvación.

El versículo 22 del Salmo 118, que vaticina a Cristo, presenta una ilustración tomada de la arquitectura, concretamente del arte de construir arcos en edificios. Se construían los arcos sobre un molde, comúnmente de madera, empezando por los dos lados. Cuando el arco estaba en su lugar, se quitaba el molde, pero esto no se podía hacerse hasta que se hubiese puesto la última piedra, la central del arco. Normalmente, era una piedra más pequeña que las otras, pero era tan importante, o más, que las demás. Es imposible mantener el arco sin la piedra cabecera. También lo es vivir de verdad la vida sin Cristo.

Este día que parece tan común tiene algo tan especial, porque es obra de Dios. En cada momento se deben reconocer las maravillas del Señor. En cada oportunidad se debe ver la mano de Dios. En todo momento se debe percibir la misericordia de Dios hacia nosotros.

«Detente, la vida sigue» debe ser el lema del cristiano. En los afanes de la vida, en las cosas que puedan parecer tan comunes, en los momentos que uno ni piensa en Dios o en su obra para la humanidad, hay que recordar que todo ha sido hecho por él. Las victorias que hoy se obtendrán contra el pecado son una obra maravillosa de Dios.

Hoy es un día más que el Señor nos da para disfrutar de su gracia. Alegrémonos en él, porque es un regalo de Dios para su pueblo.

Salmos 110: 1 - 118: 29; Mateo 23: 1-39

¿Qué haces con tu vida?

> Consideré mis caminos
> y volví mis pies a
> tus testimonios.
> SALMO 119: 59

Vivir la vida sin un propósito es ir a la deriva sin rumbo, y quien no tiene rumbo siempre llegará a donde va: a ningún lugar. Es sumamente importante pensar en la ruta de la vida que se quiere llevar. Como cristianos, tenemos un rumbo y una gran esperanza por alcanzar. Todos tenemos la buena intención de estar con Cristo en su reino. Para ello, hay que vivir la vida como el Señor espera de sus hijos. «La religión de la Biblia eleva la razón hasta que Cristo queda entremezclado con todos los pensamientos. Toda acción, toda palabra y todo momento de nuestra vida debería llevar la impronta de nuestra santa fe. El fin de todas las cosas está cerca, y no tenemos tiempo para estar ociosos ni para vivir en el placer, en pugna con Dios» (4T 191).

Elena de White afirma que «Jesús enseñó que la religión de la Biblia no consiste en una exclusividad egoísta, en el contentamiento personal, sino en practicar obras de amor, en proporcionar el mayor bien posible a otros, en la genuina bondad» (AFC 103).

Las cosas que aportamos a la vida de los demás es el mejor legado que podemos dejar. Del cristiano se espera que lleve una vida que busque el bien de los demás. Se cuenta la historia de un famoso científico que había ganado millones por el invento de la dinamita. Cierto día abrió el periódico y se llevó la gran sorpresa de leer la historia de su fallecimiento. La sorpresa no fue solamente por el error, sino por las cosas que se decían de él en el periódico. Se alegaba que él no había hecho nada digno de mención en pro de la humanidad, y que su fortuna la amasó a expensas del sufrimiento humano. Esto tocó tanto al Alfred Nobel, que decidió hacer algo para cambiar esa opinión. Puso la gran parte de su fortuna en una cuenta bancaria para así beneficiar a individuos que hayan hecho algo notable por la humanidad. Así surgieron los premios Nobel. Alfred Nobel decidió cambiar el rumbo de la historia de su vida para hacer algo positivo para la humanidad.

Cada día, cuando salimos al encuentro de los demás, el Señor nos da la oportunidad de pensar en el rumbo que llevamos. Cada paso que se da hay que preguntar si es la dirección que nos llevará a los pies de Jesús. Que hoy sea un día más donde estos valores sean parte de tu vida en tu camino al cielo.

29 agosto

No te olvides

En mi infancia no conocí super-mercados ni grandes cadenas de tiendas. Había, como siguen existiendo en algunos lugares, tiendecitas cuyos dueños iban frecuentemente al pueblo a abastecerse de lo más común para así suplir las necesidades de los vecinos. Muchos padres tenían la costumbre de mandar a sus hijos a última hora a buscar urgentemente algo en la tiendecita de la esquina. Para evitar que se les olvidase el recado por algún encuentro casual con algún amiguito o por cualquier distracción de lo largo del camino, muchos desarrollaron la técnica de ir repitiendo por todo el camino la lista de cosas que había que comprar para recitársela luego al dueño de la tienda y así comprar lo correcto.

> Y respondiendo el Rey, les dirá: «De cierto os digo que en cuanto lo hicisteis a uno de estos mis ermanos más pequeños, a mí lo hicisteis».
> MATEO 25: 40

También hoy hay muchas cosas en la vida que tienden a distraernos de las cosas más importantes. Por eso conviene repetirlas constantemente. Una de las cosas que jamás se debe olvidar es el hecho de que Dios cuida de los más necesitados y muchas veces quiere usarnos para este trabajo. Dios le dice a su iglesia que alimente al hambriento, que dé de comer al que no tiene, vestido al que tiene frío, y que se ocupe del desafortunado.

Las distracciones de la vida muchas veces hacen que nos olvidemos de esto. Sin embargo, esto es tan importante que el Señor indica que es parte de los parámetros del juicio ante el trono del Eterno. En el juicio se medirán cosas como qué hemos hecho con el Hijo de Dios; cuánto hemos valorado la sangre derramada por nosotros; y qué hemos hecho con las oportunidades brindadas para hacer el bien a los demás y ser instrumentos en las manos de Dios para aliviar el sufrimiento de otros.

El hecho de que seamos salvos por la fe no debiera eximirnos de hacer el bien por el bien. Las obras de caridad no son un medio de salvación, pero sí una forma más para que el mundo sepa del amor de Dios. Y, ciertamente, igual que ama Dios al pecador perdido, así debemos amar y ayudar al necesitado. Como el Padre se sacrificó por nosotros, así también deberíamos procurar ayudar a «uno de estos mis hermanos más pequeños». Encontremos a uno en necesidad hoy, y démosle la mano como si fuera a Cristo.

Salmos 120: 1 - 133: 3; Mateo 25: 1-46

Como tú quieres

> Yendo un poco adelante, se postró sobre su rostro, orando y diciendo: «Padre mío, si es posible, pase de mí esta copa; pero no sea como yo quiero, sino como tú».
>
> MATEO 26: 39

Hay muchos episodios bíblicos que mencionan las oraciones de Jesús. Es normal, porque lo hacía a menudo. Oraba para sanar a los enfermos, para alimentar a la multitud, para enseñar a sus discípulos cómo se hacía... Su vida era una oración constante.

Sin embargo, esta ocasión coronó toda su vida de oración. ¿Qué lecciones podemos extraer de esta oración singular? Sin duda, muchas. Detengámonos, sin embargo, en tres, y veamos la forma de aplicarlas a nuestra vida:

- **Era una oración solitaria.** Jesús se alejó de sus discípulos para orar. En momentos de crisis, la soledad con Dios es la fuente de mayor consuelo. No hay interrupción ni intervención humana. Así se aprecia más la quietud con Dios y su voz hablándonos. Es importante poder excluir al mundo para poder escuchar la voz de Dios.

- **Era una oración humilde.** Muchos oran con el orgullo de ser buenos, de ser mejores que los demás porque devuelven el diezmo, oran tres veces al día, asisten a todos los cultos, y dan mucha limosna. Todas estas cosas son buenas, pero nadie debe enorgullecerse de ellas. Decir «Ten piedad de mí, un pobre pecador» supone reconocer la grandeza de Dios y darle el primer lugar en nuestra vida. El hecho de que «se postró sobre su rostro» indica que en este momento de mayor necesidad ni se atrevía a mirar a Dios, sino que puso su rostro en tierra.

- **Era una oración de dependencia de Dios como un hijo confía en su padre.** Hemos perdido el derecho de ejercer nuestra propia voluntad, pues el pecado nos ha minado ese privilegio. Vivimos dependiendo de la voluntad del Padre. Queremos que su voluntad se haga siempre en nosotros. No debemos sentir temor en orar al Padre y manifestarle cuánto dependemos de él.

Orar con la actitud correcta es un privilegio del hijo de Dios. Por el Espíritu de Cristo, que lleva nuestras oraciones ante el Padre, podemos estar confiados en que el Señor escucha nuestras oraciones. Él nos ayuda a reconocer que su voluntad es lo que debemos permitir que obre en nuestras vidas.

No hay lugar para los orgullosos

En toda la Biblia se encuentran indicaciones de que Dios no aprueba el orgullo. En palabra y en ejemplo el Señor nos ha indicado que la altivez de corazón, el orgullo del alma y las pretensiones de ser mejor que los demás acaban llevando a la persona a desafiar al mismo Dios.

> Jehová,
> no se ha envanecido
> mi corazón,
> ni mis ojos
> se enaltecieron;
> ni anduve en
> grandezas, ni en cosas
> demasiado sublimes
> para mí.
> SALMO 131: 1

Cuando David danzaba en traje sacerdotal, y no con su espléndido ropaje regio, fue despreciado por su esposa (2 Sam. 6: 21-23). Fue la humildad de David lo que lo impulsó a despojarse de toda pretensión real ante el Único en el universo que merece todo honor y gloria. El Salmo 131 pone de relieve cómo es preferible la humildad a la altivez de corazón. David estaba indicando a sus conciudadanos que en aquel momento en el que podrían celebrarse victorias militares y glorificar sus propios logros, lo verdaderamente importante era la adoración del Dios verdadero y la alabanza de sus maravillas, ante las cuales él se humillaba. El rey de Israel no se presentó con todas sus credenciales y derechos de ser ensalzado, porque reconocía que Dios aprecia el corazón contrito y humillado. Se aseguró de que todos los que presenciaban el acto tuviesen la convicción íntima de que Jehová es el único que merece todo honor y gloria. El rey estaba dispuesto a quedar en un segundo plano para que nada le quitase protagonismo a su Dios.

Se aprecia en toda la vida de David una noble tendencia a darles a los demás el debido crédito. Se caracterizó, ante todo, por no tomar nunca para sí la gloria que pertenecía a Jehová. No buscó ni tomó el trono con violencia, sino que, inmerso en sufrimientos, esperó años, a pesar de haber sido ungido por Samuel para el puesto, hasta que la mano de Jehová le dio el trono. Muchos años después, cuando su hijo Absalón se sublevó, David prefirió abandonar Jerusalén. En su retirada, no respondió a las maldiciones de Simei, ni permitió que sus hombres lo hicieran callar.

Toda la vida de David reflejó paciencia y mansedumbre, siempre sumiso a la voluntad de Dios y libre de todo orgullo mundanal. Tal debe ser la actitud de todo hijo de Dios: humildemente esperar en Jehová, y darle toda honra y gloria a nuestro Hacedor.

Y de las dudas, ¿qué?

> Y cuando le vieron,
> le adoraron;
> pero algunos dudaban.
> MATEO 28: 17

Tener dudas en algún momento de la vida es muy común. Si no fuera por las dudas, no se podría apreciar del todo la fe genuina. De hecho, la manifestación de la fe genuina destaca más lo inaceptable de la duda. La fe es el antídoto de la duda. Cuando Jesús se manifestó a sus discípulos después de la resurrección, el grupo estaba dividido entre una minoría dubitativa y una mayoría de fe. En nuestros días las cosas se han invertido, pues son más los de la duda que los de fe.

Las palabras que siguen al versículo de esta mañana contienen la fórmula perfecta para vencer las dudas en la vida del cristiano. Jesús les indicó a sus seguidores que iban a tener el privilegio de trabajar en el avance del evangelio. Una minoría de los presentes dudaba de si el que estaba allí ante ellos era el Cristo. Jesús les aseguró entonces no solo que lo era, sino que estaría con ellos todos los días hasta el fin del mundo. «Y Jesús se acercó y les habló diciendo: "Toda potestad me es dada en el cielo y en la tierra. Por tanto, id, y haced discípulos a todas las naciones, bautizándolos en el nombre del Padre, y del Hijo, y del Espíritu Santo; enseñándoles que guarden todas las cosas que os he mandado; y he aquí yo estoy con vosotros todos los días, hasta el fin del mundo". Amén» (Mat. 28: 18-20).

Cuando la duda quiera minar la fe, recordemos que debemos enseñar, pero no nuestras dudas que alberguemos, sino la fe en las maravillas y el poder del Espíritu Santo. Lo que debían enseñar los discípulos era las grandes cosas que Jesús les había enseñado. La triste realidad en el cristianismo es que, muchas veces, la minoría que duda está formada por maestros que, en vez de enseñar las verdades de Cristo, se dedican a esparcir sus dudas. Su pasatiempo favorito es enseñar sus dudas. Lamentablemente, quien se empeñe en seguir semejante camino no se beneficiará de la promesa de la presencia de Cristo hasta el fin del mundo, pues carecen de su Espíritu.

Combatamos la duda enseñando las maravillas del Señor. Que la enseñanza de sus verdades eternas sea nuestra razón de ser, y que no seamos proclamadores ni esparcidores de dudas. «Id y predicad, enseñando» –no tus dudas, sino «lo que yo os he enseñado». Entonces «estaré con vosotros hasta el fin del mundo».

Cantarán el primer canto

No todo el mundo puede cantar. Hay quienes se dice que son atonales, incapaces de dar con las notas. El canto de los tales más bien causa dolor de oídos. Con todo, no hay ser humano que no pueda elevar un canto a nuestro Dios. Lo mejor de todo es que, por desentonado que suene el canto al oído humano, es dulce melodía al oído de nuestro Dios, porque nace de un corazón lleno de gozo, gratitud, admiración y reconocimiento por lo que el Señor ha hecho en la vida de tal persona.

> Cantarán acerca de los caminos de Jehová, pues grande es la gloria de Jehová.
> SALMO 138: 5

Quien quizá se haya visto desanimado para entonar un canto secular con anterioridad no necesita que se le insista para cantar un cántico nuevo al Señor, especialmente si ya ha dejado todas sus cargas a los pies de la cruz. Puede decirse que ni los ángeles pueden cantar un cántico más dulce al oído del Padre que el de un pecador que reconoce la gran salvación que el Señor le ha otorgado.

La persona que reconoce el milagro de la salvación exclamará: «Oh cruz bendita, oh sepulcro maravilloso, bendito el Hombre que allí sufrió la vergüenza por mí, pecador». Uno tiene que recordar con gratitud el día en que las cargas del pecado le fueron quitadas, cuando al fin, por la fe, pudo ver el rostro maravilloso del Señor y oír su dulce voz decir: «Todo esto lo he hecho por ti. Bienvenido a mi familia, bienvenido a mi reino Dios. Yo he quitado tus transgresiones. Con amor eterno te he amado y he borrado tus rebeliones». Estas palabras de amor tendrán un efecto maravilloso sobre la persona. Irrumpirá en un canto que solo él puede entonar, y tal canto es el canto que nuestro Dios quiere oír de cada uno de sus hijos.

La práctica de buscar razones para alabar el nombre de nuestro Dios constantemente nos ayudará a descubrir que no se requieren muchos esfuerzos ni búsqueda alguna para descubrir que nuestra boca puede estar constantemente llena de la alabanza a nuestro Dios:

«Bendeciré a Jehová en todo tiempo; su alabanza estará siempre en mi boca» (Sal. 34: 1).

No solo podemos gozarnos de entonar el canto en sí, sino de tener el privilegio de proclamar el nombre de nuestro Dios constantemente:

«Señor, abre mis labios, y proclamará mi boca tu alabanza» (Sal. 51: 15).

Salmos 137: 1 - 139: 24; Lucas 1: 1-80

Escuchar maravillas

> Todos los que oyeron se maravillaron de lo que los pastores les dijeron.
> LUCAS 2: 18

Un vistazo casual al plan de redención jamás nos puede dar la magnitud de lo que ocurrió hace más de dos mil años aquí en la tierra. Estando tan alejados de los eventos de la noche del nacimiento de Cristo tiende a disminuir la maravilla de aquel acontecimiento. Nunca podremos entender del todo la profundidad de lo ocurrido. Cuando los pastores estaban contando la historia como les fue relatada por los ángeles, todo el cielo y el universo se congratulaban. Para ellos no era asunto de maravillarse, porque conocían de cerca a ese Dios maravilloso y su gran amor y ternura para la raza caída. El asombro era para los pecadores, porque, aunque habían oído la promesa de que el Mesías nacería para salvar al hombre, o no la habían creído del todo o la habían entendido mal.

Había llegado el momento, y los pastores daban testimonio de lo ocurrido. El mundo ahora tenía una evidencia que no podía echar a un lado. O se creía y se aceptaba al Salvador, o se lo rechazaba como un cuento de hadas increíble. Cuantos oían la historia tenían que reaccionar emocionalmente ante ella. ¡Qué reacción inicial más hermosa de los que oyeron! Sin embargo, ¡qué lástima que ese asombro y maravilla no llevara después a una aceptación de la gran verdad del Mesías! Todos los que oyeron la historia se maravillaron, pero, lamentablemente, unos años después solamente algunos creyeron hasta el final.

Lo grande, increíble y maravilloso de la historia era que Dios se había compadecido de la raza humana y había venido a salvar al pecador. Nunca ha habido historia más conmovedora, así que no es de extrañar que todos se maravillaran. Lo que causó tal maravilla fue que los corazones se llenaron de gratitud. Desde entonces se podía adorar a un Dios que no amenazaba con la destrucción, sino a un Dios que cumplió su promesa hecha a Adán de que nacería el Mesías. La promesa se había hecho realidad. La noticia causó maravilla, que llevó a la adoración, que tenía como propósito guiar a la aceptación y la salvación. Triste es que, como los contemporáneos de los pastores, muchos se queden en el asombro y la maravilla, pero no lleguen a creer, aceptar y ser salvos. Que el Señor confirme nuestra admiración ante la salvación por aceptar a Cristo de todo corazón y dejarlo gobernar nuestra vida.

4 septiembre

¿Qué haremos?

«¿Qué haremos?» Es la gran pregunta de quienes se ven confrontados con su pasado. Estando acostumbrados a hacer cosas, ahora se sienten en la necesidad de hacer "algo" para ser salvos. Entre los que llegaron para ser bautizados por Juan, había tres grupos que necesitaban una respuesta a esta pregunta. Ya habían aceptado la realidad de que tenían que ser bautizados, pero no se sentían satisfechos. La respuesta de Juan a cada uno de estos grupos fue similar a las palabras de Cristo a la mujer sorprendida en adulterio: «Vete y no peques más». Juan hacía alusión a su vida pasada, les llamaba la atención a la vida presente y los encaminaba en la vida futura.

> También le preguntaron unos soldados, diciendo: «Y nosotros, ¿qué haremos?» Y les dijo: «No hagáis extorsión a nadie, ni calumniéis; y contentaos con vuestro salario».
> Lucas 3: 14

La pregunta del público en general era: «¿Qué haremos?» Cuando se sabe qué hacer y se busca una respuesta diferente a la que se sabe, la voz del Señor viene clara y directa. El primer paso del corazón convertido es, por la gracia de Dios, llegar a ser altruistas. El desprendimiento de las cosas de este mundo es la primera indicación de un corazón convertido. No puede haber egoísmo entre los verdaderos hijos de Dios. «El que tiene dos túnicas, dé al que no tiene; y el que tiene qué comer, haga lo mismo» (Luc. 3: 11).

El segundo indicio de la verdadera conversión es que el hijo de Dios es honesto. No pide, no toma, no se adueña de lo que no es suyo. La respuesta de Juan a los publicanos fue: «No exijáis más de lo que os está ordenado» (vers. 13). El mundo necesita personas honestas en todo, y los adventistas deberíamos ser los primeros en esto. La honestidad en el trabajo, en los negocios y para con Dios en los diezmos y ofrendas debería ser la marca sobresaliente del cristiano.

Por último, estaban los soldados, gente acostumbrada a extorsionar para complementar su salario. La respuesta de Juan, aunque simple, tiene un significado tan profundo que sigue hoy vigente. «No hagáis extorsión a nadie, ni calumniéis; y contentaos con vuestro salario».

Cuando se conoce al Señor, nuestras relaciones deben modificarse para el bien de todos. El abuso de autoridad, el descuido con la reputación de otros y tomar libertades con la verdad ya no deberían ser parte de nuestra forma de ser.

Salmos 144: 1 - 150: 6; Lucas 3: 1-38

La burla cruel   *septiembre 5*

También yo me reiré en vuestra calamidad, y me burlaré cuando os viniere lo que teméis.
PROVERBIOS 1: 26

La burla es la forma más cruel de comunicación verbal o de lenguaje corporal, porque humilla, ofende, y causa dolor emocional. Es la burla una forma sutil de venganza, especialmente cuando se puede decir: «Te lo advertí». Pretender que Dios toma placer en burlarse de los pecadores es una tergiversación de las realidades divinas. A la mente humana, controlada por las pasiones negativas y el pecado, le gusta atribuir a Dios características humanas que reflejan nuestras propias debilidades. Aunque el pasaje de hoy habla de la risa de Dios y de la burla de Dios, no se debe interpretar que tal cosa sea parecida al gozo que encuentran algunos seres humanos en el sufrimiento de los demás.

La intención del pasaje no es obligarnos a hacer lo que no queremos por miedo a la burla, sino que constituye más bien una indicación de que ahora tenemos la oportunidad de estar en armonía con Dios, de vivir en paz con él, de aceptar su gracia y, por medio de esa gracia, de hacer su voluntad. La enseñanza es que el rechazo de la instrucción de Dios nos deja sin recursos en el momento de necesidad. Al pecador que rechaza toda instrucción e invitación de Dios y lucha insistentemente en contra de la influencia del Espíritu Santo ya no le queda más esperanza de salvación, pues no hay formas alternativas al plan de Dios para la salvación del hombre. Aunque Dios mira, sufre, y tiene compasión del pecador, este puede escoger un camino que lo lleve irreversiblemente a un desenlace fatal.

«El consejo rechazado en tiempo de paz será el consejo deseado en tiempo de aflicción». Jesús ilustró esta situación con la parábola de las diez vírgenes y con otras enseñanzas que ilustran el rechazo divino cuando se pretende acudir al Señor a última hora procurando evitar su condena. La gran verdad es que hoy es el día de salvación; hoy es del día de aceptar el consejo y la sabiduría de Dios; hoy es el día de hacer de los consejos de Dios el norte de nuestra vida.

La burla ante la calamidad parece cruel, pero quien rechaza la sabiduría de las advertencias acerca de lo errado de su conducta no tiene derecho a hacer reclamaciones. Tratar de cambiar el plan de Dios, o rechazarlo, solo puede tener un resultado trágico: la perdición eterna.

El plan

Aunque al principio las ilusiones son otras, la mayoría de los malhechores acaba descubriendo que sus planes delictivos, o de huida, distan

Reconócelo en todos tus caminos,
y él enderezará tus veredas.
PROVERBIOS 3: 6

de ser perfectos. Tal deficiencia, no obstante, no se da únicamente entre los delincuentes. La planificación, de una u otra manera, siempre ha ocupado la mente del ser humano. Hoy en día incluso es una disciplina casi científica en la que se insiste como herramienta para garantizar el éxito de cualquier empresa.

El general cartaginés Aníbal trazó un plan muy elaborado para lograr la hegemonía de su nación en el Mediterráneo occidental. Partiendo de la Península Ibérica, cruzaría los Alpes con su poderoso ejército para atacar a Roma bajando desde el norte. Contaba con que los romanos se iban a sorprender y asustar al ver a los elefantes que él tenía como parte de su maquinaria bélica. El plan casi funcionó. En las primeras escaramuzas, efectivamente, los elefantes fueron un elemento que hacía correr a los romanos. Pero los romanos acabaron aprendiendo cómo asustar a los elefantes y hacerlos retroceder y atropellar a las filas enemigas. El plan "perfecto" acabó causando la derrota cartaginesa.

Aunque el versículo de hoy no use la palabra *planes,* se refiere a ellos. Una paráfrasis sería: «Asegúrate de que Jehová figura prominentemente en todos tus planes, y así tendrás la seguridad de la victoria». Lamentablemente, Dios es dejado fuera de los planes de los hombres la mayoría de las veces, pues tendemos a confiar en nuestros propios planes, en nuestra sabiduría, en lo que podemos hacer y lograr sin Dios.

La inclusión de Dios en nuestros planes, y esto al inicio de los mismos, y no solamente cuando todo parezca encaminarse hacia el fracaso, muestra que nuestra confianza en Dios está por encima de la que tenemos a los planes más astutos trazados por los hombres.

«No seas sabio en tu propia opinión; teme a Jehová, y apártate del mal» (Prov. 3: 7). Este consejo del sabio es la mejor recomendación que se puede recibir. Planificar ateniéndonos a nuestros propios criterios sin contar con la ayuda divina producirá resultados indeseables a la larga, pues la vida sin Dios es un gran fracaso. Trazar planes y excluir a Dios de los mismos es un camino seguro al fracaso.

¿Cuánto amas?

> Por lo cual te digo que sus muchos pecados le son perdonados, porque amó mucho; mas aquel a quien se le perdona poco, poco ama.
> LUCAS 7: 47

La relación entre el perdón y el amor es muy estrecha. Se perdona a quien más se ama, y, de igual forma, la persona perdonada siente lealtad hacia el perdonador.

Simón no podía entender que Jesús se relacionara con una mujer de pasado dudoso. Para él, la única forma de relacionarse con tales personas era a distancia: los "pecadores" por un lado y los "santos" por el otro.

La disposición a perdonar cuando, supuestamente, no se puede ni se debe perdonar es un principio excelso. Para el fariseo aquella mujer estaba más allá del perdón, pues era "pecadora", implicando así que el perdón debiera ser dispensado solamente a aquellos que son "santos".

¡Qué contraste la ternura, la comprensión y la misericordia de Cristo frente al corazón del hombre endurecido contra los que alguna vez han caído en el pecado! No sé de dónde se saca la noción de que, para ser un buen cristiano, hay que ser duro con los pecadores. El ejemplo de Cristo nos indica justamente lo contrario. Según las palabras de nuestro Salvador, cuanto más grande sea la ofensa, mayor debería ser nuestra compasión.

«¡Cristo es capaz, Cristo está dispuesto, Cristo anhela salvar a todos los que acuden a él! Hablen a las almas que están en peligro e indúzcanlas a contemplar a Jesús en la cruz, muriendo con el fin de hacer posible la salvación de ellas. Háblenle al pecador con su propio corazón rebosando del amor tierno y compasivo de Cristo. Que en esto haya un profundo empeño: pero que ninguna nota áspera ni dura proceda de los labios de la persona que está tratando de ganar al alma para que mire y viva. Consagre primero su propia alma a Dios. Que su corazón sea quebrantado al contemplar a nuestro Intercesor en el cielo. Entonces, suavizado y subyugado, se puede dirigir a los pecadores arrepentidos como alguien que ha experimentado el poder del amor redentor» (6T 66-7).

Hoy el Señor pondrá pecadores en nuestro camino. De hecho, estará con nosotros en el camino de los pecadores, primeramente para ayudarnos a recordar el nivel de perdón que hemos recibido, y, luego, para ayudarnos a no tratar a nadie con dureza ni aspereza. Que la ternura, la compasión y la misericordia de Cristo puedan ser reveladas en nosotros hoy.

Proverbios 5: 1 - 6: 35; Lucas 7: 1-50

8 septiembre   «Pero estos no tienen raíz»

S ería muy bueno examinarnos a nosotros mismos a la luz de este texto. Comúnmente lo aplicamos a aquellos que llegan por un corto tiempo a la iglesia y luego se apartan, pero el texto es mucho más profundo que esto, porque apartarse del Señor no es solamente apartarse físicamente y dejar de caminar con los fieles. Las parábolas de Cristo, especialmente la de la moneda perdida, indican que uno puede estar perdido en el lugar donde se supone que está seguro y a salvo.

Los de sobre la roca son los que, cuando oyen, reciben la palabra con gozo. Pero estos no tienen raíz; por un tiempo creen y en el tiempo de la prueba se apartan.
Lucas 8: 13

Se puede recibir la Palabra con gozo, se puede sentir la viva impresión del toque del Espíritu del Señor, se pueden tener las mejores intenciones de iniciar y continuar un caminar muy de cerca del Señor, pero esto es solamente el inicio. Es esa caída de la semilla entre pedregales, con toda la buena intención de germinar, pero que no echa raíces para perdurar. Recibir la Palabra en el oído es una cosa; dejar que eche raíces en el corazón es otra cosa completamente distinta. Los sentimientos superficiales muchas veces reflejan la dureza de un corazón que no permite que la semilla eche raíces.

La semilla que cae sobre la roca tiene el interés de cumplir con su propósito natural de dar resultados, de crear una presencia permanente en el lugar donde cayó. Hasta puede intentar dar una mata con hojas verdes, haciendo todo lo posible por crecer. Sin embargo, bajo tierra, donde los ojos del hombre no alcanzan, no tiene futuro, pues no tiene fuerza: ha tropezado con una roca que no deja pasar nada bueno.

La pregunta de cada cristiano en ese proceso de autoevaluación es: ¿Será este mi caso? ¿Soy uno de los que tienen todos los buenos deseos, pero no permito que el Espíritu del Señor me ablande el corazón para una entrega completa? El crecimiento se nota en dos direcciones: la exterior, que puede ser vista por el hombre, y la interior en lo más íntimo de nuestro ser, y que solo Dios puede percibir.

«No es Dios quien ciega los ojos de los hombres y endurece su corazón. Él les manda luz para corregir sus errores, y conducirlos por sendas seguras; es por el rechazamiento de esta luz como los ojos se ciegan y el corazón se endurece» (DTG 289).

La prudencia, una necesidad urgente

> El que corrige
> al escarnecedor,
> se acarrea afrenta;
> el que reprende
> al impío,
> se atrae mancha.
> PROVERBIOS 9: 7

La ilustración en la que, en el libro de Proverbios, la sabiduría invita a todo el mundo a acudir a su casa tiene por objetivo mostrar las distintas reacciones de las personas ante este tipo de invitación. La sabia indicación no es que no se deba invitar a todos, sino que hay ciertas personas que se toman las reprensiones muy a la ligera. Algunas incluso tienden a reaccionar violentamente y devolver insultos cuando se les aconseja. Tales personas tienden a reaccionar así en público, y causan así, a menudo, el sonrojo del represor. Algunos comentaristas proponen que no es que no haya que reprender al escarnecedor, sino que hay que hacerlo con amor, y no tratar de avergonzarlo con una invitación abierta a entrar a la casa de sabiduría, que aquí puede representar a la iglesia.

Esta porción del capítulo 9 de Proverbios no está dirigida al escarnecedor, sino que busca despertar la prudencia en la persona piadosa que va en busca de invitados y encuentra al escarnecedor. La actitud es de prudencia, de no asumir una actitud de que «soy mejor y más santo que tú». Tal actitud incita al escarnecedor a golpear con la burla y la ofensa a quien lo reprende. Cuando se busca glorificar a Dios con la conversión del escarnecedor, se aplica el método de Dios para llamar con amor y no con dureza. Elena de White escribió:

«Los que son humildes de corazón, los que sienten su necesidad de una sabiduría más elevada, y no dependen de su propio juicio limitado, sino que buscan fervientemente conocer la voluntad de Dios, pueden alimentarse de la Fuente de todo conocimiento y obtener gracia, prudencia, discreción y juicio» (YI, 19 de septiembre de 1895).

La reacción del escarnecedor aquí descrita puede ser un desastre sin igual, pero la enseñanza de Salomón es que hay que actuar con prudencia. El cristiano debe pedirle al Señor que le dé prudencia en todo momento. «Comenzad cada día con una ferviente oración, sin dejar de ofrecer alabanza y agradecimiento. Pedid sabiduría para conducir vuestras ocupaciones con prudencia y prever así pérdida y desastre» (RH 3 de febrero de 1885).

Que hoy y siempre podamos aprender a ser mansos como la paloma y, sobre todo, muy prudentes en nuestro trato con los demás.

«La mucha ocupación no es progreso» es un dicho que indica que estar ocupado no es necesariamente sinónimo de estar logrando algo.

El impío hace obra falsa; mas el que siembra justicia tendrá galardón firme.
PROVERBIOS 11: 18

Se puede pasar toda la vida trabajando sin parar para no lograr nada. Esto no quiere decir que el trabajo sea malo, pero sí que el trabajo debería tener un propósito. La mayoría de los cristianos que logran tener un empleo lo ven como una bendición para sostener a su familia y apoyar la obra de Dios.

La «obra falsa» es aquella que entorpece la salvación de la persona, la que no le permite un acercamiento a su Hacedor. Siendo que el trabajo es algo que todos necesitamos, siendo que es una actividad universal y reconocida como un derecho fundamental del hombre, debemos lograr que, no importa la actividad laboral, su ejecución suponga un gozo. Nuestro empleo debe ser causa de alabanza a Dios, como manifestación de nuestra gratitud por tenerlo. La «obra falsa» tiende a engrandecer al hombre en vez de agradar al Señor; en cambio, el trabajo como servicio nos prepara para reconocer al Señor y sus bendiciones en todas las cosas, incluyendo las laborales.

«Soy servidor» debería ser el lema de todo cristiano. «El que siembra justicia tendrá galardón firme», porque su servicio va más allá de los beneficios temporales. Busca en su trabajo, en su servicio, lograr que otros alaben al Señor.

El trabajo no debiera ser razón de separación entre nosotros y nuestro Dios. Debiéramos dar mucho servicio, pero nunca hemos de olvidarnos de la importancia de la comunión. Seamos obreros fieles, y los mejores que pueda haber donde desempeñemos nuestras funciones, pero no nos olvidemos de la importancia de estar también con nuestro Señor. El tiempo pasado a los pies de Jesús nunca es tiempo perdido: es sembrar en justicia.

No debemos abandonar las cosas externas; no debemos descuidar el servicio. Sin embargo, debemos cultivar la comunión de igual manera. Pasar tiempo con Cristo y su Palabra es de mucha importancia para preparase para salir a la batalla. Que la lectura de la Palabra, el estudio de la lección de Escuela Sabática, el estudio de los escritos de Elena de White y el tiempo pasado en la oración puedan llegar a ser una parte integral de nuestro ciclo de servicio. Comunión y ocupación son indispensables para la vida del cristiano.

Impresionados

> Aconteció que estaba Jesús orando en un lugar, y cuando terminó, uno de sus discípulos le dijo: «Señor, enséñanos a orar, como también Juan enseñó a sus discípulos».
> Lucas 11: 1, 2

«Los discípulos de Cristo estaban muy impresionados por sus oraciones y por su hábito de comunicación con Dios» (PVGM 106).

Quedar impresionado es quedar asombrado, descubrir cosas maravillosas que se desconocían. Aunque los discípulos estaban muy cerca a Jesús, había cosas de él que eran tan extraordinarias, que hasta a ellos les llamaban la atención. La vida de oración y comunión constante con el Padre maravillaba tanto a los discípulos, que llegaron a desear hacer lo mismo que Jesús. El modelo de la vida devocional de Jesús llegó a ser lo que más querían.

También encontraban asombrosas la humildad y el sufrimiento de Cristo. Comentó Elena G. de White: «Porque no conocemos a Dios, porque no tenemos fe en Cristo, porque no estamos profundamente impresionados con la humillación que él sufrió en nuestro lugar, es por lo que su abatimiento no nos induce a la humillación del yo, a la exaltación de Jesús. ¡Oh, si amarais a Cristo como él os ha amado, no rehuiríais vivir los capítulos oscuros del sufrimiento del Hijo de Dios!» (RH 24 de mayo de 1892).

También es objeto de asombro comparar la perfección de Cristo con nuestro estado de descuido. «Los ángeles celestiales están trabajando constantemente para llamar la atención del hombre, el instrumento viviente, hacia la contemplación y la meditación en Jesús, para que mirando la perfección de Cristo sean impresionados por las imperfecciones de sus propios caracteres» (Ms 48, 26 de noviembre de 1890).

Si la forma de orar causó una impresión tan fuerte, si debemos maravillarnos de los sufrimientos y el amor de Jesús, si los ángeles están activamente tratando de hacernos entender los requerimientos de la vida cristiana, entonces tenemos también una responsabilidad hacia quienes nos rodean. La vida del cristiano debiera ser tan extraordinaria que la gente quede impresionada por lo que ven. Es un privilegio representar a Cristo para causar cambios en el hombre. Que nuestra vida hoy pueda ser de tal forma que causemos impresiones indelebles en las personas que nos rodean.

De profesión *quejoso*

H ay personas para quienes todo anda siempre mal. Si no
hay males, son capaces de
inventar situaciones para alargar su sufrimiento.
Dios puede estar bendiciéndolas en abundancia, pe-

> Para el afligido todos los días son malos; para el que es feliz siempre es día de fiesta.
> PROVERBIOS 15: 15

ro ellas siempre encuentran de qué quejarse. Andar apesadumbrado es el estado mental favorito de tales personas, y nunca pueden disfrutar de las bendiciones de Dios en sus vidas, ni regocijarse con los demás cuando Dios los bendice. La forma de relacionarse con Dios lo cambia todo, porque el estado de
ánimo establece las diferencias entre los hijos de los hombres. Sin embargo, no
debería ser así entre los hijos de Dios. Se supone que los hijos de Dios están
bajo el control y la influencia del Espíritu Santo, y, por eso, deberían encontrar
gozo y felicidad en toda circunstancia. «Regocijaos en el Señor siempre. Otra
vez digo: ¡Regocijaos!» (Fil. 4: 4).

La invitación es a «estar siempre gozosos», a dejar que la risa engorde los
huesos, a disfrutar de la abundante gracia de Cristo. Estar siempre gozoso debería formar parte de la manera de ser de cada hijo de Dios. Los de espíritu afligido encuentran satisfacción en comer en la oscuridad (Ecl. 5: 17), y nunca
comen con placer (Job 21: 25); viven en constante aflicción o, como dice el
texto original, «en estado de pesadumbre». Por lo tanto, no glorifican a su Dios.

En cambio, los que tienen una disposición alegre, los que viven confiados en
el Señor y disfrutando de sus bondades, están todo el tiempo de fiesta. Buscan
cualquier cosa para sentir y compartir la felicidad. Estar en la presencia de los
tales es ver la bondad de Jehová salir por los poros de la piel. Dan evidencia de
servir a un buen Señor. Aunque es verdad que Jehová quiere nuestro bien, es
más verdad que debemos mostrar esto ante el mundo con una disposición de
felicidad y alegría.

El gozo del cristiano, sin embargo, no debiera ser sin temor. No debe haber
frivolidad, sino gozo reverente ante el Señor. Lo que determina la verdadera
felicidad es la relación con el Señor, pues la felicidad no depende de condiciones externas, sino de la paz que sobrepasa todo entendimiento. Que nuestra
disposición en el día de hoy sea para glorificar a nuestro Dios, evitando las quejas y un espíritu de pesadumbre.

Proverbios 15: 1 - 16: 33; Lucas 12: 1-59

El orgullo

> Antes del quebrantamiento se eleva el corazón del hombre, y antes de la honra es el abatimiento.
> PROVERBIOS 18: 12

El orgulloso se ofende fácilmente, tiene poco aguante y todo lo que no va con su modo de ver las cosas lo hace incomodarse. No solo es el orgullo causa de malestar personal, sino que es una de las razones más prominentes de discordias entre las personas. Está claro en la Biblia que Dios rechaza el orgullo, aunque, por supuesto, ama hasta al pecador orgulloso y pacientemente busca su conversión y arrepentimiento. La humildad o la ausencia del orgullo es esencial para la paz entre los hombres. «Con toda humildad y mansedumbre, soportándoos con paciencia los unos a los otros en amor» (Efe. 4: 2).

El orgullo no solamente afecta las relaciones entre los seres humanos, sino que es uno de los factores mayores para que el pecador no acepte la salvación ofrecida por el Señor. Nuestro Dios, conociendo los efectos del orgullo, nos insta a la humildad, para así evitar los resultados funestos de la actitud de Lucifer.

El mayor peligro del hombre es su tendencia a depender de su propia inteligencia para examinar los objetos de la fe. Cuando se tratan las cosas de Dios con suficiencia propia, indiscutiblemente se terminará en el error de la infidelidad. Este fue el principio de la caída de Lucifer. Su orgullo lo llevó a querer ser igual a Dios.

«Lucifer deseaba el poder de Dios, pero no su carácter. Buscaba para sí el lugar más alto, y todo ser impulsado por su espíritu hará lo mismo. Así resultarán inevitables el enajenamiento, la discordia y la contención. El dominio viene a ser el premio del más fuerte. El reino de Satanás es un reino de fuerza; cada uno mira al otro como un obstáculo para su propio progreso, o como un escalón para poder trepar a un puesto más elevado. Mientras Lucifer consideró como presa deseable el ser igual a Dios, Cristo, el encumbrado, "se anonadó a sí mismo, tomando forma de siervo, hecho semejante a los hombres; y hallado en la condición como hombre, se humilló a sí mismo, hecho obediente hasta la muerte, y muerte de cruz"» (DTG 403).

Que el Señor nos ayude hoy a discernir los actos del orgullo y nos lleve a la humildad necesaria para la salvación.

Proverbios 17: 1 - 18: 24; Lucas 13: 1-35

El anfitrión de pecadores

El efecto de ser recibido por alguien encumbrado es enriquecedor y puede afectar a una persona de por vida. Hay historias preciosas de vidas que fueron cambiadas por el contacto con una persona de gran estima en la sociedad.

> Los fariseos y los escribas murmuraban, diciendo: «Este a los pecadores recibe, y con ellos come».
> Lucas 15: 2

En algunos países la costumbre es no tocar a la realeza, o, por lo menos, tales reyes no tocan a la gente común. Se puede observar por ejemplo, que la reina de Inglaterra casi siempre usa guantes, y algunos creen que es por esta razón. El pecador es contaminante, por lo menos esa era la opinión pública en los días de Jesús. Asociarse con pecadores conocidos y declarados era someterse a no poder participar en los ritos del templo. Por eso, los que valoraban su "relación con Dios", evitaban el contacto con la contaminación del pecado.

¡Qué contraste con Jesús! Él, que estaba por encima del mundo entero (aunque nunca lo esgrimiera como cosa de qué ufanarse); él, que era el Santísimo; él, que no es nada menos que el mismísimo Dios; él, que es Aquel ante quien los ángeles velan su rostro, «a los pecadores recibe». Se dice que se requiere de idioma angelical para describir un amor tan grande. Si los pecadores se asocian con pecadores, no es nada que esté fuera de lugar. Sin embargo, la santidad de Jehová «a los pecadores recibe». Él es el anfitrión de los que el mundo desprecia. No solo recibe los pecadores, sino que se adueñó de los pecados de los mismos, porque tomó nuestros pecados sobre sí. Él es el Dios ofendido y, pese a todo, recibe a los ofensores.

«Este a los pecadores recibe» no para que sigan siendo pecadores, sino para perdonarles los pecados, justificarlos, transformarlos y tenerlos eternamente en sus mansiones. No hay nadie más precioso a la vista de Dios que estos por quienes él murió. Jesús recibió a los pecadores, no en un lugar escondido, sino a la vista del universo y del mundo, para que todos sepan que su perdón es completo.

«No demostremos el mismo desprecio que los fariseos cuando dijeron: "Este a los pecadores recibe". En la vida de Cristo hay bastante para enseñarnos a no escarnecer su obra en la conversión de las almas. La manifestación de la renovadora gracia de Dios en los hombres pecadores causa regocijo a los ángeles» (OE 180).

No te dé vergüenza

Entonces
el mayordomo
dijo para sí:
«¿Qué haré? Porque
mi amo me quita
la mayordomía. Cavar,
no puedo; mendigar,
me da vergüenza».
LUCAS 16: 3

El hombre es capaz de hacer muchas cosas para evitar pasar vergüenza. Es capaz del engaño y de tramar situaciones inverosímiles. La historia del mayordomo infiel indica el extremo al que se podía llegar para no pasar un mal rato, pero también tiene su lado positivo, porque nos ayuda a entender el plan de salvación.

La lección indica que cuando el ser humano es confrontado con su mal, lo primero que hace es tratar de encubrirlo, o, si esto no es posible, trata de encontrar la manera de evitar pasar vergüenza. El mayordomo confiesa que tenía vergüenza de perder su dignidad al mendigar. Es este el problema fundamental del hombre. Cuando la persona es confrontada con el pecado, debe admitir su mal, buscar el perdón y la conversión. La historia parece confusa, pues el dueño alaba al mayordomo por su sagacidad en resolver su situación social y así evitar tener que ir a mendigar. Con todo, aunque estemos en desacuerdo con la forma de actuar del mayordomo, hay lecciones valiosas que podemos derivar de esta parábola:

- El mayordomo tenía la preocupación de perderlo todo, pero involucró a otros en su deshonestidad, y así agrandó su círculo de pecado. La actuación correcta habría sido el arrepentimiento, la confesión y la conversión.

- El mayordomo conocía a los deudores de su dueño, y lo difícil que les resultaría saldar lo que adeudaban. Los invitó a hacer un "arqueo de caja" y a firmar un documento en reconocimiento de la deuda. «¿Cuánto debes?» llegó a ser una expresión habitual en sus labios. Si hay confesión, hay esperanza. El camino de la confesión es esencial en el plan de salvación.

- El mayordomo hizo ofrecimiento de perdón y conmutación de las deudas. La diferencia aquí era que él perdonó parte de la deuda, pero el pecador arrepentido tiene la promesa de un perdón total.

- El mayordomo hizo de los deudores sus amigos. El pecador no puede hacer otra cosa sino demostrar eterna gratitud al Padre. El mayordomo perdonó para ser admitido en el círculo social de los deudores, pero el pecador es perdonado para ser recibido con el Padre.

16 septiembre

El límite de la paciencia

uele decirse que la paciencia tiene un límite. Se indica con ello que, por mucha que sea la paciencia, llega el momento en que la persona actúa en contra de las expectativas de la provocación.

Sin embargo, porque esta viuda me es molesta, le haré justicia, no sea que viniendo de continuo, me agote la paciencia.
Lucas 18: 5

Hay muchas indicaciones que muestran que el Señor valora a los que siguen su ejemplo de demostrar paciencia en las peores circunstancias. En la historia de hoy, la paciencia del juez estaba a punto de agotarse por la persistencia de la viuda, de modo que el injusto magistrado pensó que sería mejor cumplir con su deber que seguir en su tormento. Perder la paciencia era un lujo que él no se podía permitir. Sin duda, en su círculo social se esperaba que tuviera siempre sus emociones bajo control en toda circunstancia. El juez veía que la pérdida de la paciencia era algo indeseable y quería mantener la cordura a toda costa.

Podría pensarse que el único tipo de persona con el que se puede perder la paciencia es con alguien a quien no se respeta ni valora. Por el contrario, difícilmente puede perderse la paciencia con una persona a quien se respeta y se estima. Esa propia estima hace que haya interés en mantener unas relaciones óptimas mutuas.

Cuando de paciencia se habla, no hay mejor modelo que el ejemplo que el Señor nos ha dado. A lo largo de la Biblia se manifiesta el infinito amor del Señor. La Palabra de Dios muestra como trata él a los pecadores, y también pone de manifiesto su gran paciencia con el hombre. No es una paciencia que busque evitar un mal rato o perder el estatus social, sino que es una paciencia basada en un amor que supera nuestra capacidad de comprensión. La paciencia de Dios no es por respeto, sino que es impulsada por su profundo amor. Tiene paciencia para con el pecador, ama al pecador, busca al pecador y, sobre todo, acepta al pecador.

Uno de los versículos que mejor expresa estas verdades fue escrito por el apóstol Pedro. Nos garantiza que «el Señor no retarda su promesa, según algunos la tienen por tardanza, sino que es paciente para con nosotros, no queriendo que ninguno perezca, sino que todos procedan al arrepentimiento» (2 Ped. 3: 9). Gracias, Señor por tu paciencia para con nosotros.

Proverbios 23: 1 – 24: 34; Lucas 18: 1-43

No huyas más

> Porque el Hijo del Hombre vino a buscar y a salvar lo que se había perdido.
>
> Lucas 19: 10

Muchos han sufrido la pesadilla de la persecución. Cuando uno está a punto de ser capturado, se despierta con el corazón palpitando del terror. Estar siendo perseguido en una pesadilla o en la vida real es algo aterrador. Sin embargo, no toda persecución tiene que ser así de terrible. La mayoría de las persecuciones buscan destruir, pero algunas buscan hacer un bien.

Cuando nos sentimos perseguidos con malas intenciones, uno no quiere ser hallado. Hay también casos en los que consta que las intenciones del otro no son malas, pero en los que tampoco deseamos ser hallados. En este contexto, Jesús narró algunas parábolas, como la de la oveja perdida, que sabía que necesitaba ser hallada, pero que no sabía qué hacer para serlo; o la de la moneda que no tenía conocimiento de su necesidad de ser hallada; o la del hijo pródigo, que sabía que necesitaba ser hallado, pero que no tenía ningún interés en serlo.

Jesús vino a buscar a todas las categorías de los que necesitan ser hallados. La "persecución" y la búsqueda de Cristo son tenaces e insistentes. Su insistencia tiene efecto diferente sobre los diferentes tipos de perdidos. Para quien no quiere ser hallado, como el hijo pródigo, es aterradora, pero Jesús sigue insistiendo. Para quienes desconocen su condición real, como la moneda perdida, la insistencia de Jesús es indicación del valor del perdido a ojos del Señor. Para el perdido que no saber hallar el camino, como la oveja perdida, su búsqueda es alentadora; cuando una persona así ve acercarse a Jesús, no sale corriendo, porque reconoce que la salvación ha venido a visitarla. Se da cuenta de su necesidad de ser hallado y, con gratitud, ven acercarse a Cristo para llevarlos al redil.

Jesús busca con insistencia. A los que están en el desierto y que saben que deben ser hallados, como la oveja, los busca. A los perdidos que ni saben que están perdidos, como la moneda dentro de la casa, o dentro de la iglesia, les dice: «He aquí, estoy a la puerta y llamo». A los perdidos que saben que deben ser hallados, pero no quieren ser hallados, él les despierta la conciencia diciéndoles: «Dame, hijo mío, tu corazón».

Lo importante es que él vino a buscar y rescatar a los perdidos, no importa en qué categoría estén. Respondamos a su invitación e insistencia.

18 septiembre

No con fines egoístas

L a contaminación auditiva es cada día más combatida por las sociedades. Antes se regulaba el nivel de ruido en la vecindad de hospitales solamente, pero ya está generalizado un rechazo riguroso al exceso de ruido. Algunas vecindades cerca de las carreteras levantan muros altos para así combatir el ruido del tráfico; hay lugares donde los ruidosos son multados, e incluso hay enclaves en las montañas donde se prohíbe el uso del claxon de los camiones para así evitar provocar un derrumbe.

> El que bendice a su amigo en alta voz, madrugando de mañana, por maldición se le ontará.
> PROVERBIOS 27: 14

En la lectura de hoy se habla del ruido y lo negativo que pueda resultar hasta con la mejor de las intenciones. Si me quieres bendecir, pero me despiertas de madrugada a gritos, tu bendición me resulta en una maldición, porque me perturbas el sueño. Las buenas intenciones se vuelven negativas si se plasman de forma indebida. Además, algunos comentaristas opinan que el griterío del que habla el pasaje era para llamar la atención a las buenas obras de uno y así hacer "méritos" para el futuro. En otras palabras, era pretender hacer lo bueno con fines egoístas.

Aquí el cristiano puede sacar lecciones muy provechosas. Bien dijo Jesús que no supiese la mano izquierda lo que hacía la derecha, y que no se tocase la trompeta para llamar la atención a nuestras buenas obras. Estas se hacen por el puro deseo de obrar bien, no por esperar algún beneficio de ellas. «Cuando, pues, des limosna, no hagas tocar trompeta delante de ti, como hacen los hipócritas en las sinagogas y en las calles, para ser alabados por los hombres; de cierto os digo que ya tienen su recompensa. Mas cuando tú des limosna, no sepa tu izquierda lo que hace tu derecha, para que sea tu limosna en secreto; y tu Padre que ve en lo secreto te recompensará en público» (Mat. 6: 2-4).

Se espera del cristiano que haga buenas obras, pero no para intentar lograr la salvación por medio de ellas, ni para humillar a otros que no puedan hacer lo que nosotros podemos. Las buenas obras deben ser el resultado de una relación profunda con nuestro Señor, que nos impulsa a ser buenos porque nuestro Dios es tan bueno con nosotros.

Hoy tenemos otra oportunidad de vivir la vida que nuestro Dios quiere que vivamos, haciendo el bien por el bien, y no por fines egoístas.

Proverbios 27: 1 - 28: 28; Lucas 20: 1-47

Sabiduría y belleza donde no las hay *septiembre 19*

... Los conejos,
pueblo nada
esforzado,
y ponen
su casa en
la piedra.
PROVERBIOS 30: 26

De más de una manera, la Biblia nos enseña que mirar las apariencias no es la forma correcta de valorar a las personas. Como Dios sí sabe cómo hacer las cosas, nos indica que él mira más allá de las apariencias, porque mira el corazón.

El sabio nos pide que nos fijemos en cosas a las que casi nadie presta atención. Compara lo que admiramos con lo que verdaderamente vale. El león, con toda su belleza y fuerza bruta, no tiene la inteligencia de la hormiga. Cuando el león está padeciendo hambre por no haber hecho provisión, la hormiga tiene abundancia hasta para los peores tiempos. Aunque «el gallo engreído, el macho cabrío, y el rey al frente de su ejército» (Prov. 30: 31, NVI) pueden ser derrotados, no resulta tan fácil hacerlo con el animal traducido aquí como *conejo*. En su debilidad, ha sabido buscar un refugio donde no puede ser alcanzado.

Lo que el Señor busca es que se usen los dones que él nos ha concedido para sacarles el máximo provecho. A menudo se llena el corazón de orgullo por lo que uno tiene o puede, y así deja de crecer para ser usado de mejor manera por el Señor.

«Los más sabios de entre los hombres pueden aprender lecciones provechosas de las costumbres y hábitos de las criaturas diminutas de la tierra... Las hormigas, a las que consideramos únicamente como plagas para ser aplastadas por nuestros pies, son en muchos sentidos superiores al hombre; porque él no hace prosperar tan sabiamente los dones de Dios... Podemos aprender de estos diminutos maestros una lección de fidelidad. Si hiciésemos prosperar con la misma diligencia las facultades que un Creador omnisciente nos ha concedido, ¡cuánto aumentarían nuestras capacidades para ser útiles!» (4T 455).

Aprendamos a admirar no lo que el ojo ve, sino la gloria de Dios en las cosas pequeñas y aparentemente insignificantes. Aprendamos a disfrutar de la sabiduría y el poder de Dios en lo que el hombre no ha aprendido a valorar. Sobre todo, aprendamos a dejar que el Espíritu Santo nos ayude a desarrollar las facultades que el Señor nos ha dado, tomando ejemplo de los seres aparentemente insignificantes que tantas cosas nos pueden enseñar. Que hoy sea un día de crecimiento para gloria y honra del Señor.

Proverbios 29: 1 - 30: 33; Lucas 21: 1-38

L a oración de un santo por otro supone un gran aliento para ambos. En cambio, la situación no es tan agradable cuando nos sentimos perseguidos, pero, no obstante, recordamos la indicación del Señor de orar hasta por nuestros enemigos (Mat. 5: 44; Luc. 6: 28).

> Pero yo he rogado por ti, que tu fe no falle. Y tú, cuando hayas vuelto, confirma a tus hermanos.
> LUCAS 22: 32

Cuando Jesús promete orar por nosotros lo hace para darnos la certeza de que podemos confiar que se suma a nuestras oraciones para así hacerlas más aceptables ante el Padre. Es muy animador saber que nuestro Redentor nunca deja de interceder por nosotros. Él ruega por nosotros, y, hasta cuando no estamos orando, presenta nuestro caso y nos cuida. Las palabras dirigidas a Pedro, «Simón, Simón, he aquí Satanás os ha pedido para zarandearos como a trigo» (Luc. 22: 31), debieran indicarnos que si no fuera por la intervención de nuestro Señor, todos correríamos un serio peligro. Como a Pedro, el Señor nos consuela con la promesa de su oración.

Jesús no mandó a Pedro a orar por sí mismo. Aunque ello también habría sido un buen consejo, le indicó, con su promesa de orar por él, que Dios no espera a que nosotros nos demos cuenta de nuestras necesidades. Antes de que pidamos, el Padre ya habrá oído la súplica de su Hijo en nuestro favor.

La promesa de oración en su beneficio fue para Pedro una lección de que él tenía que vivir asido de la mano del Señor, que cuando nos vaciamos del yo y dependemos de nuestro Salvador, él nos puede usar. Él ha hecho la provisión de victoria, prometiendo orar siempre por nosotros e interceder a nuestro favor. Reconozcámoslo como nuestro pronto auxilio, porque él intercede por nosotros.

«Después que Pedro fue inducido a negarse a sí mismo y a depender en absoluto del poder divino, recibió su llamamiento a trabajar como subpastor... Su experiencia personal con el pecado, el sufrimiento y el arrepentimiento, lo habían preparado para esa obra. Mientras no reconoció sus debilidades, no pudo conocer la necesidad que tenían los creyentes de depender de Cristo. En medio de la tormenta de la tentación había llegado a comprender que el hombre solamente puede caminar seguro cuando pierde toda confianza en sí mismo y la deposita en el Salvador» (HAp 411).

Vanidades

«Vanidad de vanidades», dijo el Predicador; «vanidad de vanidades, todo es vanidad».
ECLESIASTÉS 1: 2

La vanidad viene en varias formas, y depende de la persona, bajo la influencia del Espíritu Santo, discernir y evitar lo que la Biblia cataloga como vanidad. Se conocen perfectamente las descripciones de vanidad en la Biblia, tales como los cuidados de este mundo o el embrujo de la búsqueda de las riquezas en perjuicio de una relación con el Señor. En el ámbito adventista se consideran vanidades actividades tales como el baile, la borrachera, el uso de las drogas, el afán por "coleccionar" múltiples parejas sexuales y buscar relaciones sentimentales fuera del matrimonio, el uso y abuso de poder para afectar negativamente a otros… Todas estas actividades y otras semejantes son vanidades porque nos alejan de nuestro Dios.

A menos que siga a Cristo y hagamos de los planes de Dios el objeto principal de nuestra vida, pasaremos la vida en busca de cosas que no pueden satisfacer. Existe una necesidad indiscutible: que Dios se haga cargo de todo lo nuestro. La oración diaria debiera ser: «Vivifícame en tus caminos». Es importante recordar que si no tenemos la gracia de nuestro Señor, seremos pesados y hallados faltos. No habrá energía; habrá letargo espiritual y decadencia, y la muerte espiritual será el resultado.

¡Hay tantas cosas que puedan ocupar nuestra atención y hacer que entremos en una loca carrera en pos de cosas que, si bien pueden dar satisfacción temporal, a la larga dejan solamente cansancio, insatisfacción y lo peor de todo: la renuncia a la salvación en Cristo! La oración para que el Señor nos vivifique es el reconocimiento de que se necesita la intervención divina para hacer que nuestra vista alcance a ver lo más importante de la vida, lo que, a fin de cuentas, tiene impacto sobre la eternidad. Sobre esto, decía Elena de White:

«Estoy decidida a obtener la victoria sobre el yo… Estoy decidida a ocultar mi vida con Cristo en Dios. Rogaré al trono de la gracia pidiendo poder y luz a fin de que los pueda reflejar sobre otros, y las almas puedan ser salvadas. El gran deseo que se observa en esta época en el mundo es tener más poder. Yo quiero más gracia, más amor, una experiencia viviente más profunda y fervorosa. El cristiano que se oculta en Jesús tiene a su disposición un poder sin medida que aguarda para ser concedido» (AO 153).

Eclesiastés 1: 1 - 4: 16; Lucas 23: 1-56

22 septiembre

Cada día trae su propio afán

Se dice que cuando uno anda mirando el lodo, no puede contemplar las estrellas. La historia de Cleofás y, según se cree, su esposa camino de Emaús ilustra muy bien este dicho. ¡Estaban tan tristes y frustrados por los acontecimientos de los últimos días! Posiblemente habían viajado a Jerusalén no solo para la Pascua, sino también para estar presentes en la posible coronación de Cristo como rey de los judíos. Volvían a casa decepcionados: no había ni rey ni Mesías. Todo parecía perdido.

> Y comenzando desde Moisés y todos los Profetas, les interpretaba en todas las Escrituras lo que decían de él.
> Lucas 24: 27

Habían pasado tiempo con Cristo; habían estado en la compañía de los otros discípulos por largo tiempo; fueron partícipes de los acontecimientos finales de la vida de Cristo. Más aún, eran de los privilegiados que habían recibido la noticia de la resurrección y posiblemente la esposa de Cleofás había sido una de las mujeres quienes habían ido a la tumba (Luc. 24: 10) con María Magdalena, Juana y María. Posiblemente la discusión que había entre ellos en el camino a Emaús se debiera al intento por parte de la esposa de convencer a Cleofás de que la resurrección no era un cuento, siendo que ella habría participado de los acontecimientos junto a la tumba.

Con todo, aún no tenían todos los elementos de juicio ni podían discernir la verdad. ¡Qué bendición que Cristo se les apareciese y les explicase todo de nuevo! Ahora sí, con una nueva perspectiva, con una mejor comprensión de las Escrituras, les resultó fácil reconocer a Cristo cuando tomó el pan para partirlo.

¡Qué lección para nosotros! Uno puede estar con Cristo, asistir a los cultos, ser miembro de iglesia de mucho tiempo y siempre necesitar una nueva manifestación de Cristo en su vida para entender las cosas. En este contexto la Biblia nos enseña que no debemos confiar en nosotros mismos, sino como el apóstol Pablo, «morir cada día» (1 Cor. 15: 31). Cada día debemos tener una nueva experiencia con nuestro Salvador, siendo que la experiencia de ayer no es suficiente para las tentaciones, las dificultades y hasta los posibles éxitos de hoy. Cada día debemos permitir que el Señor nos enseñe y nos renueve. Que hoy sea un día de renacimiento en el que Cristo nos encuentre en nuestro camino a Emaús y nos instruya de nuevo, acercándonos más a él.

Eclesiastés 5: 1 - 7: 29; Lucas 24: 1-53

¡Avívanos!

> Mejor es perro vivo que león muerto.
> ECLESIASTÉS 9: 4

La vida es un don precioso, y la más humilde de sus formas es superior a la muerte. Esta verdad se aplica de forma preeminente en las cosas espirituales. Mejor es ser el menor en el reino de los cielos que el mayor fuera de él. El grado más ínfimo de gracia es superior al más noble desarrollo de la naturaleza irregenerada. Doquiera implante el Espíritu Santo vida divina en el alma, hay un precioso legado que ninguno de los refinamientos de la educación académica puede igualar.

El ladrón en la cruz supera a César en su trono; Lázaro, entre los perros, es mejor que Cicerón entre los senadores; y el cristiano menos instruido es, a la vista de Dios, superior a Pilato. La vida es la insignia de la nobleza en el reino de las cosas espirituales, y, sin ella, los hombres no serán más que ejemplares más o menos bastos o refinados de un mismo material inanimado, necesitados de ser avivados, porque están muertos en la transgresión y el pecado.

Un sermón evangélico amante y viviente, no importa cuán falto de erudición en su contenido e inculto en su estilo, es mejor que el más excelente discurso exento de unción y poder. Un perro vivo es mejor guardián que un león muerto, y le es de mucha mayor utilidad a su amo. De igual manera, el más pobre predicador espiritual es infinitamente preferible al orador exquisito que no tiene más sabiduría que la de sus palabras, ni más energía que la del sonido de las mismas.

Lo mismo puede decirse de nuestras oraciones y de otros ejercicios religiosos. Si somos vivificados en ellos por el Espíritu Santo, resultan aceptables a Dios mediante Jesucristo, aunque los juzguemos cosas sin valor. Por otra parte, nuestras más vistosas actuaciones en las que nuestro corazón estuvo ausente, como leones muertos, no son más que carroña a la vista del Dios viviente.

¡Quién me diera gemidos vivos, suspiros vivientes, abatimientos de alguien que da señales de vida, y no cantos privados de ella vida y calmas muertas! Cualquier cosa es mejor que la muerte. Los gruñidos de un perro del infierno, por lo menos, nos mantendrán despiertos, pero, ¿qué mayores maldiciones puede tener un hombre que una fe muerta y una profesión muerta? Avívanos, ¡avívanos, Señor!

Cuida tus palabras sin sacrificar la verdad

«Que tus palabras siempre sean dulces, por si acaso te toca tragarlas otra vez» es un dicho sabio que todos deberíamos practicar. Es muy fácil ofender en palabras, y las palabras habladas o escritas jamás se pueden recoger. Debemos ser siempre conscientes de que una vez que la palabra sale de nuestra boca o de nuestra pluma, ya no somos dueños de ella.

> Procuró el Predicador hallar palabras agradables, y escribir rectamente palabras de verdad.
> ECLESIASTÉS 12: 10

Parece que, para algunos, las palabras placenteras y las verdaderas sean incompatibles, pues entienden que la única forma en la que algo puede ser verdadero es si duele. «La verdad duele» es el dicho favorito de los que suelen ofender con sus palabras.

De Salomón podemos aprender el cuidado que tuvo en sus enseñanzas. Enseñó siempre la verdad, pero lo hacía con gracia, para que sus palabras no entorpecieran el mensaje que quería dar. A pesar de su delicadeza, nunca diluyó la verdad para que fuese aceptada. Después de una vida de investigación de «todo lo que había bajo el sol» él, inspirado por Dios, dejó grandes enseñanzas para los seres humanos, pero siempre escogiendo palabras cuidadosas para sus expresiones. En Proverbios 8: 6-12 leemos la filosofía comunicativa de Salomón, de la que sería bueno aprender de cara a nuestras relaciones con los demás. «Oíd, porque hablaré cosas excelentes, y abriré mis labios para cosas rectas. Porque mi boca hablará verdad, y la impiedad abominan mis labios. Justas son todas las razones de mi boca; no hay en ellas cosa perversa ni torcida. Todas ellas son rectas al que entiende, y razonables a los que han hallado sabiduría. Recibid mi enseñanza, y no plata; y ciencia antes que el oro escogido. Porque mejor es la sabiduría que las piedras preciosas; y todo cuanto se puede desear, no es de compararse con ella. Yo, la sabiduría, habito con la cordura, y hallo la ciencia de los consejos».

Hay que hablar la verdad siempre, pero no porque una cosa sea verdad tiene que ser ofensiva. Hay que hacer un esfuerzo para «hallar palabras agradables». Que nuestra comunicación sea una bendición para los que nos escuchan, porque nuestras palabras traigan paz y tranquilidad, pero con la verdad que lleve al arrepentimiento y a una vida con nuestro Salvador.

Eclesiastés 11: 1 - 12: 14; Hechos 2: 1-47

Mi hermana y novia

> Un jardín cerrado es
> mi hermana y novia,
> un jardín cerrado,
> un manantial sellado.
> CANTARES 4: 12

Hay mucho debate sobre la interpretación del Cantar de los Cantares. Para algunos, es una historia literal; para otros, una alegoría de Cristo y su iglesia. «Una relación de este tipo haría que este relato del casamiento de Salomón fuese una ilustración muy apropiada de la relación entre Cristo y la iglesia, pues por lo menos partes del Cantar se han considerado como símbolo de una asociación tal» (*Comentario bíblico adventista*, tomo 3, p. 1.128).

Las dulces expresiones con las que el libro designa a la novia muestran el amor que Dios siente por la iglesia. Puestas las expresiones en labios de Dios, «mi hermana» es la receptora de mis simpatías, a la que cuidé desde su infancia, tan cercana a mí que estoy dispuesto a dar mi vida por ella. Dado que la iglesia es tan preciosa a la vista de Dios, los miembros de la misma debemos recordar que la iglesia es la niña de los ojos de Dios. «Mi esposa» lo es por matrimonio celestial, cuando me desposé con ella en justicia. A mi esposa, tomada de entre las doncellas, la encerré en un abrazo de amor, y me comprometí con ella para siempre.

Como en el caso de Salomón con la sulamita, los familiares no siempre dan su aprobación. «Mira lo avergonzados que están de nosotros nuestros familiares. "Esto no es normal", decían». Es como el mundo que no entiende ni quiere que Cristo tenga una iglesia aquí en la tierra. Igual que no es normal el matrimonio entre hermanos, la relación de Cristo y su iglesia también está fuera de lo normal para este mundo. Sin embargo, tal relación es la más real que existe. Está claro que Cristo sostiene a su iglesia y la quiere como hermana y como esposa. Los miembros de la iglesia deben reconocer este alto honor, privilegio y responsabilidad.

La delicia de Dios es tener una asociación con los seres humanos como iglesia, pero también como individuos, siendo que la iglesia se compone de individuos. Nunca debemos olvidar que somos salvos como individuos, pero Jesús regresará por su iglesia. Nuestra esperanza de vivir con el Señor está cimentada en que, como miembros de su iglesia, tendremos el privilegio de vivir con él para siempre. Un día cercano él regresará por su iglesia. Nuestra esperanza es estar unidos al cuerpo de Cristo en su venida para así vivir y reinar con él.

Cantares 1: 1 - 8: 14; Hechos 3: 1 - 4: 37

26 septiembre

Y su gloria, ¿qué?

A este,
Dios ha exaltado
con su diestra
por Príncipe y Salvador,
para dar a Israel
arrepentimiento
y perdón de pecados.
HECHOS 5: 31

Tras su ascensión, Jesús se sentó a la diestra del Padre. El lugar más encumbrado del cielo siempre había sido suyo, pero desde su muerte y resurrección lo ocupa con más autoridad aún que antes, pues es el único en el universo que dio su vida para salvar a la raza caída. Jesús fue exaltado a la diestra del Padre. Como el Padre, él siempre ha tenido toda la gloria, con excepción del breve periodo en que se veló para andar entre nosotros. Ahora los otros seres del universo lo ven no solamente como el gran Creador, sino también como Aquel que estuvo dispuesto a sacrificarlo todo para que los perdidos pudieran volver a la unidad con el resto del universo. En efecto, en Cristo somos uno con nuestros hermanos no caídos de otros mundos. Algún día conoceremos la angustia que experimentaron los mundos no caídos mientras no se certificó nuestra salvación con la muerte de Cristo. No solamente nos garantiza la salvación, sino que también ha traído toda certeza a la mente de los otros seres del universo. Nosotros, sus hermanos apartados por el pecado, ahora podemos estar reunidos de nuevo por la sangre de Cristo. La muerte de Cristo no fue solamente para nosotros, sino para beneficio de todo el universo. Para nosotros es la garantía de la salvación; para ellos es la garantía de que un día cercano habrá paz absoluta en el universo y se acabará la separación de los hijos de Dios.

¡Qué maravilloso! Cristo tiene un trono, pero no está satisfecho, porque tiene espacio en su trono y en sus mansiones para nosotros. Cristo espera ansiosamente que su novia esté lista para las bodas del cordero, cuando él regrese por los suyos. Una cosa es cierta: Jesús nos salva como individuos, pero regresa por su iglesia. Cuando él regrese, llevará su iglesia a morar con él.

La verdad es que en el cielo, si bien seremos individuos por quienes el Señor dio su vida, seremos un pueblo que se unirá con el pueblo del universo que no ha conocido el pecado por experiencia. Seremos un solo pueblo, y no una colección de individuos.

He aquí la importancia de la "novia" de Cristo, su iglesia. Si bien la iglesia no nos salva, también es verdad que los que aman al Señor y quieren estar con él para siempre, desearán estar con su pueblo ahora.

Isaías 1: 1 - 2: 22; Hechos 5: 1 - 6: 15

¿Entiendes lo que lees?

> Acudiendo Felipe, le oyó que leía al profeta Isaías, y dijo: «Pero ¿entiendes lo que lees?»
> HECHOS 8: 30

Hoy día, con los adelantos de la ciencia, hay muchísimas cosas que nos llaman la atención, y un sinnúmero de inventos para facilitarnos la vida. Sin embargo, no todos logran entender estos avances y artilugios. Resulta especialmente complicado para las personas de cierta edad, no necesariamente ancianos. En la era del iPod, de la Blackberry, del PDA, y de los teléfonos que pueden hasta comunicarse con satélites, hay mucha gente frustrada por no entenderlo todo. Hay niños hoy que saben más que sus padres en materia de tecnología, y la tecnología ha llegado a ser el elemento más separatista que hay. ¡Menos mal que los inventores han ideado una manera para ayudar al menos entendido para poder manejar estas cosas! Para todo hay una clave, una explicación, un manual, algo que se debe hacer para poder entender lo que no resulte intuitivo para las personas no avezadas.

Hay misterios en la vida cristiana que, a menos que usemos el "manual de funcionamiento" y sigamos atentamente las indicaciones dadas en él, no podremos entender. La Biblia, después de Jesucristo y el Espíritu Santo, es el objeto de mayor influencia y utilidad para el cristiano. No ha dejado de serlo desde hace veinte siglos, y ha beneficiado a millones de lectores de todas las épocas y en todo el mundo. Sin embargo, la Biblia, aparte de ser el libro más leído entre los cristianos, es también el libro peor usado, el peor interpretado, y es el menos entendido. Todo esto, porque, en muchos casos, las personas se acercan a este libro sagrado sin usar lo que está a disposición de todos para evitar todas estas cosas. Sin el Espíritu Santo, la Biblia siempre será el libro peor interpretado y entendido. El Espíritu Santo está a nuestra entera disposición, si tan solo estamos dispuestos a solicitarlo. Por lo tanto, la oración llega a ser la práctica cristiana de mayor importancia para entender la Biblia.

Cuando Felipe le preguntó al Eunuco si entendía lo que leía, no era para indicar que todos necesitamos un Felipe para que nos explique las cosas más complejas. Por otra parte, todos necesitamos la oración y la dirección del Espíritu Santo para entender la Biblia. Hoy se puede preguntar a cada adventista: «¿Has orado antes de leer la Biblia? ¿Dependes de la ayuda del Espíritu Santo para evitar cometer errores de interpretación?»

Isaías 3: 1 - 5: 30; Hechos 7: 1 - 8: 40

277

El gran Niño

Vayamos con nuestra imaginación a Belén, en compañía de los pastores y los sabios del oriente. Busquemos a Aquel que es nacido rey de los judíos, porque por medio de la fe podemos demostrar interés en él y también alabar y decir: «Porque un niño nos es nacido». Jesús, nuestro Señor, es digno de toda admiración. Es nuestro Dios, pero también es nuestro hermano y amigo. Él es digno de toda alabanza.

> Por tanto,
> el Señor mismo
> os dará señal:
> He aquí que la virgen
> concebirá, y dará a luz
> un hijo, y llamará
> su nombre
> Emanuel.
> ISAÍAS 7: 14

¡Hay tantas cosas que se deben notar de él! ¡Qué concepción más milagrosa! ¡Dios hecho carne! Es algo inconcebible. Muchos lo consideran una imposibilidad de la naturaleza. Se preguntan: «¿Cómo es que una virgen puede concebir y dar a luz?» Es un misterio. El hombre siempre había querido ser dios, pero ahora Dios se hizo hombre.

Se cumplió la promesa de que la mujer aplastaría la cabeza de la serpiente. La batalla había llegado al terreno del enemigo. Ya no habría que huir, pues el Vencedor estaba aquí. Había llegado para dar liberación a los cautivos y proclamar el año de Jehová.

Nuestro Salvador, aunque totalmente hombre, es «Dios con nosotros». Su deidad es completa; no se trata de una mera semejanza. Reconocer tal realidad hace que nuestras rodillas no se pueden doblar lo suficientemente rápido ni lo suficientemente profundo para alabar y dar las gracias a nuestro Dios.

El milagro de la concepción de Cristo no fue cualquier cosa, porque por primera vez en la historia del universo se presenció la batalla en el territorio del enemigo. Satanás se había erigido en dirigente de este mundo, y estaba ansiosamente esperando el día en que el Príncipe Emanuel llegara a la tierra, porque estaba seguro de que, en su terreno, en lo que él supuestamente conocía mejor, no habría victoria para el Hijo de Dios.

Sí, el bebé nacido de una virgen vino a darle la lucha al dueño de este mundo en su propia "casa", porque mantenía a los hijos de Dios como rehenes sin esperanza de liberación. Al nacer el Hijo, se le acabó la altanería. De ahora en adelante todos los seres humanos se pueden adueñar de la victoria de Cristo y salir de las garras del enemigo.

Isaías 6: 1 – 8: 22; Hechos 9: 1-43

Que no se te suba a la cabeza

Sino que en toda nación se agrada del que le teme y hace justicia.
HECHOS 10: 35

Con humildad, resulta fácil sobrellevar un revés en la vida.

«Esto es fácil de decir –dirán algunos–, pero muy difícil de hacer para quien esté pasando por la experiencia». El cristiano aprenderá a ser humilde en el éxito, pero también resignado en los reveses de la vida. La gran verdad es que se puede seguir confiando en el Señor a pesar de victorias o derrotas. El problema mayor en los reveses o en los éxitos, es que uno no debe llegar a ser egoísta en el proceso. Egoísmo en los reveses es pensar que uno es la única persona en el mundo a quien las cosas le van mal. Se puede entrar en una depresión egoísta, causando preocupaciones e intranquilidad a quienes nos rodean. De la misma manera, se puede llegar a ser considerablemente egoísta en las victorias, hasta el punto de llegar a creer que en todo el universo no hay nadie que pueda igualar lo que hemos logrado.

Lo importante es que en todo momento se aprenda a depender de Dios y a darle las gracias por las cosas de la vida. En el bien o en el mal, con éxitos o con reveses, el hijo de Dios practicará la fórmula para evitar el egoísmo y el orgullo, que nos separan de nuestro Hacedor. «Jesús enseñó que la religión de la Biblia no consiste en una exclusividad egoísta, en el contentamiento personal, sino en practicar obras de amor, en proporcionar el mayor bien posible a otros, en la genuina bondad... Su vida estuvo exenta de todo orgullo y ostentación... Jesús... en su vida humana fue paciente, bondadoso, cortés, benévolo, lleno de amor por los niñitos y pleno de piedad y compasión por los tentados, los probados, los oprimidos... Si los que creen en él tan solo practicaran sus palabras, que son espíritu y son vida; si siguieran su ejemplo y se convirtieran en preciosa luz para el mundo, harían para el mundo lo que no puede lograr ninguna filosofía humana. Las lecciones de Cristo establecen un fundamento para una religión en la que no hay castas: donde judíos y gentiles, libres y siervos están unidos en una hermandad común, iguales delante de Dios porque son todos ramas de la Vid viviente. Creen en Cristo como su Salvador personal» (AFC 103).

El ejemplo de Cristo es la mejor medicina contra el orgullo y el egoísmo. El cristiano no debe permitir que nada ni nadie lo separe del modelo de su Señor.

30 septiembre

Lo que Dios limpió

Muchos interpretan errónea-mente que estos versículos contradicen las claras enseñanzas de la Biblia sobre lo que es bueno y no para el consumo humano. Nada más lejos de la realidad. El resto del capítulo pone de manifiesto que se trataba de no despreciar a nadie. Pedro era judío y tenía el prejuicio de que asociarse con los no judíos era faltar a la ley de Moisés. Sin embargo, el Señor le quería dejar bien en claro que la salvación era también para los no judíos.

> Entonces la voz me respondió del cielo por segunda vez: «Lo que Dios limpió, no lo llames tú común».
> HECHOS 11: 9

Los prejuicios puedan ser causa de que nos opongamos a la voluntad de Dios cuando dejamos a algunas personas fuera de la posibilidad de conocer la verdad bíblica por medio nuestro.

En nuestro entorno quizá la falta no sea tanto el no ir a ciertos pueblos como el pasar por alto a ciertas personas por su condición social. El problema básico es no querer asociarnos con "cierta gente". Esto se debe considerar no solamente en la esfera social, sino en la misma iglesia. ¿Será que hay hermanos que no saludamos? ¿Será que hay dirigentes que odiamos tanto que no queremos ni saber su nombre? ¿Nos encontramos en el grupo de personas que escudriñan la lista de los predicadores, o leemos cuidadosamente el boletín del programa de la iglesia para saber quién va a predicar con el fin de "aprovechar" y visitar una iglesia que hace tiempo que no frecuentamos?

Ese hermano, ese dirigente, ese joven o señorita que no toleras por su peinado, su música o su vestimenta, y ese niño que todos los cultos crea un tumulto y no te deja adorar en paz también han sido limpiados con la sangre de Jesús. Todos ellos son heredad de Jehová. Podemos aplicar la lección que el Señor le enseño a Pedro al ámbito de la evangelización, pero jamás debemos olvidar que los de la casa también son incluidos en esta enseñanza.

No esperemos hasta la santa cena para acercarnos a un hermano. Busquémoslo hoy, sorprendámoslo con una llamada telefónica o un correo electrónico, o mandémosle una tarjetita. Si no nos atrevemos a hacer ninguna de estas cosas, pidamos al Señor que nos dé la fuerza de voluntad y la conversión de corazón para, por lo menos, orar sinceramente, pidiendo bendición para tal persona hoy.

Isaías 11: 1 - 13: 22; Hechos 11: 1 - 12: 25

Un "diablote" no justifica un "diablito"

> Todos ellos darán voces, y te dirán: «¿Tú también te debilitaste como nosotros, y llegaste a ser como nosotros?»
>
> Isaías 14: 10

El capítulo 14 de Isaías presenta el juicio de Dios sobre las naciones que oprimían inhumanamente a su pueblo, y también habla de la caída de Lucifer. La gran verdad en todo esto es que Jehová siempre se compadece del oprimido y del sufriente. Con él, no hay lugar para el abuso, no hay lugar para el ultrajador, no hay lugar para aquel que se cree tan grande que se pasa el tiempo humillando a otros y poniéndolos "en su sitio".

En el tiempo en que vivimos, en los países democráticos, el asunto del abuso va en dirección opuesta, pues muy a menudo hay quien se toma libertades de humillar y faltar al respeto a grandes y chicos. Es muy común oír de personas que «no respetan ni a Dios ni al diablo».

Una vez una joven se estaba portando mal en la iglesia y un anciano se le acercó, procurando controlarla para que fuese más reverente en la iglesia. Al no hacerle caso, el anciano, que estaba haciendo su trabajo de buscar reverencia para que los otros santos pudieran adorar sin estorbo, le dijo a la señorita: «Sigue portándote así y no te veré en el cielo». Sin pensárselo dos veces, la joven le espetó al anciano esta irrespetuosa pregunta: «Y a ti, ¿quién te dijo que vas a ir al cielo?»

¡A tal extremo ha llegado el abuso que algunos líderes tienen que soportar! Los ancianos de iglesia son atacados de tal manera muchas veces. Cuando Isaías lanza la pregunta en el versículo de hoy, no solamente está hablando de los que tienen autoridad y abusan de ella, sino que habla también de los que abusan de su libertad y causan caos.

El Señor no aprecia ni tolera la demagogia, venga de donde venga. El Señor pide un pueblo humilde, porque habita con los humildes. Cuando no nos elevemos por encima de nuestros hermanos, sino que humildemente nos relacionemos los unos con los otros, el Espíritu de Dios podrá trabajar con nosotros. A los altivos los despreciará Dios, pero al corazón contrito y humillado no lo desechará jamás.

Que hoy podamos ser humildes ante nuestro Dios y tratarnos con la humildad que el cielo requiere.

2 octubre

De dioses a mártires

Los discípulos tuvieron que esforzarse para evitar ser adorados como dioses, y corto tiempo después tuvieron que defenderse de la turba que procuraba su muerte. Los mismos que habían querido adorarlos, ahora los estaban apedreando. No se puede confiar en las alabanzas de los hombres, porque así también hicieron con Jesús. Las manos que recogían palmas eran las manos que se levantaban días después con el grito de «¡Crucifícalo!»

> Confirmando los ánimos de los discípulos, exhortándoles a que permaneciesen en la fe, y diciéndoles: «Es necesario que a través de muchas tribulaciones entremos en el reino de Dios».
>
> Hechos 14: 22

Ni el mundo ni sus alabanzas deberían ser el anhelo del cristiano, pero ello no conlleva que tengamos que andar buscando la persecución con el argumento de que «hay que ser perseguido para que Cristo venga». Esta es una teología distorsionada, porque los hijos de Dios deben vivir vidas piadosas entre la gente. Bien lo presentó Jesús cuando dijo: «Bienaventurados sois cuando por mi causa os vituperen y os persigan, y digan toda clase de mal contra vosotros, mintiendo. Gozaos y alegraos, porque vuestro galardón es grande en los cielos; porque así persiguieron a los profetas que fueron antes de vosotros» (Mat. 5: 11-12).

Conviene entender la razón de las persecuciones y el propósito que Dios tiene para estas situaciones. Algunos han presentado la idea de que es para fortalecer nuestra fe. Tal cosa, por supuesto, no puede descartarse, pero es manifiesto que esta no es la única forma que Dios tiene para fortalece la fe del creyente. Otros creen que las persecuciones son para lograr la perfección del carácter del cristiano. Esto también puede ser verdad, pero Dios no encuentra gozo en ver el sufrimiento de sus hijos.

La tendencia natural en las pruebas es quejarse. El Señor quiere que nuestras luchas se tornen en bendiciones para nosotros y para los demás. Cuando aprendamos a soportar, estamos dando el mejor testimonio de la gracia de Cristo.

«Cuando apreciemos más profundamente la misericordia y la longanimidad de Dios, lo alabaremos más en lugar de quejarnos. Hablaremos de la amante vigilancia del Señor, de la tierna compasión del buen Pastor. El idioma del corazón no será la murmuración y la queja egoísta. La alabanza, como una corriente clara y que fluye, brotará de los verdaderos creyentes en Dios» (HHD 201).

Isaías 17: 1 - 20: 6; Hechos 14: 1 - 15: 41

¿Qué tengo que vigilar?

Profecía sobre Duma. Me dan voces de Seír: «Guarda, ¿qué de la noche? Guarda, ¿qué de la noche?» El guarda respondió: «La mañana viene, y después la noche; preguntad si queréis, preguntad; volved, venid».
ISAÍAS 21: 11, 12

La profecía sobre Duma viene en el libro de Isaías después de una serie de vaticinios acerca de otros países de la antigüedad. Duma y Seír son palabras que se refieren a Edom, palabra que quiere decir *rojo* y que designa a los descendientes de Esaú. Después de una serie de conquistas, este pueblo quedó aniquilado al fin por los romanos. La profecía hace referencia a las muchas oportunidades dadas y despreciadas por este pueblo, oportunidades que el Señor concedió vez tras vez, pero que nunca se vieron correspondidas con frutos de arrepentimiento por parte de los habitantes de aquel territorio. Esto a la larga llevó a la destrucción definitiva de aquella nación.

La invitación final del profeta representa un último intento por salvar a este pueblo. Isaías proclama: Preguntad, volved, venid. Buscad al Señor. Dejad el pecado, y acudid a Dios.

La imagen de un centinela apostado sobre el muro de una ciudad puede dar la impresión de que todos los peligros vienen de afuera, pero, desgraciadamente, para el pueblo de Dios hay también peligros internos que hay que vigilar para no caer en ellos. Hay, por ejemplo, peligros de herejías propaladas por personas que se levantan con su propio evangelio en contra de las enseñanzas de la iglesia. Hay también personas que se levantan con sus ideas particulares acerca de la organización de la iglesia, y otras que tienen ideas particulares sobre las finanzas de la iglesia y el uso del diezmo. Todos estos son peligros para el pueblo, y el Señor nos amonesta a estar con los ojos abiertos para no caer en este tipo de cosas.

Como los vigías de las murallas de la antigüedad que oteaban el horizonte, cada miembro de iglesia debería ser un centinela. Como el pastor de un rebaño, no debería permitir que lobos rapaces entren a destruir el pueblo de Dios. Toda insinuación en contra de las doctrinas de la iglesia, todo intento de crear deslealtad, todo movimiento separatista y toda práctica de crítica mordaz deben ser rechazados por los centinelas que esperan la mañana gloriosa de la venida del Señor.

Isaías 21: 1 – 24: 23; Hechos 16: 1-40

¿En qué se basa tu esperanza?

El popular refrán «La esperanza es lo último que se pierde» ha servido en muchas ocasiones para animar al decaído y para que recobre el aliento y siga adelante pese a las dificultades.

Cuando Israel rechazó la teocracia exigiendo la instauración de la monarquía, se prodigaron situaciones que ponían de manifiesto que este no era el plan de Dios. Entre apostasías y arrepentimientos, los israelitas parecían albergar la esperanza de que las cosas fueran a mejorar. Esa actitud de esperar todo lo bueno sin querer someterse del todo a la voluntad de Dios acaba produciendo decepciones. Lo triste es que muchas veces se culpa a Dios de ellas, y hay poca voluntad de examinarse para descubrir dónde está el fallo. Israel conocía la voluntad de Dios, pero no estaba dispuesto a seguir sus indicaciones. Sabía que había certeza en los caminos de Jehová, pero la experimentación con los de los hombres era muy atractiva.

> Concebimos, tuvimos dolores de parto, dimos a luz viento; ninguna liberación hicimos en la tierra, ni cayeron los moradores del mundo.
> ISAÍAS 26: 18

El versículo de hoy habla de falsas esperanzas que no están basadas en las promesas y condiciones del Señor. Se comparan con un embarazo. Normalmente, este es un estado de expectativa, de espera de un dolor que al final trae alegría y felicidad. Cuanto más se acerca el parto, más aumentan los dolores, pero al final habrá gran gozo con el nacimiento. Sin embargo, tener dolores de parto para luego dar a luz viento es esperar mucho para no conseguir nada.

Cuando hay pruebas y dificultades, la esperanza de salir de esa situación, la confianza en Dios y la experiencia de victorias pasadas nos animan a seguir adelante. Pero es muy triste esperar una victoria y que no haya resultados positivos. Es como pasar dolores de parto pero dar a luz al viento.

A pesar de las condiciones del hombre, el Señor sigue insistiendo con ayuda y dirección. Al hombre le corresponde reconocer que «solo en Jehová hay poder» y permitir que la voluntad de Dios sea suprema en la vida de cada uno de sus hijos. Permitamos hoy que la gracia de Dios nos cubra para no perder la esperanza ni fundar la esperanza en lo que nos dará al viento por fruto, y no las bendiciones de Jehová.

Isaías 25: 1 – 27: 13; Hechos 17: 1-34

La grieta que amenaza ruina

> Por tanto,
> os será
> este pecado
> como grieta
> que amenaza ruina,
> extendiéndose
> en una pared
> elevada, cuya caída
> viene súbita y
> repentinamente.
> Isaías 30: 13

Esta es una sentencia divina. Si existe en la vida un pecado secreto, una inclinación no reprimida y dominada por el Espíritu Santo, entonces será, como dice nuestro versículo de hoy, como una grieta que se extiende por una pared, y su caída es súbita y repentina. Si nadie conocía la existencia de la grieta, la caída deja a todos sorprendidos.

Si conservamos un pecado no vencido, no confesado y no rechazado con decisión por la voluntad, tarde o temprano caeremos estrepitosa y súbitamente. Todos se asombrarán, menos nosotros, porque sabíamos que una pared agrietada cae «súbita y repentinamente».

Considere esta historia: «En la ladera de una montaña de Colorado se encontraban los restos de un gigantesco árbol. Dicen los naturalistas que este árbol se mantuvo de pie durante cuatrocientos años. Era un arbusto cuando Colón desembarcó en Santo Domingo, y se encontraba en la mitad de su crecimiento cuando los Padres Peregrinos se establecieron en Plymouth, en 1620. Durante su larga existencia fue alcanzado catorce veces por la acción fulminante de los rayos; sobre él pasaron tormentas y vendavales. Sin embargo, durante cuatrocientos años sobrevivió a la furia de los elementos. Pero un día lo atacó un ejército de pequeñas hormigas blancas, aniquilándolo. Las hormigas penetraron a través de la espesa corteza del árbol y destruyeron gradualmente su vitalidad interior a través de ataques pequeños, pero constantes. Un gigante de la selva que no se debilitó con la edad, que resistió la acción de los rayos y el ímpetu de las tempestades, cayó finalmente como resultado de la acción insidiosa de las pequeñas hormigas».

Cuando la Biblia nos dice «El que lee entienda», se propone alentarnos a ser vigilantes, a examinarnos a nosotros mismos constantemente para no permitir que las grietas del carácter y de la conducta se ensanchen y pongan en peligro nuestra vida eterna. Vigilemos nuestra mente y nuestro corazón. Vayamos a Dios en oración para pedirle: «Examíname, oh Dios, y conoce mi corazón; pruébame y conoce mis pensamientos; y ve si hay en mí camino de perversidad, y guíame en el camino eterno» (Sal. 139: 23, 24).

6 octubre

Decía un filósofo de la antigüedad que no es posible bañarse dos veces en el mismo río, pues el río cambia con el fluir de sus aguas. Los ríos siempre han desempeñado un papel importante en la vida de los hombres. Los beneficios de los ríos para los hombres son innumerables. Muchas de las grandes ciudades empezaron como un caserío junto a un río, porque se quería aprovechar el río al máximo.

> Porque ciertamente allí será Jehová para con nosotros fuerte, lugar de ríos, de arroyos muy anchos, por el cual no andará galera de remos, ni por él pasará gran nave.
>
> ISAÍAS 33: 21

Los ríos traen vida a los pueblos. Sirven como lugar de recreo, como fuente de trabajo y para mantener la economía de los pueblos. Proveen un medio de transporte y proporcionan alimentos. En muchos lugares remotos, donde la preocupación por el medio ambiente no ha llegado todavía, los ríos son usados como medio de deshacerse de la basura y desechos de las poblaciones. En la antigüedad servían como medio de protección de las ciudades, a la vez que proveían a las ciudades de agua y de alimentación. Junto a los ríos siempre habrá tierra fértil y abundancia de vegetación.

Los ríos también tienen su peligro. Cuando hay grandes lluvias pueden desbordarse y causar mucho daño. Sin embargo, cuanto más caudaloso sea el río, menor es el peligro de desbordamientos, siendo que tiene mucho campo para desplazarse. Los riachuelos que no tienen dónde deshacerse de una cantidad súbita de agua son los que se desbordan con más facilidad.

Al considerar los beneficios que Dios brinda a su pueblo, Isaías lo presenta como un río ancho para nosotros. No solo con los beneficios de un río, sino también sin los peligros de un riachuelo. Los habitantes que viven cerca de sus riberas pueden hacerlo con toda tranquilidad, porque no amenaza. Las naves enemigas no navegarán allí para perturbar la paz. Las galeras de remos, cargadas de enemigos que se aproximan en silencio y pueden sorprender a los pueblos con ataques sigilosos, no estarán allí.

Cuando Jehová vela, cuando Jehová protege, cuando se acepta la dirección divina, se disfrutará de beneficios en abundancia y no se temerá mal alguno, porque Jehová es el gran río y la paz de sus hijos será como un gran río.

Que hoy sea un día de paz junto al río de Jehová.

Isaías 31: 1 - 33: 24; Hechos 20: 1-38

Paralizado por el miedo

> Y como no le pudimos persuadir, desistimos, diciendo: «Hágase la voluntad del Señor».
>
> HECHOS 21: 14

El miedo es un mecanismo de defensa que nos ayuda a no exponernos innecesariamente. Sin embargo, el miedo puede llegar a suponer una limitación excesiva, capaz de paralizar no solamente al individuo, sino también a toda una organización. Cuando se actúa o se deja de hacerlo por miedo, pocas veces se toman las mejores decisiones.

Pablo era una persona de gran valor. Su motivación para hacer las cosas no era el miedo, sino más bien una confianza absoluta en la voluntad de Dios. La obra de Dios era lo más importante para él, hasta el punto que hasta la propia vida era secundaria. «Salvo que el Espíritu Santo por todas las ciudades me da testimonio, diciendo que me esperan prisiones y tribulaciones. Pero de ninguna cosa hago caso, ni estimo preciosa mi vida para mí mismo, con tal que acabe mi carrera con gozo, y el ministerio que recibí del Señor Jesús, para dar testimonio del evangelio de la gracia de Dios» (Hech. 20: 23, 24).

Cuando salía de Mileto, le rogaron que no fuese a Jerusalén, hasta hubo profecías en cuanto a su suerte, pero, con todo, lo más importante era «terminar la carrera con gozo». ¡Qué ejemplo de dedicación! Pablo no se quedó paralizado por el miedo. Al contrario, su confianza absoluta en la dirección de Dios se tradujo en valentía.

Se puede argumentar que sería difícil vivir con una persona con convicciones tan fuertes. Sin embargo, de este campeón de la fe se nos dice: «El gran apóstol Pablo era firme cuando estaban en juego el deber y los principios, pero la cortesía era un rasgo notable de su personalidad... Pablo nunca dudó de la capacidad de Dios o de su buena voluntad para darle la gracia que necesitaba a fin de vivir la vida de cristiano... Él no vivía bajo una nube de duda, recorriendo a tientas su camino en la bruma y la oscuridad de la incertidumbre, quejándose de privaciones y pruebas» (ST 8 de noviembre de 1879).

Pablo no era controlado por el miedo; no vivía con la duda; no estaba sujeto a la incertidumbre, porque Dios era su sostén y guía. El ejemplo de Pablo es digno de imitar. En nuestro peregrinar, habrá más de una ocasión para quedar paralizado, pero el pueblo de Dios tiene que avanzar, con la confianza y la certeza en la responsabilidad dada por Dios, como lo hizo el apóstol Pablo.

Isaías 34: 1 - 36: 22; Hechos 21: 1-40

8 octubre   El Señor está de nuestro lado

El mensaje intimidante de Senaquerib había sido entregado por sus embajadores en forma de unas cartas, y Ezequías tomó las cartas y las extendió delante de Jehová. ¡Cuán insolentes eran las palabras! Decían que ni el Dios del cielo podía hacer frente al poderío militar de Asiria.

La respuesta de Isaías ante tal blasfemia buscaba enfurecer a Senaquerib, porque los que se burlaban del asirio eran los más débiles del pueblo. «La virgen hija de Sión te menosprecia, te escarnece; detrás de ti mueve su cabeza la hija de Jerusalén» eran palabras que revestían gran significado. Era un mensaje de absoluta confianza en que el Dios del cielo triunfaría y daría la victoria a su pueblo.

> Entonces Isaías hijo de Amoz envió a decir a Ezequías: «Así ha dicho Jehová Dios de Israel: "Acerca de lo que me rogaste sobre Senaquerib rey de Asiria, estas son las palabras que Jehová habló contra él: 'La virgen hija de Sión te menosprecia, te escarnece; detrás de ti mueve su cabeza la hija de Jerusalén'"».
> ISAÍAS 37: 21, 22

Si Senaquerib hubiese triunfado, habría empezado eliminando a los miembros de la casa real. Ello habría desmoralizado al pueblo y habría evitado un levantamiento a corto plazo. Acto seguido, habría esclavizado a los hombres con capacidad productiva y militar. Por último, las doncellas habrían sido presa del ejército invasor. Las doncellas eran el eslabón más débil en el pueblo. Pero lo más débil ahora pasó a ser usado por el Señor para mandar un mensaje nítido al rey invasor. ¡Cómo sería humillado en el resto de sus dominios al saberse que las doncellas se habían reído de él!

Dios, no necesita fuerza para mostrar su poder. La consigna del Señor es «No con ejército, ni con fuerza, sino con mi Espíritu» (Zac. 4: 6). Sus seguidores deben depender de él así. Cuando se sabe que el Altísimo está del lado de uno, el ánimo permite hacer frente a cualquiera amenaza con confianza.

Cuando hay la seguridad de la intervención divina, es posible hasta reír ante un peligro inminente; se puede mostrar tal confianza en Dios que hasta el más fuerte queda desarmado.

El Señor invita a su pueblo a tener confianza y dependencia hasta ante los obstáculos más grandes que pueda haber en la vida. Con confianza se puede sacudir la cabeza, porque Jehová está de nuestro lado.

Yo soy tu socorro

> «No temas, gusanito de Jacob; vosotros, los poquitos de Israel. Yo soy tu socorro», dice Jehová, tu Redentor, el Santo de Israel.
>
> Isaías 41: 14

Es importante escuchar la voz del Señor gritándonos «Yo soy tu socorro». Es como si se empeñase en preguntarnos: «¿De qué te preocupas?» No es poca cosa tener al Dios del cielo como nuestro pronto auxilio. Son tantas las veces que él ha llegado al socorro del hombre que ya difícilmente se pueden contar. Pero, por si hay olvido, consideremos lo que el Señor nos recuerda.

«Te he comprado con mi sangre». Cristo murió para sacarnos de la condenación eterna en la que nos encontrábamos. ¿No es este el mayor y mejor socorro que hemos podido recibir de lo alto? Si esto, que ha sido lo más grande acaecido en el universo, no nos convence de las buenas intenciones del Señor, entonces nada nos convencerá. El Señor nos asegura que ha hecho lo máximo que nadie puede concebir, y hará todo lo necesario para garantizarnos que es nuestro socorro.

«Antes que el mundo fuese, yo te escogí. Decidí ser tu socorro en cualquier eventualidad». La ayuda no esperó a la necesidad, porque antes que el hombre tuviese necesidad, Dios proveyó el socorro oportuno. Él hizo pacto eterno con nosotros, dándonos la garantía de estar siempre a nuestro lado. Para ayudarnos a comprender su disponibilidad a socorrernos, abandonó su gloria para hacerse hombre y así arrancarnos de las garras del enemigo. No hay necesidad temporal que Dios no pueda suplir, ni hay situación que resulte imposible para él. Las cosas que nosotros podamos necesitar son ínfimas cuando nos ponemos a compararlas con la riqueza inconmensurable de la multitud de dones que el Señor está dispuesto a otorgarnos. Y es que nuestras necesidades no son nada en comparación con lo que él ya ha dado para nuestro beneficio.

En materia de poder, no hay nada que pueda ni empezar a compararse con lo que la Trinidad nos ofrece. En materia de riquezas, todas las del universo están a nuestra disposición. En materia de necesidades, todas las abundantes provisiones del cielo están disponibles. Si el Dios de universo ha dado a su Hijo unigénito, no hay nada que él no pueda hacer para socorrernos. A nosotros nos corresponde confiar en su promesa de socorrernos en todo. «Yo soy tu socorro», asegura Jehová.

Isaías 39: 1 - 41: 29; Hechos 23: 1 - 24: 27

10 octubre

La visión celestial

L a visión celestial era la que había recibido en el camino a Damasco y en la calle llamada Derecha. Vio al Señor, y escuchó de labios de su mensajero designado el encargo que Dios le hacía: «"Ve", insistió el Señor, "porque ese hombre es mi instrumento escogido para dar a conocer mi nombre tanto a las naciones y a sus reyes como al pueblo de Israel. Yo le mostraré cuánto tendrá qué padecer por mi nombre"» (Hech. 9: 15, 16, NVI).

> Así que, rey Agripa, no fui desobediente a esa visión celestial.
> HECHOS 26: 19, NVI

Tres días después de la visión, recobró la vista y, pocos días después, «se dedicó a predicar en las sinagogas, afirmando que Jesús es el Hijo de Dios» (Hech. 9: 20, NVI). ¿Por qué obedeció inmediatamente el mandato? ¿Porque la visión fue muy impresionante? ¿Porque tenía una disposición obediente por naturaleza? ¿O porque para él era muy agradable y fácil predicar y enseñar de casa en casa? Él dijo después: «Sin embargo, cuando predico el evangelio, no tengo de qué enorgullecerme, ya que estoy bajo la obligación de hacerlo. ¡Ay de mí si no predico el evangelio!» (1 Cor. 9: 16, NVI).

La única razón por la cual predicaba era porque sentía que Dios le había dado una comisión seria y solemne y sentía que debía obedecer bajo cualquier circunstancia. Por eso comenzó a predicar inmediatamente en Damasco, confundiendo y dejando perplejos tanto a sus amigos como a sus nuevos hermanos. «Después de muchos días» (Hech. 9: 23, NVI), los judíos hicieron planes para matarlo, porque Pablo «cobraba cada vez más fuerza» (vers. 22, NVI) y convencía a todos de que Jesús era el Mesías.

Llevaba más de veinticinco años predicando cuando dijo: «No me atreveré a hablar de nada sino de lo que Cristo ha hecho por medio de mí para que los gentiles lleguen a obedecer a Dios. Lo ha hecho con palabras y obras, mediante poderosas señales y milagros, por el poder del Espíritu de Dios. Así que, habiendo comenzado en Jerusalén, he completado la proclamación del evangelio de Cristo por todas partes, hasta la región de Iliria» (Rom. 15: 18, 19, NVI).

Desde Palestina hasta el mar Adriático, desde Egipto hasta Eslovaquia y la República Checa, no hubo lugar donde no predicara con gran sufrimiento. Con razón dijo al rey Agripa: «No fui desobediente a la visión celestial». Lo que posiblemente nos falte hoy es lo que Pablo tuvo en abundancia: sufrir por Cristo.

Isaías 42: 1 - 43: 28; Hechos 25: 1 - 26: 32

Ciro

> Así dice el Señor
> a Ciro, su ungido,
> a quien tomó
> de la mano derecha
> para someter
> a su dominio
> las naciones y despojar
> de su armadura
> a los reyes, para abrir
> a su paso las puertas
> y dejar abiertas
> las entradas.
> ISAÍAS 45: 1, NVI

Dios llama a Ciro su ungido. La palabra *ungido* viene del hebreo *mashíaj*, de donde viene la palabra *Mesías*. Ese término se aplicaba tanto al sumo sacerdote como al rey. La palabra *Cristo* viene del griego *jristós*, y significa "ungido". Sí, Ciro era el ungido, el mesías de Dios. Era muy importante.

¿Quién era Ciro? La leyenda de Ciro, registrada por Jenofonte en la *Ciropedia,* lo presenta como un monarca ideal, fundador de un gran imperio. Su imagen, recordada nítidamente en la historia y la leyenda, es la de un sabio organizador y gobernante con amplitud de miras que escribió un nuevo capítulo en la ajetreada historia de Oriente. Las victorias y las conquistas de Ciro marcan el inicio del dominio ario en detrimento del semítico en amplios territorios. La caída de Babilonia a manos de Ciro y sus demás conquistas fueron los fundamentos para muchos desarrollos históricos posteriores. Cuando Ciro murió en un combate contra los masagetas, en el mes de agosto del año 530 a.C., el mundo perdió a uno de los más grandes monarcas que han existido.

En la Biblia se recuerda a Ciro como el libertador de los judíos del cautiverio babilónico. Cien años antes de que naciera Ciro, Dios lo llamó por su nombre (Isa. 45: 3). Dios anunció claramente el nombre del libertador, y la dirección de donde vendría: el oriente. Cuando Ciro entró en Babilonia, evidentemente porque Dios le había abierto las puertas, como decía la profecía, los judíos cautivos sabían que él era el libertador.

El profeta Daniel, que entonces vivía en Babilonia, le leyó a Ciro los rollos de los profetas, y «cuando el rey vio las palabras que habían predicho, más de cien años antes de que él naciera, la manera en que Babilonia sería tomada; cuando leyó el mensaje que le dirigía el Gobernante del universo…, su corazón quedó profundamente conmovido y resolvió cumplir la misión que Dios le había asignado. Dejaría ir libres a los cautivos judíos y les ayudaría a restaurar el templo de Jehová» (PR 409).

Nadie será confundido si confía en la segura palabra profética.

Isaías 44: 1 - 45: 25; Hechos 27: 1 - 28: 31

12 octubre

El gran desafío

 Este es un desafío del profeta y, por ende, de Dios a los astrólogos de Babilonia. Allí los cielos eran cuidadosamente estudiados para buscar presagios del futuro. Pero el profeta dice que de nada les valdrían a los babilonios los esfuerzos de sus astrólogos de cara e evitar la hora del castigo predicho por Dios.

¡Los muchos consejos te han fatigado! Que se presenten tus astrólogos, los que observan las estrellas, los que hacen predicciones mes a mes, ¡que te salven de lo que viene sobre ti!
Isaías 47: 13, NVI

«La astronomía es la ciencia que se ocupa del estudio de los astros y del espacio. En cambio, la astrología se ocupa de interpretar el futuro mirando las estrellas y los planetas, y pertenece al orden de las prácticas ocultistas (por eso los horóscopos y los signos del zodiaco desempeñan un papel importantísimo en esta disciplina esotérica). La astrología se basa en la posición relativa de los planetas para confeccionar sus pronósticos del futuro, pero la interpretación y práctica no tiene apoyo en la verdad divina» (Kurt Hasel, *El encanto de la superstición*, p. 29).

Todos sabemos que casi no hay revista, periódico, o emisora de radio o televisión que pueda permitirse el lujo de ignorar el horóscopo y los consejos para el futuro. Pero resulta que es un engaño completo. No solo es un engaño el hecho de que la posición de los astros o los planetas influya en el futuro y pueda indicar a la persona qué hacer o qué no hacer. Es un engaño total. Sin embargo, hay quienes no dan un paso durante el día sin consultar el horóscopo.

También es un engaño en la forma de diseñar el horóscopo en sí. Se cuenta que cierta vez el astrólogo encargado de hacer los horóscopos para un importante periódico no logró terminar su artículo a tiempo. Para resolver el problema, un redactor decidió imprimir un horóscopo viejo, de unos seis años atrás. El redactor contaba con que llegaría una avalancha de quejas de los lectores, pero no llegó ni una. Siendo así, en el periódico se preguntaron para qué pagar a un astrólogo pudiendo imprimir los horóscopos viejos. Así lo hicieron, y solo después de un año un lector envió una carta quejándose de que él ya había leído aquel horóscopo una vez, y terminaba diciendo: «Aquí hay algo que no está bien». El lector tenía razón. El horóscopo no era nuevo. Pero el resto, más de cien mil lectores, no se dio cuenta de nada y creyó ciegamente en aquellos horóscopos viejos (*ibíd.*, p. 34).

Isaías 46: 1 - 48: 22; Romanos 1: 1-32

El cristianismo está aquí para siempre

> Así ha dicho Jehová:
> «En tiempo favorable
> te he respondido,
> y en el día
> de salvación
> te he ayudado.
> Te guardaré
> y te pondré por pacto
> para el pueblo, a fin
> de que restablezcas
> la tierra y poseas
> las heredades
> desoladas».
> Isaías 49: 8

Desde su inicio se dijo que el cristianismo era un fenómeno pasajero, que era solamente cuestión de tiempo que se dejase de hablar de él. Tal era la predicción realizada por los dirigentes religiosos judíos. De hecho, ese planteamiento fue usado por Gamaliel en la defensa de los seguidores de Cristo (Hech. 5: 34-39). La historia citada por Gamaliel mostró que había verdad en sus palabras, puesto que otros que habían precedido a Cristo pretendiendo ser algo no legaron a la posteridad un movimiento que sobreviviese a su propia muerte.

Hay voces que predicen que la "era del pez" (el pez es el símbolo del cristianismo) pasará y que lo que venga después no tendrá nada que ver con el cristianismo. Sin embargo, los seguidores de Cristo sabemos que la realidad es muy diferente. El cristianismo no está destinado a desaparecer como otras religiones del pasado. Tenemos la certeza de que estaremos aquí hasta el final de los días, y sabemos que tenemos que predicar el evangelio del reino antes de que el Señor regrese.

En la profecía de Isaías, el Señor nos dio la promesa de que seremos «pacto para el pueblo». Los cristianos somos esperanza para el mundo. Cristo es la suma y sustancia de este pacto y sus dones. Los cristianos tenemos el privilegio de mantener vivo ese pacto con los pueblos de este mundo, y, mediante nuestra presencia aquí en la tierra, garantizar la salvación para todo aquel que cree.

La ayuda y salvación que hemos recibido de Jehová no debieran ser egoístamente guardadas para nosotros solamente. Se debe recordar que las hemos recibido para compartirlas y hacer que otros lleguen al conocimiento de la gracia salvadora de Cristo. Por eso nos dice el Señor: «Te guardaré y te pondré por pacto para el pueblo, a fin de que restablezcas la tierra y poseas las heredades desoladas» (Isa. 49: 8).

Que hoy sea un día en el que el Señor nos pueda usar para cumplir su pacto hecho con el mundo desde el Edén: que él traería salvación a los hombres que quieran aceptar a su Hijo Jesucristo como Salvador.

Me es un gozo hacer tu voluntad

uando el creyente acepta a Jesús y es adoptado en la familia de Dios, su relación con la ley cambia al instante, porque la ley ya no lo condena, siendo que Cristo lo ha justificado. Sin embargo, como hijo de Dios ahora se deleita en obedecer a su Padre celestial. Tal obediencia no es la de un esclavo, sino la de un hijo: la de un hijo que ama tanto al padre que su mayor gozo es obedecer los más mínimos requisitos del padre. Esto no es para llegar a ser hijo, sino porque es hijo.

> Luego,
> ¿invalidamos
> la ley por la fe?
> ¡De ninguna manera!
> Más bien,
> confirmamos la ley.
> Romanos 3: 31

Pablo no estaba poniendo la fe en contraposición con la ley. El hijo cree en las promesas del padre; el hijo no busca minar la autoridad del padre; el hijo no intenta cambiar al padre. El hijo que ama a su padre de verdad acepta sin más todo lo que el padre le pide sin quejarse ni murmurar. A esto se refiere el apóstol Pablo: a aceptar al Padre por la fe en Cristo, gozosos de servirlo como hijos obedientes, no a intentar cambiar al Padre.

La fe pone a la ley en el lugar correcto en el plan de la salvación, porque ayuda al creyente a entender que la ley no salva, que la salvación es solamente en Cristo, pero que la ley, la voluntad expresa de Dios, no estorba, sino más bien guía y orienta para conocer la voluntad del Padre, mientras que el Espíritu da la gracia para hacer la voluntad del Padre gozosamente, como hace un hijo que admira a su padre y desea ser como él. El propósito del hijo agradecido no es establecer un nuevo régimen o una nueva dinastía, sino promover y mantener en alto el buen nombre de la familia. La fe que nos salva, por lo tanto, no nos separa de lo que el Padre había hecho hasta este momento, sino que, con gozo, nos pone en la misma trayectoria del Padre.

La voluntad del Padre no fue la causa de la perdición del hombre, sino más bien la inclinación de este a hacer su propia voluntad. La fe que nos restaura con el Padre no elimina la voluntad del Padre, sino que, más bien, nos ayuda a comprender que cuando decimos «Señor, gracias por tu salvación», estamos diciéndole al Padre: «Te acepto con todo lo que ello conlleva desde la eternidad, y te obedezco gozoso».

La oración del hijo de Dios no debiera ser «Oh Padre, libéranos de tu ley», sino más bien «Oh Padre, danos la gracia para obedecerte en todo».

Isaías 52: 1 - 54: 17; Romanos 3: 1-31

Promesa completa, cumplimiento parcial

> En efecto,
> no fue mediante la ley
> como Abraham
> y su descendencia
> recibieron la promesa
> de que él sería
> heredero del mundo,
> sino mediante la fe,
> la cual se le tomó en
> cuenta como justicia.
> ROMANOS 4: 13, NVI

Dios le hizo una promesa solemne a Abraham: «Y apareció Jehová a Abram, y le dijo: "A tu descendencia daré esta tierra"» (Gén. 12: 7; 15: 18). Dios les repitió la promesa a Abraham, Isaac y Jacob muchas veces.

Cuando Josué y el pueblo de Israel estaban a punto de entrar en la Tierra Prometida, la promesa ya se había extendido: «Yo os he entregado, como lo había dicho a Moisés, todo lugar que pisare la planta de vuestro pie» (Jos. 1: 3). Pero el plan era, en realidad, que Israel llegara a poseer todo el mundo. «Los hijos de Israel debían de ocupar todo el territorio que Dios les había señalado... A medida que aumentara el número de los israelitas, estos habían de ensanchar sus fronteras, hasta que su reino abarcara todo el mundo» (PVGM 232-3).

«Las promesas territoriales hechas a Israel estaban sujetas a las mismas condiciones de su elección como pueblo escogido. Los pequeños límites de la nación y reino de Israel en el Medio Oriente nunca constituyeron el cumplimiento de las promesas territoriales hechas a Abraham. Es evidente que los padres, Abraham, Isaac y Jacob, que recibieron las promesas, comprendieron que la tierra que se les prometía no era solo un país geográficamente limitado al Medio Oriente. Ellos buscaban una tierra nueva y una ciudad "con fundamento, artífice y hacedor de la cual es Dios".

»Es significativo que ni Cristo ni los escritores del Nuevo Testamento aplicaron las promesas territoriales de Jerusalén y Palestina a la Iglesia de Cristo, que es el remanente o resto fiel de Israel. Esto está de acuerdo con la naturaleza del Israel actual, o sea, la Iglesia, como una nación espiritual.

»Pero esto no significa que los escritores del Nuevo Testamento espiritualicen las promesas territoriales que la nación judía restringió a los estrechos límites de Palestina; se hacen universales cuando se aplican a la iglesia, en cumplimiento de la promesa hecha a Abraham que sería "heredero del mundo"» (Félix Cortés A., *Más allá del futuro,* pp. 89, 90).

Cristo, la Simiente de Abraham, nos está preparando el cumplimiento final de la promesa que le hizo de sería «heredero del mundo» (Rom. 4: 13).

16 octubre — Las luces del mundo

Este texto parece que tiene su contrapartida en el Nuevo Testamento: «Ustedes son la luz del mundo. Una ciudad en lo alto de una colina no puede esconderse. Ni se enciende una lámpara para cubrirla con un cajón. Por el contrario, se pone en la repisa para que alumbre a todos los que están en la casa. Hagan brillar su luz delante de todos, para que ellos puedan ver las buenas obras de ustedes y alaben al Padre que está en los cielos» (Mat. 5: 14-16, NVI).

Parece que ya no le queda ninguna duda a nadie de que esto sea así. Grandes tinieblas espirituales y morales cubren la tierra en la actualidad. La humanidad anda a ciegas espiritualmente en medio del brillo cegador del conocimiento científico, tecnológico y filosófico. Un autor adventista lo expresó así: «La perspectiva es sombría. Serios peligros nublan el horizonte de la civilización. La humanidad, al parecer, está recorriendo el tramo más oscuro de su historia. Los peligros acechan en las sombras. El temor y la confusión caracterizan la conciencia del hombre contemporáneo. En esta hora confusa y oscura, las doctrinas filosóficas y los sistemas religiosos que pretendían señalar el camino parecen haberse agotado. La humanidad se tambalea al borde del abismo en la hora más sombría de su historia, sin luz y sin esperanza ante el mañana» (Félix Cortés A. *Más allá del futuro*, p. 53).

Hay quienes se preguntan: ¿Será posible que Dios haya depositado toda la luz que un mundo en tinieblas necesita en una iglesia tan pequeña, tan débil, tan poco ferviente, tan lenta para creer y tan poco activa?

No existe la menor duda. Así es. Como decía San Pablo: «Pero tenemos este tesoro en vasijas de barro para que se vea que tan sublime poder viene de Dios y no de nosotros» (2 Cor. 4: 7, NVI). Pero no debemos preocuparnos demasiado. Así como el silencioso poder de la levadura leuda toda la masa, así el silencioso poder del testimonio cristiano se está ejerciendo en el mundo.

Un ejército de fieles portaestandartes está dando su testimonio y pronto la tierra será alumbrada con la gloria del Señor.

> Levántate, resplandece; porque ha venido tu luz, y la gloria de Jehová ha nacido sobre ti. Porque he aquí que tinieblas cubrirán la tierra, y oscuridad las naciones; mas sobre ti amanecerá Jehová, y sobre ti será vista su gloria. Y andarán las naciones a tu luz, y los reyes al resplandor de tu nacimiento.
> Isaías 60: 1-3

Isaías 58: 1 - 60: 22; Romanos 5: 1-21

Grande para salvar

> ¿Quién es este
> que viene de Edom,
> de Bosra, vestido
> con vestiduras
> brillantes?
> ¿Quién es este
> de ropa esplendorosa,
> que marcha
> en la grandeza
> de su poder? «Soy yo,
> que hablo en justicia,
> grande para salvar».
> ISAÍAS 63: 1

Hay personas que se quedan sentadas a un lado esperando ver quién va a ganar para así subirse a última hora al carro del vencedor. Así, sin pasar por las vicisitudes de la lucha, confían en disfrutar de los frutos de la victoria. En toda gran empresa hay quienes se apuntan cuando el trabajo ya está hecho.

Nuestro versículo de hoy dice de nuestro Salvador que es «grande para salvar». Regresa de Edom, símbolo de la conquista de sus enemigos, pero no viene cansado de la batalla, ni con heridas de guerra, sino triunfante tras una victoria total sobre el mal y con ganas de seguir luchando. Cuando Cristo regrese por los suyos, el lema de «grande para salvar» será de suma actualidad. Jesús nos dirá: «Lo he hecho con gusto, y si tuviera que repetirlo, lo haría de mil amores». La victoria de Cristo no es consecuencia del agotamiento del enemigo, ni de que este quedase sin reservas, ni de que le faltasen ganas para pelear. La victoria se deriva de la decisión divina de que, no importa el poderío del enemigo, él, Cristo, será victorioso.

Es importante que nos percatemos de esta realidad, porque vencer al enemigo por cansancio o por agotamiento no es victoria. Es una derrota del enemigo, pero no victoria del vencedor. Nuestro Salvador es y será poderoso para salvar, porque no hay salvación en ningún otro. Esto debe impulsarnos a no esperar para ver quién va a ganar para luego correr a subirnos al carro del vencedor. Independientemente de los detalles, el resultado de la lucha es cierto: Cristo será victorioso.

Los poderes de Cristo son incomparables porque solo él, a través del Espíritu Santo, puede causar el arrepentimiento; solo él puede darnos un nuevo corazón; solo él puede darnos fe; solo él puede hacer que los que odian la verdad lleguen a amarla hasta el extremo de dar la vida por ella. Solo él puede hacer que los blasfemos acaben arrodillándose al nombre de Cristo.

Él es poderoso para salvar. No hace falta esperar al final de la lucha para unirse al bando victorioso. No habrá otro vencedor. Debemos unirnos y permanecer unidos a nuestro Señor y sus santos ahora. Él es grande para salvar.

Isaías 61: 1 – 64: 12; Romanos 6: 1-23

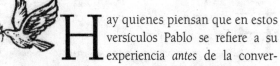

18 octubre — La grandeza está en la humildad

Hay quienes piensan que en estos versículos Pablo se refiere a su experiencia *antes* de la conversión, pero otros creen que se refiere a su experiencia *después* de su conversión.

Quizá la mejor explicación sea la que da el Dr. George R. Knight: «La solución más adecuada parecería ser considerar ese "yo" como el del cristiano genuino cuando ha caído en pecado. Su condición no corresponde a la de su vida entera como cristiano, puesto que el aspecto de la victoria de la vida cristiana se describirá en el capítulo 8. Por el momento, solo estamos ante el individuo que sabe lo que es bueno, pero que llora angustiado a causa de su debilidad, por no haber hecho o no hacer lo que debería.

> Y yo sé que en mí, esto es, en mi carne, no mora el bien; porque el querer el bien está en mí, pero no el hacerlo. Porque no hago el bien que quiero, sino el mal que no quiero, eso hago. Y si hago lo que no quiero, ya no lo hago yo, sino el pecado que mora en mí.
> ROMANOS 7: 18-20

«Todo cristiano se identifica en mayor o menor grado con este pasaje. No hay creyente que esté totalmente libre de pecado. Todos nos sentimos bajo tensión. El "yo" de este versículo tiene una dimensión existencial que todos enfrentamos en nuestra vida diaria. Pablo lo ilustra con sus propias vivencias.

»Para captar adecuadamente estas expresiones paulinas, debemos recordar cómo nos sentimos cuando hacemos lo que sabemos lo que está mal, a pesar de lo que desearíamos ser. Yo no sé cómo reaccionará usted, pero en situaciones así, yo exclamo, como el apóstol: "¡Miserable de mí!" (vers. 24); y siento deseos de apalearme» (*Por la ruta de Romanos,* p. 179).

El apóstol no describe aquí la vida cristiana en su totalidad. La vida del cristiano es mayormente victoriosa. Siente el gozo de la paz. Sin embargo, hay momentos en que se siente como Pedro cuando dijo: «Apártate de mí, Señor; soy un pecador» (Luc. 5: 8, NVI).

Lo que debemos hacer es confiar en lo que comprendemos perfectamente: «Hijitos míos, estas cosas os escribo para que no pequéis» (1 Juan 2: 1). Ese es el plan. Ese es el mandato. Es el propósito. Toda la instrucción divina, toda la enseñanza cristiana tiene el propósito de instruir al cristiano para que sea «perfecto», enteramente preparado para toda buena obra.

Deudores

> Así que, hermanos, somos deudores, pero no a la carne para que vivamos conforme a la carne.
> ROMANOS 8: 12

Ser deudor en la antigüedad suponía la pérdida de la identidad, ya que el acreedor tenía incluso el derecho a vender al deudor y su familia para así recuperar su inversión. El deudor se sometía al acreedor por si alcanzaba la misericordia y el perdón.

Espiritualmente hablando, ser deudor de la carne era estar bajo el control de las cosas de la carne y sin recursos para salir de su esclavitud. Sin embargo, Cristo nos ha rescatado de nuestra deuda. No solamente es Jesús nuestra expiación, sino que, por la vida que vivió, nos da la garantía que el pecado ya no tiene dominio absoluto sobre nosotros. Aunque las tendencias hacia el mal estén luchando cada momento en nuestro ser, en Cristo, y por su Espíritu, no estamos obligados a rendirnos indefensos a las exigencias de la carne.

Ahora nos debemos a nuestro Señor. Por su gracia, el creyente está libre de la condenación, libre de la ley del pecado (Rom. 8: 2). Libre del dominio del pecado, el creyente aprende a andar en el Espíritu, a pensar en las cosas del Espíritu, y descubre que hay vida y paz en el Espíritu. El don más grande es que el creyente recibe la garantía de la resurrección. Por todo ello, nos debemos a nuestro Señor.

La justicia de Dios nos hace a todos deudores, pero lo somos de su gracia, no de las obras de la ley. La gracia siempre ha precedido a la ley. Antes de la promulgación de la ley, Dios ya se identificaba como el Señor misericordioso y clemente (Éxo. 20: 2). Como hijos de Dios, y deudores de su gracia, nos proponemos la meta de ser santos con total decisión.

El que se entrega al pecado, o a la carne, pierde el control de sus actos, de su cuerpo y de lo que hace. El pecado lo lleva, como a una hoja movida por el viento, por la senda del mal. Esa es la triste condición de las personas que llegan a ser deudoras conforme a la carne. En cambio, cuando hemos sido salvados por la gracia y hemos aceptado la misericordia de Dios, no nos queda sino ser esclavos de la bondad de Dios. Somos deudores no de la carne, sino del Espíritu.

Como deudores del Hijo de Dios, que nuestras vidas, palabras, actos y todo nuestro ser pertenezcan a quien nos compró con su sangre.

La raza humana

La humanidad adolece de graves defectos y errores. Uno de ellos es el racismo. Es incomprensible el racismo en un cristiano. «Las genealogías del Génesis demuestran que las generaciones sucesivas después de Adán y Eva descendían sin excepciones de esta primera pareja. En nuestra calidad de seres humanos todos compartimos la misma naturaleza, la cual constituye una unidad genética o genealógica. Pablo declaró: "Y de una sangre ha hecho todo el linaje de los hombres, para que habiten sobre toda la faz de la tierra" (Hech. 17: 26). Además, vemos otras indicaciones de la unidad orgánica de nuestra raza en los asertos bíblicos de que la transgresión de Adán trajo pecado y muerte sobre todos, y en la provisión de salvación para todos por medio de Cristo (Rom. 5: 12, 19; 1 Cor. 15: 21, 22)» (*Creencias de los adventistas*, pp. 94, 95).

> Son israelitas, de los cuales son la adopción, la gloria, el pacto, la promulgación de la ley, el culto y las promesas; de quienes son los patriarcas, y de los cuales, según la carne, vino Cristo, el cual es Dios sobre todas las cosas, benditos por los siglos. Amén.
> ROMANOS 9: 4, 5

Solo existe una raza en todo el mundo: la raza humana. Todos somos hijos de un mismo Dios eterno. Todos los demás caracteres propios de la humanidad no son más que accidentes biológicos que no afectan al corazón, la mente y el alma. A la vista de Dios, todos somos aceptos «en el amado» (Luc. 20: 13) y todos somos hermanos. Estas reflexiones tienen como propósito denunciar el antisemitismo, doctrina o actitud hostil a los judíos. Esta es, quizá, la forma de racismo más antigua y persistente, y la más incomprensible desde el punto de vista cristiano. Pablo nos recuerda que de los judíos es:

- **La adopción:** El proceso por el cual el creyente en Cristo entra en la relación de hijo con el Padre.
- **La gloria:** La señal visible de la presencia de Dios que se vio en la nube, en la *shekinah* y en todas las grandes epifanías de Dios en la historia de Israel.
- **El pacto:** El contrato de promesas (Efe. 2: 12, 13) al que eran ajenos los gentiles.
- **La promulgación de la ley** dada en el Sinaí a los judíos como pueblo.
- **El culto y las promesas:** Toda la herencia espiritual.

Por supuesto, jamás debemos olvidar que Jesús era judío.

¿Habrá quien practique la justicia?

Recorran las calles de Jerusalén, observen con cuidado, busquen por las plazas. Si encuentran una sola persona que practique la justicia y busque la verdad, yo perdonaré a esta ciudad.
JEREMÍAS 5: 1, NVI

La orden registrada en el versículo de hoy tenía por objeto destacar el aumento de la corrupción moral que existía en Jerusalén.

Este desafío nos recuerda el antiguo relato de Diógenes, famoso filósofo griego de la escuela filosófica de los cínicos, quien andaba de día por las calles de Atenas llevando en las manos una lámpara encendida, a cuya luz pretendía buscar un hombre honrado. La figura es muy expresiva. Evoca el relato de Génesis cuando Dios bajó a ver si la ciudad de Sodoma había llenado su copa de iniquidad. Abraham rogó a Dios que si había allí cincuenta, cuarenta y cinco, cuarenta, treinta, veinte o diez justos, no destruyera la ciudad. Pero no había ni diez. Lo mismo ocurrió en Jerusalén. Dios dijo que perdonaría la ciudad si había un solo justo en ella, pero, evidentemente, no encontró ni uno, porque destruyó la ciudad.

¿Por qué ocurrió la tragedia de que no hubiera en Jerusalén ni una sola persona justa? «¿Por qué es este pueblo de Jerusalén rebelde con rebeldía perpetua? Abrazaron el engaño, y no han querido volverse» (Jer. 8: 5). Antes había dicho el profeta: «Crucen las costas de Chipre, y miren; envíen mensajeros a Cedar e infórmense bien; fíjense si ha sucedido algo semejante: ¿Hay alguna nación que haya cambiado de dioses, a pesar de que no son dioses? ¡Pues mi pueblo ha cambiado al que es su gloria, por lo que no sirve para nada! ¡Espántense, cielos, ante esto! Tiemblen y queden horrorizados» (Jer. 2: 10-12, NVI).

Los filisteos nunca apostataron. Siempre fueron fieles a Dagón. Ninguna de las naciones paganas fue apóstata de sus dioses, aunque no eran dioses. ¿Por qué Israel apostató tanto y se pervirtió tanto? Porque había un poderoso enemigo dispuesto a destruirlo. Ellos no comprendieron el gran conflicto. Pero nosotros lo comprendemos. No olvidemos que «el diablo ronda como león rugiente, buscando a quién devorar» (1 Ped. 5: 8). Pero no a cualquiera, ni a todos, sino a quienes han jurado lealtad al Dios viviente. Si puede destruir a esos, habrá alcanzado una victoria muy dolorosa para Dios.

Cuidémonos nosotros, porque Satanás ha pedido al pueblo de Dios para «zarandearlo» como a trigo (Luc. 22: 31). Seamos sobrios y velemos.

22 *octubre*

¿Quiénes son los enemigos?

os judíos rechazaron decididamente el evangelio, a Cristo, y a los gentiles. Se volvieron verdaderos enemigos de Dios. Pero Dios no se volvió enemigo de ellos. «Pero en cuanto a la elección, son amados por causa de los padres». Aquí el apóstol se refiere al principio de elección divina.

> Así que en cuanto al evangelio, son enemigos por causa de vosotros; pero en cuanto a la elección, son amados por causa de los padres. Porque irrevocables son los dones y el llamamiento de Dios.
> ROMANOS 11: 28, 29

Como les dijo Moisés a los israelitas: «Porque tú eres pueblo santo para Jehová tu Dios; Jehová tu Dios te ha escogido para serle un pueblo especial, más que todos los pueblos que están sobre la faz de la tierra. No por ser vosotros más que todos los pueblos os ha querido Jehová y os ha escogido, pues vosotros erais el más insignificante de todos los pueblos; sino por cuanto Jehová os amó, y quiso guardar el juramento que juró a vuestros padres, os ha sacado Jehová con mano poderosa, y os ha rescatado de servidumbre, de la mano de Faraón rey de Egipto» (Deut. 7: 6-8).

Israel fue el pueblo especial de Dios, pero no porque fuera el más poderoso; al contrario, era el más insignificante de los pueblos. La razón por la cual lo sacó de Egipto fue porque los había elegido por amor a los padres y, como dice Pablo, porque su elección y su llamado son irrevocables. Es decir, Dios no ha cambiado su pensamiento acerca de Israel. Ellos, como pueblo, oficialmente, a través de sus gobernantes, lo rechazaron; pero él no los rechazó. Así como en el tiempo de Elías, quedó un remanente de siete mil fieles que no se habían arrodillado ante Baal (Rom. 11: 2-4), así ahora, «hay un remanente escogido por gracia» (Rom. 11: 5). Por lo tanto, «Dios no rechazó a su pueblo al que de antemano conoció» (Rom. 11: 2). Por eso puede decir el apóstol: «De esta manera todo Israel será salvo, como está escrito» (Rom. 11: 26).

«Dios nos salvó y nos llamó a una vida santa, no por nuestras propias obras, sino por su propia determinación y gracia» (2 Tim. 1: 9). Y ese llamamiento también es irrevocable. Puede ser que alguno de sus hijos se rebele, se descarríe y se olvide de su Dios, pero Dios no se olvidará de él ni cambiará su llamamiento. Finalmente, cuando se pruebe que su hijo lo rechazó irremediablemente, aceptará el rechazo, pero él no lo rechazará. Alabemos a Dios por su amor.

Jeremías 7: 1 - 8: 22; Romanos 11: 1-36

Bendigan a quienes los persiguen; bendigan y no maldigan.
ROMANOS 12: 14, NVI

La señora Hasel llamó a la puerta. «Adelante», dijo una voz. Una vez dentro, se aproximó a un escritorio donde había una placa con el nombre del funcionario: Gauleiter Springer. Era delgado y tenía cabello oscuro, y ojos azules.

Tomó el legajo de papeles y dijo: «Señora Hasel, tengo documentos aquí muy incriminatorios. Usted se niega a unirse al partido o a la Liga de Mujeres. Sus hijos no asisten a la escuela el sábado. ¿Es usted judía?»

«No –dijo la señora Hasel–, he sido aria durante diez generaciones y tengo papeles para probarlo». «Entonces, ¿por qué se niega a cooperar?»

«Señor, soy adventista del séptimo día. En los diez mandamientos Dios nos pide que lo adoremos en el séptimo día y lo santifiquemos. Las leyes de Dios todavía están vigentes hoy. Por eso guardo el sábado».

Mientras hablaba, había estudiado al hombre, pero no había notado ni un gesto en su fría expresión. Levantó un teléfono, y dijo: «Por favor, confirme si la señora Hasel es miembro de la Iglesia Adventista del Séptimo Día». Minutos después el teléfono sonó. La información quedó confirmada.

«Señora Hasel, usted tiene mucho valor para hablar abiertamente de guardar el sábado, en este tiempo tan peligroso y en este lugar». Hizo una pausa y la observó por unos momentos. «Ocurre –le dijo– que estoy relacionado con los adventistas del séptimo día. ¿Conoce usted a los Schneider?»

Ella los conocía bien. El señor Schneider era anciano de la iglesia. La señora Hasel estaba asombrada. «Los Schneider son nuestros vecinos –dijo el hombre–, y nos ayudaron mucho en una difícil situación. Nos dieron alimento, ropa de cama y toallas para poder comenzar de nuevo. Tengo mucho respeto por los adventistas». Luego se puso de pie, y le dijo: «Señora Hasel, admiro su espíritu. Creo que todos deben ser libres de creer como su conciencia les indique».

La señora Hasel estaba asombrada. Finalmente pudo decir: «Señor Springer, no sé cómo darle las gracias por su bondad. ¡Que Dios lo bendiga!» Despidiéndola, el hombre dijo: «Señora Hasel, el Señor Springer se enfermó hoy y yo solo vine a suplirlo esta mañana».

Al salir, la señora Hasel supo que Dios había hecho que el peligroso enemigo enfermara, y había puesto un amigo para que la atendiera.

24 octubre

Dios quita y pone reyes

E l apóstol Pablo presenta un principio muy amplio y abarcante en el versículo de hoy. Dice que no puede existir autoridad humana a menos que sea bajo la autoridad y el control de Dios. Por eso afirma el Antiguo Testamento que Dios «quita y pone reyes» (Dan. 4: 17).

> Todos deben someterse a las autoridades públicas, pues no hay autoridad que Dios no haya dispuesto, así que las que existen fueron establecidas por Dios.
> ROMANOS 13: 1, NVI

En la amplia perspectiva en la que Dios actúa, no modifica el principio de autoridad en esta tierra, porque lo hará una sola vez en la historia: en el día final. Por eso no quita las autoridades injustas ni venga todas las injusticias que han cometido. No quiere decir que Dios apruebe siempre la conducta de todos los gobernantes. Tampoco los cristianos tienen que obedecerlos siempre. Si imponen leyes o decretan algo opuesto a la ley de Dios, los cristianos deben «obedecer a Dios antes que a los hombres» (Hech. 5: 29).

Dios da la oportunidad a los gobernantes de tomar sus decisiones y de ser lo que decidieron ser. Después, cuando llegue el día establecido, les pedirá cuentas. «Lo que Pablo enseña es que el poder de los gobiernos humanos es confiado por Dios a los hombres, de acuerdo con el propósito divino para el bienestar humano. Está en las manos de Dios que las autoridades continúen en el poder o caigan. Por lo tanto, el cristiano debe apoyar a las autoridades, pues no cree que le corresponde oponerse a ellas ni destituirlas» (*Comentario bíblico adventista*, tomo 6, p. 622).

Pedro aconsejó lo mismo: «Sométanse por causa del Señor a toda autoridad humana, ya sea al rey como a suprema autoridad, o a los gobernadores que él envía para castigar a los que hacen el mal y reconocer a los que hacen el bien» (1 Ped. 2: 13, NVI). Más adelante dice: «Respeten al rey» (vers. 17, NVI).

Como en todo, el cristiano debe actuar como ciudadano utilizando con sabiduría su libertad y sus responsabilidades hacia Dios y hacia su prójimo. Debe cumplir sus obligaciones como ciudadano con fidelidad y disfrutar sus derechos con humildad. Debe promover el bien de su patria terrenal sin olvidar que es primero, y ante todo, ciudadano de la patria celestial. Por lo mismo, no apoyará nada que subvierta el orden público ni participará livianamente en actos de desobediencia civil «por causa del Señor» (1 Ped. 2: 13).

Jeremías 11: 1 - 12: 17; Romanos 13: 1-14

El peligro de los falsos profetas

Pero yo respondí: «¡Ah, Señor mi Dios! Los profetas les dicen que no se enfrentarán con la espada ni pasarán hambre, sino que tú les concederás una paz duradera en este lugar».

JEREMÍAS 14: 13, NVI

En la historia de la decadencia y caída de Judá aparecen con frecuencia los falsos profetas. «Una de las causas principales de la decadencia espiritual de los israelitas era la influencia poderosa hacia el mal que ejercían muchos profetas falsos y corruptos, que buscaban popularidad engañando al pueblo y prometiéndole una paz que no llegaría. Engañaban diciendo que, por cuanto los israelitas eran el pueblo escogido de Dios, estaban a cubierto de toda derrota, y que solo les ocurrirían cosas buenas. Como la enseñanza de esos falsos dirigentes religiosos era más agradable a los oídos que los mensajes que daban los verdaderos siervos de Dios, los falsos profetas eran considerados con mucha mayor simpatía que los portavoces designados por Dios. La oposición de los falsos profetas dificultaba mucho la tarea de los mensajeros de Dios» (*Comentario bíblico adventista*, tomo 4, pp. 447-8).

Un caso típico fue la confrontación que tuvo Jeremías con el falso profeta Hananías (Jer. 28). La confrontación ocurrió en la casa de Dios, en presencia de los sacerdotes, en un momento muy solemne y peligroso de la historia de Judá. El profeta Jeremías había profetizado que el cautiverio duraría setenta años. Hananías dijo: «Así dice el Señor Todopoderoso: "Dentro de dos años haré volver a este lugar todos los utensilios… y también a Jeconías, hijo de Joacim, rey de Judá"» (Jer. 28: 2, 3).

¿De dónde sacan los falsos profetas su osadía, su ánimo, su valor para hacer las declaraciones más positivas y definidas? El Señor afirma: «Yo no envié a esos profetas, pero ellos corrieron; ni siquiera les hablé, pero ellos profetizaron» (Jer. 23: 21). Los verdaderos profetas de Dios temen llevar la responsabilidad de ser sus mensajeros y con mucho temor y temblor aceptan su llamado. Pero los falsos profetas están ansiosos de serlo. Dios no los llama, pero ellos, engañados por Satanás, se apresuran a proclamarse profetas y mensajeros de Dios. Sus visiones e instrucciones no proceden del cielo.

Tengamos cuidado. No creamos sin más a quien diga «Soñé», «Tuve una visión» o «El Señor me habló». Hay señales para identificar al falso profeta.

Jeremías 13: 1 - 14: 22; Romanos 14: 1-22   305

26 octubre

«Yo las devoraba»

Las palabras con las que Jeremías se encontró eran las de su llamado profético. Se refiere a su vocación de ser portavoz de Dios. Algunas de las palabras con las que se encontró fueron estas: «He puesto en tu boca mis palabras» (Jer. 1: 9). Su admirable experiencia de tener comunión con el Señor llenó de gozo y asombro su corazón. Aceptó su ministerio con todo su corazón, y recibía con gozo las palabras de Dios y las atesoraba. Eso quiere decir cuando afirma que «las devoraba». Esas palabras le parecían «más dulces que la miel, la miel que destila del panal» (Sal. 19: 10).

> Al encontrarme
> con tus palabras,
> yo las devoraba;
> ellas eran mi gozo
> y la alegría
> de mi corazón,
> porque yo llevo
> tu nombre, Señor,
> Dios Todopoderoso.
> JEREMÍAS 15: 16, NVI

La misma experiencia experimenta el cristiano que busca a Dios en su Palabra escrita, la Biblia, y la lee con «hambre y sed» de justicia. Su corazón es alentado, su alma confortada y su mente fortalecida, porque la Biblia es, en realidad, como el cuerpo y la sangre de Cristo. Como dijo el pastor Calvin Rock: «Mucho más maravilloso que el milagro de hacer andar a los cojos, dar vista a los ciegos, oídos a los sordos y habla a los mudos fue sanar las mentes envilecidas por el pecado. Fue la hora más gloriosa de la humanidad. El fulgor de la mente infinita brillaba sobre las tinieblas de la miseria humana. Durante tres años los habitantes de la tierra disfrutaron de esa energía al ponerse en contacto con el *Sí* divino-humano de Dios. Luego, cuando se fue, "la carne se hizo palabra" y se materializó en el libro que él dejó. Cristo era la palabra encarnada. La Biblia es la carne hecha palabra, y tiene el mismo poder vivificador que cuando estuvo con nosotros» (*Dimensiones de su amor*, p. 41).

Es natural que el cristiano que comprende lo que es la Biblia la devore. La Biblia es «la carne de Cristo hecha palabra». Es el mismo cuerpo, el mismo poder, la misma vida. Por eso, quien lee la Palabra de Dios, la Biblia, recibe la vida de Cristo, porque, al leerla, come y bebe su cuerpo y su sangre.

Quien no "devora" la Palabra de Dios no comprende plenamente la grandeza de esa Palabra. Jeremías sí lo tenía claro, pues la recibió con todo su corazón, y supo que el nombre de Dios se había invocado sobre él. El profeta era consciente de que era hijo de Dios, miembro adoptivo de la familia celestial, y sabía que su llamamiento contaba con el sello de la aprobación divina.

Jeremías 15: 1 - 16: 21; Romanos 15: 1-33

La importancia de las diaconisas

> Les recomiendo a nuestra hermana Febe, diaconisa de la iglesia de Cencrea. Les pido que la reciban dignamente en el Señor, como conviene hacerlo entre hermanos en la fe; préstenle toda la ayuda que necesite, porque ella ha ayudado a muchas personas, entre las que me cuento yo.
>
> Romanos 16: 1, NVI

Las diaconisas de la iglesia son muy útiles y de mucha estima en el servicio de Dios. Su servicio es comparable al que rinde cualquiera de los que se dedican al servicio de Dios.

Este es el único lugar de la Escritura donde se utiliza la palabra *diaconisa*. Seguramente la iglesia, en su empeño de cumplir la misión que Dios le había encomendado, había seguido organizándose en todos los aspectos. Después de nombrar a los diáconos (Hech. 6: 1-7), para suplir una necesidad muy grande de ayuda, debe de haber visto necesario nombrar diaconisas también.

Por lo que dice Pablo de ella, parece que Febe era una dama muy importante. Su nombre significa *radiante o brillante*. Era diaconisa de la iglesia de Cencrea, puerto marítimo oriental de Corinto, situado a once kilómetros de la ciudad. Es posible que Febe haya llevado la carta o epístola a los Romanos cuando fue a Roma. Al menos en algunas versiones antiguas había una nota al final de la epístola a los Romanos que decía: «Enviada con Febe, diaconisa de la iglesia de Cencrea».

Es posible que el mismo servicio que se pide a las diaconisas de hoy se les pidiese a las de la iglesia apostólica. Febe era una persona humilde, porque, a juzgar por el cargo que tenía, era rica y de alta posición social. A juzgar por el título que el apóstol le atribuye, era *protectora*. En Atenas el cargo se refería a quien representaba al pueblo que no tenía derechos civiles. La ley romana reconocía a estos *protectores* como los representantes de los extranjeros. Por tanto, si Febe tenía ese cargo, debe de haber sido una mujer rica de la alta sociedad. Y, sin embargo, desempeñaba el humilde cargo y cumplía las humildes funciones de las diaconisas.

El mismo espíritu de servicio deben tener las diaconisas de hoy, porque su ayuda es muy necesaria para la buena marcha de la iglesia. Y el mismo respeto y consideración que el apóstol Pablo le manifiesta a Febe debemos manifestar nosotros también a las diaconisas de nuestra iglesia en la actualidad.

28 octubre

El fuego ardiente

El fuego ardiente que menciona el profeta aquí era la Palabra de Dios. El Señor le había encomendado la difícil misión de anunciar sus juicios contra Judá. Su misión le produjo mucho dolor, muchas angustias y muchas lágrimas. Fue el profeta más perseguido, encarcelado, azotado y golpeado. Su ministerio y su misma existencia fueron en verdad un ministerio de dolor y lágrimas. Se le llama el "profeta llorón", porque no quería ser profeta de Dios, pero no pudo eludir su llamado y tuvo que desempeñar su ministerio en medio de mucho sufrimiento y lágrimas.

Si digo:
«No me acordaré
más de él, ni hablaré
más en su nombre»,
entonces su palabra
en mi interior
se vuelve un fuego
ardiente que me cala
hasta los huesos.
He hecho
todo lo posible
por contenerla, pero
ya no puedo más.
JEREMÍAS 20: 9, NVI

Pero no solo lloraba por los sufrimientos que le ocasionaba su ministerio, sino por ver a Jerusalén destruida y a sus habitantes llevados cautivos a Babilonia. Ser llevado en cautiverio en aquellos tiempos bárbaros era un destino peor que la muerte. Y todo eso lo vio y lo sufrió el profeta. Por eso, dijo una vez: «Ojalá que mi cabeza fuera un manantial, y mis ojos una fuente de lágrimas, para llorar de día y de noche por los muertos de mi pueblo» (Jer. 9: 1).

Pero hay otra aplicación de sus palabras. Cuando los dos discípulos que se encontraron con Jesús en el camino a Emaús recordaron lo que habían sentido cuando escucharon sus palabras, dijeron: «¿No ardía nuestro corazón mientras conversaba con nosotros en el camino y nos explicaba las Escrituras?» (Luc. 24: 31). La palabra de Dios tiene ese poder. Conmueve el corazón; enternece el alma; despierta los sentimientos naturales e inclina el corazón hacia Dios. El que cede a ese poder, se convierte y se salva. El que resiste ese poder del Espíritu Santo obrando a través de su Palabra, se endurece y se pierde.

Cuando el rey Josías escuchó la lectura del libro de la ley, que los sacerdotes habían encontrado en el templo, dice la Biblia que «se rasgó las vestiduras» (2 Rey. 22: 11). Y Hulda, la profetisa, le envió esta comunicación del Señor: «Como te has conmovido y humillado ante el Señor al escuchar lo que he anunciado contra este lugar y sus habitantes, que serían asolados y malditos, y como te has rasgado las vestiduras y has llorado en mi presencia, yo te he escuchado» (2 Rey. 22: 19). Abramos nuestro corazón a la influencia de la Palabra.

Sois de Cristo

> Y vosotros
> de Cristo,
> y Cristo
> de Dios.
> 1 CORINTIOS 3: 23

La Biblia parece presentar las bendiciones de Dios de una forma opuesta a las expectativas del hombre. Cuando el corazón egoísta del ser humano dice: «Dame, dame, dame», leemos que «más bienaventurada cosa es dar que recibir». Tenemos que «morir al yo» para poder disfrutar de la vida con el Señor. Cuando el hombre autosuficiente y egoísta pretende que se le tiene que aceptar como es sin esperar cambios de él, aprendemos que «si la semilla no muere, no puede dar frutos». Y cuando el hombre desea afirmar su autonomía e independencia, descubrimos que somos «de Cristo, y Cristo de Dios».

En realidad, es una bendición saber que le pertenecemos a él, saber que somos su propiedad. Hemos sido regalados a él por el Padre; hemos sido comprados por su preciosa sangre. Contó cada gota como si fuera una preciosa moneda para comprarnos. Cristo no es como un niño que quiere todos los juguetes con los que ve jugar a sus amigos para descartarlos una vez obtenidos, en busca de algo nuevo. No, sus propiedades reciben su constante cuidado y atención. Tampoco nos tiene como una colección, sino que más bien somos parte de él: sus hermanos, sus amigos, coherederos con él que algún día se sentarán con él en su trono. Tenemos su constante cuidado y preocupación, y sobre todo, la garantía de que somos tan preciosos a su vista que quiere pasar la eternidad con nosotros. Por lo tanto está asiduamente ocupado en prepararnos lugar en la casa del Padre.

Somos de Cristo por la dedicación de cada día. Somos de él por la relación que queremos tener con él y que él ha puesto en nosotros. Somos de él porque llevamos su nombre. Somos de él porque hemos sido hechos coherederos con él. Somos de él, porque nos hemos consagrado a él, para que nuestra vida, nuestro ser, nuestros pensamientos, acciones y actuaciones sean todos de acuerdo a lo que él espera de nosotros. En la aflicción, somos de él, confiando que él nos guiará. En la tentación, somos de él y podemos decir con confianza, «¡Cómo he de cometer este pecado tan grande!» En las dudas, somos de él y podemos decir con confianza «¡Tenemos una salvación tan grande!» Como él es de Dios, y todo lo de él refleja esa relación, nosotros somos de él y hemos de reflejar esa relación en todo.

30 octubre

Dejando la vieja levadura

¿Qué nos dice Pablo aquí? ¿Cuál es la vieja levadura que se debe dejar? ¿Qué es ser nueva masa? ¿Por qué dice que los corintios son panes sin levadura?

Aquí el apóstol usa la levadura como símbolo del pecado. Y la figura viene desde el éxodo. Antes de la Pascua Dios ordenó: «Durante siete días se abstendrán de tener levadura en sus casas. Todo el que coma algo con levadura, sea extranjero o israelita, será eliminado de la comunidad de Israel» (Éxo. 12: 19, NVI). Se les ordenó que buscaran cuidadosamente en sus casas antes de comer la cena pascual, para que estuvieran seguros de que no había ni una partícula de pan con levadura en sus hogares. Por eso, la iglesia cristiana de Corinto fue instruida para que estuviera segura de que el pecado había sido eliminado, especialmente toda forma de inmoralidad (ver *Comentario bíblico adventista,* tomo 6, p. 7).

> Desh
áganse de la vieja levadura para que sean masa nueva, panes sin levadura como lo son en realidad. Porque Cristo, nuestro Cordero pascual, ya ha sido sacrificado. Así que celebremos nuestra Pascua no con la vieja levadura, que es la malicia y la perversidad, sino con pan sin levadura, que es la sinceridad y la verdad.
> 1 Corintios 5: 7-8, NVI

La levadura que había en la iglesia de Corinto eran algunas personas que vivían en clara y abierta violación de los mandamientos de Dios (ver 5: 1-10). Un miembro que vive en pecado es como la levadura que leuda toda la masa y la transforma y corrompe. Por eso existe la disciplina de la iglesia. Cuando existe el pecado, y la iglesia lo tolera sin aplicar la disciplina, el Espíritu de Dios no puede estar con la congregación. «Dios considera a su pueblo, como cuerpo, responsable de los pecados que existan en sus miembros. Si los dirigentes de la iglesia descuidan la obra de buscar diligentemente hasta descubrir los pecados que atraen el desagrado de Dios sobre el cuerpo, vienen a ser responsables de estos pecados» (3T 269).

El pecado debe identificarse, en primer lugar, para librar al que está en pecado. Si cede a las súplicas de sus hermanos, entonces será salvo; si no lo hace, deberá ser tenido por «incrédulo y renegado» (Mat. 18: 17). En segundo lugar, para apartar el desagrado de Dios. Todos debemos deshacernos de la vieja levadura del pecado.

Jeremías 24: 1 - 25: 38; 1 Corintios 4: 1 - 5: 13

La sabiduría de lo alto

> En realidad ya es una grave falla el solo hecho de que haya pleitos entre ustedes. ¿No sería mejor soportar la injusticia? ¿No sería mejor dejar que los defrauden?
>
> 1 Corintios 6: 7, NVI

La vida moderna es compleja. Requiere dominio propio y humildad para vivirla bien y evitar conflictos. Pero, a pesar de sus mejores intenciones, los cristianos sinceros pueden verse enredados en conflictos que no buscaron ni provocaron. En ese caso, se requiere sabiduría y el sincero deseo de honrar a Dios para recurrir a las autoridades solo en casos extremos y con el deseo de buscar el bien de todos y para que prevalezca siempre la justicia.

Sin embargo, que haya pleitos entre los hermanos, es, como dice el apóstol, «una grave falla». «Cuando los cristianos entran en pleitos entre sí, demuestran que han perdido la tolerancia mutua, la paciencia y el amor que son los motivos guiadores de los corazones de los verdaderos seguidores del Maestro» (*Comentario bíblico adventista*, tomo 6, p. 693). Los cristianos afrontan un verdadero desafío para su fe y su carácter cuando son víctimas de la injusticia por parte de otro cristiano. Ir a un juicio ante jueces incrédulos es una tragedia. ¿Qué pensará de la religión de Cristo el juez que tiene que dirimir una cuestión entre dos siervos del mismo Señor? «¿No sería mejor soportar la injusticia?» «¿No sería mejor dejar que los defrauden?» «No resistan al que les haga mal. Si alguien te da una bofetada en la mejilla derecha, vuélvele también la otra. Si alguien te pone pleito para quitarte la capa, déjale también la camisa» (Mat. 5: 39, 40, NVI).

¿Quién es capaz de tal acción? Solo un verdadero cristiano. Ya no es cuestión de justicia o injusticia. La injuria infligida es clara. Toda la justicia está de su parte. Pero el cristiano actúa por una razón superior y humildemente prefiere recibir la injuria, prefiere ser defraudado, porque busca primera la honra de su Señor. El cristiano no debe responder a la violencia con violencia. Debe vencer «con el bien el mal» (Rom. 12: 21) y amontonar «ascuas de fuego» sobre la cabeza del que lo perjudica (Prov. 25: 21-22).

¿Por qué actúan así los cristianos? No por falta de valor y capacidad para defenderse; no por falta de dignidad; sino porque buscan un resultado más elevado: el bien para quien lo ofende y la honra y la gloria de Dios.

Jeremías 26: 1 - 28: 17; 1 Corintios 6: 1 - 7: 40

¿En nombre de quién hablas?

Habían pasado casi diez años desde la primera deportación de Judá a Babilonia. Naturalmente, los cautivos estaban inquietos. Los falsos profetas, hablando temerariamente en nombre de Dios, les aseguraban que el cautiverio sería corto. La situación era grave en el exilio y en Jerusalén. Por eso el profeta les escribió una carta muy clara que puede enseñarnos también buenas lecciones a nosotros. La carta decía:

> «Porque yo sé muy bien los planes que tengo para ustedes», afirma el Señor, «planes de bienestar y no de calamidad, a fin de darles un futuro y una esperanza».
> JEREMÍAS 29: 11, NVI

«Así dice el Señor Todopoderoso, el Dios de Israel, a todos los que he deportado de Jerusalén a Babilonia: "Construyan casas y habítenlas; planten huertos y coman de su fruto. Cásense, y tengan hijos e hijas; y casen a sus hijos e hijas, para que a su vez ellos les den nietos. Multiplíquense allá, y no disminuyan. Además, busquen el bienestar de la ciudad adonde los he deportado, y pidan al Señor por ella, porque el bienestar de ustedes depende del bienestar de la ciudad". Así dice el Señor Todopoderoso, el Dios de Israel: "No se dejen engañar por los profetas ni por los adivinos que están entre ustedes. No hagan caso de los sueños que ellos tienen. Lo que ellos les profetizan en mi nombre es una mentira. Yo no los he enviado", afirma el Señor» (Jer. 29: 4-9, NVI).

Si Jeremías nos escribiera una carta hoy, sería parecida a la que les escribió a los deportados de Judá. De ella podemos aprender estas lecciones:

- Se necesita sabiduría divina para vivir en este mundo, trabajando con diligencia para suplir nuestras necesidades, las de la iglesia y las de los demás, y, al mismo tiempo, mantener viva la esperanza del pronto retorno de Jesús. Es buena la meditación, la oración y el retiro espiritual, pero no es sabio quien por esa causa descuida los deberes de padre, esposo y ciudadano.

- No podemos descuidar nuestros deberes de ciudadanos por nuestra devoción. Debemos ayudar a la comunidad a resolver los problemas. Yerra el cristiano que descuida en nombre de la religión la participación en las causas justas y necesarias de la comunidad.

- Debemos además orar por nuestras comunidades, por sus autoridades y por sus problemas. No era fácil orar por Babilonia. Es probable que tampoco sea fácil para nosotros, pero debemos hacerlo.

Un Dios y un pueblo

> «En aquel tiempo», dice Jehová, «yo seré el Dios de todas las familias de Israel; y ellos serán mi pueblo».
> JEREMÍAS 31: 1

Comúnmente es el hombre quien, de una u otra forma, escoge a su dios y su religión. No es cualquier cosa que el Señor diga que él será nuestro Dios. La oferta que el Señor hace de ser el Dios de su pueblo conlleva para nosotros todos los beneficios y privilegios de ser el pueblo del Dios verdadero. Con Jehová de nuestro Dios, tendremos todo lo que podamos desear. Para nuestra felicidad queremos algo que nos dé satisfacción.

Siendo Jehová nuestro Dios, podemos esperar con toda propiedad que nuestra copa esté rebosando. Esto no quiere decir que no vaya a haber desafíos en la vida, sino que cuando surjan los desafíos, no importa su origen, calidad o intensidad, Jehová estará de nuestro lado, porque él mismo escogió ser nuestro Dios. Con él podemos escalar muros; con él podemos vencer toda tentación, porque tenemos la promesa de Aquel que escogió ser nuestro Dios de que nos dará la salida. Confiados en las promesas del que escogió ser nuestro Dios, no tenemos por qué temer, porque él estará con nosotros; su vara y su cayado nos infundirán aliento, en presencia de nuestros angustiadores nos confortará y, lo más bello de todo, podremos morar en la casa de nuestro Dios por largos días.

Si Jehová ha escogido ser nuestro Dios, solo podremos separarnos de él por voluntad propia. Aunque él nos ofrece aguas de reposo y delicados pastos, nuestra voluntad puede llevarnos junto a aguas turbulentas y por tierras secas y áridas. Hasta cuando escogemos separarnos de él, nuestro Dios no lo acepta de buena gana. Lamenta la pérdida de un solo hijo; se va a la montaña en busca de la oveja extraviada, no descuidando a las noventa y nueve, pero mostrando especial atención hacia quien ha escogido alejarse.

«El amor de Dios aún implora al que ha escogido separarse de él, y pone en acción influencias para traerlo de vuelta a la casa del Padre» (PVGM 159).

Él ha escogido ser nuestro Dios para darnos esperanza, para poder vivir como hijos suyos aquí, y para alimentar en nosotros la gran esperanza de vivir eternamente con él.

Siendo que Jehová ha escogido ser nuestro Dios, él espera que seamos ovejas de su prado. Que cada día nos pueda acercar más al Señor amante que ha escogido ser nuestro Dios.

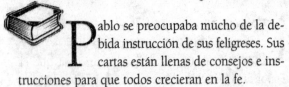

3 noviembre   Quien tiene un don es responsable

No quiero, hermanos, que ignoréis acerca de los dones espirituales.
1 Corintios 12: 1

Pablo se preocupaba mucho de la debida instrucción de sus feligreses. Sus cartas están llenas de consejos e instrucciones para que todos crecieran en la fe.

Ahora los instruye acerca de «los dones espirituales». Basándose en las instrucciones paulinas y las de los otros apóstoles y profetas la Iglesia Adventista del Séptimo Día ha definido la doctrina N° 16, Dones y ministerios espirituales.

«**El propósito de los dones espirituales.** El Espíritu Santo concede por gracia dones espirituales a los miembros para ayudar a la iglesia a cumplir su misión. La testificación es el objetivo principal de los dones espirituales. Para producir armonía en el cuerpo, como ocurre cuando cada miembro del cuerpo cumple bien su función. Esto solo puede ocurrir cuando está presente la dimensión indispensable, que es el amor de Dios en el corazón: el camino más excelente para el cumplimiento de los objetivos de los dones espirituales. Así se producirá el objetivo final, que es el crecimiento de la iglesia.

»**Implicaciones de los dones espirituales.** En primer lugar, todos, ministros y laicos, componen la iglesia y cumplen juntos la misión. Unidos, son responsables del bienestar y de la prosperidad de la iglesia. El Espíritu Santo concede dones que son compatibles con los talentos naturales del individuo. Así se produce una unidad en la diversidad. Los miembros que no usan sus dones espirituales los pierden, según el principio establecido por nuestro Señor: «A todo el que se le ha dado mucho, se le exigirá mucho; y al que se le ha confiado mucho, se le pedirá aún más» (Luc. 12: 48).

»**El descubrimiento de los dones.** Los miembros deben conocer sus dones. Para poder conocerlos: 1. Prepárese espiritualmente; 2. Estudie las Escrituras; 3. Abra su mente a la conducción providencial de Dios; 4. Es el cuerpo el que evalúa y confirma los dones. Es un principio que el juicio de la iglesia confirma los dones, no nuestros sentimientos».

Si crees que tienes un don, inviértelo en un ministerio y deja que la iglesia lo confirme. No solo debemos estar dispuestos a escuchar lo que otros nos digan acerca de nuestros propios dones, sino que también es importante que reconozcamos y confirmemos los dones de los demás. Todos hemos recibido algún don. Quien no lo use, será contado por el Juez entre los malhechores (Mat. 25: 24-30).

Seguid el amor

> Seguid el amor;
> y procurad
> los dones espirituales,
> pero sobre todo
> que profeticéis.
>
> 1 CORINTIOS 14: 1

El consejo que da Pablo a los corintios en nuestro texto de hoy sigue estando vigente en la actualidad. Se nos aconseja ser diligentes para sentir amor y crecer en él. Es el «camino más excelente» mencionado en 12: 31 para hacer la obra que Dios nos ha encomendado. Luego les aconseja buscar, con la misma diligencia, «los dones espirituales». Y de esos dones espirituales, les aconseja que procuren tener «el don de profecía». En el vers. 39 lo dice con más claridad: «Así que, hermanos, procurad profetizar». La NVI lo expresa así: «Así que, hermanos míos, ambicionen el don de profetizar».

El don de profetizar es el más codiciado de los dones. Con cierta frecuencia surgen personas exaltadas emocionalmente, perturbadas mentalmente, que se declaran «profetas» de Dios. Pero los frutos que el Señor nos dio para saber si son profetas genuinos declaran que son falsos profetas. ¿Qué quiso decir el apóstol cuando aconsejó a «todos» los miembros de la iglesia de Corinto que ambicionasen «el don de profetizar»? ¿Quiso decir que todos pueden y deben ser profetas? No. Usa, más bien, el sentido amplio de la función de los profetas: «El que profetiza habla a los hombres para edificación, exhortación y consolación» (vers. 3).

El *Diccionario bíblico adventista* ilustra esto así: «Los hijos de los profetas no eran necesariamente recipientes directos del don profético, pero eran divinamente llamados, como los ministros evangélicos de hoy, para instruir a la gente acerca de la voluntad de Dios» ("Profeta", p. 947). Lo que el apóstol aconseja es procurar por amor hacer el mayor bien a los miembros.

El don de lenguas es espectacular, y por eso muchos cristianos de Corinto lo buscaban. Pero Pablo aconseja procurar mejor edificar, exhortar y consolar a los miembros, y a esta actividad la llama "profetizar". Esto da dignidad y un serio sentido de responsabilidad a los ancianos y pastores de la iglesia y a cuantos predican y enseñan. Dios considera profético ese ministerio, y debe hacerse con la mayor seriedad y consagración. También pone una responsabilidad sobre los oyentes. Si Dios los está exhortando, edificando y consolando proféticamente, deben escuchar con más reverencia y practicar la enseñanza y el consejo con más fidelidad. Este ministerio profético debemos procurarlo todos los miembros.

¿Hay palabra de Jehová?

stas palabras se las dijo Jeremías al rey Sedequías en un momento dramático, triste y desolador. El ejército de Babilonia tenía sitiada la ciudad de Jerusalén. El rey Sedequías era un hombre vacilante, indeciso y voluble, lo opuesto al profeta Jeremías, que era firme y valiente para ponerse de parte de lo que Dios le había revelado.

Y dijo Jeremías:
«No te entregarán.
Oye ahora
la voz de Jehová
que yo te hablo,
y te irá bien y vivirás».
JEREMÍAS 38: 20

Cuando el ejército de Nabucodonosor levantó el sitio y se fue porque los egipcios venían en ayuda de Judá, Sedequías envió a Jucal y al sacerdote Sofonías a pedirle a Jeremías que orara por el pueblo. El profeta encarcelado les dijo que el ejército del faraón se había regresado a su tierra, que los caldeos volverían y que tomarían la ciudad y la incendiarían. Más tarde, el rey lo fue a ver secretamente y le preguntó: «¿Hay palabra de Jehová?» Y Jeremías le contestó: «Hay. En manos del rey de Babilonia serás entregado».

Los príncipes se airaron contra Jeremías porque proclamó ante el pueblo la palabra que Dios le había dado: «El que se quede en esta ciudad morirá...; pero el que se pase a los caldeos, vivirá». Los príncipes lo acusaron de traición y fue echado en una cisterna: «Y en la cisterna no había agua, sino cieno, y se hundió Jeremías en el cieno». Pero Ebed-Melec consiguió el permiso del rey y sacó al profeta Jeremías de la cisterna y lo salvó.

El rey volvió a llamar al profeta en secreto y le dijo: «Te haré una pregunta; no me encubras ninguna cosa» (38: 14). La pregunta no está registrada, pero se infiere que le preguntó qué debía hacer, porque Jeremías le dijo: «Si te entregas en seguida a los príncipes del rey de Babilonia, tu alma vivirá, y esta ciudad no será puesta a fuego, y vivirás tú y tu casa» (38: 17).

Pero el rey, indeciso, le dijo: «Tengo temor de los judíos que se han pasado a los caldeos, no sea que me entreguen en sus manos y me escarnezcan» (38: 19). En ese momento pronunció Jeremías las palabras de nuestro texto de hoy: «No te entregarán. Oye ahora la voz de Jehová que yo te hablo, y te irá bien y vivirás».

¡Qué tragedia que Sedequías nunca se decidiera a obedecer las indicaciones de Dios! Una de las escenas más tristes de la Biblia es cuando lo entregaron en manos de Nabucodonosor, quien hizo matar a sus hijos en su presencia inmediatamente antes de hacer que le sacasen los ojos al infortunado rey judío.

En Cristo no existen promesas incumplidas   *noviembre 6*

> Porque todas las promesas de Dios son en él «Sí», y en él «Amén», por medio de nosotros, para gloria de Dios.
> 2 Corintios 1: 20

El pastor Calvin Rock, explica: «Los hermanos de Corinto estaban disgustados con el hermano Pablo. ¿Por qué? En dos ocasiones había prometido visitarlos, y ambas había fallado. Los miembros interpretaron esta tardanza como una señal de indiferencia frente a sus necesidades y le enviaron un recado con Tito acusándolo de tener una palabra indigna de confianza, que cuando decía "Sí, sí", en realidad estaba diciendo "No, no". La atenta respuesta de Pablo expone los problemas que sus viajes le ocasionaban y ciertas tensiones entre los miembros, por lo cual había decidido escribirles una carta en vez de visitarlos personalmente» (*Dimensiones de su amor*, p. 35).

Pero lo interesante no está, como dice el mismo autor, en las acusaciones, ni en la respuesta de Pablo, sino en la forma como utiliza esa circunstancia para glorificar a Cristo. Y lo hace analizando ampliamente, y con su estilo muy personal, el principio de la fiabilidad de las promesas. En palabras del mismo autor: «Declara, con absoluta seguridad, que en Cristo no existen promesas incumplidas, no caben las declaraciones ambiguas, no hay eufemismos ni palabras de doble sentido; nada de "Sí" y "No" al mismo tiempo; nada de decir *Sí* queriendo decir *No;* nada de significados confusos ni preguntas capciosas. Cristo, dice Pablo, es el *Sí* rotundo, prístino e invariable de Dios. Cristo es el firme asentimiento de Dios a todas las necesidades, a todas las preguntas, y a toda la vida. Él no es *Sí* y *No*. De hecho, no es "No" en absoluto. Jesús es lo único Seguro y Positivo entre las contrariedades de la vida. Él es el único "Sí" Verdadero» (*ibíd.*, pp. 35-6).

Las promesas de Dios son seguras: «Dios no es hombre para que mienta, ni hijo de hombre para que se arrepienta. Él dijo, ¿y no hará? Habló, ¿y no lo ejecutará?» (Núm. 23: 19). Las promesas de Dios son en él «Sí». Si dijo, no hay nada más que hablar. Si él dijo sí, la cosa es segura. Él no tiene dos palabras. En relación con sus promesas, siempre es *sí*, nunca es *no*. Confiemos en el Dios que dice: «¿Acaso se ha acortado la mano de Jehová? Ahora verás si se cumple mi palabra o no» (Núm. 11: 23). Jesús es el *Sí*, no solo de los valores y propósitos de esta vida, sino de la eterna. Tengamos confianza en él y en sus promesas.

Percibir lo invisible

El cristiano vive por fe y todo lo que emprende lo acomete desde esa dimensión de dependencia y confianza en el Señor. El apóstol no está prohibiendo que miremos las buenas cosas que nos puedan ayudar en la vida cristiana, sino que nos llama la atención para que nuestra mirada no quede fija en las cosas visibles, por buenas que sean. Nuestra mirada debe elevarse para captar con el ojo de la fe lo que el Señor tiene para su pueblo, que va más allá de lo que el ojo humano pueda ver.

> No fijando nosotros la vista en las cosas que se ven, sino en las que no se ven; porque las que se ven son temporales, mientras que las que no se ven son eternas.
> 2 Corintios 4: 18

Al mirar por fe, más allá de lo que alcanza a ver el ojo o entender la mente, se aprende a depender de lo invisible y a vivir con la confianza de que Dios dirige nuestra vida. Vivir por la fe es negarse a uno mismo para dar pasa a una confianza absoluta en el Señor. «"No debemos mirar las cosas que se ven, sino las que no se ven; pues las cosas que se ven son temporales, pero las que no se ven son eternas". Al sacrificar los deseos e inclinaciones egoístas cambiamos cosas sin valor y transitorias por cosas preciosas y duraderas. Esto no es sacrificio, sino ganancia infinita» (Ed 297).

La gracia de la fe es la medicina más efectiva en contra del desánimo en momentos de dificultades. Mirar las cosas de arriba nos va preparando para vivir por la fe, y hasta cuando las cosas no vayan como a nosotros nos gustaría, contaremos con fuerza para seguir adelante. La fe ayuda a adoptar decisiones correctas en los momentos difíciles. Cuando uno se acostumbra a hacer una cosa buena, en los momentos en que no tenga tiempo ni para pensar actuará de acuerdo a las buenas costumbres adquiridas. Por lo tanto, es importante acostumbrarse a mirar adelante, mirar a lo invisible.

Como cristianos debiéramos mirar siempre adelante, siempre a la esperanza bendita de la venida del Señor. En último término, la fe siempre mira al futuro, siendo que el presente y el pasado ya son conocidos. Mirar al futuro, mirar a lo que no se ha visto, es el privilegio del cristiano, con la plena confianza de que en ese futuro está el Señor esperando a sus hijos. El presente es el ancla para confiar en el futuro, y no el lugar donde nos interese aposentarnos. La fe es lo que se requiere de nosotros.

Jeremías 44: 1 - 45: 5; 2 Corintios 3: 1 - 4: 18

El único poder para vivir una vida santa

> Porque el amor
> de Cristo
> nos constriñe,
> pensando esto: que si
> uno murió por todos,
> luego todos murieron.
> 2 CORINTIOS 5: 14

La versión *Dios Habla Hoy*, dice: «El amor de Cristo gobierna nuestras vidas». La *Nueva Biblia Española* dice: «El amor de Cristo no nos deja escapatoria». La *Nueva Versión Internacional* dice: «El amor de Cristo nos obliga». En suma, el amor de Cristo hacia nosotros es el único poder que nos capacita para vivir una vida santa.

Quizá no deberíamos pedir poder para vencer los malos hábitos, sino, simplemente, que el amor de Cristo sea implantado en nuestro corazón; que la ley de amor de Dios, el principio motivador de la conducta, sea escrita en nuestro corazón. Porque el que ama a Dios con todo su corazón, con toda su alma y con toda su mente, y a su prójimo como a sí mismo (Mat. 22: 37, 39), jamás deseará hacer nada que deshonre u ofenda a Dios o a su prójimo. El amor que domina su vida lo "obligará", no le dejará escapatoria, para que viva una vida en armonía con Dios y con su prójimo.

Pablo dijo: «Y sobre todas estas cosas, vestíos de amor, que es el vínculo perfecto» (Col. 3: 14). El que está vinculado con Dios y con su prójimo por el vínculo perfecto, que es el amor, es escogido de Dios, santo y amado (3: 12).

Pensemos en esto: Dios es Dios porque tiene todos los atributos y perfecciones de la Divinidad. Pero es más Dios porque es amor. El amor infinito es la mayor fuerza del universo. Pronto tendrá lugar un evento de gran importancia: las bodas del Cordero. Es la ceremonia en que Cristo es coronado como Rey de reyes y Señor de Señores. Todos los seres del universo, especialmente los redimidos, harán un pacto matrimonial de amor con él.

Los redimidos echarán sus coronas a sus pies, y dirán: «El Cordero que fue inmolado es digno de tomar el poder, las riquezas, la sabiduría, la fortaleza, la honra, la gloria y la alabanza» (Apoc. 5: 1). Entonces harán un pacto de lealtad hacia él, basado en el amor, de que lo servirán por toda la eternidad.

William Barclay, dijo: «Lo único que nos hace semejantes a Dios es el amor, que nunca deja de prodigarse a los hombres… Entramos en la perfección cristiana cuando aprendemos a perdonar como Dios perdona y a amar como Dios ama».

Solo el amor de Cristo puede constreñirnos a alcanzar la perfección.

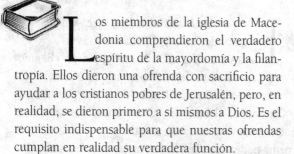

9 noviembre

Darse al Señor

Los miembros de la iglesia de Macedonia comprendieron el verdadero espíritu de la mayordomía y la filantropía. Ellos dieron una ofrenda con sacrificio para ayudar a los cristianos pobres de Jerusalén, pero, en realidad, se dieron primero a sí mismos a Dios. Es el requisito indispensable para que nuestras ofrendas cumplan en realidad su verdadera función.

Y no como lo esperábamos, sino que a sí mismos se dieron primeramente al Señor, y luego a nosotros por la voluntad de Dios.
2 Corintios 8: 5

En el año 1901, el "rey del acero", Andrew Carnegie, vendió su empresa metalúrgica por 225 millones de dólares. Fue el comienzo de una nueva era en la filantropía. Dos años antes, había publicado un ensayo titulado "The Gospel of Wealth" [El evangelio de la riqueza], donde argüía que los ricos estaban obligados a compartir su fortuna para mejorar al mundo. E inmediatamente se dedicó a convertir su visión en realidad, donando 350 millones de dólares para varias causas caritativas, particularmente bibliotecas, en los Estados Unidos. Sentó un precedente –devolver la riqueza a la sociedad– que ha soportado la prueba del tiempo.

La filantropía actual tiene similitudes con la del siglo pasado, pero tiene también grandes diferencias. En la actualidad, los donativos de los nuevos filántropos dejan muy abajo lo que daban hace cien años. Además, la dadivosidad se ha convertido en un arte más sofisticado, complejo y refinado; hay reglas estrictas de cómo se debe gastar el dinero y pautas muy definidas de cómo reconocer a los donantes.

El común denominador entre los filántropos de hoy, dice Arthur Brooks, director de la escuela Maxwell de la Universidad de Siracusa, Nueva York, es que todos están interesados en la solución de problemas de alto valor para la sociedad. Todos creen que se debe devolver la riqueza a la sociedad. Luego dice: «Muchos creen que cualquier cosa menos que eso sería inmoral».

Los mayores filántropos de estos días son Bill y Melissa Gates. Ellos tienen una fundación de veintinueve mil millones de dólares. La causa es digna y los propósitos son buenos. Pero nosotros sabemos que el ejemplo de los cristianos macedonios es el mejor. Sea poco o mucho lo que demos, lo primero que debemos hacer es darnos a nosotros mismos.

Jeremías 49: 1 - 50: 56; 2 Corintios 7: 1 - 8: 24

La caída de Babilonia

> Levantad bandera sobre los muros de Babilonia... Tú, la que moras entre muchas aguas, rica en tesoros, ha venido tu fin, la medida de tu codicia.
>
> JEREMÍAS 51: 12, 13

El Éufrates, río legendario de la antigüedad, se menciona muchas veces en la Biblia. Se le conoce como «el gran río» (Jos. 1: 4), o, simplemente, «el río» (Jos. 24: 15) por antonomasia. Pero histórica y geográficamente el Éufrates es conocido como el río de Babilonia. El Éufrates era el río de agua de vida de Babilonia. La gran ciudad estaba anclada en sus dos márgenes como árbol frondoso que no teme la sequía ni el calor, porque sus raíces alcanzan el agua de la vida. Por esta circunstancia, y porque ejercía su poder sobre muchos «pueblos, naciones y lenguas» (Dan. 3: 4), los profetas se referían a Babilonia como la que «mora entre muchas aguas», como dice nuestro texto de hoy.

Babilonia se consideraba una ciudad inexpugnable. Sus murallas le parecieron a Heródoto una alucinación. Dice que tenían veinticinco metros de espesor y cien metros de altura. Koldewey dice que las palabras de Heródoto deben tomarse como una expresión de la impresión de grandeza y majestad que el viajero experimentaba al contemplar la maravillosa ciudad. Pero, de todos modos, las murallas eran enormes, y eran dobles, y en medio de ellas había un foso profundo lleno de agua. Además, tenían comida almacenada para veinte años y agua para toda la eternidad, pues el Éufrates, el río de Babilonia, pasaba por debajo de sus muros por el centro de la ciudad.

Pero Ciro, a quien el profeta Isaías había mencionado por nombre como el conquistador de Babilonia, sabía cómo hacer las cosas. Dividió su ejército en dos partes, y, mientras una parte distrajo a los babilonios en un simulacro de sitio, la otra se fue río arriba para abrir un canal que desviara el río hacia la laguna de la reina Nitocris. Al secarse el río Éufrates, el ejército entró por debajo de sus murallas y por las puertas interiores que habían sido dejadas abiertas. Así se produjo la caída de Babilonia.

En el Apocalipsis hay otra Babilonia, que es simbólica, y que también está asentada «sobre muchas aguas» (Apoc. 17: 2). A esas muchas aguas, que son simbólicas (Apoc. 17: 15), se las llama Éufrates, que también se seca, para que pasen los reyes del oriente, como ocurrió con la Babilonia literal (Apoc. 16: 12). Así se producirá la caída de la gran Babilonia mística del Apocalipsis (Apoc. 18: 2).

11 noviembre — El principal y primero de los pecadores

La razón y el propósito de la doctrina y la enseñanza cristiana se resume en estas palabras: «Hijitos míos, estas cosas os escribo para que no pequéis» (1 Juan 2: 1). Las normas de la iglesia, la reforma pro salud y todo el estilo de vida cristiano tienen como propósito ayudarnos para estar en comunión con Dios y en armonía con su voluntad.

Por supuesto, nadie vence el pecado sometiéndose a ninguna norma. Solo la gracia de Dios puede ayudarnos en nuestra lucha por la justicia. Las normas sirven para saber cuál es el camino, cuál es la meta, cuál es la vocación. Si conocemos el camino de justicia, podemos pedir la gracia de Dios para poder andar por él.

> Pecado cometió Jerusalén,
> por lo cual
> ella fue removida;
> todos los que
> la honraban
> la han menospreciado,
> porque vieron
> su vergüenza;
> y ella suspira
> y se vuelve atrás.
> LAMENTACIONES 1: 8

Pero el pecado es un misterio. Consiste en reemplazar a Dios por alguna cosa. Pecado es «amor centrado en un objeto equivocado» (George R. Knight, *Guía del fariseo para una santidad perfecta*, p. 50). Como dice el sabio Salomón, «hasta por un bocado de pan prevaricará el hombre». Por lo tanto, ni el conocimiento ni la vigilancia pueden protegernos del pecado. Dios sabe que sus hijos pueden pecar a pesar de sus mejores intenciones.

Por eso Dios declara primero el supremo llamamiento, la meta del cristiano: la semejanza con Dios y con Cristo. Pero añade a través del apóstol: «Pero si alguno hubiere pecado, abogado tenemos para con el Padre, a Jesucristo el justo» (1 Juan 2: 1). Por eso Pablo, dispuesto a morir antes de pecar a sabiendas, dijo: «Cristo Jesús vino al mundo para salvar a los pecadores, de los cuales yo soy el primero» (1 Tim. 1: 15).

Todo cristiano siente y considera que es el principal de los pecadores. Pero sabe algo de mayor importancia: que Dios conoce nuestra condición. Sabe que somos polvo. Sabe que el mejor de los seres humanos tiene un gravísimo problema porque el pecado está en sus miembros. El cristiano sabe que, cuando hemos pecado, Dios nos mira con infinita compasión y lástima, no con ira ni con rechazo. Era el único consuelo posible para la vergüenza de Jerusalén. La única solución para su pecado que cometió es la única solución para nosotros, cuando descubrimos con vergüenza y dolor que hemos pecado.

Un alto en el camino

Examinaos a vosotros mismos si estáis en la fe; probaos a vosotros mismos. ¿O no os conocéis a vosotros mismos, que Jesucristo está en vosotros, a menos que estéis reprobados?
2 CORINTIOS 13: 5

El cristiano siempre examina su condición espiritual para estar seguro de que tiene la debida relación con su Señor. Sin embargo, hay un momento en que debe hacer un alto en el camino, sin poder evitarlo. Esa ocasión es cuando se convoca a los cristianos a presentarse a la celebración de los ritos del lavamiento de pies y la cena del Señor.

Nuestro Señor estableció estos ritos por muchas razones. Tres años había andado con sus discípulos y no había logrado enseñarles la lección básica de su reino. ¿Cómo enseñarles, en este último instante de su vida, la lección que no habían aprendido en tres años? Estableció el rito de humildad y la santa cena. Uno de sus objetivos fue darles «un ejemplo que nunca olvidarían» (DTG 601). Lo hizo para obligarlos a detenerse y examinarse.

¿Y nosotros, que vivimos en un mundo que nos impulsa constantemente a apartarnos de nuestro Señor? Debemos detenernos con más razón para examinarnos. Pablo nos recuerda que «cualquiera que comiere este pan o bebiere esta copa del Señor indignamente, será culpado del cuerpo y de la sangre del Señor... Porque el que come y bebe indignamente, sin discernir el cuerpo del Señor, juicio come y bebe para sí» (1 Cor. 11: 27-29).

Cuando se lo convoca a celebrar el rito de la cena del Señor, el cristiano debe examinarse. Al hacerlo, siempre descubrirá que no ama a su Señor ni a sus hermanos como debiera, que no ha cumplido sus deberes hacia Dios y los hombres, que, muchas veces, alberga pensamientos y deseos pecaminosos, que su corazón se inclina al mal y, a veces, que está cometiendo algún pecado.

Al reconocerlo, debe decidir si confiesa sus pecados, acepta el perdón y se entrega de nuevo a su Señor. Si lo hace, ha hecho un nuevo comienzo; es como si se hubiera bautizado de nuevo. Si decide no confesar y continúa en su condición indigna, entonces: (1) Si toma indignamente los emblemas, «juicio come y bebe», hace a Cristo ministro de pecado y pronuncia juicio contra sí mismo. Su corazón se endurecerá más en el pecado. (2) Si decide no tomar los emblemas, dice que la mesa del Señor es despreciable, tiene por inmunda la sangre del pacto y anuncia que quiere seguir en el pecado.

Lamentaciones 3: 1 - 5: 22; 2 Corintios 13: 1-14

Necesitamos firmeza de carácter

Debemos comprender y reconocer que los mejores hombres pueden tener debilidades de carácter. De todos los dirigentes de la iglesia primitiva que deberían haber comprendido el propósito de llevar el evangelio a los gentiles, Pedro era el más responsable. Dios lo había dirigido milagrosamente a encontrarse con Cornelio, lo cual debería haber sido prueba convincente de que los gentiles debían ser incluidos en la fe cristiana. El propio Pedro se había dirigido elocuentemente al Concilio de Jerusalén y había convencido a la asamblea para que escucharan

> Pero cuando Pedro vino a Antioquía, le resistí cara a cara, porque era de condenar. Pues antes que viniesen algunos de parte de Jacobo, comía con los gentiles; pero después que vinieron, se retraía y se apartaba, porque tenía miedo de los de la circuncisión.
>
> GÁLATAS 2: 11, 12

pacientemente a Pablo y Bernabé con respecto a su obra entre los gentiles (Hech. 15: 7-11). Durante el concilio, el Espíritu Santo dirigió a los apóstoles para aceptar el hecho de que no debían obligar a los gentiles a obedecer la ley ceremonial judía. Pedro estuvo allí y había aprobado el acuerdo.

Sin embargo, cuando fue a Antioquía, de repente, cambió de opinión. Al principio se condujo con la apertura del que sabía lo que era correcto. Puso a un lado su prejuicio natural y comió con los conversos gentiles. Pero cuando vinieron los cristianos judíos de Jerusalén e insistieron en que debía imponerse a los gentiles la práctica judía, Pedro decidió apartarse de los gentiles. Simuló estar de acuerdo con los judaizantes y estuvo a punto de causar una división en la iglesia. La situación era tan difícil, y la hipocresía de Pedro de tanta influencia, que hasta el «varón bueno y lleno del Espíritu Santo» (Hech. 11: 24) llamado Bernabé fue «arrastrado por la hipocresía de ellos» (Gál. 2: 13).

Entonces Pablo se puso firmemente de parte de lo recto. Le reprochó a Pedro cara a cara su hipocresía. «Pablo tuvo que haber sufrido mucho cuando su amigo íntimo y colaborador sucumbió ante la presión del ambiente. Es evidente que aun los poderosos dirigentes cristianos están en peligro de ceder en sus convicciones cuando son sometidos a una fuerte presión» (*Comentario bíblico adventista,* tomo 6, p. 947).

Debemos estar vigilantes, pues también nosotros podemos ceder. Manifestemos comprensión hacia aquellos que se equivocan.

Ezequiel 1: 1 - 3: 27; Gálatas 1: 1 - 2: 21

El pacto de Dios

> Hermanos, hablo en términos humanos: Un pacto, aunque sea de hombre, una vez ratificado, nadie lo invalida, ni le añade.
>
> GÁLATAS 3: 15

El pacto que Pablo menciona aquí es muy importante en la Biblia. Un pacto puede ser un convenio entre hombres o entre uno o más hombres y Dios. En la Biblia, la palabra *pacto* suele referirse a la relación formal que existía entre Dios, por una parte, e Israel, como el pueblo escogido, por otra. El *Diccionario bíblico adventista* lo explica así: «El Señor mismo determinó las provisiones del pacto, las dio a conocer a su pueblo y les dio la posibilidad de aceptarlo o rechazarlo. Una vez ratificado, sin embargo, se consideraba que era obligatorio tanto para Dios como para su pueblo. En suma, abarcaba todo lo necesario para que el plan de salvación fuera totalmente efectivo... En una forma preliminar, este pacto fue hecho con Adán, en ocasión de la caída (Gén. 3: 15), y más tarde con Noé (Gén. 9: 12, 15, 16). Pero llegó a ser plenamente efectivo por primera vez para Abraham y su descendencia (12: 1-3; 15: 18; 17: 1-7)» (p. 879).

Este pacto fue ratificado formalmente en el Sinaí, mediante la sangre de animales (Éxo. 24: 3-8). El autor de Hebreos dice: «Porque donde hay testamento, es necesario que intervenga muerte del testador. Porque el testamento con la muerte se confirma; pues no es válido entre tanto que el testador vive» (Heb. 7: 16, 17). Dios prometió hacer «un nuevo pacto con la casa de Israel y con la casa de Judá» (Jer. 31: 31-34). En realidad, era el mismo pacto hecho con Adán, con Noé y con Abraham, pero ahora Dios quería basarlo sobre «mejores promesas» (Heb. 8: 6). Cuando los judíos rechazaron a Cristo, Israel renunció al pacto y fue rechazado como pueblo escogido de Dios. Dios transfirió los privilegios y las responsabilidades del pacto a su nuevo pueblo escogido: la iglesia cristiana (Mat. 21: 43; Gál. 3: 29).

El autor de Hebreos le llama al pacto hecho con Israel en el Sinaí «antiguo pacto». La razón, sencillamente, es que fue ratificado primero. Al pacto hecho por Cristo lo llama «nuevo pacto» porque fue ratificado después. Las provisiones, privilegios y responsabilidades eran los mismos. La diferencia es que el nuevo pacto está basado sobre mejores promesas: las hechas por Cristo como representante de su pueblo. El día que Cristo murió, ratificó su pacto. Ahora nadie puede invalidarlo ni cambiarlo. El cumplimiento de las promesas es seguro.

15 noviembre

Sin justicia propia

 No es fácil vivir con una persona que se cree justa, buena y recta en su propia opinión. Cuando la persona está tan convencida de su bondad, pasa el tiempo buscando faltas en los demás, y asume un carácter de crítica, de denuncias y de quejas. Lo peor del caso es que tales personas pretenden tener un monopolio sobre la cercanía a Dios. Todos los que no son como ellas, están perdidos a su vista. Tales personas se miden con la ley y son meticulosas en la observancia de las cosas externas. La gracia de Cristo, que suaviza el carácter, no es un factor en su vida.

> Pero
> si sois guiados
> por el Espíritu,
> no estáis
> bajo la ley.
> GÁLATAS 5: 18

Si bien es verdad que los diez mandamientos son sumamente importantes, también es cierto que la justificación no proviene de la observancia de la ley, sino de la gracia que Cristo da a cada creyente. Los salvos en Cristo guardan los diez mandamientos por la gracia de Cristo, porque la ley y la gracia no se contradicen ni se oponen. Se guarda la ley porque Cristo nos ha salvado y no para obligar a Dios a salvarnos por nuestra obediencia.

Los que son guiados por el Espíritu están constantemente abiertos a la influencia ennoblecedora del Espíritu Santo. Esta influencia tiene como resultado lo que el apóstol describe como «el fruto del Espíritu», que «es amor, gozo, paz, paciencia, benignidad, bondad, fe, mansedumbre, templanza» (Gál. 5: 22-24).

En cambio, los que son tan apegados a la letra de la ley que buscan cómo encontrarles más faltas a los demás es fácil que se aparten de las bondades del Señor. El apóstol advierte de las tendencias de las obras de la carne a las que los tales se ven expuestos: «adulterio, fornicación, inmundicia, lascivia, idolatría, hechicerías, enemistades, pleitos, celos, iras, contiendas, disensiones, herejías, envidias, homicidios, borracheras, orgías, y cosas semejantes a estas» (Gál. 5: 19-21). Por supuesto, no es que practiquen tales cosas necesariamente, pues pueden ser personas moralmente buenas, pero, el no poder ver la diferencia entre la gracia que ennoblece y nos hace obedientes a la ley de Dios, y el deseo de buscar la salvación por las obras, deja a la persona totalmente expuesta a las trampas del enemigo. Vivamos una vida de obediencia a la ley de Dios, no por fuerza propia, sino por la gracia que el Señor nos ha dado.

Ezequiel 8: 1 - 10: 22; Gálatas 5: 1 - 6: 18

Nuestra herencia

> En él también recibimos herencia, habiendo sido predestinados según el propósito de aquel que realiza todas las cosas conforme al consejo de su voluntad.
>
> EFESIOS 1: 11

Cuando Jesús se entregó por nosotros, nos dio derechos y privilegios que él mismo tenía. Siendo el Dios eterno, él tiene derechos y privilegios a los que ningún mortal puede aspirar. Sin embargo, Jesús, el Mediador, el autor del reino de la gracia, ha escogido no tener herencia sin que estuviéramos incluidos. Aunque es su delicia cumplir la voluntad del Padre, lo hizo todo por nosotros. Él entra en la gloria no solo por sí mismo, sino por nosotros también. La Epístola a los Hebreos habla del lugar «donde entró Jesús por nosotros como precursor, hecho sumo sacerdote para siempre según el orden de Melquisedec» (Heb. 6: 20). ¿Está él en la presencia del Padre? Escrito está: «Porque Cristo no entró en un lugar santísimo hecho de manos, figura del verdadero, sino en el cielo mismo, para presentarse ahora delante de Dios a nuestro favor» (Heb. 9: 24).

¡Qué maravilla! No tenemos ningún derecho al cielo, pero ¡en Cristo los tenemos todos! No merecemos el perdón, pero por su sangre preciosa tenemos la certeza del perdón. No tenemos ningún derecho a la justificación, pero por su justicia sublime somos hechos justos ante el universo y considerados como los otros seres que nunca pecaron. Somos santificados, pero solamente porque en él hay santificación. Si somos preservados del pecado, es porque somos preservados en Cristo Jesús.

Cristo es magnificado así. Todos somos en él y por medio de él y la herencia quedó asegurada. Así quedó toda la humanidad con la certeza de la salvación, con una sola salvedad: «Que todo aquel que en él cree no se pierda, más tenga vida eterna». La predestinación a la que se refiere el apóstol Pablo no es asunto de un futuro inexorable, sino de un futuro cierto con las condiciones de la salvación. Estamos todos predestinados a la salvación en Cristo si aceptamos su gracia y estamos dispuestos a vivir de acuerdo a la dirección del Espíritu en nuestra vida. «Pero a todos los que le recibieron, a los que creen en su nombre, les dio derecho de ser hechos hijos de Dios» (Juan 1: 12).

Disfruta de la salvación a la que has sido llamado y por cuya consecución Jesús murió.

Ezequiel 11: 1 - 12: 28; Efesios 1: 1 - 2: 22

Solo en Dios hay salvación

La declaración referente a estos tres varones se repite en los versículos 16, 18 y 20. La ciudad de Jerusalén estaba emplazada ante el trono de Dios, acusada de idolatría. La sentencia estaba pronunciada: Sería entregada en manos de los caldeos.

> «Si estuviesen en medio de ella estos tres varones, Noé, Daniel y Job, ellos por su justicia librarían únicamente sus propias vidas», dice Jehová el Señor.
> EZEQUIEL 14: 14

Sin embargo, los teólogos judíos desarrollaron una teoría: Jerusalén no será destruida a causa de los justos que había en ella, así como Sodoma y Gomorra no habrían sido destruidas si se hubieran encontrado diez justos en ellas. Por esa teoría hizo el Señor la declaración de nuestro texto de hoy. Aunque estuvieran dentro de Jerusalén Noé, Daniel y Job, la ciudad no se salvaría. Ellos salvarían sus propias vidas, pero no podrían salvar a nadie más. «Todos ellos fueron ejemplos de verdadera piedad. Fueron rectos en su generación (Gén 6: 9; Job 1: 1; Dan. 1: 8; 6: 22). Cabe señalar que estos hombres habían sido el medio por el cual se habían salvado otros. Por amor de Noé, toda su familia se había salvado (Gén. 6: 18). Gracias a Daniel, se salvaron sus compañeros (Dan. 2: 18). Job evitó el castigo de sus amigos por su intercesión (Job. 42: 7, 8). Aunque habían podido salvar a algunos, no habrían podido salvar a la generación en la cual vivieron. Noé no pudo salvar a la raza impía que vivió antes del diluvio, y Daniel, a pesar de ocupar un alto puesto en la corte babilónica, evidentemente no había podido influir en Nabucodonosor a fin de que salvara al pueblo de Judá ni a su ciudad capital» (*Comentario bíblico adventista*, tomo 4, p. 652).

Es cierto que ha habido muchos hombres justos, rectos, santos, que han sido una bendición para su generación. Noé, Daniel y Job, constituyen ejemplos magníficos dados por Dios mismo. Pero la justicia que manifestaron, la piedad que desarrollaron, no era inherente a ellos. La recibieron de Dios, porque, desde el punto de vista de la salvación eterna, «no hay justo, ni aun uno» (Rom. 3: 10).

Ninguna persona podrá, jamás, reunir méritos para salvarse a sí misma; mucho menos a otra. Todos los seres humanos de todos los tiempos que fueron salvos y que, por eso, estarán en el cielo, fueron salvados por la fe en el «Cordero de Dios que quita el pecado del mundo» (Juan 1: 29).

Ezequiel 13: 1 - 14: 23; Efesios 3: 1 - 4: 32

¿Qué somos sin Dios?

> Oh hijo de hombre, ¿qué es la madera de la vid, comparada con la madera de cualquier otra rama de los árboles del bosque?
>
> EZEQUIEL 15: 2

Dios tiene un pueblo especial, su especial tesoro. ¿Qué no ha hecho Dios para que su pueblo se diera cuenta de lo especial que es? Con todo, Dios quiere un pueblo humilde, moldeable, dispuesto a ser usado por él. Nuestra relación especial con él no debiera ser lo que nos separe de él. No debemos volvernos tan orgullosos de ser hijos de Dios que perdemos de vista nuestra razón de ser y lo que se espera de los hijos de Dios.

El pueblo del Señor es conocido como la vid del Señor, pero si dependiera de su valor intrínseco, ¿qué tiene de diferente con respecto a los demás? El pueblo ha llegado a ser lo que es, con la posibilidad de fructificar y dar testimonio, por la bondad y la gracia de Dios. El Señor la plantó en tierra fértil, la cuidó y enderezó para que creciera recta y sin defecto. Y ahora se quiere sentar y disfrutar de su viña, esperando que dé mucha fruta para su honor y gloria. Pero, ¿qué somos sin Dios, sin la influencia continua del Espíritu Santo? Si no fuera por Dios, no daríamos frutos o, al menos, no daríamos los frutos esperados.

Podríamos llegar a ser lo que éramos antes, igual que cualquier otro árbol del bosque. Los hijos de Dios, sin la influencia del Espíritu Santo, llegan a ser como cualquier otro ser humano, carentes del fruto del Espíritu, y bajo el imperio prevaleciente del pecado.

Cuando las cosas que debieran distinguirnos de los demás son las menos visibles en nosotros, llegamos a ser otro árbol más del bosque y dejamos de ser la vid cultivada del Señor. Cuando el orgullo de ser de Dios nos hace perder de vista la humildad que el Señor espera, cuando nos olvidamos de nuestros orígenes, llegamos a ser otro árbol más. Cuando la conciencia no nos reprocha el mal, aunque estemos en la iglesia, es que hemos llegado a ser un árbol común. Cuando nos olvidamos de lo que habríamos sido si no hubiese sido por la gracia del Señor, es que nos hemos convertido en un árbol vulgar de los muchos que hay en cualquier bosque de este mundo.

Ojalá que nunca olvidemos que somos la vid cultivada, cuidada y protegida del Señor, y no uno de los tantos árboles que abundan en la lobreguez del bosque, incapaces de dar frutos.

Vivir es Cristo

A primera vista, las palabras del apóstol Pablo parecen propugnar la búsqueda de un ideal ante cuya falta de consecución se suponga preferible la propia muerte. En el ambiente contemporáneo de las revoluciones en Latinoamérica, donde tantas veces hemos oído variantes del dicho propagandístico de «libertad o muerte», las palabras de «dame a Cristo o dame la muerte» parecen una expresión política más para convencer de la seguridad en sí mismo de quien dice tal cosa.

> Porque para mí el vivir es Cristo, y el morir es ganancia.
> FILIPENSES 1: 21

Sin embargo, la de Pablo no era una frase vacía, sino la convicción profunda de un corazón convertido que no esperaba encontrar gozo ni paz fuera de una relación sincera, y decidida con Cristo. «El morir es ganancia» no era la expresión de un suicida, sino la convicción de un cristiano que no quería nada más que a Cristo. Dado que no hay vida sin Cristo, el cristiano ansía estar con su Salvador.

La expresión no es la de una persona cansada de la vida que prefiere morir a seguir la lucha. No, lo que Pablo enseña es que la vida no merece la pena ser vivida sin Cristo. La muerte es una gran pérdida para la persona que no conoce a Cristo, porque deja atrás todos los placeres de esta vida. No tiene esperanza en nada mejor; no tiene la seguridad de nada después de esto; no tiene razón de vivir si no es como está acostumbrado a vivir. Sin embargo, el cristiano tiene toda una esperanza de vida eterna, de una vida sin luchas, de una vida llena de dicha y paz. Lo hermoso es que el cristiano no tiene que esperar a la muerte para disfrutar de todas estas cosas, porque el que está en Cristo, nueva criatura es. Las cosas viejas pasaron y he aquí todo está hecho nuevo.

El apóstol no vivía entre dos mundos, no. Para él, lo único que valía era su relación con Cristo. Era lo más importante para él de domingo a sábado en su taller donde fabricaba tiendas; era lo más importante cuando casi se muere en un naufragio, cuando estuvo en el calabozo y cuando lo estaban azotando; era lo más importante cuando apeló al César, y cuando se encontró en el Areópago debatiendo con los sabios griegos. Así debería ser Cristo para cada uno de nosotros: lo que llena nuestras vidas. Que la razón de vivir para cada uno de nosotros sea siempre Cristo.

Ezequiel 17: 1 - 18: 32; Filipenses 1: 1 - 2: 30

Las lecciones de la pantalla grande

> Por lo demás, hermanos, todo lo que es verdadero, todo lo honesto, todo lo justo, todo lo puro, todo lo amable, todo lo que es de buen nombre; si hay virtud alguna, si algo digno de alabanza, en esto pensad.
>
> FILIPENSES 4: 8

Esta declaración del apóstol nos pone nuevamente frente a la cuestión de los pasatiempos y entretenimientos de los cristianos. Tema difícil e ingrato, porque, al parecer, pocos escapan a la terrible influencia de la "pequeña pantalla", es decir, la televisión. Los cristianos nunca se ponen bajo la influencia de la pantalla grande, pero esta se encogió para entrar a sus casas a través de las antenas del televisor o de la industria del video y el DVD.

Es posible que quienes hayan visto la película *Home Alone (Solo en casa)*, lo hayan hecho sin reservas. Como dice el profesor Joe L. Wheeler en su libro *La tiranía del control remoto*, «en beneficio de quienes no han visto *Solo en casa*, esta película trata de una familia que se está preparando para pasar la Navidad en Francia». Luego procede a narrar las escenas de la película. Los protagonistas viven en un barrio de Chicago. La familia, que es grande, está lista para salir de viaje. Aunque el tema es navideño, las palabras, las acciones, la forma de tratarse, todo es áspero y desagradable. Se produce un gran escándalo a la hora de la cena y al hijo menor lo envían a la cama sin cenar. A la mañana siguiente, en el apuro por salir al aeropuerto, el niño se queda en su cama durmiendo. Dos ladrones esperan en su vehículo para entrar a robar. El resto de la película trata de lo que ocurre cuando los ladrones se encuentran con el niño. El chico, por ser fanático de los videojuegos, monta una brillante estrategia para derrotar a los dos enemigos, pero lo hace con deleite sádico. Todos los recursos que utiliza tienen el propósito de torturar, lesionar, mutilar, y, sin que llegue a ocurrir, ni se admita, en realidad tienen el propósito de matar.

La película no muestra amor, ni siquiera al final, cuando el espantoso desastre causado por los ladrones se resuelve como por arte de magia y la familia se reúne de nuevo. La familia es secular, mundana y fatua. No se produce alegría genuina porque ninguno de los integrantes posee el amor y el cuidado solícito que es el resultado de una relación personal con Cristo.

El consejo del apóstol sigue vigente: veamos, oigamos, consideremos y pensemos solo en aquello que es digno de alabanza.

Ezequiel 19: 1 - 20: 49; Filipenses 3: 1 - 4: 23

21 noviembre

Perfectos en Cristo

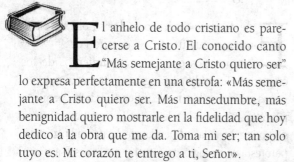

E l anhelo de todo cristiano es parecerse a Cristo. El conocido canto "Más semejante a Cristo quiero ser" lo expresa perfectamente en una estrofa: «Más semejante a Cristo quiero ser. Más mansedumbre, más benignidad quiero mostrarle en la fidelidad que hoy dedico a la obra que me da. Toma mi ser; tan solo tuyo es. Mi corazón te entrego a ti, Señor».

> A él anunciamos nosotros, amonestando a todo hombre y enseñando a todo hombre con toda sabiduría, a fin de que presentemos a todo hombre, perfecto en Cristo Jesús.
> COLOSENSES 1: 28

Todo cristiano debe procurar por palabras y acción dar tal testimonio que haga que otros lleguen a los pies de Cristo y deseen permanecer ahí para ser madurados y preparados por el Espíritu Santo para vivir eternamente con él. El apóstol Pablo, en el versículo de cabecera de hoy, nos indica el curso de vida que él había escogido para ayudar a cuantos pudiesen estar bajo su influencia a iniciar ese proceso y permanecer en él.

La perfección mencionada aquí no es la incapacidad para seguir pecando, sino de la madurez en Cristo. De esta madurez se puede decir mucho. Estudiar la forma en que el Señor quiere que nosotros vivamos mientras esperamos su venida es la mejor manera para determinar la madurez que él espera de cada uno de nosotros.

El apóstol Pablo nos ayuda a entender con mayor profundidad el tema de la madurez cristiana cuando expresa estos pensamientos: «Anhelo conocerle a él y el poder de su resurrección, y participar en sus padecimientos, para ser semejante a él en su muerte; y de alguna manera, me encontraré en la resurrección de los muertos. No quiero decir que ya lo haya alcanzado, ni que haya llegado a la perfección; sino que prosigo a ver si alcanzo aquello para lo cual también fui alcanzado por Cristo Jesús. Hermanos, yo mismo no pretendo haberlo ya alcanzado. Pero una cosa hago: olvidando lo que queda atrás y extendiéndome a lo que está por delante, prosigo a la meta hacia el premio del supremo llamamiento de Dios en Cristo Jesús. Así que, todos los que hemos alcanzado la madurez pensemos de este modo; y si pensáis otra cosa, también eso os lo revelará Dios» (Fil. 3: 10-15).

Presentémonos ante los hombres hoy como cristianos perfectos (maduros) en Cristo, para que nuestro testimonio pueda atraer a otros a los pies del Salvador.

Ezequiel 21: 1 – 22: 31; Colosenses 1: 21 – 2: 23

Dulce para ser comido

> Sea vuestra palabra
> siempre con gracia,
> sazonada con sal,
> para que sepáis
> cómo debéis
> responder
> a cada uno.
> COLOSENSES 4: 6

Ya hemos referido el refrán «Que tus palabras siempre sean dulces, por si acaso te toca tragarlas otra vez». Permítaseme insistir en esta amonestación, porque las buenas palabras son el pegamento que mantiene a los hombres en armonía. Sin embargo, en desafío a la Palabra de Dios, algunos se han formado la idea de que cuanto más áspera sea la persona, mejor es. La costumbre de tratar a los demás con aspereza, con palabras hirientes, con acusaciones humillantes, no proviene de Dios. Cualquiera que se permita el lujo de actuar de tal manera, desde luego, no está actuando en el Espíritu de Cristo.

«Cada cristiano debería ser lo que Cristo fue en su vida en esta tierra. Él es nuestro ejemplo, no solamente en su pureza inmaculada, sino en su paciencia, cortesía y disposición amigable. Era firme como una roca en lo que atañía a la verdad y al deber, pero era invariablemente bondadoso y cortés... Su vida fue una perfecta ilustración de la verdadera cortesía...

»Hablaba una palabra de simpatía aquí, una palabra allá, al ver a los hombres cansados y obligados a llevar pesadas cargas... Trataba de inspirar esperanza en los más rudos y poco promisorios, poniendo ante ellos la seguridad de que podían llegar a ser sin tacha y sin culpa, alcanzando un carácter que los haría aparecer como hijos de Dios... Sus palabras caían sobre sus almas sedientas con poder bendito y vivificante. Se despertaban nuevos impulsos y se abría la posibilidad de una vida nueva ante esos parias de la sociedad...

»La religión de Jesús ablanda todo lo que haya de duro y áspero en el temperamento, y suaviza las asperezas y las agudezas de los modales. Esta es la religión que hace las palabras amables y el comportamiento atractivo... Un cristiano bondadoso y cortés es el argumento más poderoso en favor del evangelio» (DC 177).

No hay por qué ser duros ni ásperos en nuestras relaciones. Debemos reconocer que somos responsables del don que el Señor nos ha dado, y hemos de usarlo para la honra y gloria de nuestro Dios. «Jehová el Señor me dio lengua de sabios, para saber hablar palabras al cansado; despertará mañana tras mañana, despertará mi oído para que oiga como los sabios» (Isa. 50: 4).

Ezequiel 23: 1 - 24: 27; Colosenses 3: 1 - 4: 18

No pongamos cargas adicionales

Pablo se refiere aquí a su trabajo de fabricación de tiendas, con el que obtenía su sustento. Parece que en algunos lugares, especialmente en Acaya, no aceptaban el apostolado de Pablo porque no había andado con Jesús, como los demás apóstoles, y algunos le negaban su derecho a recibir su sustento de la iglesia.

Para no darles ocasión de murmurar, Pablo se negó a recibir salario y prefirió trabajar con sus propias manos. Sin embargo, defendió su posición: «¿No soy apóstol? ¿No soy libre? ¿No he visto a Jesús el Señor nuestro?... Si para otros no soy apóstol, para vosotros ciertamente lo soy; porque el sello de mi apostolado sois vosotros en el Señor. Contra los que me acusan, esta es mi defensa: ¿Acaso no tenemos derecho de comer y beber?... ¿O solo yo y Bernabé no tenemos derecho de no trabajar? ¿Quién fue jamás soldado a sus propias expensas? ¿Quién planta viña y no come de su fruto? ¿O quién apacienta el rebaño y no toma de la leche del rebaño?... ¿No sabéis que los que trabajan en las cosas sagradas, comen del templo, y que los que sirven al altar, del altar participan? Así también ordenó el Señor a los que anuncian el evangelio, que vivan del evangelio. Pero yo de nada de esto me he aprovechado, ni tampoco he escrito esto para que se haga así conmigo; porque prefiero morir, antes que nadie desvanezca esta mi gloria» (1 Cor. 9: 1-15).

Su gloria era predicarles el evangelio sin recibir sueldo. Aunque trabajaba con sus manos y ganaba su sueldo para vivir, incluso en Acaya misma, recibió salario de las otras iglesias. A los corintios les escribió: «He despojado a otras iglesias, recibiendo salario para serviros a vosotros. Y cuando estaba entre vosotros y tuve necesidad, a ninguno fui carga, pues lo que me faltaba, lo suplieron los hermanos que vinieron de Macedonia, y en todo me guardé y me guardaré de seros gravoso. Por la verdad de Cristo que está en mí, que no se me impedirá esta mi gloria en las regiones de Acaya» (2 Cor. 11: 8-10).

Las cosas no han cambiado. También hoy los siervos de Dios luchan contra muchos obstáculos para servir al Señor. Cuídese usted de no poner cargas adicionales sobre los siervos de Dios. Nadie será tenido por inocente si lo hace.

Ezequiel 25: 1 - 26: 21; 1 Tesalonicenses 1: 1 - 2: 20

Un consejo muy apropiado

**No desprecien
las profecías.**
1 TESALONICENSES
5: 20, NVI

Este consejo es muy oportuno en la actualidad. A principios del siglo XXI la humanidad posmoderna busca certezas, objetividad, razón. Por esa razón, desprecia decididamente las profecías. Pero el consejo de Dios no implica creer a ciegas ni entregarse por completo a la subjetividad.

Hay razones para creer en las profecías. En primer lugar, muchas de ellas se han cumplido de forma señalada, como podemos comprobar en la historia universal, antigua y moderna. Pero a veces lo antiguo comparte la fascinación que despierta el sentido de lo sagrado. Lo antiguo es respetable, venerable, creíble. No así lo nuevo, lo moderno, lo que vemos y oímos. Por eso resulta difícil creer que Dios haya dado más de dos mil visiones a Elena de White. ¿Tantas visiones le dio el Espíritu Santo? ¿Más que a Jeremías o a Isaías? Y la objetividad, la razón y otras objeciones inducen a muchos a menospreciar las profecías.

Pero el hecho permanece. Un examen cuidadoso de la experiencia y de los escritos de Elena G. de White convence al más serio investigador de la verdad de que Dios en verdad le dio el don profético. Ahí están sus veinticinco millones de palabras, sus cien mil páginas escritas y sus decenas de libros publicados para comprobarlo.

El don profético en su conjunto y cada uno de los profetas en particular han sido cuestionados en algún momento de la historia. Todos los profetas sufrieron en su tiempo la oposición o el menosprecio del que habla el apóstol Pablo. Con todo, el verbo *exouthenéo* no solo significa "despreciar". También significa "no tomar en cuenta". Podemos reverenciar los libros de Elena de White; Podemos embellecer nuestra biblioteca con la colección completa. Incluso podemos leerlos por gusto y afinidad. Pero todavía podemos menospreciarlos si no los tomamos en cuenta en nuestro estilo de vida.

Por supuesto, podemos hacer lo mismo con los profetas antiguos. Podemos leer el Antiguo Testamento y conocer la historia de los patriarcas y profetas. Podemos ser asiduos estudiosos de Juan, el último profeta del Nuevo Testamento, que escribió el Apocalipsis, y, aun así, menospreciar las profecías.

Cada uno debe asegurarse de haber escuchado el consejo del apóstol, porque «sin profecía el pueblo se desenfrena» (Prov. 29: 18).

Ezequiel 27: 1 - 28: 26; 1 Tesalonicenses 3: 1 - 5: 28

Esta es una de las profecías más memorables que contiene la Palabra de Dios. Esta predicción la hizo el profeta Ezequiel cuando Egipto estaba muy lejos de causar esa impresión. La mera deducción humana no podría haber hecho una predicción tan atrevida. Aunque la época más gloriosa del Egipto faraónico estaba en el pasado, esa nación era todavía una formidable potencia económica, militar y cultural en los días de Ezequiel. Las grandes pirámides de Giza y la Esfinge de la IV dinastía, y los templos de Karnak y Luxor del Imperio Nuevo despedían todavía destellos de grandeza suficientes para inducir a cualquiera a pronosticar siglos y siglos de grandeza para Egipto.

> Y volveré a traer a los cautivos de Egipto, y los llevaré a la tierra de Patros, a la tierra de su origen; y allí serán un reino despreciable. En comparación con los otros reinos será humilde; nunca más se alzará sobre las naciones; porque yo lo disminuiré, para que no vuelva a tener dominio sobre las naciones.
>
> EZEQUIEL 29: 14, 15

Contemplando los grandiosos monumentos egipcios, que han resistido el efecto destructivo de los siglos, no se podría haber predicho su condición actual. Solo un profeta como Ezequiel, inspirado por Dios, podría haber pronosticado algo tan contrario al testimonio de los sentidos. Hoy tenemos algunas lecciones de la historia que un hábil historiador podría utilizar para atreverse a hacer predicciones, pero Ezequiel no tenía tanta perspectiva. En contra de todas las evidencias, la profecía se cumplió maravillosamente.

La condición actual de Egipto contrasta con la gloria de su pasado conservado en el testimonio de sus grandes monumentos, piedras mudas que tienen mucho que decir al que quiera oír. A nosotros esas piedras nos dicen que la Palabra de Dios es verdadera, exacta y fiable.

La Biblia, la revelación divina, es el libro que habla de Dios y del hombre. Se escribió para satisfacer la mayor necesidad del hombre y para dar respuesta a sus más angustiosas preguntas. Nadie debe ir por la vida confiando en conjeturas y tratando a ciegas cuestiones que superan la capacidad y la condición humana. Debemos caminar hacia el futuro con la seguridad del que sabe adónde va. «El que revela los misterios» ya ha revelado «lo que ha de acontecer en lo porvenir».

Misericordia mutua

> A Timoteo,
> verdadero hijo
> en la fe: Gracia,
> misericordia y paz,
> de Dios nuestro Padre
> y de Cristo Jesús
> nuestro Señor.
> 1 TIMOTEO 1: 2

La acción del saludo es algo tan común que muchos ya ni toman en cuenta la importancia de esta interacción humana. En nuestros días el saludo varía de país en país, y hasta de región en región en un mismo país. Sin embargo, la intención del saludo es siempre igual: conocer cómo le van las cosas a la otra persona, o desearle que todo le vaya bien.

Cuando el saludo es simplemente un «¿Cómo estás?» es para saber de la otra persona. Saludando a una amiga que había perdido un hijo trágicamente, a la pregunta «¿Cómo estás?», vino la respuesta: «¡No te lo puedes ni imaginar!» La pregunta trajo una respuesta de un alma sufriente.

Los cristianos de la iglesia primitiva tenían un saludo en común que llegó a conocerse como la bendición apostólica. Tal saludo no era para indagar sobre el estado de las cosas, como nuestro «¿Cómo estás?», sino que, dada la idea de que para un seguidor de Cristo todo está siempre bien, el saludo era más bien una bendición pronunciada sobre el otro cristiano.

Sin embargo, esta bendición encerraba el deseo y anhelo ferviente de los cristianos. Al encontrarse, se saludaban con el descubrimiento más atesorado de ellos: «Gracia y paz». Significa que ya las han descubierto, ya las están disfrutando, y las deseaban para todos por igual. Este era el saludo predilecto de Pablo, pero para Timoteo y Tito añadió otro elemento más, y los bendijo con «la misericordia».

Algunos opinan que el saludo «Gracia y paz» era para todos los cristianos, pero que para los líderes de la iglesia, especialmente para los jóvenes a quienes Pablo daba autoridad sobre la iglesia, les encomendaba «la misericordia», recordándoles que recibieron misericordia y que ellos debían dispensarla igualmente.

Las palabras de Jesucristo, en el sentido de que debemos ser misericordiosos los unos con los otros, eran de mucha importancia para los cristianos.

«Amad, pues, a vuestros enemigos, y haced bien, y prestad, no esperando de ello nada; y será vuestro galardón grande, y seréis hijos del Altísimo; porque él es benigno para con los ingratos y malos. Sed, pues, misericordiosos, como también vuestro Padre es misericordioso» (Luc. 6: 35, 36).

E zequiel fue llamado al ministerio profético en Babilonia, y a través de él el
Señor envió mensaje tras mensaje a
los desterrados. No habiendo un templo para el
culto del Dios verdadero en Babilonia, el pueblo llegaba a la casa del profeta para oír la palabra de Dios.
Todo parecía estar bien, pues nadie los obligaba a
acudir a la casa del profeta, pero su motivación para
ir allí no era pura. Iban para oír lo que el profeta iba
a decir, pero no para obedecer la palabra de Dios.

He aquí que
para ellos
tú eres como
un cantante de
motivos sensuales,
cuya voz es agradable
y que toca bien.
Oyen tus palabras,
pero no las ponen
por obra.
Ezequiel 33: 32

El Señor advirtió al profeta que no se dejara engañar por las palabras de sus
oyentes, y que prosiguiese con la predicación de la verdad. Delante del profeta
parecían atentos, pero en la privacidad de sus hogares despedazaban al profeta, burlándose de sus palabras cuando él no estaba presente. Se pretendía una
cosa en público, mientras que en privado se negaba la eficacia de las palabras
del profeta. «Oyen tus palabras, pero no las ponen por obra» era la advertencia
cia del Señor.

Este es un mensaje solemne para el pueblo de Dios en nuestros días. Las
implicaciones son muchas:

• Tratar a los mensajeros del Señor con la deferencia que merecen. Sí, es posible que haya ministros que puedan mejorar su forma de ser, pero ello no
quita que los oidores de la Palabra tengan también el deber de seguir la
Palabra. El hecho de que tengan algún desacuerdo con el pastor no los exime
de obedecer la Palabra de Dios.

• Cuando se oye la Palabra de Dios, es para seguirla. No es correcto hacer creer
una cosa mientras conscientemente queremos proponer otra. Bien ha dicho
el Señor: «Este pueblo de labios me honra». El Señor espera sinceridad de
todos sus hijos.

Hoy es un bonito día para hacer las cosas de una manera diferente.
Propongamos hacer de la Palabra de Dios lo más importante en nuestra vida,
seguir su voluntad en todo, llegar a la casa de Dios no simplemente para escuchar, sino con la determinación de hacer la voluntad de Dios por encima de
todas las cosas.

La corona

> Por lo demás, me está reservada la corona de justicia, la cualme dará el Señor,el Juez justo, enaquel día. Y no solo a mí, sino también a todos los que han amado su venida.
>
> 2 Timoteo 4: 8

¡Cuántas veces las dudas embargan a muchos! En lo que respecta al cielo, los hay que albergan sus dudas en cuanto a la certeza de poder llegar allí, en cuanto a la recompensa prometida por Dios y en cuanto a las mansiones que Cristo fue a preparar. ¡Es tan común dudar de las cosas que no hemos visto ni han subido al pensamiento del hombre! Las dudas no hacen menos reales estas cosas que el Señor ha prometido a los fieles. Las promesas son suficientes para disipar cualquier duda que pueda surgir en el pensamiento, cualquier ápice de incredulidad secreta que se pueda ocultar en el corazón.

Muchas veces lo que se esconde bajo la duda es el temor. Por lo tanto, hay que tratar el asunto del temor. No hay temor que Cristo no pueda atender y aliviar. Si pudiéramos aceptar el hecho de que tenemos herencia en el cielo, entonces toda duda y todo temor se desvanecerán, porque el Espíritu de Cristo elimina todo temor. «Pues no recibisteis el espíritu de esclavitud para estar otra vez bajo el temor, sino que recibisteis el espíritu de adopción como hijos, en el cual clamamos: "¡Abba, Padre!"» (Rom. 8: 15).

«Hogar, dulce hogar» es un lema que a muchos les gusta usar. El sentimiento de felicidad, confianza y tranquilidad que produce llegar a casa solo puede ser apreciado plenamente por quienes pasamos largo tiempo fuera ella. Cuando de corazón se anhela la venida del Señor, se podrá disfrutar de la certeza de llegar a casa un día cercano. Llegar a la casa de nuestro Padre celestial no supone solamente el arribo a un techo seguro, a un hogar cálido, o el sentir de cariño y amor de los que nos esperan, sino que conlleva la certeza de recibir la corona preparada para los vencedores.

La promesa es segura. Todo lo que tenemos que hacer es desear recibir lo que el Señor nos fue a preparar. Cada día debe ser un día de expectación, un día de confianza, un día de seguridad en el cumplimiento de las promesas del Señor. Así vivieron los apóstoles, así vivieron nuestros pioneros. Debemos vivir con esas expectativas de la seguridad del cumplimiento de las promesas divinas en nuestra vida. Que hoy sea un día de bendiciones y expectativas, confiados en que nuestro Señor cumplirá sus promesas.

Ezequiel 35: 1 – 36: 38; 2 Timoteo 1: 1 – 4: 22

«Quiero, sé limpio»

E ste texto de la carta escrita por Pablo a Tito tiene una gran riqueza de contenido. Presenta:

- La bondad y el amor de Dios hacia la humanidad, que lo movió a salvarnos. Dios tomó la iniciativa para salvarnos por «el puro afecto de su voluntad» (Efe. 1: 5), sin ninguna otra motivación. Como le dijo a Israel: «¿Cómo podré abandonarte, oh Efraín?... Mi corazón se conmueve dentro de mí, se inflama toda mi compasión» (Ose. 11: 8). La infinita compasión de Dios no pudo soportar el dolor de vernos morir eternamente.

> Pero cuando se manifestó la bondad de Dios nuestro Salvador, y su amor para con los hombres, nos salvó, no por obras de justicia que nosotros hubiéramos hecho, sino por su misericordia, por el lavamiento de la regeneración y por la renovación en el Espíritu Santo.
> Tito 3: 4, 5

- Dicha bondad no depende de nuestras obras de justicia. «Muchas son las figuras mediante las cuales el Espíritu de Dios ha procurado ilustrar esta verdad y que les quedara bien clara a todas las almas que desean verse libres de su carga de culpabilidad» (CC 29). Una de esas figuras es la escalera de Jacob (Gén. 28: 12-15). Cristo es la escalera que une el cielo con la tierra. Toda buena nueva, toda dádiva, toda comunicación divina se hizo a través de él durante toda la historia de la redención. Cristo es «la propiciación por nuestros pecados» (1 Juan 2: 2).

- La salvación viene por el lavamiento de la regeneración y por la renovación en el Espíritu Santo. «Esparciré sobre vosotros agua limpia, y seréis limpiados de todas vuestras inmundicias; y de todos vuestros ídolos os limpiaré. Os daré corazón nuevo, y pondré un espíritu nuevo dentro de vosotros; y quitaré de vuestra carne el corazón de piedra, y os daré un corazón de carne. Y pondré dentro de vosotros mi Espíritu, y haré que andéis en mis estatutos, y guardéis mis preceptos, y los pongáis por obra» (Eze. 36: 25-27).

La regeneración se realiza constantemente gracias al trabajo del Espíritu Santo, que va quitando las obras de la carne (Gál. 5: 19-21) y produciendo los frutos del Espíritu (Gál. 5: 22, 23). A nosotros nos toca solamente consentir, permitir, que Dios haga su obra de regeneración en nosotros. En todos aquellos que lo permitan, se realizará este lavamiento. Entregar la voluntad a Dios es el secreto. Entonces él nos dirá: «Quiero, sé limpio» (Mar. 1: 41).

No salgas de fiador

> Y si en algo
> te dañó,
> o te debe,
> ponlo
> a mi cuenta.
> FILEMÓN 18

Presentarse de fiador es algo sumamente peligroso, especialmente en un caso como el del siervo Onésimo, donde no se conocía el monto preciso de la deuda que tenía con su amo Filemón. A pesar de esta incertidumbre, Pablo se atrevió a ser fiador del esclavo.

Se cree que Onésimo era un siervo de confianza de Filemón y que, en uno de los viajes que su amo le encomendó, el esclavo se aprovechó de las circunstancias para huir. El daño causado a Filemón era enorme, pues no solamente se llevó Onésimo los bienes a él confiados, sino que también dejó muy mal a aquel amo magnánimo, que se veía abocado a recibir reproches de otras personas acaudaladas del lugar. El consejo de ellos habrá sido que no debía tratar a sus siervos con tanta bondad. Al traicionar la confianza puesta en él, Onésimo hizo que el carácter de Filemón fuese cuestionado. Pablo apeló a los sentidos religiosos de Filemón para no solamente perdonar a Onésimo, sino para que lo recibiese de nuevo con la confianza de antes. Todo esto, porque ya era un hombre convertido y, como tal, de confianza.

Salomón conocía el peligro de ser traicionado por aquellos en quien uno confía. ¡Cuánto más cuando no se conoce a la persona por quien uno quiere poner la mano en el fuego! Rechazó ser fiador de un extraño, e incluso cuestionó la propia noción de ser fiador: «Con ansiedad será afligido el que sale por fiador de un extraño; mas el que aborreciere las fianzas vivirá seguro» (Prov. 11: 15).

Con todos los peligros de salir como fiador, para amigos o desconocidos, la Biblia nos habla del único Fiador que no solo puso su vida, sino que vive también confiado en que muchos vivirán a la altura del compromiso hecho con él y no traicionarán su fianza. «Por tanto, Jesús es hecho fiador de un mejor pacto» (Heb. 7: 22).

Salir de fiador no es recomendable, pero Cristo no se preocupó de las consecuencias. No tenía miedo a la traición; nunca dudó que muchos aceptarían su sacrificio. Hoy es el fiador del nuevo pacto, es decir, es garante de que Dios cumplirá lo prometido y de que los que a él se allegan no serán echados fuera.

Podemos vivir confiados, porque tenemos la garantía de la salvación por la provisión hecha por Cristo.

Durante la Primera Guerra Mundial, un grupo de prisioneros de guerra alemanes fue deportado a Siberia, donde fueron sometidos a trabajos forzados en el interior de una pequeña mina de carbón. Todas las mañanas los bajaban con una cuerda al pozo donde trabajaban. De noche eran igualmente izados por una cuerda unida a una polea. Durante el día la cuerda permanecía arriba, para evitar que huyeran.

Llevaban una existencia desdichada. El trabajo era duro e insoportable. Exhaustos, anhelaban la llegada del anochecer, cuando serían llevados de nuevo a la superficie. Deseaban que llegase el momento en que alguien les enviase la punta de la cuerda, mediante la cual eran llevados arriba.

> Así que, por cuanto los hijos participaron de carne y sangre, él también participó de lo mismo, para destruir por medio de la muerte al que tenía el imperio de la muerte, esto es, al diablo, y librar a todos los que por el temor de la muerte estaban durante toda la vida sujetos a servidumbre.
> HEBREOS 2: 14, 15

Un día, sin embargo, la cuerda no descendió. Había estallado en el país una revolución. Al aproximarse las fuerzas rebeldes, los guardias huyeron precipitadamente, olvidándose de los trabajadores de la mina que, ansiosos, esperaban que apareciera la cuerda.

La situación era desesperante. ¿Tendrían que morir tan miserablemente en aquel charco inmundo? En efecto, esa habría sido su suerte, si uno de sus compañeros, gravemente enfermo, no hubiera providencialmente quedado arriba en su barracón. Él fue su salvador.

En uno de los pocos momentos de lucidez, el enfermo, que estaba casi siempre inconsciente, sintió la falta de sus compañeros. Con pasos débiles y vacilantes, y reuniendo sus últimas fuerzas, empujó la punta de la cuerda dentro del pozo, y perdió el sentido.

Cuando los soldados, que habían estado tan cerca de la muerte, subieron, encontraron caído, junto al pozo, a su salvador. Estaba muerto.

¡Cuánta gratitud deberíamos sentir y expresar al recordar a nuestro Salvador, quien, para destruir al que tenía el imperio de la muerte, el gran enemigo, sufrió la cruz, una muerte terrible, más allá de lo que podemos imaginar, para librarnos del terror de la muerte eterna!

Ezequiel 41: 1 - 42: 20; Hebreos 1: 1 - 2: 18

No os rindáis

> Por tanto, queda todavía un reposo sabático para el pueblo de Dios.
>
> HEBREOS 4: 9

A través de las edades ha habido tristemente célebres incrédulos que desaprovecharon las muchas oportunidades brindadas. La falta de fe es la raíz de todo lo que no da frutos. La fe, al contrario, es la vida y el vivir en la Palabra de Dios, conociendo y haciendo la voluntad de Dios al ser guiados por el Espíritu Santo. La condición más lastimosa es una profesión de fe vacilante. Esto hace que muchos no alcancen la meta.

En nuestro texto, la expresión «queda un reposo» no significa que quede otro sábado, sino que Dios, en su misericordia, da oportunidades. Al Señor le habría gustado llevar a su pueblo al descanso espiritual hace tiempo. Espera pacientemente, debido a la situación del hombre, dando oportunidad tras oportunidad para que el pueblo acepte su invitación al descanso eterno, ya sin luchas contra el mal, sin tentaciones, sin más pecado.

La promesa de Dios a Israel era multiforme e incluía: «(a) un establecimiento permanente en la tierra de Canaán, (b) una transformación de carácter que haría de la nación un adecuado representante de los principios del reino de Dios, y (c) haría de ellos el agente escogido de Dios para la salvación del mundo» (*Comentario bíblico adventista*, tomo 7, p. 436). Salvo en lo primero, el pueblo de Israel no cumplió lo que se esperaba de él. El plan de Dios, no obstante, sigue en pie y sigue la puerta abierta para el descanso en el Señor. Dios tiene un pueblo para el que estas promesas siguen siendo válidas y la invitación sigue en pie.

Muchas generaciones no hicieron realidad esa promesa, empezando por la primera que la oyó. En los días de Josué, él entró con la generación más joven a la Tierra Prometida, pero no la hicieron realidad. Según el versículo 7, a David y los de su tiempo también se les hizo la promesa, pero tampoco se pudo hacer realidad. La invitación y el ruego fueron a la generación de los tiempos apostólicos, y todavía no se ha cumplido definitivamente. Gran privilegio tenemos de hacer cierta la promesa del Señor, de entrar en su descanso al fin.

Por lo tanto, la promesa es para el pueblo de Dios tanto individual como colectivamente. Dejemos obrar al Espíritu Santo para así cumplir el plan de Dios en la vida de cada uno.

Ezequiel 43: 1 - 44: 31; Hebreos 3: 1 - 4: 16

343

Empeñó su palabra

FΩNuestro texto de hoy forma parte de las reflexiones teológicas relativas a la experiencia de Abraham. Génesis 22: 1 dice: «Y aconteció después de estas cosas, que probó Dios a Abraham». Probó su fe, por razones que están fuera del alcance de nuestra comprensión, pero una de las razones fue que había fallado en la prueba de la tardanza en el cumplimiento de la promesa del nacimiento de Isaac. También había fallado su confianza en Dios en su experiencia en Egipto (Gén. 13: 11-20) y Gerar (Gén. 20: 2-16), cuando había mentido diciendo que Sara era su hermana.

> Por lo cual, queriendo Dios mostrar más abundantemente a los herederos de la promesa la inmutabilidad de su consejo, interpuso juramento; para que por dos cosas inmutables, en las cuales es imposible que Dios mienta, tengamos un fortísimo consuelo los que hemos acudido para asirnos de la esperanza puesta delante de nosotros.
> HEBREOS 6: 17, 18

«Dios lo había llamado para ser el padre de los fieles, y su vida habría de servir como ejemplo de fe para las generaciones futuras» (PP 43). Para que estuviera a la altura de su vocación fue sometido a una prueba muy grande. Le dijo: «Toma ahora tu hijo, tu único, Isaac, a quien amas, y vete a tierra de Moriah, y ofrécelo allí en holocausto sobre uno de los montes que yo te diré».

Cuando hubo pasado la prueba, pues en su decisión y en su acción, en realidad, sacrificó a su hijo, Dios hizo algo extraordinario: «"Por mí mismo he jurado", dice Jehová, "que por cuanto has hecho esto, y no me has rehusado tu hijo, tu único hijo, de cierto te bendeciré, y multiplicaré tu descendencia como las estrellas del cielo y como la arena que está a la orilla del mar"» (Gén. 22: 16).

Estas son las dos cosas inmutables que menciona el apóstol: (1) Su palabra. (2) Su juramento. No era necesario el juramento. Bastaba la palabra de Dios. Pero él interpuso juramento para darnos a nosotros un fortísimo consuelo y una segura y firme ancla del alma, a «los que hemos acudido para asirnos de la esperanza puesta delante de nosotros».

Jesús va a venir. Todas las grandes promesas de Dios se cumplirán. No tenemos la menor duda de ello. ¿Cómo podemos estar tan seguros? Porque Dios hizo dos cosas inmutables: Su palabra y su juramento. Es imposible que mienta. Constituyen una «segura y firme ancla del alma» (Heb. 6: 19).

Sanidad

> Y me dijo: «Estas aguas salen a la región del oriente, y descenderán al Arabá, y entrarán en el mar; y entradas en el mar, recibirán sanidad las aguas. Y toda alma viviente que nadare por dondequiera que entraren estos dos ríos, vivirá; y habrá muchísimos peces por haber entrado allá estas aguas, y recibirán sanidad; y vivirá todo lo que entrare en este río».
>
> EZEQUIEL 47: 8, 9

Esta es una figura, un símbolo muy amado y muy conocido por los cristianos. En el templo que Ezequiel vio, que sería edificado después del retorno de Israel del cautiverio, se manifestaría otra vez, pero ahora para siempre, la gloria de Jehová. Si Israel hubiera cumplido el plan de Dios, este templo habría sido eterno, porque habría sido la sede del gobierno del Mesías sobre Israel, conforme al plan eterno de Dios con Israel.

¡Qué maravilloso habría sido! De debajo del templo saldría un río de agua vivas que sería para la sanidad de las naciones. Todo lo que entrara en aquel río viviría. Hasta habría peces en el Mar Muerto, lugar desprovisto de ellos por causa del exceso de minerales que tienen sus aguas. Este río de vida llevaría sanidad a las aguas muertas.

Estaba inicialmente previsto que el destino de Israel fuese glorioso. La visión de Ezequiel debería haberlos inducido a aceptar todas las condiciones del plan de Dios para que sus gloriosas promesas se cumplieran con ellos. Pero no aceptaron el plan de Dios. Cuando su Mesías vino «a los suyos… no lo conocieron» (Juan 1: 11). Dios no pudo hacer con ellos y por ellos todo lo que había pensado hacer. Por lo tanto, todas aquellas misteriosas profecías del Antiguo Testamento, y esta en particular, se cumplirán en la tierra nueva y la Nueva Jerusalén (Apoc. 22: 1, 2). Allí el árbol de la vida y el río de agua de vida son «para la sanidad de las naciones».

Nuestro Señor Jesús es el río de agua de vida que salta para vida eterna (Juan 7: 37, 38). El "río" corre ahora mismo. Sus aguas son abundantes y salutíferas. Todos los que quieran, pueden venir y beber (Juan 4: 13, 14) hoy. Nadie debe estar sediento del agua de la vida, porque el río viviente, Jesucristo, está trabajando para salvar a todos los que por medio de él se acercan Dios.

Preparémonos hoy para tener el gozo de beber algún día del agua de aquel río de agua de vida que sale «del trono de Dios» (Apoc. 22: 1).

5 diciembre

El perdón del pecado es un acto que solo Dios puede realizar. Dado que el hombre no logra entender la gravedad del pecado, algunos especulan con la noción de que el pecado es cosa de poca importancia. Ignoran los tales que el pecado ha suscitado la más grande y peor de las separaciones que puede haber.

> Pues según la ley casi todo es purificado con sangre, y sin derramamiento de sangre no hay perdón.
> HEBREOS 9: 22

No es fácil comprender el dolor de la pérdida de un ser amado, a menos que uno haya pasado por ese trance. La realidad de una pérdida y separación para siempre es tan dolorosa que puede causar la muerte de personas que han vivido con el fallecido largo tiempo. Esta ilustración refleja débilmente la reacción de Dios ante el pecado. Sus hijos, creados para compartir la vida para siempre con él, han escogido ir en la dirección que los llevaba a la muerte. El pecado fue el inicio de la muerte. La sangre de Cristo fue lo único capaz de hacer frente a las consecuencias del pecado. Fue derramada para que no muramos perdidos y sin esperanza, alejados para siempre de la presencia de Dios. En Cristo, el hombre puede tener acceso nuevamente a Dios, que es misericordioso y grande para perdonar.

Nunca hubo otro medio para el perdón del pecado. Nunca hubo otra forma sino la total satisfacción de la justicia de Dios. Nunca hubo otra obra de misericordia mayor que el perdón del pecado. Y todo fue hecho posible por la sangre preciosa de Cristo. Al derramar su sangre, vacunó al universo contra el pecado. El pecado ya no puede gobernar sin control, ya no puede mantener para siempre a toda la humanidad en sus garras; el pecado ya no puede acabar triunfando. Por la muerte de Cristo el pecado quedó expuesto como lo que verdaderamente es. No es solamente el gran separador entre Dios y los hombres, sino también el gran asesino de la raza humana. Quizás antes de la muerte de Cristo se pudo haber pensado que la grandeza del amor de Dios llegaría a un arreglo pacífico con el pecado y que la tolerancia de Dios admitiría la coexistencia con el pecado. Sin embargo, la muerte de Cristo demostró de una vez para siempre que la justicia de Dios demanda que haya derramamiento de sangre para la expiación del pecado, «para que todo aquel que en él cree no se pierda, más tenga vida eterna».

Daniel 1: 1 - 2: 49; Hebreos 9: 1 - 10: 39

Los misterios de Dios

¿Y qué más digo?
Porque el tiempo
me faltaría contando
de Gedeón, de Barac,
de Sansón, de Jefté,
de David, así como
de Samuel y
de los profetas.
HEBREOS 11: 32

El autor de Hebreos establece un hecho que asombra a muchos: Sansón está contado entre los héroes de Dios. El escenario es conocido. Los filisteos dominaban Israel; la mayoría de los israelitas había abandonado a Dios. ¿Qué podía hacer el Señor por su pueblo? Si los trataba como merecían, dejándolos pudrirse en sus pecados, podían perder su identidad especial al punto de no recuperarla jamás.

El Dr. Roy Gane dice: «Dios, motivado por su asombrosa gracia, tenía que hacer algo, pero sus opciones eran muy limitadas. Su solución fue Sansón. Al parecer, no había ningún libertador disponible, ni siquiera uno salido de la nada, como Elías. Así que Dios tuvo que crear uno como un bebé entregado a una pareja que nunca había podido tener hijos.

»Además, los cobardes israelitas no seguirían a un general, de modo que Dios hizo a Sansón un soldado-ejército dándole fuerza sobrenatural. El papel de Sansón sería debilitar a los filisteos y, por lo tanto, disminuir la opresión que ejercían para que los israelitas tuvieran una oportunidad de ver por fe lo que el Señor podía hacer por ellos. Sin embargo, Sansón no libraría totalmente a Israel, como habían hecho otros jueces; él solo *comenzaría* "a salvar a Israel de mano de los filisteos" (Jue. 13: 5).

»Vemos la exaltada naturaleza del plan de Dios para la vida de Sansón en las circunstancias que rodearon su nacimiento. Como ocurrió con Isaac (Gén. 17: 16-21; 18: 10-15), con Juan el Bautista (Luc. 1: 5-25, 57-66), y Jesús (Luc. 1: 26-45; 2: 1-7), un grupo bíblico de personas de elite, la concepción de Sansón era imposible sin la intervención divina, y un mensajero celestial anunció su nacimiento con mucha anticipación» (*God's Faulty Heroes,* pp. 99-100).

Sansón tuvo todas las oportunidades, todos los privilegios, todas las ventajas. No nos toca a nosotros preguntar por qué cometió tan graves errores y por qué Dios no lo abandonó y siguió usándolo hasta el final. Queda este hecho: «Sansón no es el héroe principal de sus historias: ese honor pertenece a Dios, quien le dio fortaleza para realizar el propósito divino a pesar del fracaso humano» (*ibíd.,* p. 109).

Daniel 3: 1 - 4: 37; Hebreos 11: 1 - 12: 29   347

Buenos o malos, son el plan de Dios

ste texto es una de las joyas que contiene la Palabra de Dios. Presenta al mismo tiempo la elevada responsabilidad y el privilegio de los pastores de la iglesia.

> Acordaos de vuestros pastores, que os hablaron la palabra de Dios; considerad cuál haya sido el resultado de su conducta, e imitad su fe.
> HEBREOS 13: 7

En cuanto a responsabilidad, la grey los toma como modelos. Es inevitable que así sea. Son herederos de los apóstoles y los profetas, y los ojos del pueblo están fijos en ellos. Los pastores consagrados son una gran bendición para la iglesia, un poder para el bien en las manos de Dios. La conducta y el estilo de vida del pastor los definió Pablo cuando les escribió a dos pastores discípulos suyos, Timoteo y Tito:

«Está muy bien dicho que quien aspira a un cargo directivo no es poco lo que desea, porque el dirigente tiene que ser irreprochable, fiel a su mujer, juicioso, equilibrado, bien educado, hospitalario, hábil para enseñar, no dado al vino ni amigo de riñas, sino comprensivo, pacífico y desinteresado. Tiene que gobernar bien su propia casa y hacerse obedecer de sus hijos con dignidad. Uno que no sabe gobernar su casa, ¿cómo va a cuidar de una asamblea de Dios? Que no sea recién convertido, por si se le sube a la cabeza y lo condenan como al diablo. Se requiere además que tenga buena fama entre los de afuera, para evitar el desprestigio y que el diablo los atrape» (1 Tim. 3: 1-7, NBE).

La responsabilidad es grande. El mandato es sagrado. El que aspira al pastorado «no es poco lo que desea».

En lo que a privilegio respecta, si su desempeño fue bueno, los pastores dejan una huella imborrable en la vida de sus feligreses. Serán recordados e imitados. «Ganan para sí un grado honroso, y mucha confianza en la fe que es en Cristo Jesús» (1 Tim. 3: 13). «Los ancianos que gobiernan bien, sean tenidos por dignos de doble honor, mayormente los que trabajan en predicar y enseñar» (1 Tim. 5: 17).

A los tesalonicenses les suplicó que reconocieran «a los que trabajan entre vosotros y os presiden en el Señor, y os amonestan; y que los tengáis en mucha estima y amor por causa de su obra» (1 Tes. 5: 12, 13).

¡Dichosa la iglesia que sigue estos consejos y estas ordenanzas del apóstol!

Daniel 5: 1 - 6: 28; Hebreos 13: 1-25

La misma bendición que Salomón

> Y si alguno
> de vosotros
> tiene falta
> de sabiduría, pídala
> a Dios, el cual
> da a todos
> abundantemente
> y sin reproche,
> y le será dada.
>
> SANTIAGO 1: 5

Cuando Salomón era joven, tomó la decisión de andar en integridad y obediencia delante de Dios. Al principio de su reinado, acudió con sus consejeros de Estado a Gabaón, población cercana a Jerusalén donde permanecía el tabernáculo. Salomón comprendía la difícil empresa de gobernar al pueblo de Dios. Sabía que quienes llevan responsabilidades deben buscar la sabiduría divina. «Anhelaba tener una mente despierta, un corazón grande, y un espíritu tierno» (PR 19).

Dios le apareció en sueños y le dijo: «Pide lo que quieras que yo te dé» (1 Rey. 3: 5). ¡Qué enorme privilegio! ¡Qué gran oportunidad! ¿Qué habrías pedido tú? Salomón pidió sabiduría, según dice 1 Reyes 3: 6-10, especialmente el versículo 9: «Da pues, a tu siervo corazón entendido para juzgar a tu pueblo, y para discernir entre lo bueno y lo malo; porque, ¿quién podrá gobernar este tu pueblo tan grande?»

Dios sabía lo que necesitaba, pero le dio la oportunidad de pedirlo. Salomón sabía que, sin la ayuda de Dios, era como un niñito carente de entendimiento. El sentido de su necesidad fue lo que le indujo a pedir sabiduría.

Dios le concedió a Salomón la sabiduría que él deseaba, y se la dio en abundancia. Le dijo: «He aquí que te he dado corazón sabio y entendido, tanto que no ha habido antes de ti otro como tú, ni después de ti se levantará otro como tú» (1 Rey. 3: 12). Y, después de muchas pruebas, se dio el testimonio: «Y dio Dios a Salomón sabiduría y prudencia muy grandes, y anchura de corazón como la arena que está a la orilla del mar» (1 Rey. 4: 29).

La mayor necesidad de los jóvenes de hoy, igual que la de Salomón, es la sabiduría. Están en la etapa de las grandes decisiones de la vida: carrera, matrimonio, oficio, etcétera. ¿Qué hacer con la vida? Dios les hace también a los jóvenes la gran oferta que le hizo a Salomón. «Y si alguno de vosotros tiene falta de sabiduría, pídala a Dios, el cual da a todos abundantemente y sin reproche, y le será dada». «El Dios a quien servimos no hace acepción de personas. El que dio a Salomón el espíritu de sabio discernimiento está dispuesto a impartir la misma bendición a sus hijos hoy» (PR 21).

9 diciembre

Y todo para nada

ΑΩP odría pensarse que la muerte de Cristo fue una derrota sin paliativos. Con su crucifixión, la huida de sus discípulos y el regocijo de los dirigentes religiosos ante la aparente victoria, todo parecía perdido.

Murió aparentemente sin nada, pero su victoria fue enorme, pues logró cuanto se había propuesto, es decir, la salvación de la raza humana.

Él no tenía razón personal para morir: murió porque nos amó. Si no hubiese sido por el amor que nos tenía, no había razón para que muriese, y la muerte no tenía ningún derecho sobre él. Nadie tenía opción legítima de quitarle la vida, porque no había hecho nada que mereciera la muerte. Si no hubiese sido porque él mismo rindió su vida, nadie se la habría podido quitar. Ni todos los ejércitos del mundo, porque a un solo mandato suyo, todas las huestes del cielo habrían acudido a defenderlo. Pero murió; murió porque nos amó.

Murió aparentemente sin nada, sin haber logrado que el mundo lo aceptara. Pero no murió en vano. Estamos aquí como testimonio vivo de que su muerte no fue en vano. Murió sin nada, pero lo ganó todo. Ni toda la sangre de animales, ni toneladas de incienso, ni todos los sacrificios que el hombre pudiese concebir hubiesen sido suficientes para lograr lo que él logró con su muerte.

Sin embargo, tras la gran victoria obtenida en la cruz, Jesús puede ser derrotado en la batalla por el corazón de quienes no lo reciben como Salvador. No basta con observar el drama de su muerte; no es suficiente reconocer su sufrimiento; se requiere algo más que aceptar que murió. Lo importante es mostrar verdadero interés en su muerte y en lo que esta ha logrado.

Podríamos ilustrar lo dicho de la siguiente manera: Andábamos por un camino donde acechaban malhechores dispuestos a atracarnos. Sin embargo, él pasó primero por allí. Fue asaltado, herido y muerto por nosotros. Al pasar, podemos simplemente mirarlo tirado junto al camino, decir «¡Qué lástima!», y seguir de largo. ¡Cuán diferente sería si nos detuviéramos, mostráramos interés y le dijésemos: «Porque sufriste esto en mi lugar, yo no me voy de aquí. Quiero estar contigo mientras yo tenga vida»! Esto es darle la victoria final, esto es hacer que su muerte no fuese en vano para mí. Esto es cambiar la expresión «no tendrá nada» a «Lo obtuvo todo: me salvó a mí».

Después de las sesenta y dos semanas, el Mesías será quitado y no tendrá nada.
DANIEL 9: 26

Daniel 8: 1 - 9: 27; Santiago 3: 1 - 5: 20

De tal palo, tal astilla

> Siendo renacidos, no de simiente corruptible, sino de incorruptible, por la palabra de Dios que vive y permanece para siempre.
> 1 PEDRO 1: 23

Nuestro Señor dijo que «el que no naciere de nuevo, no puede ver el reino de Dios» (Juan 3: 3). También afirmó que «todo buen árbol da buenos frutos, pero el árbol malo da frutos malos» (Mat. 7: 17). Para el ser humano irregenerado es tan imposible hacer el bien como para el espino producir higos. El hombre malo hace pecado igual que el espino produce abrojos. No puede hacer el bien, aunque quiera; no puede dejar de hacer el mal, aunque quiera. Es esclavo de la ley del pecado (Rom. 7: 14-23). No tiene remedio. Está atado «a la ley de un amo extraño», como dijo Freud.

Sin embargo, Dios puede salvarlo. Primero, perdonándole todos sus pecados pasados y, en segundo lugar, convirtiéndolo en una nueva criatura para que pueda dejar de pecar. «De modo que si alguno está en Cristo, nueva criatura es; las cosas viejas pasaron; he aquí todas son hechas nuevas» (2 Cor. 5: 17).

Aquí es donde interviene la Palabra de Dios, como dice nuestro texto de hoy: «Siendo renacidos, no de simiente corruptible, sino de incorruptible, por la palabra de Dios que vive y permanece para siempre». Dios utiliza su Palabra, que es la «espada del espíritu» (Efe. 6: 17) y que es «viva y eficaz, y más cortante que toda espada de dos filos; y penetra hasta partir el alma y el espíritu, las coyunturas y los tuétanos, y discierne los pensamientos y las intenciones del corazón» (Heb. 4: 12).

La Palabra de Dios penetra hasta el depósito de experiencia espiritual que nos hace ser como somos y nos transforma. Quita el mal "tesoro" del corazón, de donde sale todo lo malo que se nos ocurre y que hacemos, y pone allí el «buen tesoro» para que podamos hacer lo correcto (Mat. 12: 35-37).

La importancia de la Palabra de Dios en nuestra vida es mayor de lo que podemos imaginar. Sirve no solo para conocer la voluntad de Dios, sino también como instrumento de transformación para que los siervos de Dios lleguen a ser «participantes de la naturaleza divina» (2 Ped. 1: 4) y puedan vivir como nuevas criaturas en Cristo, nacidas de nuevo para servir a Dios en novedad de vida.

Vivir «de toda palabra que sale de la boca de Dios» (Mat. 4: 4) es la más urgente necesidad cotidiana de los cristianos.

11 diciembre

Con amor eterno

Al darnos cuenta y apreciar la forma como el Señor nos ha guiado y tratado en el pasado y lo sigue haciendo hoy, debemos reconocer que el amor de Dios es extraordinario. No tiene comparación con nada que conozcamos o podamos imaginar. Pensemos solamente en el cuidado que ha tenido de nosotros en todo momento, y en cómo soportó nuestras murmuraciones y las exigencias caprichosas que a veces exhibimos.

Jehová me dijo de nuevo: «Ve, ama a una mujer que ama a un amante y comete adulterio. Ámala con un amor como el de Jehová por los hijos de Israel, a pesar de que ellos miran a otros dioses y aman las tortas de pasas».
OSEAS 3: 1

Se debe reconocer que su gracia está con los suyos a pesar de sus condiciones y del camino en que andan. La sangre derramada por él es suficiente para salvar hasta del abismo más profundo. En vista de todo esto, ¿cuántas veces nos detenemos para meditar en ese gran amor? El inmenso amor de Dios se puede ver en el pasado, en el presente y, con toda seguridad, en el futuro. El pacto firmado por la sangre de Cristo no es solamente una cosa del pasado, sino que está muy vivo hoy, ayudando y guiando a cada paso. Quien nos dio la garantía del perdón, hoy también nos dice «con amor eterno te he amado».

Las indicaciones a Oseas son una ilustración viva de lo que el Señor está haciendo en nuestro favor. La indicación de amar a una adúltera no es licencia para pecar, sino solamente una ilustración del amor eterno de Dios, que, hasta en la más vil transgresión y pecado, está dispuesto a perdonar y restaurar al pecador. Oseas no solo tenía que amar a la adúltera, sino también tomarla por esposa. El pecado de la mujer la llevó a valer la mitad del precio de un esclavo. Pese a lo bajo que había caído ella, Oseas debía tomarla. La salvación trae consigo apartarse del mal. Oseas tomó a la adúltera, e hizo con ella el pacto de vivir a su lado, cuidarla, y ayudarla a dejar la prostitución (Ose. 3: 3).

Tal es el amor con el cual nos trata nuestro Dios e pesar de que no lo merecemos. No importa la profundidad de la caída, él nos recoge, nos recibe y nos restaura. Tenemos la garantía de la ayuda del Espíritu Santo para vivir una vida santificada. Si pecamos, «abogado tenemos para con el Padre». La perdición del hombre no se le puede achacar a Dios, siendo que tenemos todas las garantías para la salvación.

Oseas 1: 1 - 3: 5; 1 Pedro 3: 1 - 5: 14

La antorcha para nuestros tiempos

> Tenemos también la palabra profética más segura, a la cual hacéis bien en estar atentos, como a una antorcha que alumbra en lugar oscuro, hasta que el día esclarezca y el lucero de la mañana salga en vuestros corazones.
>
> 2 PEDRO 1: 19

Kim Bin Lim vivía con su familia a unos 80 kilómetros de Seúl, en Corea del Sur. Aunque eran cristianos, no disponían de ningún ejemplar de las Sagradas Escrituras. La iglesia más cercana estaba en una aldea al otro lado de las montañas.

Cierto día llegaron noticias de que un representante de la Sociedad Bíblica iba a visitar aquella iglesia. Puesto que los agricultores de la zona no tenían dinero en efectivo, la Sociedad Bíblica estaba dispuesta a venderles las Escrituras a cambio de productos agrícolas. El día señalado la iglesia de la aldea estaba llena de gente, pese a la nieve que había caído en los montes. Pronto empezó el trueque de las biblias, y los felices propietarios comenzaron a leer en voz baja.

De repente, la puerta se abrió de par en par. Se escuchó un tremendo ruido y luego apareció alguien cubierto de nieve. Por un momento reinó el silencio. Luego, tras cerrar la puerta, algunos de los congregados se pusieron a sacudir la nieve de sobre la ropa del extraño personaje. Debajo de la nieve encontraron a un niño de 12 años. Llevaba al hombro dos voluminosas bolsas de frijoles. Su rostro, aunque frío como el hielo, resplandecía de entusiasmo. El representante de la Sociedad Bíblica le preguntó cómo se llamaba.

—Soy Kim Bin Lim —respondió el muchacho. Vivo al otro lado de las montañas. Vine a comprar un ejemplar de las Sagradas Escrituras porque oí que ustedes aceptaban trigo o frijoles a cambio. ¿Me puede dar una?

Todos guardaron silencio. Una caminata tan larga, en medio de una tormenta de nieve. ¡Y solo tenía 12 años!

—Bienvenido Kim —le replicó el distribuidor. Pero, ¿por qué no vino tu papá?

—No pudo dejar la granja. Tiene unos cuantos animales que cuidar, especialmente con este tiempo, y mamá no está bien.

—Pero, ¿cómo encontraste el camino?

—Me perdí varias veces, y casi me caí en un precipicio. Temía llegar tarde, de manera que vine corriendo todo el tiempo. ¿Me puede dar un ejemplar?

¿Amamos nosotros la Biblia así? Es una buena pregunta para meditar.

Oseas 4: 1 - 8: 14; 2 Pedro 1: 1 - 3: 18

13 diciembre

Un glorioso futuro

Hoy quisiera compartir contigo unos párrafos escritos por E. E. Zinke.

«Acabas de recibir un sobre con apariencia oficial de parte de las Naciones Unidas. Con dedos temblorosos lo abres. La inquietud corre por tus venas a medida que lees una invitación para formar parte del primer equipo internacional que "aterrizará" en el planeta Marte. Será un equipo selecto de cinco personas altamente entrenadas. Inmediatamente llamas a tus amigos más cercanos y a tus familiares; casi no puedes dejar de hablar acerca de ello. Nada tan emocionante te ha ocurrido jamás.

> Amados, ahora somos hijos de Dios, y aún no se ha manifestado lo que hemos de ser; pero sabemos que cuando él se manifieste, seremos semejantes a él porque le veremos como él es. Y todo aquel que tiene esta esperanza en él, se purifica a sí mismo, así como él es puro.
> 1 Juan 3: 2, 3

»El lanzamiento se producirá dentro de seis meses. La preparación será intensa. Te darán instrucciones acerca de todo, desde los experimentos científicos que la tripulación deberá llevar a cabo, hasta la preparación necesaria, física y mental, para sobrevivir el viaje. Los entrenadores te enseñarán como lidiar con la ingravidez, cómo comer con un traje espacial puesto, cómo dormir, y cómo ser productivo en el ambiente que se espera que haya en Marte. Rápidamente te das cuenta de que este evento cercano dominará cada minuto de tu vida. La comida apropiada, el descanso, el ejercicio y el entrenamiento, todo esto estará centrado en el momento del despegue. Este viaje afectará la forma en que utilices el tiempo, las cosas en las cuales pienses y aun la forma en que te relaciones con las demás personas. Hallarte entre los primeros que pondrán los pies en Marte en gran medida definirá quién eres como persona.

»Cada uno de nosotros ha recibido una invitación similar, no de parte de las Naciones Unidas, sino de parte del Rey del universo. Tiene que ver, no con un evento pasajero, ¡sino con la eternidad! ¿Habrá algo más grandioso que una invitación del Creador a explorar con él las complejidades del universo que él hizo, y vivir por toda la eternidad en su compañía y la de nuestros amados?» (*La certeza del segundo advenimiento*, pp. 6-7).

¿Ya aceptaste la invitación? Seguramente la has recibido. Acéptela hoy de todo corazón y permite que produzca el efecto natural en tu vida: la santificación.

Oseas 9: 1 - 14: 9; 1 Juan 1: 1 - 5: 21

La sana doctrina

> Cualquiera que se extravía, y no persevera en la doctrina de Cristo, no tiene a Dios; el que persevera en la doctrina de Cristo, este sí tiene al Padre y al Hijo. Si alguno viene a vosotros, y no trae esta doctrina, no lo recibáis en casa ni le digáis «¡Bienvenido!»
>
> 2 Juan 9, 10

Aquí se destaca la importancia de la doctrina y se establece su función. Quizá se facilite la comprensión de la idea si decimos que doctrina es enseñanza, instrucción. Se habla, por lo tanto, de lo que se enseña o transmite.

Un buen maestro (*didáskalos*) enseña una buena enseñanza (*didaskalía*) o doctrina. Los falsos maestros, por el contrario, enseñan falsa doctrina, algo sumamente peligroso, pues tal doctrina puede apartarnos de la luz y la revelación del evangelio. Naturalmente, esto supone, en realidad y en última instancia, apartarse del propio Dios. Por ejemplo, la enseñanza, o doctrina, errónea del estado de los muertos puede llevarnos al espiritismo y al satanismo casi sin darnos cuenta, creyendo que estamos sirviendo a Dios.

La doctrina de Cristo tiene como propósito llevarnos hacia Dios. La verdadera doctrina nos une a Cristo, que es el objeto de la verdad doctrinal, dado que él mismo es la verdad. Por lo mismo, nos une también al Padre, porque Jesús y el Padre son uno. Por eso dice nuestro texto de hoy que «el que persevera en la doctrina de Cristo, este sí tiene al Padre y al Hijo».

Satanás, el acusador de los hermanos, es el inventor de todo viento de doctrina, porque es su instrumento favorito para llevar a la perdición a los seres humanos. Es nuestro más solemne deber preocuparnos permanentemente de estar en la doctrina de Cristo. No descuidemos la «sana doctrina», perseveremos en ella, pues perseverar en la doctrina de verdad es perseverar en Cristo. Cuidémonos de los falsos maestros. Desarrollemos un olfato santificado para detectar el error en todas sus formas, aunque no se exprese completamente, sino solo por inferencia.

En realidad, el consejo de no recibir a los falsos maestros ni recibirlos confiadamente en casa es muy saludable. Por eso Pablo le dijo a Timoteo: «Ten cuidado de ti mismo y de la doctrina; persiste en ello, pues haciendo esto, te salvarás a ti mismo y a los que te oyeren» (1 Tim. 4: 16).

El amor paciente

ΛΩL a segunda venida de nuestro Señor ha sido la «esperanza bienaventurada» de los hijos de Dios desde el principio del mundo, a juzgar por esta declaración de Judas. «La referencia que hace Judas de Enoc y la cita de la profecía de ese patriarca han sido objeto de muchos comentarios. Los comentadores

> De estos también profetizó Enoc, séptimo desde Adán, diciendo: «He aquí, vino el Señor con sus santas decenas de millares».
> Judas 14

concuerdan generalmente en que el libro pseudoepigráfico 1 Enoc circulaba entre los judíos a mediados del siglo I a.C. En el capítulo 1: 9 de ese libro, que no es canónico, dice lo siguiente: "¡Y he aquí él viene con diez mil de sus santos para ejecutar juicio sobre todos y para destruir a todos los impíos; y para convencer de culpabilidad a toda carne de todas las obras de su impiedad que han cometido impíamente, y de todas las cosas duras que los impíos pecadores han hablado contra él!"» (*Comentario bíblico adventista*, tomo 7, pp. 725-6).

Al parecer, ya en los días de Enoc, séptimo desde Adán, se conocía la promesa de la venida del Mesías en gloria y majestad, y no solo la de su primera venida como Cordero de Dios para quitar los pecados del mundo. La segunda venida de Cristo para hacer juicio fue profetizada desde mediados de la era patriarcal, y desde entonces era aceptada como verdad reconocida. Enoc vio la segunda venida como la vieron los profetas y apóstoles del Nuevo Testamento.

En el mismo libro 1 Enoc, siempre según el *Comentario bíblico adventista*, también se dice que el patriarca Enoc fue la séptima generación a partir de Adán. Como sabemos, la genealogía se presenta en Génesis 5: 4-20, donde se traza el siguiente linaje: Adán, Set, Enós, Cainán, Mahalaleel, Jared y Enoc. Esto hace que Enoc sea el séptimo en la descendencia incluyendo a Adán en el cómputo. En la terminología moderna, habría sido el sexto desde Adán (*ibíd.*, p. 726).

No debemos olvidar que vendrá, según Judas, a ejecutar juicio contra los impíos. Por eso se nos advierte constantemente que estemos preparados. No es extraño que haya quienes consideren que el esposo se haya tardado (Mat. 25: 5), pues si desde hace tanto tiempo se profetizó el evento y se hizo la promesa, ¿por qué no ha venido? Pedro lo dice: el Señor retarda voluntariamente su venida por amor. No quiere que ninguno se pierda. Quiere dar tiempo a todos los que quieren prepararse (2 Ped. 3: 9).

Amós 1: 1 - 4: 13; Judas 1-25

Bienaventurado el que lee

> Bienaventurado el que lee, y los que oyen las palabras de esta profecía, y guardan las cosas en ella escritas; porque el tiempo está cerca.
> APOCALIPSIS 1: 3

Hay tres momentos clave que han determinado y definido a las tres grandes religiones monoteístas, y todos ellos se caracterizaron por un alto nivel de actividad en el campo de la traducción.

El primer periodo es el principio de la era cristiana, momento en el que las relaciones mutuas entre distintos lenguajes como el hebreo, el arameo, el griego y el latín dieron origen a la nueva civilización cristiana y transformaron para siempre la judaica.

El segundo periodo comienza con el nacimiento del islam en el siglo VII y culmina en los siglos XII y XIII, de forma notoria en Toledo, España. En esa ciudad se reunieron durante esos siglos eruditos y traductores judíos, cristianos y musulmanes de todas partes de Europa y del Oriente Medio para realizar la enorme tarea de traducir los clásicos griegos y árabes a los nuevos lenguajes de Europa, echando así los cimientos de los nuevos idiomas y culturas que construyeron los puentes hacia el Renacimiento y el mundo moderno.

El tercer periodo clave es hoy. Todas las grandes civilizaciones del mundo están en movimiento. El mundo como un todo está siendo transformado como nunca antes en la historia, y al mismo tiempo se transforman los lenguajes. La traducción ha cobrado un significado como nunca antes desde la Edad Media. En medio de todo ese movimiento cultural se yergue la Biblia, el libro más traducido, más leído, más escudriñado, más estudiado y más amado.

¡Con cuánto amor y santa dedicación se han traducido las Escrituras a todas las lenguas conocidas! Los cristianos deseaban leer y escuchar en su propia lengua la Palabra de Dios. La bendición prometida en nuestro texto de hoy al que «lee, y [a] los que oyen las palabras de esta profecía». Hoy todos tenemos al alcance de nuestra mano la Biblia en nuestro idioma, privilegio del que carecieron generaciones anteriores.

No descuidemos ese privilegio. No seamos negligentes con esa bendición. Los que leen la Palabra de Dios son bienaventurados. Y si, por cualquier razón, tú que escuchas esta lectura no sabes leer, no te preocupes. Siéntate con reverencia en la casa de Dios y escucha cuando se lea la Palabra de Dios, y recibirás la bendición prometida.

Amós 5: 1 - 9: 15; Apocalipsis 1: 1 - 2: 29

Guardados de la hora de la prueba

En este texto se destacan con claridad dos conceptos. En primer lugar, habría una hora de prueba en la cual todos serían probados. En segundo lugar, el Señor protegería a quienes hubiesen guardado la palabra de su paciencia.

Esa «hora de la prueba» se refiere a un periodo inespecífico. «Hora» se usa aquí en el mismo sentido que en el capítulo 3: 3: «No sabrás a qué hora vendré sobre ti». En armonía con las repetidas referencias en el Apocalipsis a la inminencia del regreso de Jesús, la «hora de la prueba» sin duda se refiere a un gran periodo de prueba que antecede al segundo advenimiento (véase *Comentario bíblico adventista*, tomo 7, p. 775).

> Por cuanto has guardado la palabra de mi paciencia, yo también te guardaré de la hora de la prueba que ha de venir sobre el mundo entero, para probar a los que moran sobre la tierra.
> APOCALIPSIS 3: 10

La mayor prueba será la lucha contra "la bestia", su imagen, su marca y el número de su nombre. Será un conflicto de lealtades donde no se pedirá ni se dará cuartel. Todos los poderes de la tierra se confabulan contra el pueblo de Dios. Será, verdaderamente, «una hora de prueba». Serán completamente abandonados por la justicia humana. El mundo entero los declarará objeto de execración universal. Cuando llegue la hora de mayor oscuridad, de mayor peligro, de mayor angustia, Dios intervendrá. «Es a medianoche cuando Dios manifiesta su poder para librar a su pueblo. Sale el sol en todo su esplendor. Sucédense señales y prodigios con rapidez. Los malos miran la escena con terror y asombro, mientras los justos contemplan con gozo las señales de su liberación. La naturaleza entera parece trastornada. Los ríos dejan de correr. Nubes negras y pesadas se levantan y chocan unas con otras. En medio de los cielos conmovidos hay un claro de gloria indescriptible, de donde baja la voz de Dios semejante al ruido de muchas aguas, diciendo: "Hecho es"» (CS 694).

Dios intervendrá maravillosamente, como siempre lo ha hecho, para salvar a su pueblo. Como en el mar Rojo con Moisés, Aarón y María; como en el arroyo de Cisón, con Débora y Barac; como en el desierto de Tecoa, con Josafat y Jahaziel hijo de Zacarías. A nosotros nos toca esperar tranquila y confiadamente la salvación de Dios en «la hora de la tentación».

Abdías 1-21; Apocalipsis 3: 1-22

Profeta a regañadientes

> Levántate y ve a Nínive, aquella gran ciudad, y pregona contra ella; porque ha subido su maldad delante de mí.
>
> JONÁS 1: 2

En la contratapa de su libro *Jonás, el libro visto desde adentro,* Joan Davidson, dice: «Es posible que a usted también, como a muchos, el libro de Jonás lo haya perturbado. La actitud y la personalidad del profeta no concuerdan con la imagen que tenemos de lo que debe ser un mensajero de Dios. Ni siquiera concuerda con la imagen que tenemos de un cristiano. Jonás se negó a pregonar el mensaje y huyó del Señor, que lo había enviado a Nínive. Cuando Dios lo obligó a dar el mensaje y vio la extraordinaria conversión de todos los habitantes de la ciudad de Nínive, se enojó muchísimo "hasta la muerte".

»Los milagros obrados en su favor y la paciencia que Dios le manifestó no lo afectaron, al parecer, en lo más mínimo. El libro termina sin ninguna evidencia de que haya reconocido sus faltas y se haya arrepentido de ellas. De hecho, el libro termina con una pregunta de Dios que él no contestó».

Jonás: un libro y un profeta extraños de verdad. Pero, como dice la doctora Davidson, el personaje central del libro no es el gran pez, ni el profeta, sino Dios. Son la bondad, paciencia y amor de Dios lo que resplandece en libro. Es evidente que Jonás necesitaba comprensión. Parece que su familia había sufrido a manos de los asirios, cuya crueldad era proverbial. Eso explicaría, aunque no justificaría, la renuencia de Jonás a ir a predicar a Nínive. Como dice el canto de los Heraldos del Rey: «No es mi estilo predicarle a gente que preferiría verme muerto en vez de oírme».

Podemos aprender grandes lecciones de Jonás. Dios nos ha dado, como iglesia y como miembros individuales, un mensaje urgente para proclamar a un mundo sobremanera perverso. ¿Estamos predicando ese mensaje? ¿O, a semejanza de Jonás, estamos huyendo de Dios? Jonás, al menos, fue honesto y claro. Dijo que no quería ir, y no fue a Nínive. Después fue, pero porque Dios lo obligó. Y cuando predicó y vio los resultados, siguió siendo congruente con su renuencia inicial.

En cambio, nosotros, es posible que vivamos ignorando olímpicamente el mandato de Dios. Vivimos como si él nunca hubiera dicho: «Id a todo el mundo y predicad el evangelio a toda criatura».

Jonás 1: 1 - 4: 11; Apocalipsis 4: 1 - 5: 14

Nuestro Señor les dio a sus discípulos algunas señales de su segunda venida. No tantas, ni tan precisas como ellos, quizá, hubieran querido, sino las necesarias para sentir la necesidad de prepararse para encontrarse con él, en lo cual sí abundó. Como él les había dicho que Jerusalén caería «rodeada de ejércitos» y que después ocurriría el fin del mundo, ellos le preguntaron con más énfasis: «¿Qué señal habrá de tu venida y del fin del siglo?» (Mat. 24: 3).

En relación con su segunda venida mencionó la predicación del evangelio en todo el mundo. Pero

> Miré cuando él abrió el sexto sello, y he aquí hubo un gran terremoto; y el sol se puso negro como tela de cilicio, y la luna se volvió toda como sangre. Y las estrellas del cielo cayeron sobre la tierra, como la higuera deja caer sus higos cuando es sacudida por un fuerte viento.
>
> APOCALIPSIS 6: 12, 13

en el curso de su sermón profético dijo: «El sol se oscurecerá y la luna no dará su resplandor, y las estrellas caerán del cielo, y las potencias de los cielos serán conmovidas» (Mat. 24: 29). Como sabemos, estas señales son muy parecidas a las mencionadas en nuestros versículos de hoy.

Como dice C. Mervyn Maxwell: «Al comparar las dos listas, muchos estudiosos de las Escrituras se han convencido de que la lista que da Cristo en el sermón profético ya se ha cumplido en forma notable, y que la lista más larga que le dio a San Juan en el sexto sello ya se ha cumplido parcialmente. El cielo todavía no se ha retirado ni se ha producido el terremoto final. Pero las otras predicciones, dicen ellos, se han cumplido en el terremoto de Lisboa del 1 de noviembre de 1755, el día oscuro (junto con la luna enrojecida) el 19 de mayo de 1780, y el magnífico despliegue de estrellas fugaces en la madrugada del 13 de noviembre de 1833» (*El mensaje de Apocalipsis,* p. 194).

Oh, sí, las señales en el sol, la luna y las estrellas todavía son relevantes. Es cierto que se cumplieron hace mucho tiempo, pero cumplen las especificaciones que dio nuestro Señor. Sobre todo, siguen siendo una advertencia que debe inducirnos a prepararnos para estar listos para la venida del reino.

«Por tanto, también vosotros estad preparados; porque el Hijo del hombre vendrá a la hora que no pensáis». El propósito de las señales es advertirnos de la cercanía de su venida y de la necesidad de estar preparados para estar en pie.

Valor para vencer

> Estos son los que han salido de la gran tribulación, y han lavado sus ropas, y las han emblanquecido en la sangre del Cordero.
>
> APOCALIPSIS 7: 14

Los cristianos saben que el gran conflicto entre Cristo y Satanás terminará en medio de una gran lucha final que representará una gran tribulación para todos los fieles, de quienes se requerirá valentía y decisión.

Uno tiene más fuerza y valor cuando está convencido de la justicia de su causa. Eso ocurrió con Fernando de Magallanes. Había sido herido en batalla dos veces, y había quedado cojo en 1514, poco antes de entrar a servir al rey Carlos I de España, quien lo equipó con cinco naves para su empresa de circunnavegación del globo.

Ya en alta mar, afrontó grandes tribulaciones y adversidades. Una nave se hundió y otra desertó para volver a España. Al rodear la punta del continente sudamericano él y sus hombres tuvieron que hacer frente a severas tormentas. Lo peor fue que el agua y las provisiones comenzaron a agotarse. Después de cruzar el estrecho que ahora lleva su nombre, navegaron durante noventa y ocho días por el Océano Pacífico sin avistar ni una sola isla. El océano parecía estar totalmente desprovisto de peces. Las reservas de agua para beber, que ya estaban amarillentas, se racionaban por sorbos. «Mejor regresemos», le rogaban los marineros. «Ni pensarlo», dijo Magallanes. «Continuaremos aunque tengamos que comer el cordaje de cuero del barco».

Y así ocurrió. Para satisfacer el hambre los tripulantes masticaban pedacitos de madera y trozos del cordaje de cuero del barco, remojado en agua salada. Atraparon todas las ratas del barco y las comieron asadas.

Al poco tiempo la tripulación enfermó de escorbuto y muchos de los marineros murieron. En medio de una gran tribulación, llegaron finalmente a la isla de Guam, donde repostaron y recibieron aliento para continuar su peregrinación. Finalmente, llegaron a las Filipinas donde el héroe murió en una batalla contra los nativos. La muerte de Magallanes no impidió su victoria. Sus hombres, al mando de Juan Sebastián Elcano completaron la circunnavegación y llegaron a Cádiz, de donde habían salido, el 6 de septiembre de 1522.

Lo mismo ocurrirá con los valientes redimidos. Ni la tribulación, ni siquiera la muerte impedirá su victoria en el reino de Dios. Seamos valientes y decididos.

Miqueas 5: 1 - 7: 20; Apocalipsis 7: 1-17

21 diciembre

Una buena noticia

Los enemigos mencionados aquí por el profeta son los asirios, especialmente los habitantes de la ciudad de Nínive. El orgullo, la crueldad y la idolatría de Nínive habían llenado la copa de la ira de Dios. El mensaje de Jonás, que había inducido a sus habitantes al arrepentimiento, había sido olvidado. La ciudad había vuelto a caer en la iniquidad más desafiante, de modo que la misión de Nahúm fue predecir su destrucción.

> ¿Qué pensáis contra Jehová? Él hará consumación; no tomará venganza dos veces de sus enemigos.
> NAHÚM 1: 9

Nínive había desafiado a Dios; «imaginó mal contra Jehová, un mensajero perverso» (Nah. 1: 11). Ese mensajero fue el Rabsaces, que no solo habló contra Ezequías, sino que escribió cartas blasfemas contra el Señor del cielo y de la tierra (Isa. 37: 14). La respuesta de Dios llegó a través del profeta Isaías: «¿A quién vituperaste, y a quién blasfemaste? ¿Contra quién alzaste tu voz, y levantado tus ojos en alto? Contra el Santo de Israel» (Isa. 37: 23).

Por eso, la profecía de la destrucción de Nínive se convierte en una promesa de liberación eterna para el pueblo de Dios. «Aunque Nahúm aquí específicamente se refiere a la caída de Asiria, también puede pensarse que sus palabras describen la suerte final de todos los impíos, de quienes Asiria es un símbolo» (*Comentario bíblico adventista,* tomo 4, p. 1060).

Especialmente se refiere a la caída definitiva y eterna del impío principal del universo, Satanás. El decreto divino es: «Espanto serás, y para siempre dejarás de ser» (Eze. 28: 19). Nunca más volverá el universo a ver la rebelión, pues será desarraigada para siempre. «Todo el universo habrá visto la naturaleza y los resultados del pecado. Y su destrucción completa, que en un principio hubiese atemorizado a los ángeles y deshonrado a Dios, justificará entonces el amor de Dios y establecerá su gloria ante un universo de seres que se deleitarán en hacer su voluntad, y en cuyos corazones se encontrará su ley. Nunca más se manifestará el mal. La palabra de Dios dice: "No se levantará la aflicción segunda vez" (Nahúm 1: 9, VM)» (CS 558).

Esta, ciertamente, es una buena noticia. Esperemos que pronto se cumpla la promesa y veamos el mal, el pecado y el dolor desaparecer para no volverse a levantar nunca jamás.

362

Lobos nocturnos

Mas Jehová está en su santo templo; calle delante de él toda la tierra.
HABACUC 2: 20

La pregunta que muy a menudo se formulan los fieles es: «¿Por qué no escucha Jehová? ¿Por qué prosperan los malos y los buenos parecen sufrir desmesuradamente?» Ante estas inquietudes del profeta Habacuc, el Señor le revela que suscitará a los caldeos para que supongan una disciplina para el pueblo. Las once tribus del norte ya habían sido esparcidas entre las naciones y ahora Judá y Benjamín, que habían quedado, también estaban cayendo en el pecado de permitir que las cosas de los hombres prevaleciesen sobre las cosas de Dios.

Las perspectivas eran inquietantes, porque con la destrucción de Judá se perdería toda esperanza de la salvación de las naciones. Elena de White comenta al respecto: «Los profetas habían comenzado a predecir la destrucción completa de su hermosa ciudad, donde se hallaba el templo edificado por Salomón y donde se concentraban todas sus esperanzas terrenales de grandeza nacional. ¿Sería posible que Dios estuviese por renunciar a su propósito de impartir liberación a quienes pusiesen su confianza en él? Frente a la larga persecución que venían sufriendo los justos, y a la aparente prosperidad de los impíos, ¿podían esperar mejores días los que habían permanecido fieles a Dios?» (PR 284).

El castigo sería rápido y completo. El ataque de los caldeos sería súbito y la destrucción completa. El Señor le reveló a Habacuc: «Sus caballos serán más ligeros que leopardos, y más feroces que lobos nocturnos» (Hab. 1: 8). Los feroces lobos nocturnos hacen un trabajo completo de destrucción; no dejan ni los huesos para la mañana (Sof. 3: 3).

La perspectiva no era muy alentadora, a causa de la apostasía y la disciplina. Sin embargo, el Señor da aliento al profeta asegurándole que todo estaba en las manos de Dios. «Mas Jehová está en su santo templo; calle delante de él toda la tierra». (Hab. 2: 20) A pesar de su desaprobación por sus actos, el Señor siempre mantiene el control de su pueblo y de la misión que sus hijos tienen que cumplir en la tierra. Cada uno de nosotros debe vivir con esta seguridad. Dios está al mando de mi vida, está al mando de su iglesia, y está al mando de los acontecimientos.

Vivamos confiados en el Dios que nos asegura el cuidado y la victoria final de su iglesia y de su plan para salvar al hombre.

La tentación de lo imposible

ΑΩ **M**ario Vargas Llosa escribió un extraordinario libro con el título de nuestra meditación de hoy: *La tentación de lo imposible*. Es un análisis de la novela *Los miserables*, de Víctor Hugo. Dice que este, en el fondo, no se proponía en realidad escribir una novela, sino, como afirma el propio prefacio filosófico que pasó años escribiendo y que nunca terminó, «demostrar la existencia de una vida trascendente, de la cual la terrenal sería transitorio subproducto». El prefacio no anuncia una novela comprometida, arraigada en una problemática de aquí y ahora, sino la demostración teológico-metafísica de la existencia de una causa primera y el empeño de rastrearla en la "infinita" historia de los hombres. «No es la oposición entre justicia e injusticia social, sino la del bien y del mal, la que tiene en mente quien escribe el desmesurado y fascinante prefacio».

> Después hubo
> una gran batalla
> en el cielo: Miguel y
> sus ángeles luchaban
> contra el dragón;
> y luchaban el dragón
> y sus ángeles;
> pero no prevalecieron,
> ni se halló ya lugar
> para ellos en el cielo.
> APOCALIPSIS 12: 7, 8

Víctor Hugo se había propuesto la tentativa imposible de demostrar la existencia de Dios, describiendo el universo material y el espiritual, como el mismo Creador lo había hecho en la creación. Vargas Llosa cita a Lamartine, crítico de Víctor Hugo, quien dijo: «La más homicida y la más terrible de las pasiones que se puede infundir a las masas es la pasión de lo imposible».

Muchos seres humanos han padecido la tentación y la pasión de lo imposible. Pero quien lo padeció en grado sumo fue Lucifer, aquel querubín que un día dijo: «Subiré al cielo; en lo alto, junto a las estrellas de Dios, levantaré mi trono, y en el monte del testimonio me sentaré, a los lados del norte; sobre las alturas de las nubes subiré, y seré semejante al altísimo» (Isa. 14: 13, 14).

Lucifer se propuso derrocar a Dios, echarlo de su trono, y sentarse allí para ser Dios. Pero como para sacar a Dios de su trono sería necesario echarlo por la fuerza, «hubo una batalla en el cielo». El propósito era increíble: matar al Creador. Bien lo dijo Lamartine, sin darse cuenta cabal del inmenso significado de sus palabras: «La más homicida y la más terrible de las pasiones… es la pasión de lo imposible».

Cuidado con la tentación de lo imposible. La humildad y la obediencia por amor a Dios es la virtud suprema del cristiano.

Sofonías 1: 1 - 3: 20; Apocalipsis 12: 1-17

Dios es el dueño de todo

> «Mía es la plata,
> y mío es el oro»,
> dice Jehová
> de los ejércitos.
> HAGEO 2: 8

La declaración es tajante: Dios es el dueño de toda la plata y todo el oro del mundo. De todo lo que la ambición de los hombres ha desenterrado de las minas, y de todo lo que todavía está en las entrañas de la tierra. Todo es de Dios.

Aunque los seres humanos siempre se han apropiado de la plata y el oro que encuentran, en estos inicios del siglo XXI está ocurriendo un despertar de la filantropía, según afirma Samuel Greengar: «Los modernos Carnegies y Rockefellers están echándole combustible a un renacimiento de la filantropía norteamericana». En su artículo, titulado "Money for Nothing" [Dinero a cambio de nada], este autor cita la experiencia de Jon M. Huntsman, que creció en una casa de solo dos habitaciones, sin servicios de ninguna clase. Por eso, desde niño valoró la felicidad, sobre el materialismo. Después de servir en la Marina y ganar un salario de 320 dólares al mes, comprendió lo que significa vivir con muy poco. Después recibió una beca para estudiar en la universidad de Pensilvania, con la pobreza a cuestas.

Ahora, como multimillonario, tiene el propósito de cambiar al mundo. Un millón de dólares cada vez. Fundador y presidente de su empresa, Huntsman Corporation, de trece mil millones de dólares, está regalando su fortuna para cambiar el mundo. Huntsman dice: «Es esencial vivir una vida significativa y productiva. La filantropía nos da una enorme sensación de sentido en la vida. Mucha gente rica vive bajo la impresión errónea de que el verdadero significado del éxito financiero no es lo que usted gana, sino lo que usted guarda. En realidad es, en última instancia, cuán bondadoso es usted y cuánto puede hacer para que el mundo sea un mejor lugar para vivir».

Gracias a Dios, muchos hombres y mujeres de negocios adventistas ya saben eso desde antes, a través del plan de benevolencia sistemática, o plan de mayordomía cristiana. David también lo sabía muy bien. Por eso dijo: «Todo es tuyo, y de lo recibido de tu mano te damos» (1 Crón. 29: 14).

Conviene que haya un renacimiento de la fidelidad en nuestra iglesia. Hay muchos recursos en los bolsillos de los miembros. Si solo la parte que le pertenece a Dios de todo lo que poseen se lo devolvieran, habría recursos para todos los planes y proyectos que se requieren para terminar la misión.

25 diciembre

Nuestro objeto de adoración

L a realidad de lo que el Señor está haciendo hoy por nosotros deben darnos la certeza del mañana para así no desmayar ante las vicisitudes de la vida. Es una realidad incontrovertible que nuestro Señor será victorioso en la contienda final y el universo quedará limpio del pecado y de todo el sufrimiento que ha traído. Cuando a Juan, en su destierro en la isla de Patmos, se le dio el privilegio de contemplar lo que vendría después de las persecuciones que sufrían, vio al Cordero triunfante.

> Y miré, y he aquí el Cordero de pie sobre el monte Sión, y con él estaban los 144.000 que tenían su nombre y el nombre de su Padre escrito en sus frentes.
>
> APOCALIPSIS 14: 1

La persecución, el destierro, y la perspectiva de una muerte en soledad podrían haber hecho que Juan cayera en la desesperación, pensando que ya no había esperanza para la iglesia, que el mal triunfaría y que todo el sufrimiento por Cristo había sido en vano. Pero, gloria al Señor, el velo se levantó, y, para darle ánimo a Juan y la iglesia, el Señor le mostró al Cordero triunfante. El Cordero de pie sobre el monte Sión. El triunfo del Cordero estaba asegurado. A pesar de las dificultades momentáneas, el Cordero será victorioso. Aunque los seguidores de Cristo sufrían por no rendir homenaje al emperador, llegaría el día cuando podrían adorar al Cordero sin la interferencia del Imperio Romano.

Vio que el Cordero es el objeto principal de toda contemplación y actividad en el cielo. Nada cautivó tanto la atención de Juan como la escena de la adoración al Cordero. Esta era su esperanza; por ella sufría; por eso la iglesia padecía tan cruel persecución. Y al final… Al final, todo será posible. El Cordero, que nos había comprado por su sangre, podría ser adorado sin impedimentos. Él era el canto en los labios de todos los redimidos, era la admiración de todos los ángeles. A través de las lágrimas, Juan podía sonreír al ver la escena. Ya no más esconderse de los esbirros del imperio para adorar. Ahora el Cordero estaba a plena vista, en medio de los redimidos. Juan contemplaba una escena de adoración del Rey de reyes y Señor de señores.

El Cordero es digno de toda adoración y de toda admiración. Es el único que las merece. Estaremos allí para participar de esa escena tan maravillosa cuando el Cordero nos diga: «Bienvenidos. Entrad en el reino preparado para vosotros desde la fundación del mundo».

Zacarías 1: 1 – 3: 10; Apocalipsis 14: 1-20

Velad y orad

He aquí, yo vengo como ladrón. Bienaventurado el que vela, y guarda sus ropas, para que no ande desnudo, y vean su vergüenza.
APOCALIPSIS 16: 15

El Apocalipsis es un libro altamente simbólico, cuya interpretación encierra grandes dificultades. Los adventistas destacamos precisamente, desde el principio, por el estudio minucioso de estos complejos símbolos. Aunque casi todo en el Apocalipsis hace referencia al tiempo del fin, y se presentan indicios que permiten presagiar la venida del Señor, en medio de las profecías de Apocalipsis 16 hay una frase que es única, y cuya interpretación resulta más diáfana que la de otros pasajes del libro: «He aquí, yo vengo como ladrón. Bienaventurado el que vela» (Apoc. 16: 15).

La venida «como ladrón» no se refiere en sí a la experiencia desagradable de un desvalijamiento, sino a lo inesperado del acontecimiento. Es como si el Señor nos dijese: «Con todo lo que yo estoy dando como señales, todavía hay quienes no creen o, por lo menos, no se toman en serio la inminencia de mi venida». Como pueblo de Dios, debemos tomarnos muy en serio la venida de nuestro Salvador.

En medio de las profecías que están indicando claramente la cercanía de su venida, el Señor vio necesario hacer un llamamiento claro y sin simbolismos para que estemos atentos a su venida. Bienaventurado o feliz el que vela, pues no será sorprendido por la venida. No sentirá preocupación por los acontecimientos que vendrán sobre la tierra justamente antes de la venida. No habrá preocupación ni temor ante el inminente regreso del Señor. Los que felizmente estén velando no serán parte de los que exclamarán con terror a las rocas; «Caed sobre nosotros y escondednos del rostro del que está sentado en el trono». Más bien serán los que exclamarán con júbilo: «Este es nuestro Dios. Le hemos esperado y él nos salvará».

«El fin se acerca; avanza sigilosa, insensible y silenciosamente, como el ladrón en la noche. Concédanos el Señor la gracia de no dormir por más tiempo, como hacen otros, sino que seamos sobrios y velemos. La verdad está a punto de triunfar gloriosamente, y todos los que decidan ahora ser colaboradores con Dios triunfarán con ella. El tiempo es corto; la noche se acerca cuando nadie podrá trabajar» (5TS 228).

Zacarías 4: 1 - 7: 14; Apocalipsis 15: 1 - 16: 21

27 diciembre

Las dos Babilonias

Y en su frente
un nombre escrito,
un misterio: «BABILONIA
LA GRANDE, LA MADRE
DE LAS RAMERAS
Y DE LAS ABOMINACIONES
DE LA TIERRA».
APOCALIPSIS 17: 5

La lectura de hoy lleva el título de un libro: *The Two Babylons*, escrito por Alexander Hislop hace décadas. Según dicho libro, las dos Babilonias son espejo la una de la otra.

Una es la Babilonia del Éufrates, la gran ciudad de la antigüedad. Ciudad de templos y palacios, tenía 1.179 templos y 384 altares en las calles. En el corazón de la ciudad estaba el enorme centro religioso llamado Esagila, considerado el centro religioso del mundo, en cuyo centro se elevaba la torre Etemenanki, considerada «la piedra fundacional del cielo y de la tierra». Por eso Babilonia era considerada como la Morada o la Puerta de los dioses, el origen y centro de todas las tierras, el ombligo de la tierra y el centro religioso del mundo.

Es casi imposible comprender la importancia de Babilonia, la ciudad cuadrangular, la ciudad de oro, la ciudad eterna de la antigüedad. Babilonia tenía su río de agua de vida, llamado Éufrates, el río por antonomasia. La influencia intelectual, espiritual y moral de Babilonia en el mundo antiguo era como un vino embriagador que aturdía espiritualmente al género humano (Jer. 51: 7).

Por eso, en la Biblia, Babilonia se considera la capital del reino de Satanás, y una imitación y rival de la Nueva Jerusalén, la ciudad de oro, que tiene su río de agua de vida, la capital del reino y el gobierno de Dios. Babilonia fue el enemigo secular del pueblo de Dios. Los profetas Isaías y Jeremías describieron a aquel poder enemigo con abundancia de palabras y profusión de imágenes y símbolos.

La otra Babilonia es la del Apocalipsis, representación de los sistemas religiosos apóstatas a través de toda la historia. Esa «Babilonia la grande» que se menciona en nuestro versículo de hoy simboliza en un sentido especial a las religiones apóstatas que se unirán en el tiempo del fin. «Pero ahora es llamada "la grande" porque este capítulo trata más particularmente acerca del gran esfuerzo final de Satanás para lograr la lealtad de la raza humana por medio de la religión. "Babilonia la grande" es el nombre con que la inspiración se refiere a la triple unión religiosa del papado, el protestantismo apóstata y el espiritismo en los últimos días» (*Comentario bíblico adventista*, tomo 7, p. 865).

Zacarías 8: 1 - 9: 17; Apocalipsis 17: 1 - 18: 24

Las bodas del Cordero

> Gocémonos y alegrémonos y démosle gloria; porque han llegado las bodas del Cordero, y su esposa se ha preparado.
>
> APOCALIPSIS 19: 7

Pronto tendrá lugar un acontecimiento de la mayor importancia y de las mayores consecuencias en el universo: el Cordero de Dios se casará. ¿Cuál es el significado de esta ceremonia? ¿Por qué se le llama «las bodas del Cordero?» ¿Con quién se casará?

«Estas bodas consisten en que Cristo recibirá su reino, representado por la Nueva Jerusalén, y en su coronación como Rey de reyes y Señor de señores en el cielo cuando termine su ministerio sacerdotal, antes de que se derramen las plagas» (*Comentario bíblico adventista*, tomo 7, p. 885). Aquel que era «verdadero Dios, y la vida eterna» (1 Juan 5: 20), aquel que «en el principio... era con Dios, y... era Dios» (Juan 1: 1) dejó su gloria, entregó el cetro, y «no estimó el ser igual a Dios como cosa a qué aferrarse, sino que se despojó a sí mismo, tomando forma de siervo, hecho semejante a los hombres..., se humilló a sí mismo, haciéndose obediente hasta la muerte, y muerte de cruz» (Fil. 2: 5-8).

Cumplidos todos los extremos de su misión, derrotado en toda regla el archienemigo, el universo entero proclama al unísono una vez más que Dios «es la Roca, cuya obra es perfecta, porque todos sus caminos son rectitud; Dios de verdad, y sin ninguna iniquidad en él; es justo y recto» (Deut. 32: 4). Todos los seres creados que están «en el cielo, y sobre la tierra, y debajo de la tierra, y en el mar, y... todas las cosas que en ellos hay» declaran: «El Cordero que fue inmolado es digno de tomar el poder, las riquezas, la sabiduría, la fortaleza, la honra, la gloria y la alabanza... por los siglos de los siglos» (Apoc. 5: 12, 13).

Entonces el Hijo de Dios se sienta en el trono y es adorado por toda la hueste celestial, por todos los habitantes de los mundos no caídos y, especialmente, por todos los redimidos. «Como en la parábola de las diez vírgenes, los santos que esperan son representados como los invitados a la fiesta de bodas» (*ibíd.*).

Este glorioso acontecimiento es denominado "bodas" del Cordero, porque, como en un matrimonio, todos hacen un voto solemne de servir a Jesús y amarlo por toda la eternidad. Es como si repitieran el voto de Rut: «Nada ni nadie podrá separarnos de ti, por toda la eternidad». Aceptemos hoy la invitación para asistir a las bodas del Cordero.

La gran ciudad santa de Jerusalén

L a gran ciudad santa de Jerusalén, donde todos los cristianos esperamos encontrarnos con Jesús muy pronto, ya está construida. Juan escuchó la promesa de nuestro Señor antes de irse: «Voy, pues, a preparar lugar para vosotros» (Juan 14: 3), pero, varias décadas después, cuando estaba preso en la isla de Patmos, vio la ciudad ya terminada.

Tenía un muro grande y alto con doce puertas; y en las puertas, doce ángeles, y nombres inscritos, que son los de las doce tribus de los hijos de Israel.
Apocalipsis 21: 12

Es una «ciudad de doces», como dice C. Mervyn Maxwell. La ciudad tiene doce puertas: tres a cada uno de los cuatro lados del muro. Las puertas están hechas de grandes perlas traslúcidas. Hay un ángel de guardia en cada una de ellas. Cada una de las doce puertas lleva el nombre de una de las doce tribus de Israel. La ciudad tiene doce maravillosos fundamentos, hechos de piedras preciosas. En cada uno de los doce fundamentos se halla escrito el nombre de uno de los doce apóstoles. ¿Imaginas la emoción que sintió Juan cuando vio su nombre escrito en uno de los doce fundamentos?

Doce puertas, doce tribus, doce fundamentos, doce apóstoles. Hay quienes creen que el número doce es importante en la Biblia y que es el número del reino. Es probable que así sea. Pero es posible también que el Espíritu Santo solo haya querido hacer interesante y sugestivo el lenguaje y los símbolos que usa en el Apocalipsis para alentar a sus lectores a estudiarlo y escudriñarlo para comprender el mensaje divino que contiene.

«El cuadro es el de una ciudad antigua con muros y puertas; eran términos con los cuales estaba familiarizado el profeta, y la Inspiración escogió revelarle las glorias de la ciudad eterna en términos que él comprendía. La descripción y el lenguaje humano no pueden representar adecuadamente la grandeza de esa ciudad celestial. En una profecía pictórica, el grado de identidad entre la escena que se presenta y la realidad exige una cuidadosa interpretación» (*Comentario bíblico adventista*, tomo 7, p. 904). Aunque haya detalles que se nos escapen, hay algo que sí sabemos con toda seguridad: existe una maravillosa ciudad preparada para que vivan en ella los redimidos de Jehová.

Al acercarnos al final de este año, asegurémonos de que nuestro nombre esté escrito en el censo de los habitantes de esa ciudad celestial.

Zacarías 13: 1 - 14: 21; Apocalipsis 21: 1-27

Sí, ven, Señor

El que da testimonio de estas cosas dice: «Ciertamente vengo en breve». Amén; sí, ven, Señor Jesús.
APOCALIPSIS 22: 20

Hay un libro que se titula *20th Century Day by Day* [El siglo XX, día a día]. El subtítulo es: «Cien años de noticias: del 1 de enero de 1900 al 31 de diciembre de 1999». En ese libro quedan consignadas las noticias más estremecedoras que hicieron temblar a la humanidad durante el siglo fatídico. Por ejemplo, el 6 de agosto de 1945 los periódicos anunciaron: «Bomba atómica destruye Hiroshima; el Departamento de Guerra de Estados Unidos revela que se construyeron tres ciudades secretas para desarrollar la bomba».

Las reflexiones de los periodistas fueron: «La bomba atómica, una nueva arma de poder destructivo sin precedentes, ha puesto fin a la guerra. Dos bombas atómicas, lanzadas con solo tres días de diferencia, han destruido las ciudades de Hiroshima y Nagasaki». Una declaración japonesa dice que hubo un saldo de sesenta mil muertos en Hiroshima y diez mil en Nagasaki, con 120.000 heridos, y añade que «muchas personas están muriendo diariamente a causa de las quemaduras que sufrieron a causa de la explosión».

La humanidad tiene mucho aguante y no abandona fácilmente sus esperanzas. Para finales del siglo XX, las heridas de Hiroshima ya estaban curadas y el inicio del siglo XXI y del tercer milenio fue recibido con júbilo y con grandes esperanzas. Dos millones de neoyorquinos se reunieron en Times Square para ver fuegos pirotécnicos que costaron siete millones de dólares y para celebrar, de acuerdo a sus grandes esperanzas, el inicio del nuevo milenio.

Pero el 11 de septiembre del primer año del milenio murió toda esperanza. En cierta manera, terminó la *historia* y comenzó la *agonía* de la humanidad; terminó el sueño y comenzó la pesadilla. Desde entonces nadie sostiene con seriedad que la humanidad tenga un futuro sin fin.

Gracias a Dios, la solución apocalíptica no es terrorífica. Todos los problemas, todos los dolores y sufrimientos de la humanidad están a punto de terminar en el amanecer de la eternidad. Terminará «el imperio de la muerte» (Heb. 2: 14) y comenzará el de la vida (2 Tim. 1: 10). Preparémonos para vivir eternamente. Una forma eficaz de lograr esta preparación es leyendo el "año bíblico". Espero que hoy lo hayas terminado. La hora es solemne. Son momentos de decisión.

Malaquías 1: 1 - 4: 6; Apocalipsis 22: 1-21

No te olvides de las bendiciones

El final de un viaje difícil siempre trae felicidad. Así fue también para los hijos de Israel al entrar y establecerse en Canaán. Ya no habría más necesidad de desarmar y armar tiendas, no más miedo a las serpientes venenosas, no más batallas con los amalecitas, no más incertidumbres en el desierto. El

> Al otro día de la Pascua comieron del fruto de la tierra, los panes sin levadura, y en el mismo día espigas nuevas tostadas.
> JOSUÉ 5: 11

peregrinar había llegado a su fin. Al fin habían llegado a la tierra que fluye leche y miel y tenían la comida de la tierra para satisfacer sus necesidades. Ya no haría falta el maná, pues podrían sembrar, cosechar, y comer de la tierra.

Al fin, el inicio de un periodo de paz. Tenían por delante un año en que disfrutar de las bendiciones del cielo. Esto es lo que no se debe olvidar. El final del peregrinar tiende a causar el olvido de promesas hechas, de posibilidades contempladas y de necesidades que llevaron a arrodillarse. Al llegar el último día del año, nos concentramos en las fiestas y la alegría, pero no hay que olvidar que «hasta aquí nos ayudó Jehová». Es el tiempo de hacernos nuevos propósitos, pero sin olvidar que por la gracia de Dios hemos llegado hasta aquí. Al entrar en un nuevo año, no nos olvidemos de las promesas y las bendiciones prometidas y cumplidas en el año que termina.

Al hacer los propósitos para el nuevo año, que no sean para unas semanas nada más. Deben ser parte del rumbo de una nueva vida. No se debe olvidar que aunque estemos disfrutando de las bendiciones de un nuevo año, todo ha sido posible por la gracia y la misericordia de Dios. Las experiencias del año que llega a su fin debieran ser como un recordativo de cómo el Señor ha guiado en el desierto, y la certeza de que él estará con nosotros para el nuevo año.

Asentarse en la tierra que fluye leche y miel hizo que el pueblo se olvidara de la forma en que el Señor lo había guiado en el desierto, de cómo la columna de humo y fuego los había dirigido, de cómo el maná los había alimentado durante tanto tiempo, de cómo fluyó el agua de la roca para saciar la sed, de cómo el mar se había partido para dejar pasar y defender al pueblo de Dios.

No olvidemos el pasado. Ahora que estamos a punto de iniciar un nuevo año, es bueno recordar que Jehová nos ha guiado hasta aquí y seguirá guiándonos también en el año que va a comenzar en unas horas.

Repasa tus pasajes favoritos

Nunca sabrás que Dios es todo
lo que necesites hasta que el
sea todo lo que tengas.
Palabras sabias.

Cristian Solana:
P.O. Box 1613 Coats 27521
P.O. N.C.
_____

CSoLa33@Hotmail.com